中国近现代中医药期刊续编

第三辑

幸福杂志

王咪咪　侯酉娟◎主编

2022年度北京市优秀古籍整理出版扶持项目

北京科学技术出版社

图书在版编目（CIP）数据

幸福杂志 / 王咪咪，侯西娟主编. — 北京：北京科学技术出版社，2023.11
（中国近现代中医药期刊续编. 第三辑）
ISBN 978-7-5714-3365-9

Ⅰ. ①幸… Ⅱ. ①王… ②侯… Ⅲ. ①中国医药学—医学期刊—汇编—中国—近现代 Ⅳ. ①R2-55

中国国家版本馆CIP数据核字(2023)第206623号

策划编辑： 侍　伟　吴　丹
责任编辑： 吴　丹　杨朝晖　刘　雪
文字编辑： 王明超　刘雪怡　李小丽　毕经正
责任校对： 贾　荣
图文制作： 北京艺海正印广告有限公司
责任印制： 李　茗
出 版 人： 曾庆宇
出版发行： 北京科学技术出版社
社　　址： 北京西直门南大街16号
邮政编码： 100035
电　　话： 0086-10-66135495（总编室）　0086-10-66113227（发行部）
网　　址： www.bkydw.cn
印　　刷： 北京捷迅佳彩印刷有限公司
开　　本： 787 mm × 1092 mm　1/16
字　　数： 982千字
印　　张： 53.5
版　　次： 2023年11月第1版
印　　次： 2023年11月第1次印刷
ISBN 978 - 7 - 5714 - 3365 - 9

定　　价：890.00元

《中国近现代中医药期刊续编·第三辑》
编委会名单

序

2012年，上海段逸山先生的《中国近代中医药期刊汇编》（下文简称"《汇编》"）出版，在中医界引起了广泛关注。这部汇集了众多中医药期刊的著作为研究近代中医药发展提供了宝贵的学术资料。在《汇编》的影响下，时隔7年，中国中医科学院中国医史文献研究所的王咪咪研究员决定仿照《汇编》的编纂模式，尽可能地将《汇编》中未收载的中华人民共和国成立前的中医药期刊进行搜集、整理，并将其命名为《中国近现代中医药期刊续编》（下文简称"《续编》"）。

尽管《续编》所收载期刊的数量与《汇编》的相当，但其总页数仅为《汇编》的1/4，约25 000页。《续编》中绝大部分内容为中医期刊及一些纪念刊、专题刊、会议刊。除此之外，还收录了1915—1949年《中华医学杂志》（合计35卷，近300期）中与中医发展、学术讨论等相关的200余篇学术文章，其中包括6期《医史专刊》的全部内容。值得注意的是，《续编》还收录了1951—1955年、1957年、1958年出版的《医史杂志》。尽管这与整理中华人民共和国成立前期刊的初衷不符，但是段逸山先生已将1947年、1948年（1949年、1950年《医史杂志》停刊）的《医史杂志》收入了《汇编》。王咪咪等编者认为，将这7年的《医史杂志》全部收入《续编》，将使《医史杂志》初期各种学术成果得到更好的保存和利用。我认为这将是对段逸山先生《汇编》的一次富有学术价值的补充与完善，对中医近现代的学术研究，以及对中医的整理、继承、发展都是有益的。医学史的研究范围不只是中国医学史，还包括世界医学史，医学各个方面的发展史、疾病史，以及从史学角度探讨医学与其关系等。《续编》中收载的文章虽有些出自西医学家之手，但提出来的问题对中医发展具有极大的推进作用。例如，陈邦贤先生在《中国医学史》的自序中指出："世界医学昌明之国，莫不有医学史、疾病史、医学经验史……岂区区传记遽足以存掌故资考证乎哉！"陈先生将他所研究内容分为三大类："一关于医家地位之历史，一为医学的知识之历史，一为疾病之历史。"医学史的研究具有连续性。例如，在中华人民共和国成立初期，《医史杂志》登载了一系列具有开创性和历史性的文章，无论是陈邦贤先生对医学史料的连续性收集，还是李涛先生对医学史的断代研究，都对医学史的研究做出了重要贡献。范行准先生的《中国预防医学思想史》《中国古代军事医学史的初步研究》《中华医学史》等，具有极高的学术价值，自出版以来未曾被超越。这些文献多距今已近百年，能保存下来的十分稀少。今天能把这样一部分珍贵文献用影印的方式保存下来，是对这一研究领域最大的贡献。此外，将1951—1958年期间的《医史杂志》也纳入收载范围，完整保留医学史学科在20世纪50年代的研究成果，这很好地保持了学术研究的连续性，故而我对主编的这一做法表示支持。

《续编》借鉴了段逸山先生《汇编》的编纂思路，旨在更为全面地保存和整理中华人民共和国成立前的中医及相关期刊。愿中医人利用这丰富的历史资料更深入地研究中医近现代的学术发展、临床进步、中西医汇通实践、中医教育改革等，以更好地继承、挖掘中医药这一伟大宝库。

李经纬 九十老人

2019年11月于中国中医科学院

前　言

《汇编》主编段逸山先生曾总结道，中医相关期刊文献凭借时效性强、涉及内容广泛、对热门话题反应快且真实的特点，如实地记录了中医发展的每一步，展现了中医人为中医生存而进行的每一次艰难抗争，是记录中医近现代发展的真实资料，更是我们今天进行历史总结的最好参考资料。因此，中医药期刊不但具有很高的文献价值，还对当今中医药发展具有很强的借鉴意义。

本次出版的《续编》具40余册之规模，主要收载了段逸山先生《汇编》中未收载的中华人民共和国成立前50年间的中医相关期刊，以期为广大读者进一步研究和利用中医药近现代期刊提供更多宝贵资料。

《续编》所收载期刊的时间跨度主要集中在1900—1949年。之所以不以1911年作为界限，是因为《绍兴医药学报》《中西医学报》等一批在社会上具有深远影响力的中医药期刊是在1900年之后才陆续问世的。这些期刊开始关注并讨论中医的改革、发展等相关话题，是承载那段岁月的重要历史载体。

在历史的长河中，50年或许很短暂，但在20世纪上半叶的50年却是中医曲折发展并产生深远影响的50年。随着西医东渐，中医在中国社会上逐渐失去了主流医学的地位，学术传承面临危机，以至于连中医是否能名正言顺地保存下来都变得不可预料。因此，能够反映这50年中医发展状况的期刊便成为重要的历史载体。据不完全统计，这批文献有1 500万～2 000万字，包括3万多篇涉及中医不同内容的学术文章。虽然这50年间所发生的事件都已成为历史，但当时中医人所提出的问题、争论的焦点、未完成研究的课题一直在延续，促使今天的中医人要不断地回溯过去，思考答案。

中医究竟是否科学？如何改革才能使中医适应社会需要并有益于其发展？120年前，这些问题就已经在社会上引发广泛讨论。在现存的近现代中医药期刊中，有关这类主题的文章不下3 000篇。

关于中医基础理论的学术争论仍在继续：阴阳五行、五运六气、气化的理论要怎样传承？怎样体现中国古代的哲学精神？在这50年间涌现出不少相关文章，其中有些还是大师之作，对延续至今的这场争论具有重要的参考价值。

像章太炎这样知名的近代民主革命家，曾对中医的发展有过重要论述，并发表了近百篇的学术文章。他是怎样看待中医的？他的观点可以在这些期刊中找到答案。

最初的中西医汇通、结合、引用对今天的中西医结合有什么现实意义？中医如何在科学技术高度发达的现代社会中建立起完备的预防、诊断、治疗系统？这些文章可以给我们以启示。

为适应社会发展，中医院校应该采取何种办学模式？中医教材应该具备哪些特点？在收集期刊的过程中，我们发现仅百余种期刊中就有50余位中医前辈所发表的20余类80余种中医教材。以中医经典的教材为例，有秦伯未、时逸人、余无言等大家在不同时期从不同角度撰写的《黄帝内经》《伤寒论》《金匮要略》等教材20余种，它们在学术性、实用性上堪称典范。然而，由于当时的条件所限，这些教材只能在期刊上登载，无法正式出版，因此很难保存下来。看到秦伯未先生所著《内经生理学》《内经病理学》《内经解剖学》《内经诊断学》中深入浅出、引人入胜的精彩章节时，联想到现在许多中医学生在读了5年大学后，仍不能深知《黄帝内经》所言为何，一种使命感便油然而生。我们真心希望尽可能地将这批文献保存下来，为当今的中医教育、中医发展尽一份力。

中华人民共和国成立前这50年也是针灸发展的一个重要阶段，在理论和实践上都有很多优秀论文值得被保存下来。除承淡安主办的《针灸杂志》专刊外，其他期刊上也有许多针灸方面的内容是研究这一时期针灸发展状况的重要文献。

在中医的在研课题中，有些学者在做日本汉方医学与中医学的交流及相互影响的研究，而这一时期的期刊中保存了不少当时中医对日本汉方医学的研究成果。但如今这些最原始、最有影响的重要信息载体却面临散失的危险，保护好这些文献可以为相关研究提供强有力的学术支撑。

在这50年中，以期刊为载体，一门新的学科——中国医学史诞生了。中国医学史首次作为独立学科出现在世人面前，为研究中医、整理中医、总结中医、发展中医，把中医推向世界，再把世界的医学展现于中医人面前，做出了重大贡献。创建中国医学史学科的是一批中医专家和一批虽出身于西医却热爱中医的专家，他们潜心研究中医医史，并将其成果传播出去，对中医发展起到了举足轻重的作用。《古代中西医药之关系》《中国医学史》《中华医学史》《中国预防医学思想史》《传染病之源流》等学术成果均首载于期刊中，作为对中医学术和临床的提炼与总结，这种研究将中医推向了世界，也为中医的发展坚定了信心。这些医学史文章大都较长，因此在期刊上发表时大多采用连载的形式进行刊登。此外，这类文章也需要旁引很多资料。为了帮助读者更全面、连贯地了解医学史初期的演变过程，以及该学科对中医发展的重要作用，我们决定将《医史杂志》的收集范围定为1958年之前刊行的内容。《医史杂志》创刊于1947年，在此之前一些研究医学史的专家利用西医刊物《中华医学杂志》发表文章，从1936年起《中华医学杂志》不定期出版《医史专刊》。（《中华医学杂志》是西医刊物，我们已把相关的医学史文章及1936年后的《医史专刊》收录于《续编》之中。）这些医学史文章的学术性很强，但其中大部分只保存在期刊上，一旦期刊散失，这些宝贵的资料也将不复存在，如果我们不抢救性地加以保护，可能将永远看不到它们了。

此外，值得一提的是，近现代期刊中的这些文献不只是资料，更是前辈们智慧的结晶，我们应该尽最大的努力把这批文献保存下来。这50年的中医期刊、纪念刊、专题刊、会议刊等，都为我们提供了一段回忆、一个见证、一种警示、一份宝贵的经验。这批1 500万～2 000万字的珍贵中医文献已到了需要保护、研究和继承的关键时刻，它们大多距今已有百年，那时的纸张又是初期的化学纸，脆弱易老化，在百年的颠沛流离中能保留至今已属万分不易，若不做抢救性保护，就会散落于历史的尘埃中。

段逸山先生、王有朋先生等一批学术先行者们以高度的专业责任感，克服困难领衔影印出版了《汇编》，以最完整的方式保留了这批期刊的原貌，最大限度地保存了这段历史。《汇编》收载的48种期刊的遴选标准为中华人民共和国成立前保留时间较长、发表时间较早、内容较完备，其体量是中华人民共和国成立前中医药期刊的2/3以上，但仍留有近1/3的期刊未被收载出版。正如前面所述，每多保留一篇文献就是在多保留一点历史痕迹，故对《汇编》未收载的近现代中医药期刊进行整理出版有着重要意义。

北京科学技术出版社有限公司秉持传承、发展中医的责任感与使命感，积极组织协调《续编》的出版事宜。同时，在该出版社的大力支持下，《续编》入选北京市优秀古籍整理出版扶持项目，为其出版提供了可靠的经费保障。这些都让我们十分感动。希望在大家的共同努力下，我们能尽最大可能保存好这批珍贵期刊文献。

近现代中医可以说是对旧中医的告别，也是更适应社会发展的新中医的开始，从形式上到实践上都发生了巨大的改变。这50年中医的起起伏伏、学术的争鸣、教育的改革、理论与临床的悄然变革，都值得现在的中医人反思回顾，而这50年的文献也因此变得更具现实研究意义。

《续编》即将付梓之际，我代表全体编委向曾给予本书出版大量帮助和指导的李经纬、余瀛鳌、郑金生等研究员表示最诚挚的感谢。

王咪咪

2023年2月

内容提要

本书是《中国近现代中医药期刊续编》第一辑、第二辑的延续之作，又为收官之作，收录了包括《医学扶轮报》在内的文献11种。

本书所收录的期刊除来自江浙一带外，尚有广东、山东、四川等地方性中医期刊。受环境和经费等因素的限制，地方性期刊通常存续时间较短、存留期数有限，能够保存至今实属不易。本次将有较高学术价值、历史意义且保存比较完整的地方性中医药学术期刊整理、影印出版，不仅有助于完善近代中医药发展脉络，而且可以间接反映出一些地区近代中医药发展情况，让更多人看到近代地方中医工作者为了传承和发扬中医所做出的努力与贡献。

《医学扶轮报》

中西医汇通报刊，1910年创刊，月刊，发起人为吴鹤龄，扬州南河下中西医学研究会发行，现存1～6期（1910年）。

此刊在第1期的发刊词中详细介绍了办刊宗旨："世界医学开化以吾中国为最先，秦汉以后虽见退化，然犹代有贤豪，如孙思邈之褒集古方，许叔微之传记方案，张子和之发明三法，李东垣之发明脾胃……倘能举中国古今来固有之医学与今日东西洋之学说，合一炉而熔冶之，取其精华，弃其糟粕，实事求是，锐志图存，安见吾中国医学不能驾东西洋而上哉！"这是出版此刊的初衷，也是目标。

此刊内容既有中医学术，也有西医学知识。当时西医东渐对中医学的发展具有重大影响，此刊第 1 期第 1 篇文章即陈邦贤先生的《中西医学分科相同论》，第 2 期则有袁焯的《论今日医学界急宜扩张其势力以图自存》，可见此刊编者对中医结合西学非常重视。此刊所载文章学术水平较高，其中《心理疗病法》《切脉为传声之学说》《脑与心互为功用说》《痘科明辨》《察舌辨证法》等文章有很高的临床价值。另外，此刊还引录了许多优秀医案，如《扁仓医案合解》《勉吾轩医案》《春泽堂医案》《春在寄庐医案》《杏雨草堂医案》等。

《现代国医》

中医学术期刊，1931 年创刊，月刊，谢利恒主编，上海市国医公会发行，现存第 1 卷 1 ~ 6 期、第 2 卷 2 ~ 7 期（1931—1932 年）。

此刊编委会成员均为中国近代名中医，包括丁仲英、蒋文芳、陆士谔、吴克潜、张赞臣、陈存仁、秦伯未等。此刊设有医事杂评、言论、专著、学说、医案、方剂、纪载、案牍等栏目。在第 1 卷第 1 期的医事杂评中，谢利恒先生写道："吾今不辨国医之是否不合科学，独问国医之是否不适于现代社会？从国内观之，西医之不能战胜国医，固成绩昭著。即从国外观，德美之赞美中药，日本之复兴汉医……不在国医学术之本身上，而在国医之缺乏时代精神耳。"从这段杂评可以看出将此刊定名为《现代国医》的初衷。

此刊内容丰富，涉及中西汇通、中医办学相关内容。此刊第 1 卷第 1 期就刊登有商复汉的《中西医治疗之比较》、聂崇宽的《中西医之科学观》、严苍山的《中西医之门户见》、胡树百的《中西医之脏燥病比观》等多方面阐明对中西医学汇通看法的文章。首刊刊登了秦伯未的《医校之教材问题》一文，此文提出了当时中医发展迫切需要解决的关键问题。此刊第 2 卷第 2 期特别设立了"中国医学院专号"，专门刊登医学院教师职工的中医研究论文及中医学生的研究成果，以增加中医院校在社会上的影响力。此刊还刊登了有关中医发展问题的文章，如日本富士川游的《日本医学之变迁与中国医学及西洋医学》、郑守谦的《各国趋重中医学说》、李怀仁的《中国医药研究之法门》、姜子房的《中医与中药同时改进说》、陆士谔的《论国医》、俞大同的《中央国医馆与振兴中医药具体方案》等，对中医的发展和改革提出了多种可期的设想。

此刊收录了诸多学术水平较高的名家论述，如朱懋泽的《伤寒温病之我见》和《气病概论》、胡安邦的《伤寒以六方提纲论》和《书阴阳应象大论后》、王辉中的《外感成温与伏气成温的研究》等。此刊亦登载了一些知名医家的医案，如《一瓢砚斋医案》《碧荫书屋新医案》《潜庐医案》《澄斋医案》《尤在泾晚年医案》等。

此外，需要说明的是，在第2卷第2期封面上清晰地标注着“第二卷第二期”字样，但其目录页却标为“第二卷第八期”，此期又为“中国医学院专号”，其目录与正文内容完全相符，故目录中的“第八期”为误。这种文字错误在第2卷第7期也出现了。第2卷各期出刊时间均为民国二十一年（1932年），第2卷第7期却注为“民国二十年（1931年）”。此刊各期也并非完全按月出刊，如第2卷第3期出刊时间为1932年1月，但第2卷第4期的出刊时间是1932年8月。故读者应以各期实际内容为准，注意时间标注即可。

《中国医学月刊》

中医学术期刊，1928年创刊，不定期，现存1～11期（1928—1931年）。

此刊有一篇很有特色的发刊词，提出中医应勇于革新，向西医学习，指出中医不能“只知抱残守缺，凭借特效之方药以自足，绝不思极深研几，以求学理至当……急起整理，力谋发新，焉可墨守旧说，划地自限，不事创作……抑集思广益以求迈越于西医乎！由前之说，则必尽弃其学，醉心欧化，如戴季陶先生所言，近时青年对于五十年前读物便不肯寓目，是直丧心病狂，自暴自弃，既显示我国无一学术可以独立，尚能免除劣等民族之恶谥乎，此则一国人民之奇耻大辱，非仅医学本身问题而已也……为谋人类健康问题、生命问题，关系至重，本极艰难困苦，而在个人，则有学术之兴趣，引人入胜，不能自已者也。现在受环境压迫，既不能望有力者之提倡，惟凭借社会之信仰，勉自支撑，若再不从学术根本上谋其发展，吾恐数千年圣哲相传无尽藏之义蕴，皆将自吾而斩。医学亦随此潮流而汩没不复矣。故就医论医，吾人应急起直追，以冷静态度，做忍耐工夫，出之以敏锐之视察力，绵密之思考力，精微之判断力，以引动其日新月异自得之兴趣，为中国医学放一异彩，开一新纪元”。

20世纪20年代末正是中医发展最艰苦之时，此发刊词不仅体现了办刊宗旨，更反映出当时的中医人对中医改革的强烈愿望。当时的中医人坚信“吾国固有宝藏，得以由整理而尽泄，俾出陈而发新”，并且对中医的改革发展有着明确的目标和长期奋斗的思想准备。此发刊词鼓舞着新一代中医人不断前进。

此刊发刊地为上海，现存的部分没有关于主编、编委会组成的介绍，但从所载文章可知此刊主编应为民国著名医家陆渊雷。此刊1～7期连载了陆渊雷先生的《改造中医之商榷》一文（其中第6期无刊载），这篇数万字的文章中讲到了改造中医之动机、医药的起源是单方、《内经》学说之由来、病理学说与治疗方法之不相应、中西学派之不同、中国的科学趋势、唐宋以后的医学、伤寒之外没有温热、中医方药对于证有特效对于病无特效、中医不能识病却能治病、中医有吸收科学之必要、科学头脑与中国学术的柄凿、细菌原虫非绝对的病源等，这些内容对中西汇通初期一些存在争议的问题明确地提出了自己的观点，吸引着当时的中医人投身到中医继承、改革的队伍中来。陆渊雷先生的这篇文章不仅是几十年前有关中医改革问题的宝贵历史资料，而且对今天的中医发展具有借鉴意义。

此外，此刊还刊有研究医经及临床疾病的70余篇学术论文，这些论文充分体现了此刊的学术价值。

《卫生杂志》

中医学术期刊，1932年创刊，月刊，张子英主编，中医书局发行，现存第1～2卷1、2、5、6、8及13～20、22～24期，第3卷5～6期，以及第4卷1～5期（1932—1935年）。

此刊在“编辑大意”中描述了创刊目的：“我国卫生问题太不讲究，死亡率来得很高……使人人都知道卫生问题的紧要，同时发扬我国医药的精华……非但不反对西药，不攻讦西医，又共同联络研究。”刊中有多幅名人题词，如谢利恒先生的“吾道干城”、蒋文芳先生的“养生宝筏”及钱今阳先生的“康强之道”等。

此刊不仅载有常见病防治方面的文章，如《冬日滋补问题》《皮肤病与血液之关系》等，还收录了《痢疾商榷》《肺结核之超早期诊断》《疟疾经验谈》《喉痧与白喉之别》等涉及传染病防治内容的文章。同时，此刊还设立有特别专刊，对日常多见疾病的相关知识加以普及。例如，“性病专号”收录了有关性病、白带、男女之阴阳痿病等的文章；“服装专号”收录了有关服装与疾病关系等的文章。

另外，此刊也收录了有关学术讨论、医案验方等的论文，如《内科病理治疗大要》《六气致病之原理》《骨蒸的病原和证状》《国医三焦通义》等；同时还收录了一些具有前瞻性的文章，如《中西医学术之趋向解》《中西医药优劣平议》《中医学理是否合乎科学平议》《国医以维护同道改进学术为先务》《关于医药之空间性的讨论》等。

《大众医学月刊》

中医学科普期刊，1932年创刊，月刊，杨志一主编，大众医刊社发行，现存第1卷1～12期（1932年）。

此刊可谓是中西医汇通临床应用的百科全书。其内容十分广泛，包括卫生常识、胃病指南、吐血概论、四季时症、精神病学、肺病讲义、脑病研究、大众医药顾问、小药囊等。此刊所载文章的作者有杨志一、时逸人、张山雷、宋大仁、尤学周、蔡济平等，他们都是当时的名医大家。

在此刊第 3 期中宋大仁写道："伤风……最初为呼吸郁闷，其次为鼻炎，鼻流清涕，发热咳嗽。其在消化器之病，为口中无味，食欲不振，或则腹痛，或下痢，或则为春温诸病，久咳则延成肺痨……通用金沸草散、川芎茶调散加減。有虚体受风，屡感屡发，形气病气俱虚者，又宜顾正解肌，亦不可专泥发散。正气益虚，腠理益疏，病反增矣。李士材曰：风邪伤人，必从俞入，俞皆在背，故背常固密，风弗能干。已受风者，常曝其背，使之透热，则默散潜消矣。"第 4 期中则有一篇探讨食补、药补的文章，该文章提到："食补之原素，一为炭水化物，二为蛋白质，三为脂肪质，四为无机物质，五为维他命，凡此种种，多混合于谷畜果蔬之中。药补之功能，一为温补，能使神经活泼，局部血行畅利，加增脏腑阳气，二为凉补……食补为日常所需要，药补为一时所需要。"此刊还设有"小药囊"栏目，以西医学科对所列各药进行分类，并以中医知识对其进行解说。

由以上内容可以看出，当时中医学者对西医理论的接受程度很高，且西医理论已得到一定的普及。因此，此刊在当时具备了较高的科学性与实用性，同时具有时代价值，值得后世研究。

《幸福杂志》《丹方杂志》

《幸福杂志》：中医验方验案期刊，1933 年创刊，月刊，朱振声主编，上海幸福书局发行，现存 1 ～ 8、11 ～ 12 期（1933—1934 年）。

《丹方杂志》：中医验方期刊，1935 年创刊，月刊，朱振声主编，上海幸福书局发行，现存 1 ～ 12 期（1935—1936 年）。

《幸福杂志》每期列有 10 ～ 12 个专题，其重要内容会在多期中连载，如"胃病研究""吐血概论"等。此刊还载有"长篇专著"，向读者介绍优秀的中医著作，最大程度地向读者普及医学知识，介绍各类疾病的治疗方法。

《幸福杂志》内容全面、浅显易懂。此刊重视养生，所载文章观点独特。如有文章提出要养成良好的卫生习惯，不要吸烟；吃饭要细嚼慢咽，不使脾胃受损；要注意食品卫生、居室卫生、个人卫生等。此刊收载了有关各类人群精确细致的养生方法的文章。

如有文章认为健忘大多由精神衰弱引起，健忘者在生活中要保护与保养脑力，不要过多刺激，勿用脑过度；小儿要注意睡眠卫生；女性要注意月经卫生、孕期卫生、产褥卫生、女子阴部卫生等；要从环境、心理、饮食等多方面对病人进行调理。

此刊的撰稿人多为当时的临床名家，他们所撰有关各种常见病的文章都具有较强的实用性，可称得上是当时的常见疾病手册。例如，尤学周的《脾胃虚弱之简治法》《胃气痛》《胃酸过多》，丁仲英的《胃病与失眠》《胃口不开》，陈存仁的《吐血治疗大要》，严苍山的《便血之研究》，张锡纯的《因凉而得之吐血治法》等。由于这些文章为读者提供了许多疾病的防治知识，因此，此刊成为20世纪30年代具有较大社会影响力的刊物。

1935—1936年，为扩大影响力，《幸福杂志》更名为《丹方杂志》，专门收载有关民间丹药验方之应用研究的文章。尤学周在《丹方杂志》的序中写道："今有《丹方杂志》之刊行，探秘搜奇，深入民间，将灵方妙药尽量披露，介绍于人群，不特为病者谋幸福，而国医药前途亦发见不少光明，实堪钦佩。"张赞臣则在序中表示："今朱君有鉴于此，搜集古来丹方，以为骨干，下及近世丹方，旁及乡村丹方，秘及私家丹方，而为之五官百骸，编为杂志，非其体，达其用，以为苍生。"另外，此刊主编在自序中写道："而于无意中发见不少治病之法，今之所谓丹方者，即道家所赠遗之品也。道家推千其教义，深入民间，同时为人治病，以眩其术，以坚人信仰，丹方亦传入民间，书中偶有记载，皆由道听途说，偶然录下者。关于单方之专书，则少有所见，鄙人于丹方之应用，往往发见不可思议之效力，对于丹方之信力甚坚，故有本刊之发行。"此刊12期共登载了约千首治疗临床各科疾病的方剂，其价值有待后人进一步挖掘。

《中国医药杂志》

中医学术期刊，1934年创刊，月刊，赵恕风主编，中国医药研究社发行，现存第2卷1～12期（1935年）。

此刊为地方性中医药期刊，内容广泛。此刊设有学说、临床各科、医案、验方、来函等栏目，并且非常重视学术讨论，如刊登了唐映书的《瘟疫与温病不同说》、姚肃吾的《春令流行性时疫的病因和治法》、单生文的《中医学理之科学观》、梁惠群的《湿温病与伤寒少阳病异同之点》、林志生的《论气血与风》等。

此刊实用性较强，较为重视验方和医案。除刊登了《隔食症验方》《治疗淋病的效方》《经过实验的喉病奇方》等验方类文章外，还刊登了《治验笔记》《诊伤寒笔记》《论瘟疫之症治》《咳嗽论治》等医案类文章，并引录《植林医庐笔记》《也是斋随笔》及邢锡波的《怀葛斋医案》等。另外，此刊也连载了一些有实用价值的书籍，如《张五云痘疹书》。

综上所述，此刊在一定程度上起到了传播和推广地方中医药的作用。

《医药改进月刊》

中医学术期刊，1941 年创刊，月刊，本刊编审委员会主编，现存第 1 卷 1 ～ 12 期（1941—1942 年）。

此刊发行于四川成都，为地方性中医药期刊。此刊第 1 期的发刊词阐明了创刊宗旨："本社有鉴于此，乃联合同志创办社刊，特辟学术论文、学术研究、整理珍闻等各栏，意在以科学之方法，发皇古医之奥义，且整齐同一步调，一致向前，务使古圣之遗意无余，中西之各美兼备，而我国医之伟迹长留于万世，始可稍尽本社同人之素志。"为体现创刊宗旨，此刊第 1 卷第 1 期便刊载了具有针对性的论文，如《我们对于国医科学化的意见》《为什么要改进中医》。第 2 期《中医管理权》一文指出："我们主张西医应该研究中医学术，中医也应该研究西医医理，两者融会贯通，自不难产生新的医术，为世界医学放一异彩。"此刊连续数期刊登的评论文章《对于建设中国本位医学的意见》对当时中医的改革与发展具有较大影响。

此刊比较注重经方的学习与应用，除刊登一般性中医学术研究文章外，每期都刊登有关于经方的文章，如《桂枝十九方合论》《甘草干姜汤》《芍药甘草汤》《三承气汤麻仁丸》《大青龙汤》《四逆十一方合论》《理中九方合论》《泻心十一方论》等，非常值得经方研习者及临床医生研究学习。

从以上内容可以看出，此刊学术水平很高，是近代中医期刊中的上乘之作。

《广东医药旬刊》

中医学术期刊，1943 年创刊，旬刊，吴粤昌主编，广东医药旬刊社发行，现存第 2 卷 1 ～ 8 期（1943 年 7—11 月）。

此刊是地方性中医药期刊，内容丰富，有较强的理论性与学术性，连载了较多理论性文章，如梁荫天的《中医学术源流》、梁乃津的《略论中西医学之特质及中西汇合问题》、曾天治的《整理中国医学之我见》、蔡适季的《现阶段中医进修问题》等。

其中，《现阶段中医进修问题》具有很强的前瞻性与实用性，其内容包括中医进修的意义、步骤、原则、条件、方式及方法等，对当时乃至现在的中医药发展都有很强的指导意义。

此刊保留了许多具有全局性的中医学术文章，如姜春华的《伤寒新论》及《中医基础学》、钟春帆的《近世内科学》、梁乃津的《霍乱》、缪俊德的《疾病之本相与现象》、袁鉴韬的《中国物理医学之针灸》等。

另外，此刊还刊登了《本草胜识》《中医应用处方集》《实用方剂学总论》《药物各论》等长篇文章，这些文章展现了当时一批致力于研究、发展中医的学者们的学术思想，虽然数量有限，但值得被保存和研究。

《医药卫生专刊》

又名《济世日报佑仁医药卫生》，中医学术期刊，1947 年创刊，周刊，施今墨主编，济世日报社发行，现存 1 ~ 15 期（1947 年）。

此刊的办刊宗旨是“建医、强种、救国”，即“不攻击西医，也不攻击中医，我们一心一德，把中西各方真实的医药卫生常识，介绍给水深火热中的同胞，同时提供有心沟通中西学术的朋友，及贤明当局，作为参考的资料”。

此刊与报纸类似，没有栏目分类，每期 20 余页。每期都有相当篇幅的普及卫生知识的内容，如《细菌常识》《为什么会发炎》《蛔虫的生活史》《如何避孕》等。此刊既收录有《伤寒质难》《国药性赋》《法定传染病概说》等学术文章，同时也向读者普及医学器材的知识，如介绍什么是注射器、显微镜等，具有一定的学术性和科普性。

另外，此刊还载有用通俗易懂的语言探讨中医发展的文章，如《中医为什么要争管理权》，强调中医机关“不但要负管理的责任，还要负规划中医药教育方针的责任”，提出科学化的中医仍是中医。

目　录

幸福杂志 …………………………………………………………………… 1

中国近现代中医药期刊续编·第三辑

幸福杂志

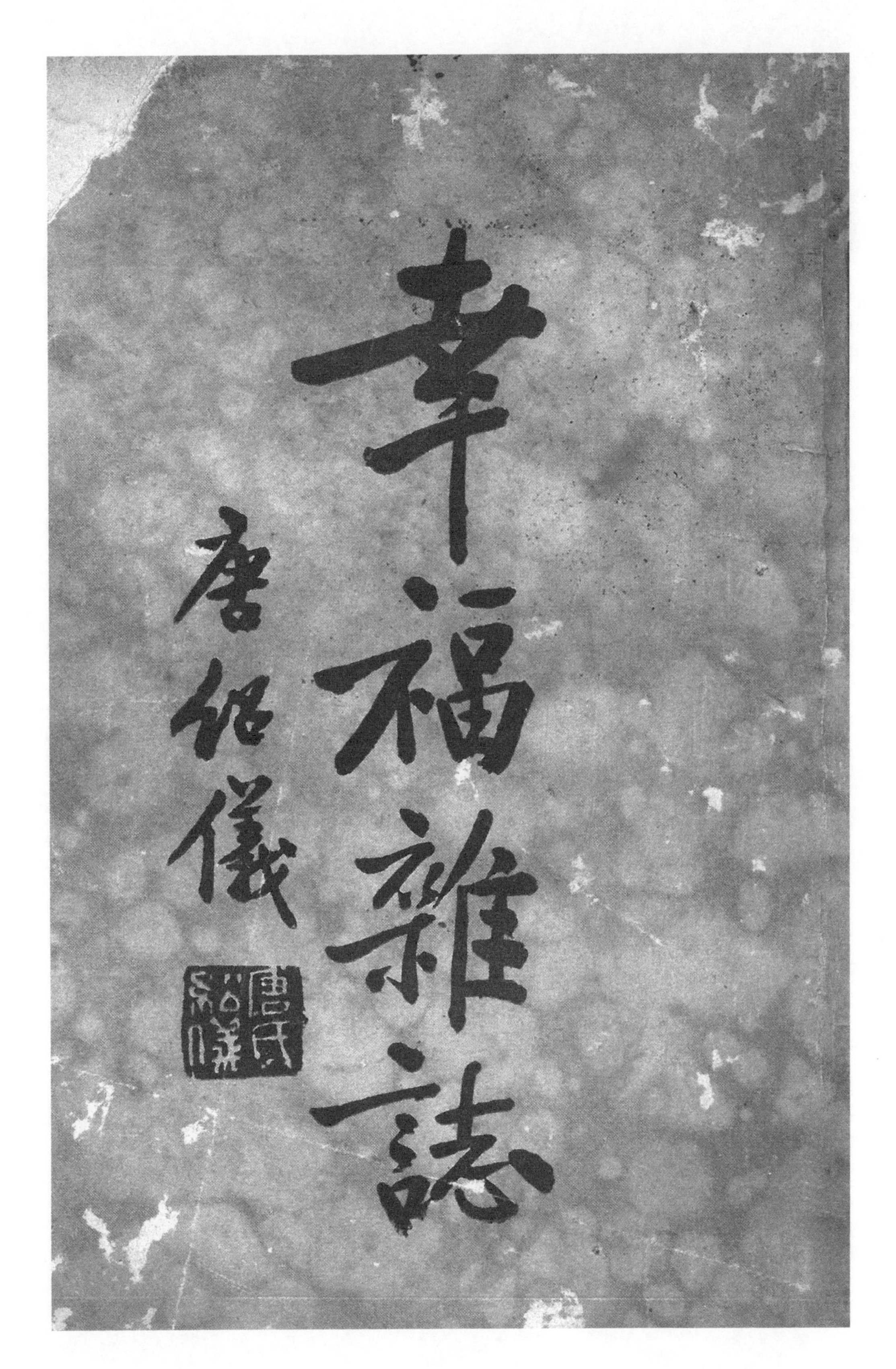
幸福雜誌
唐紹儀
唐氏紹儀

發刊詞

朱振聲

吾人最苦之境。莫如疾病纏綿。有美味不能食。有勝境不能遊。呻吟牀第間。與藥爐茶鼎為伍。其不幸為何如。語云。英雄祇怕病來磨。蓋疾苦足以束縛人之自由剝奪人之幸福。縱為英雄。亦莫之奈何。惟有轉輾反覆。搥牀而長嘆息也。

無論何人。為病魔所困。一事不能為。一籌不能展。其受屈於人。就食他方者。將為人所厭棄。即不為人所厭棄。羈身客地。延醫服藥。調護乏人。亦諸多不便。益增其悽涼愈覺其痛苦。如病者為一家之主。則男女大小衣食所關。女兒饑啼寒號之聲。時接於耳。其境象益不堪設想矣。反之。人而不受病魔所纏繞。身輕體健。何致束縛其自由。剝奪其幸福。語云。無災無病活神仙。信然。

聖人云。禍福無不自己求之者。語云。禍福無門。惟人自召。禍福之門。在疾病與健全二境之間。健全者福。疾病則禍。欲求幸福。以避免疾病為最要。

避免疾病。首重衛生。衛生之人。生活合於規律。營養合於身體。機能暢旺。精力强壯。

病魔望之而却步。其次則在明醫理。通藥性。對於病情。能知應付。則大病可以轉爲輕病。輕病可以轉以無病。還我健全之軀。入於幸福之境、

本刊以謀大衆之幸福爲目的。卽以衛生及應付病情之法。介紹與讀者。故名曰幸福。

幸福雜誌第一期目錄

發刊詞……朱振聲

衛生之道

吸烟之害……克仁
食物細嚼之益……克仁
循環器之衛生……李正覺

各項喉症

咽喉類症之鑑別……吉生
喉症寒熱虛實之治療……許弁靈
咽痛……許半龍
喉瘡……許半龍

胃病研究

胃脘痛證治……董志華
胃病與失眠……丁仲英
吐酸之治療……孫景淵
脾胃虛弱之簡治法……尤學周

肺癆之敵

肺癆與性情之關係……陳存仁
肺癆之證狀及療法……張治河
治癆驗方……戴鳴佩

幸福雜誌　目錄

吐血概論

吐血之症治……郭柏良
嗽咳與吐血……良
痰中見血……石蘊華
吐血奇效藥……崔子雲
吐血藥露方……蕭季良

時症選要

秋暑證治談……無賓
秋季之痢疾……良方
瘧塊之病源及治法……沈仲圭
金雞納治瘧之服法……趙炎澤

性慾問題

從性慾說到婚姻……夏天吾
監犯性慾問題……邵懿新
房事之適當度數……李公博

花柳指迷

梅毒治療大要……倪夢若
楊梅結毒散……亦仁
淋濁概論……張子英
老白濁驗方……朱振聲

孕婦須知

妊娠腹痛……汪錦珍
胎漏與流產……柏良
妊娠血淋治驗……王慎軒

孕婦宜注意胎教……仁

美容妙術

美容秘方……尤學周
面不生皺秘方……藝圃
染指甲的要訣……佚名
點唇須知……佩萸

育兒指南

小兒病經驗療法……胡佛
小兒下綠色大便……尤學周
小兒急驚之由來……黃玉麐
胎毒驗方……尤學周

經驗良方

白菓的功效與用法……新生
車前草治癃閉之特效……沈仰慈
專治癲犬毒經驗良方……林燹元
治血蠱臌脹方……章芝

衛生之道

口吸煙之害

(克 仁)

今人以吸煙爲摩登。視作交際之必需品。鄙不吸烟者爲鄉曲。不配談交際。一如跳舞也。更有一般父母。以子女善於吸煙爲榮。拙於吸煙爲恥。是誠大誤矣。

蓋煙爲慢性毒物。其中含有一種煙草精 Hicatine 性毒無比。三分之一釐。卽可死一人。所好者。煙草中含之極微。故未至一吸卽死。然日日吸之。聚沙成塔。自亦足以畢其寶貴之生命。且煙味刺激聲帶。久而必致發音不清而變啞。對於肺臟更有重大之損害。又往往易患瘀盲。心腸衰弱症等。故卽幸而不死。亦難免成一廢人。況更日常消耗其有用之金錢於無謂耶。是無異出錢以買死。譽之爲「慢性自殺」。良不誣也。

迨既吸之後。又易成莫逆。而不可須臾無此君矣。因煙草精在人體內。被破壞而成另一種新成分。能使人性情暴躁。不寧精神萎靡不振。必使其續吸之後。方能重增精神。前後判若兩人。故人皆以爲吸煙有益也。此種作用。名曰「毒氣循環」。普通人所謂「癮頭」者是也。

予甚願不吸者勿輕嘗試。既吸者速行戒絕。務持堅決之態度。忍耐之精神。不因「癮頭」而犯戒。則自身幸甚。國家民族幸甚矣。

□食物細嚼之益

(克仁)

夫吾人每日必須進食。固已盡人皆知之而遵行之矣。誠以飲食物在能維持吾人之生存長大。不可一日或缺者也。然考其功能。又必須費過消化系之消化。被吸收後。方能施展發揮。而消化作用之第一步。始於口腔。藉齒牙唾液而營消化作用。關係甚大。蓋口腔消化作用係「半自動」的。非如胃小腸部之消化作用。屬於「全自動」也。但人恆忽之。每不加以細嚼。甚且囫圇吞下。致有釀成消化系病。營養不良者。其害甚大也。然苟能細嚼。則自無此弊。其益又甚大矣。今試分言之。

(一)消化澱粉盡淨。食物中之澱粉質。爲口腔之三對唾液腺(耳下腺。顎下腺。舌下腺）所消化。苟能細嚼。則其分泌增加。而能使澱粉質消化盡淨。不使有所遺漏矣。免得再輸之小腸。使胃液重行消化之致不克如唾液之强有力而使有用之物。少被消化吸收。良可惜也。此細嚼之益一也。

（二）磨練齒牙天賦吾人以齒牙。所以爲食物磨碎之需。助液質之化學消化者。如食物不細嚼。則此天賦之牙齒。勢必逐漸退化。成爲廢物矣。因此而致食物不碎。消化不良。消化器受病。而營養障礙矣。故食物必須細嚼。以磨練牙齒。此細嚼之益二也。

（三）增加胃液當食物進入口腔後。胃腺卽分泌胃液。以備消化之用。如食物經口腔細嚼。則需時必多。而胃液之分泌亦多。則其消化之力——尤其是對於含淡物質——亦愈强矣。此細嚼之益三也。

總之細嚼可使消化器不病。營養皆良。吞食可使消化器受病。營養障礙。是故衞生之士。進膳時必細嚼也。

循環器之衛生

(李正覺)

猝中症　如珈琲茶酒等。有興奮性之飲料。皆足刺激心臟之機能。而減衰其功力。且飲酒過度。能使脉管變質。往往爲破裂腦脉之原因。卽猝中症是也。

貧血症　以血脈太不興奮之故。運動少而血脈阻滯。致減血量。例如癆疾。卽貧血症之一。

妨礙循環之害　久屈膝而正坐。或着緊迫之狹衣。則身體之一部。每致有痳痺之態。是因血液之循環。爲所妨害也。故凡身體諸部。沒有壓迫或緊縛等事、其爲害不待言矣。

尋常出血之急救法　傷動脉。可緊按創口。使不流出。傷靜脉。則逆抹之。靜脉瓣自阻血不流。

各項喉症

□咽喉類症之鑑別

（裘吉生）

爛喉痧。以喉中白腐潰爛爲據。如不腐潰者。祇名喉痧。不得名爲爛也。喉蛾日久。亦能破爛。惟所爛之處。祇限於扁桃腺局部而已。西名扁桃腺炎。無甚危險。喉癰中期。亦能白腐潰爛。惟夾以膿血淋漓。身無癍痧爲斷。爛喉風。咽喉亦白腐潰爛。惟兼有胸滿心煩。咽喉阻塞。氣促嗆咳爲據。又身無疿痧故也。纏喉風。症與前同。惟咽喉不潰而腫處紅絲纏繞。甚或腫連頸項。腫處經絡暴起。喉內之病。如絞如紮。且痲且漲。痰涎湧甚。斯病最急。白喉之白附著肌肉。揩之不去。抉之出血。與爛喉痧之白腐浮於皮膚者大不相同。又有形同白喉者。如火病白喉。白塊浮於肉上起也。喉中紅腫。飲食喜冷惡熱。舌苔黃黑。甚則大小便不通。病無已時。宜玉女(一)竹葉石羔(二)犀角地黃(三)之類。若寒症虛症白喉。喉中徹痛。夜間稍重。或嚥唾則痛。飲水則不痛。其色淡紅。間有白點。亦嵌於肉內。凹而不凸。大小便同於平時。舌苔嫩白。脈象沉着無力。此因下焦虛寒。無根之火上炎。治宜溫腎袪寒。通脈四逆湯。(四)加桔梗。此仲景古法也。若嫌其峻。可以清淺之法而易之。惟理中(五)及八味地黃(六)等方。前人雖有驗案可稽。然方藥病情。不能絲絲入扣。非可比腸胃漫試其藥也。此種籠統之談。鄙人絕對的不敢隨聲附和。

(附方)

(一)玉女煎——石膏。生地。麥冬。知母。牛膝。

(二)竹葉石膏湯——竹葉。石膏。半夏。人參。甘草。麥冬。粳米。

(三)犀角地黃湯——犀角。生地。丹皮。赤芍。

(四)四逆湯——乾姜。附子。甘草。

(五)理中湯——人參。白朮。乾姜。甘草。

(六)八味地黃湯——附子。肉桂。熟地。山藥。山萸肉。丹皮。茯苓。澤瀉。

喉症寒熱虛實之治療

(許弁靈)

喉科一症。或云三十六種。或云七十二種。究其實。總屬個人少數之經驗。不足以包括全體。內經陰陽篇曰。天氣通于喉。地氣通于嗌。又曰。一陰一陽結。謂之喉痺。痺者。喉病之總名也。究其原因。則不離于四火。有外來之火。內生之火。有餘之火。不足之火。逮至後人。又分別喉風。喉痺。喉痧。白喉。乳蛾。喉癰。鎖喉。纏喉。喉疳。喉癬。喉瘤之不同之數者。以喉風纏喉爲最要。喉風痰鳴氣喘。喉間痰壅。氣難出入。須臾殺人。纏喉纏束喉間。呼吸不利。頃刻傷生。其他喉恙雖多。若治不對症。恐難脫體。時作時輟。帶病終身。故治者當認明寒熱虛實。不可不辨。大凡喉之爲病。熱者十居八九。寒者十中一二。熱則易認。痛處紅腫。發熱口渴。喜冷畏熱。舌苔黃絳或黑。脈洪數。便閉溺赤。甚則大小二便不通。痛無已時。治法宜玉女竹葉石羔。或犀角地黃一類。清其實熱痰毒。此屬于熱者之治法也。寒則難明。喉中微痛。至夜稍重。或嚥唾則痛。飲水則不痛。其色淡紅。間有白點。亦嵌于肉。內凹而不凸。大小二便同于平時。舌苔嫩白。脉象沈弱無力。此因下焦虛寒。無根之火上炎。治法宜溫腎祛寒。通脈四逆湯。或加桂枝等類。此屬于寒者之治法也。

□咽痛

（許半龍）

咽痛者。有表裏寒熱之分。不可不辨。如感冒風寒在表而兼咽痛者。脈必浮緊。此風火聚於肺也。宜用甘桔湯加荆芥。防風。薄荷。枳壳。牛蒡之類以散之。若是少陰裏症兼咽痛者。以少陰之脈循喉嚨挾舌本也。宜分寒熱治之。如傷寒傳經少陰口燥舌乾而咽痛者。其脈沉細而數。甘桔湯主之。甚則加黃連玄參牛蒡之屬。如寒邪直中少陰。逼其無根失守之火。浮散於上。以致咽痛者。其脉沉細而遲。必兼下利清穀。手足厥冷諸症。但溫其中治其寒而咽痛自止。宜姜附理中四逆等湯加桔梗治之。復有伏氣咽痛。此乃非時暴寒潛伏。是少陰經越旬日而復發。當用辛溫以散。半夏桂枝甘草湯主之。更有發汗過當。內損津液而成咽痛者。宜用參耆歸朮。調補元氣。收歛汗液而痛自除。總之咽痛宜通用甘桔湯加減投治。在表者加散藥。在裏者分別寒熱加溫涼藥。都能應手。

主治方

(一)甘桔湯——甘草　桔梗

(二)姜附湯——乾姜　附子

(三)理中湯——潞黨参　白朮　炙甘草　乾姜

(四)四逆湯——甘草　乾姜　附子

(五)半夏桂甘湯——法半夏　桂枝　甘草

□喉瘡

(許半龍)

喉瘡形如粟米。有虛實二證。實證由於風熱初起。必作寒熱。瘡色紅黃。右脈浮數有力。此因平昔過食煿炙。熱積胸膈。兼新受風邪感觸而發。治宜先用藥梅噙化。導去痰涎。若瘡勢灌濃。以銀鍼挑破。吹冰硼散。服清咽利膈湯。其上腭生瘡者。脾熱也。舌上生瘡者。心熱也。治如前法。虛證由於內傷。多因咳嗽吐血之後而發。初起不作寒熱。惟內熱口渴。兩尺脈數無力。其瘡色白燥不潤。此乃眞陰虧損。相火上炎。肺經所致。宜甘露飲。吹金不換散。

主治力

(一)清咽利膈湯——玄參。升麻。桔梗。甘草。茯苓。黃連。黃芩。牛蒡子。防風。白芍。

(二)甘露飲——枇杷葉。生熟地黃。天冬。枳壳。山茵蔯。麥冬。石斛。黃芩。甘草。

胃病研究

□胃脘痛症治

（黃志華）

經云。胃者。水穀之海。主運化食物者也。胃病則失其運化之司。民病胃脘痛。納減食不化。便溏等症。是病以初無大害。不加診察。視爲可忍小恙。聽由天命而已。以致經年累月。病魔則纏綿悱惻。乘機襲進。至此則急度調治。症雖頑固。尚可挽救。若再不加覺悟。因循延誤。亦能轉加盜汗失眠神疲等勞怯之象。以致沉疴不起。趨入岐途者。實見不尠。夫胃爲後天之本。一身氣血賴以充養。故是病則本非一朝一夕所能治愈者。亦非朝夕所能得之者。故病因緩而治亦遲。乃定然之理。非若時邪暴疾之來往疾速也。然其防範之法。於未病之前。常宜注意。下述數點。既病之後。速宜常事休養。痛改前非。稍加相當運動。以助胃運能力。緩緩調治。不難就痊。然其病起之原。亦有數端。有因於喜飲冷食之品。致傷胃陽者。病則較淺。治之亦易。有因於憂思百結。而致傷及胃運者。病則較深。治亦較難。亦有肝旺侮土。致傷胃液者。更有挾寒挾濕之兼症者。治法亦宜分別條縷。因於飲冷憂結。挾寒濕者。俱宜用和中溫化之法。如川朴。姜夏。木香。藿香。春砂。荳蔻。陳皮。佛手等類。甚則干姜肉桂。亦可酌加。因於肝木侮土者。必兼頭痛吐酸等象。宜加柔木之品。如綠蕚梅。左金丸。菊花。決明。夕利。白芍。玉金。鈎鈎。羚角等類。合而爲治。庶克有濟。用之得當。獲效自速矣。

□胃病與失眠

（丁仲英）

一　小引

胃病之原因甚多。難於盡述。茲所云云。僅指消化不足而言。經云。胃不和則臥不安。胃而不和。其爲消化力不足無疑。或不欲食而強食之。以致無力消化。或食之過量。以致不及消化。屯積於內。胃不安和。

二　消化與睡眠之關係

吾人於餐後。每覺神思昏昏。悵然欲睡。無他。血壓降低之故耳。血壓降低。腦部之作用消退。於是安然入睡。飲食之後。血液還聚於胃。以增加其消化之力。降低腦部之血壓。故沈沈思睡。此時宜假寐片時。則消化力增加。得益孔多。

三　胃不和何以失眠

餐後旣足以使血壓降低。而引起睡思。則胃之不和者。血壓將愈形降低。以增加其消化力。血壓愈降低。睡眠應愈酣暢。何以反致失眠。不知消化有一定限度。多食或强食。消化上大感困難。呼應不靈。求援無從。神經反受其刺激。而影響及於腦部。腦部亦爲之不安。雖欲入眠而不可得矣。

四　預防與治療

預防之法。在飲食有節。不使過度。苟不知飢。不宜妄食。如身體感受不快。尤當注意。晚餐不可過多。食後不可卽就寢。則消化自易。睡眠可暢。如不幸而胃家不和。一面減少飲食。或竟不食一二餐。一面用導下之劑。去其積滯。則胃家自和。因胃不和而起之失眠症。亦自除矣。

■吐酸之治療

（孫景淵）

丹溪局方發揮曰。吐酸與呑酸不同。吐酸是吐出酸水如醋。平時津液隨上升之氣。鬱積而成。鬱積既久。濕中生熱。故從火化。遂作酸味。非熱而何。其有積之已久。不能自涌而出。伏於肺胃之間。咯不得上。嚥不得下。肌表得風寒。則內熱愈鬱。而酸味刺心。肌表溫煖。腠理開發。或得香熱湯丸。津液得行。亦可暫解。非寒而何。熱也寒也其理以何從爲是。蓋熱者言其內熱也。寒者言其表寒也。其實一症也。惟在善診者參考脈症。定其爲寒爲熱。以施治。若一聞吐酸之病。而並不審察脈症。卽冒然而定爲熱。或指爲寒。是何異膠柱而鼓瑟也。治法。朱彥修以黃連吳茱萸各製炒爲主藥。隨寒熱爲退。而以蒼朮茯苓爲佐使。誠得其要領。愚遇此症。熱者再加竹茹生薑皮。寒者再加乾薑丁香。用之良驗。

□脾胃虛弱簡治法

（尤學周）

【原因】大部由精神過勞。動運不足。不合法之養生而起。患肺癆萎黃病等症者。皆足致此。

【症狀】嘔噦。惡心。噫氣。呑酸。面黃肌瘦。怠惰嗜臥。心腹部脹滿。兼有微痛。

【療法】先宜除去其原因。注意平時之生活。藥物用淨穀芽四兩。縮砂炒白朮。炙甘草各一兩。爲末。入姜汁鹽少許。爲餅焙乾。每服一二錢。鹽湯下。常用陳皮麥芽炒白朮泡湯代茶。

肺癆之敵

□肺癆與性情之關係

（陳存仁）

得於天者謂之性。感於物者謂之情。性爲體。情爲用。性卽氣質。情爲精神之作用。氣質足以影響於精神。精神之作用。又能影響於人體。故與疾病之關係甚大。疾病之起。有外因。內因。不內外因。三種。屬於內因者。多爲哀怒憂懼等性情之變化而起。凡抱達觀主義者。與天質渾樸者。一則無掛無礙。一則不知不識。疾病甚少。卽書所謂『心廣體胖』者。反之性情偏執。少化解。多煩慮。則疾病日多。卽諺所謂『多愁多病』者。況肺癆一症。最宜豁達大度。切忌偏拗鬱結。故與性情之關係尤大。生理學家謂人之氣質。千差萬別。約言之。有多血質。膽汁質。神經質。黏液質。四種。神經質者。工愁善病。歌哭纏綿。易抱悲觀。其感情少變化。粘液質者。渾厚純樸。優然自得。不易爲感情所激動。亦少感情之變化。同一不變化。則悲觀者益陷於悲觀。優然自得者。常享其安閒淡散之樂趣。故患肺癆者。以神經質之人爲最多。粘液質之人爲最少。惟人之氣質。雖得乎天。環境之壓迫。生活之困苦。隨在足以改變而轉換之。余有一李姓同學。在學生時代。秉性活潑。舉動敏捷。發言則詼諧百出。自號樂天。蓋不知人世間有苦腦煩悶之事者矣。以氣質言之。實屬於多血質。及畢業以後。勞燕分飛。各謀生計。君所遇輒左。精神上大受刺激。不特萎靡潦倒。而氣質亦大起變化。多血質一變而爲神經質。書空咄咄。非復學生時代之比矣。久之延成癆瘵。故肺癆雖與天賦之氣質有關。其受外物之感動。因精神上發生變化而成者。實亦不在少數。

往昔社交不公開。俗習又重男輕女。社會上無女子之地位。而以足不出戶。蟄居家中者。爲人所重視。美其名曰閨閣千金。出嫁之後。相夫事姑。又須克盡婦職。識見既狹隘。又處於壓迫之地位。拂逆之來。既不知順受。又無處可告訴。悲哀憤懣。鬱結於中。每易釀成癆症。而失寵之妾。無偶之婦。與枯庵之尼。情懷不開。孤燈淒涼。癆症之釀成。較他人爲尤易也。

□肺癆之證狀及療法

（張治河）

【病原】本症病原雖爲結核性菌作祟。然除傳屍勞症。稟有先天素因外。其他得之後天者。無一不關天時人事之失調也。膏粱子弟。多因貪戀酒色。戕賊其身。藜藿之人。多因努力傷絡。不知保養。又有感冒風寒。誤進補品者。肥甘內蘊。釀成濁痰。久之氣血腐敗。化生細菌。肺勞屬此類者。十居七八。俗云「傷風不省變成癆」是誠經驗語也。更有病後失調。久虛不復。再染細菌。變而爲勞。屬此類者。亦不少也。

【病灶】本症病灶。開始在肺。繼則腸胃肝腎。亦皆受累。

【病狀】本症病狀。可分三期。第一期爲潛進性。或隱或現。無特異徵候。但易疲乏。小有勞動。則呼吸迫促。時而咳嗽。日晡潮熱。第二期則諸症較爲顯著。如咳嗽增劇。痰帶膿血。日晡熱甚。夜出盜汗。肌膚蒼白。或面色黧黑。身體憔悴。第三期則諸症更進。音嗄咽痛。食思缺乏。大便自利。肢面浮腫。

【病理】第一期病狀。或隱或現。無特異徵候。求眞氏云。「夫疾病成立之要件。必須內外二因之共存。而外因雖有任何作用於吾身。若不與內因共鳴。則不能成立。此千古之鐵案也。」肺勞在此期內。必係謹屬外因作祟。而未感受七情六慾之刺激。體內抗菌力强。可以與之應付戰鬥。或勝或負。則病狀或隱或現也。又或非染外因。而爲七情六慾所傷。則其現狀自無特異徵象。此即先哲所謂「將成未成之候也。」若再延誤。則入第二期矣。

第二期諸症顯著。病在初期。延誤失治。先染外因者。復遭七情六慾之刺激。先有內因者。復遇細菌侵入。內外湊合。勞病乃成。一切症狀。於是顯著。

咳嗽增劇 咳嗽一症。爲肺病徵兆。肺內結核既成。則咳嗽自增劇也。

痰帶膿血 血管破裂。則帶血。組織腐敗。則帶膿。

日晡潮熱 日晡潮熱。爲勞症必有之現象。西醫書云。「人之發熱。多因血中染着毒素。阻抑溫腦中樞。增加放熱工作。」此種解釋。誠爲精確。然而發熱在於午後。惜未說明其理。中醫「陰火」之玄談。更屬似是而非。夫人之體溫適中。端賴神經調節。勞者之神經。大多衰弱。清晨起身。經一夜睡眠之休息。腦筋安靜。尚可調節其體溫。迨至午後。精神不免疲乏。腦中樞衰弱。則失其維持力矣。血中一切毒素。乃乘虛猖獗。肆其燒刦行爲。病者於斯炕熱。

夜間出汗 汗之作用。關係體溫甚大。汗之排泄。必待蒸發。夜間體溫增高之時。兼受衾褥蓋覆。蒸發力强。汗乃出焉。汗出既多。體溫被其吸收。於是黎明之時。遂又熱退身凉。

肌膚蒼白 毛細血管貧血故也。

面色黧黑 毛細血管鬱血故也。

身體憔悴 營養不良。血液枯也。

第三期 音嗄咽痛。喉頭與聲帶潰腐蝕也。

便瀉 食少。腸胃腐蝕。消化不良故也。

肢面浮腫 結核在肺。血管閉塞。局部起鬱血。變化循環。乃生障礙。鬱血程度愈强。則血壓愈高。血中水分。自毛細管壁濾出。流於組織之內。則發浮腫。

【治法】本症治法。可分兩種。一爲藥物療法。一爲無藥療法。無藥療法。西醫言之甚詳。至於藥方療法。則殊簡單。除施頭痛醫頭。脚痛醫脚。所謂「對症療法」外。直無特效之品可言。彼亦自云。「西藥對於結核病有專治之效者。未之聞」反之中醫雖無空氣電氣日光注射等無藥療法。然其所用之藥。積數千年之經驗。却多顯明之效果。惟須審起病原因。而施以適當之劑。如係細菌作祟者。可以採用血清注射。再與獺肝散（一）八珍湯（二）等方。殺虫滅菌。消炎潤肺。如係房色斲喪者。則宜六味丸。（三）龜鹿二仙膏。（四）等方滋補精血。如係傷風誤補。濁痰內蘊者。則宜先用蘇杏二陳加蔞貝枳朴等藥。發散消導。兩清肺胃之邪。數服之後。再進參蘇飲。（五）黃芪建中湯。（六）等方。兼扶正氣。如係努力傷絡。蓄瘀爲患者。則宜旋覆花湯。（七）大黃䗪蟲丸，（八）等方。化瘀以冀生新。如係病後失調。氣血衰敗者。則宜補中益氣（九）百花。（十）六君。（十一）等方。潤肺健胃。振其食慾。總之療治此症。既須醫其原因。尤須注意脾胃。如能消化力強。營養素足。則病灶中之邪氣。自易歸於天然淘汰。西籍亦云「療治肺結病。係一補養問題。消化作用。及同化作用。有操縱全局之權」中西見解。大略相同如此。

【調攝】本症發生。不可純恃藥物。必須注意飲食起居。所食之物。宜擇滋養如牛肉雞肉雞蛋山藥百合苡仁。隨意食之。但辛辣香燥之品。不可入口。衣服宜乎溫暖輕快。柔軟清潔。薄者毋使受寒。厚者毋使發汗。居室宜擇面南。常通日光空氣。天氣清朗之候。散步於郊外田間。常令精神愉快。不可鬱鬱寡歡。

（附方）

（一）獺肝散——獺肝一具。研爲末。每服三錢。

（二）八珍湯——人參。茯苓。白朮。當歸。熟地。白芍。川芎。甘草。

（三）六味丸——山藥。熟地。山萸。澤瀉。丹皮。茯苓。

（四）龜鹿二仙膠——鹿角。龜版。枸杞子。人參。

（五）參蘇飲——人參。蘇梗。葉。乾葛。前胡。半夏。赤苓。枳殼。陳皮。桔梗。甘草。生姜。大棗。

(六)黃芪建中湯——桂枝。白芍。甘草。黃芪。生姜。大棗。飴糖。

(七)旋復花湯——旋復花。新絳。葱白。

(八)大黃䗪蟲丸——大黃。䗪蟲。黃芩。甘草。桃仁。杏仁。芍藥。乾漆。蝱蟲。乾地黃。水蛭。蠐螬。

(九)補中益氣湯——見妊娠腹痛。

(十)百花膏——百合。款冬花。百部。

(十一)六君湯——人參。白朮。半夏。陳皮。茯苓。甘草。

◘治癆驗方

新黃毛雌雞全只。去頭足及肚裏貨。百部一角。藥舖均有出售。老酒三大碗。不善飲者。酒一半。水一半。將三藥用瓦罐煮汁。至雞肉化汁爲止。每夜煮服一茶碗。在五便時令人將患者喚醒。與之服飲。惟服飲之前。切戒開口說話。否則勿效。如是連服數天。俟全帖之藥飲完。病亦痊矣。如病重者。連服四五帖。無不奏效。

血證概論

□吐血之證治

（郭柏良）

吐血之原因

血出於心。行於脈內。灌注五臟六腑。周流全身。循環不息。如脈絡破損則血溢於外。上逆而出於口者。則爲吐血。其破損之原因。或內部潰瘍。或跌打損傷。劇烈之運動。及飲酒無度。皆能誘起咯血。此外如咳嗽不止。精神興奮。亦能誘發此證。

吐血與年齡及氣候

患吐血者。以十五歲至三十歲爲最多。十五歲以下較少。身體高者較低者易於吐血。以氣候而言。春初易於發生吐血。醫籍謂春初木旺。肝氣當令。肝旺則血逆而易溢。故往往發生吐血。此說不免欠妥。大約春初爲氣壓動搖不定之故。六五月之間。吐血亦易發生。黃梅時節。濕氣充盈。則吐血一症。與濕度亦頗有關係。

最多之吐血

吐血之最多數者。其原因爲肺疾患。雖有胃出血。不若肺血之多。肺出血與胃出血其證不同。肺血由於咳嗽。胃血由於嘔吐。肺血有泡沫而多流動。色鮮紅。胃血則凝固無泡沫。色暗赤。肺血胸部疼痛。呼吸稍迫促。胃血則嘔吐噁心。胃部則痞悶。以此爲別。

肺血尤以肺癆爲最易吐血。如患者尙在壯年。無其他疾患。於吐血之前。並無跌打之事。則不能謂爲與肺癆無關。

吐血之要着

吐血之要着。在於止血。一面宜安靜。不特身體不宜多動。卽精神方面。亦宜鎭靜。一面宜服藥。如鮮生地。仙鶴草。側柏炭。茜根炭。丹皮炭。三七、牛膝。藕節等。皆可酌用。使損處凝固。血不妄行。而自止矣。

□咳嗽與吐血　（良）

咳嗽吐血。患之者。對之悚然。中心惶惶不已。以爲此重症也。此癆損之徵象也。於是愴懷悽惻。愁思百結。藥石無效。奄然物化。

咳嗽吐血。原非不治之症。而往往成爲不治者。厥有三端。其一。由於用藥之誤。蓋咳嗽吐血。大都以爲癆損之漸。而不知感冒過甚。久咳不已。或一時之劇咳。以致咳傷氣管。破其孫絡。血液遂出。醫者不察。遽投涼血養陰。治其血而咳愈甚。咳愈甚血終不可止。遷延誤事。弄假成眞。苟先治其咳。去其出血之原。不止血而血自止。何至於不可收拾耶。其二。由於生計之累。咳嗽吐血。果屬肺癆現象。應宜卸去職務。從事調養。始能漸漸平復。無奈一般患者。爲生計所累。一家之衣食所關。在勢又不能安心休養。不得不抱病從事。勉强工作。甚者延醫服藥之資。亦無所出。以生命委諸於天。長此因循。輕病轉爲重病。險象百出。至此而始撙其衣食之需。忍痛服藥。亦有何補其三。由於疑懼太過。心理與疾病。關係甚大。抱病之人。最忌心緒紛紜。效杞人之憂天。宜鎭靜心志。達觀一切。則泰然舒暢。不爲病魔所困。不受病魔之擾。有若無。實若虛。「心廣體胖」。非過言也。常見一般之患咳嗽吐血者。惶恐莫名。疑慮萬端。心神不寧。神經之刺激太過。無形中日就衰弱。病邪乘虛而入。杯弓蛇影。無中尚能生有況有病之人耶。

咳嗽吐血由於外感者。以疏散爲要。由於內損者。則當調補其內損。無虛虛無實實。權其緩急。量其輕重。發而中的。自能藥到病除。

吐血藥露方

（蕭季良）

（藥方）鮮生地三兩　紫苑四錢　青蒿二兩　桔梗二兩　白花百合一兩　鮮竹茹二兩　桑葉二兩　甘草三錢　絲瓜絡二兩　粉丹皮一兩五錢　鮮首烏二兩　枇杷葉三兩（去毛筋蜜炙）　大生地一兩五錢　鮮石斛二錢　京川貝一兩五錢　鮮沙參四錢　穭豆衣二兩　旱蓮草一兩　鹽水炒橘紅八錢　知母一兩五錢

（製法）共藥和一處。蒸露。

（主治）專治吐血嘔血。雖延二三年之久。服此均獲奇效。敝人累次見效。故而宣佈刊入。俾四海有此血症者。請試服之。方知言之不謬。

（服法）每日朝夕。燉溫代茶飲之。

□痰中見血

（石蘊華錄）

肯堂云。其血或一點之小。或一絲之細。語其勢。若無可畏。而病根反深。此血非由胃出。肺臟中來。肺本多氣而少血。是以出者亦少。今因火逼而隨痰以出。則肺慮其枯。而無以主一身氣化矣。其害不滋大乎。治法於除痰中加入止血藥。如貝母。瓜蔞仁。茯苓。麥冬。元參。竹茹。蘇子。薏米之類。以治痰。犀角。阿膠。柏葉。黑梔之類。以止血。黃芩。黃連之類。以降火。調花蕊石末四五分。徐徐服之。又法用竹瀝一碗。入阿膠二兩溶開。將石膏煅過一兩。蛤粉一兩。青黛五錢。好墨一兩。共研爲末。調和丸如黍米大。每服一錢。香茗送下。其效甚速。

□吐血奇效藥

（崔子雲）

月前於友人處得一吐血藥草。以之治「吐血」「咯血」均有奇效。彼已治愈多人。

錄投本刊。以廣流傳。而資研究。

藥品　仙桃草。

治證　吐血。咯血。

服法　鮮則整科煎服。乾則研細煎服。輕者一服卽愈。重者亦不出三服。每服一錢。

仙桃草之形態。高二三寸之草本植物。莖細中空。外面有節。初青老則微紅。葉對生。小而狹。長約半寸。葉腋生一小枝。每枝結一桃。形小果大如綠豆。生青熟紅。中空。剖之有一小虫。亦有不結桃而結扁形細子者。(另有一種全科不結一桃者非是)根爲細白之複根。多生麥田溝中。麥地中亦有。但不多。採取時期。割大麥時亦同採取。遲則桃中之虫。穴孔飛去。傳云。無虫則不效。亦有桃中無虫者。但不多。

製法　採取後。卽時焙乾。則虫死桃中。否則虫仍穴孔飛去矣。

攷醫學大詞典。謂仙桃草卽接骨仙桃。其所述之形態特性。與上述全同。治證亦同。但只用其桃。不似此全科整用耳。則昔人已識其功用矣。

時症選要

□秋暑症治談

（無　簧）

時維七月。歲屬初秋。大火西流。溽暑應減。涼飈雖至。餘暑尙存。一如初夏。或有較盛夏更熱者。人於氣交中。仍覺揮汗如雨。叫苦連天。富者居廣大洋房。開電風扇。吃冰淇淋。招涼驅暑。別具閑情。甚則避暑於廬山。遨遊於青島。雪藕氷梨。與夫爲生活所驅使者。冒暑經營。謀饔飧以餬口。而猶恐不繼者。相形之下。不啻天上人間。況炎炎烈日。灼石流金。人非木石。豈有感其暑熱而不病者乎。其病者。是爲秋暑。卽世俗所稱之秋老虎也。

是時也。濕土主氣。暑濕交蒸。其症狀。熱度甚高。心煩口渴。蒸蒸然而有微汗。脈象洪濡。或數。乃秋暑之症。宜用清涼滌暑法。如滑石甘草青蒿白扁豆連翹白茯苓通草西瓜翠衣之屬。若初起微寒發熱。午後較重。狀似瘧疾。而不分明。繼而但熱不寒。熱甚於夜。天明得汗。身熱稍退。而胸腹之熱不除。日日如是。往往三四星期始解。推此病之原。總由陰虛之質。夏月汗多傷液。內舍空虛。陽浮於外。暑濕合邪。深距膜原。初起邪在氣分。濕多熱多。必須分別。濕多者。舌苔白膩。或變黃黑。而舌邊仍白。脈息模糊。口乾而不飲。宜用辛淡之法。如光杏仁白蔻仁竹瀝半夏川厚朴藿梗生苡仁通草茯苓猪苓澤瀉等藥。忌用涼膩之品。熱多者。舌苔黃滑。或黃膩。脈息細數而濡。口乾頻飲而不能多。宜用涼淡法。於前法內加活水蘆根淡竹叶滑石之屬。邪久不化。深入肌腠。乃由表傳裏之漸。舌苔黃膩而厚。胸痞脘悶。乾嘔心煩。口渴。爲濕熱與氣相搏。雖近乎裏。仍在氣分。宜用辛苦通降之法。如焦山枝大連翹薑汁炒木通姜汁炒黃連姜汁炒黃芩。姜半夏。若漸欲化燥者。可加知母。甚則治療失當。邪傳心包。可用紫雪至寶等法開之。若傳及肝腎。見有陰虛。或舌絳無液。潮熱盜汗失眠諸證。卽宜加以養液。如南北沙參。元參。細生地。麥冬。鮮石斛。玉竹。龜板等類。以增損之。如邪未傳裏。寒已退而熱仍不解者。仍可用此法。倘邪已傳入血分。暑濕無形之熱。往往伏於小腸。與有形之糟粕相搏。不散。舌苔黃膩且厚。脘腹按之卽痛。大便祕結不解。卽或解而亦無多。或雖多而仍不爽。是宜於辛苦劑中加熟大黃。全瓜蔞。以緩通之。

或用酒煮大黄爲丸。緩化之。往往服後大解一次。再服再解。不服不解。如此服五六次。行五六次而邪始盡。非病者不節飲食之過及宿滯之多。仍留有暑濕之邪。脾胃因運輸乏力。小腸亦變化機遲。所進穀食皆化糟粕。不化津液。所以屢解不盡。蓋暑濕本屬濁邪。膠滯纏綿。焉能脫然而解。若起初誤用辛散。傳裏又誤用峻下。必致亡陰。變成神昏痙厥。脫厥以致不救。其有裏邪已盡。熱仍不退者。視其舌無多苔。或苔薄而無質地。則一以育陰養液。托邪爲主。如北沙參。大生地。玉竹。元參。麥冬。龜板之類。虛甚而神氣消索。無熱象者。甘涼猶不中竅。宜用甘平甘潤之劑。如六味地黃湯。及復脈湯之類。頻進而墊托之。切勿見其不效。中途另易治法。致令垂危難救。往往有上焦之邪。因中無砥柱。內舍空虛。乘虛內陷。得育陰墊托。從下焦血分。復還氣分。發出白㾦而解。若枯白無水。則又爲陰涸之象。多爲不治之症。亦有育陰墊托。由裏還表。邪從汗解。將欲得汗時。脈必浮緩。苔必宣鬆。汗解後舌苔即退。有遲數日方退者。必得苔淨脈靜。身涼舌兩旁生薄白苔者。始爲邪盡。得慶更生。此間展轉一髮千鈞。秋老虎之爲厲。眞惡魔所不及。其有轉危爲安。倖免一死者。是亦虎口餘生者矣。

秋季之痢疾

（良方）

痢疾四時常有。爲傳染病之一種。而以新秋爲最盛。此症初起。先見泄瀉。後卽成痢。腹痛。裏急後重。頻頻如廁。滯下不爽。所下皆黏膩物。或白或赤。或赤白相間。亦有初起卽痢。不見泄瀉者。古名滯下。又名腸澼。滯下者。指如廁不爽。所下物甚爲濡遲而言。腸澼者。直言此爲消化器疾病。其結癥爲腸部也。

病之屬於消化部分者。與飲食一項。關係甚大。不潔之食物。旣能釀成本病。而多食傷其腸胃。減少其消化作用。增進病邪之潛勢力。又能引起本病。夏季因炎熱之關係。飲食減少。一入新秋。涼爽宜人。飲食亦爲之增進。偶一不愼。卽能發生痢疾。且新涼之後。夜睡不愼。往往感受寒涼。發生泄瀉之症。泄瀉之後。腸部之抵抗力大減。病機卽於是發動。

無論何種傳染病。皆屬病菌爲患。一種病菌。四時皆能發育。則其病於無論何時皆能傳染。有一種病菌。僅適宜於某種氣候下發育。則其病僅發生於一時。成爲流行性疾病。甚至闔家滿巷。爲之傳染。人人受其苦累。且流行性之傳染病。其勢最盛。其害最烈。往往變生不測。新秋痢疾。其傳染力頗强大。約亦爲該病菌發育適宜之時。加之飲食之關係。故成爲新秋最流行之病症。

痢疾治法。以清炎解毒導滯利氣爲最要。清炎解毒。撲滅病菌。淸化病菌所發生之毒質。與其刺激腸黏膜所發生之炎證。如川連白頭翁銀花地榆黃芩赤芍神曲等是。導滯利氣者。促進腸壁之蠕動作用。排去積糞。及炎性滲出物病菌。亦同時除去。不使留著爲患。如大黃元明粉枳實瓜蔞查炭桃仁等是。

□瘧塊之病源及治法

（沈仲圭）

瘧塊者。瘧疾愈後。脾藏腫大也。脾藏何以腫大。則以當瘧作發熱時。脾必充血也。充血一二度。脾尚有運血使出。恢復原狀之力。久而久之。調節力衰減。脾內毛細管悉皆瘀血。以手按之。形同癥結。其塊恆在左脅。正脾之所在地也。中醫對於此病病理。亦有謂瘀血者。惟不知血所以瘀之理。及誤爲肝病耳。（因瘧塊結在左脅。脅屬肝之故）言夫治法。自以破瘀通絡爲第一義。查楊士瀛仁齋直指治久瘧結癖。用芫花一兩，硃砂五錢爲末蜜丸梧子大每服十丸。棗湯下。蓋芫花通利血脈。爲破癖要藥。硃砂功亦類似而性重墜。二藥配合。能搜括毛脈瘀滯。由大便而下。惟愈後宜以糜粥自養。恐芫花峻利之性。有損胃氣耳。

金鷄納治瘧之服法

（趙炎澤）

瘧疾一症。我國向無特效之方。自採用西國之金鷄納霜以來。雖爲瘧疾菌之一大革命。而不能全數以治愈者。要非藥之咎。乃用藥之不當耳。考我國之患瘧者。一如金鷄納霜可以療瘧，卽購之於市。茫茫然而投諸口。不審時間之宜否。不顧其藥之用量而試嘗之。服一次無效。則棄而不願再服矣。雖有知者。勸其再服此藥。卽笑斥相勸之人。而反陳其無效之虛證者。累累皆是。又何怪金鷄納霜之無效于瘧疾者哉。

凡患瘧疾。無論其爲一日。間日。與三日等瘧。服金鷄納霜。不可使其發熱時服之。因反增其熱度也。總宜於未發瘧前一句鐘服之。熱度既不增加。此次之瘧可以立止。其第一次之用量爲八分。繼次用量每八句鐘服五分半。須服至一二星期之久。而能準其服藥之時。斷無不效者矣。久瘧症與惡瘧症之用量倍之。若患在小孩。宜減半服之。孕婦宜忌服。

性慾問題

從性慾說到婚姻

（夏天吾）

青年生活經過了「戀愛」歷程而達到「婚姻」的階段。算是「性慾」的解決期到了。「性慾」「戀愛」「婚姻」這三件是關係青年一生的大事。每個青年對於這些問題。可說同樣的認爲既不要苟且。而却又正會因循的。如果對於這些問題發出討論。不是胡亂所能了的。這裏不過是隨便談談。

一個青年在性的動念的時光。感覺的繁雜與矛盾。可說體會到心理方面的極致了。最明顯的就是對於性的追逐心的熱烈。但又牽涉到了經濟與其他有同等聯帶關係的種種問題。依經濟力足以買到一個洩慾器的青年來說。當然的。他在這時性的慾念立能得到滿足。一方面不如願的煩悶。因得了如願以償。而煩悶消失了。可是心理的變化。是一種自然而又不能抑制的事。他是想起了道德。會想起了受到蝎毒而發生流行於青年身上的一種不名譽的病。會懊悔失落了個我的偉大。一種懊恨的心。比先前冀望於性問題解決的熱慾。更其要使心理上難堪。這正是像一個不經意的犯罪者在獄裏一樣。

那麼。正當的解決性慾問題就是婚姻了。可是婚姻就只爲解決「性慾」問題。這決不是一個結論。若承認這是一個邏輯的說法。可說解決「性慾」問題是「婚姻」的大前提。不過沒有一個小前提確立。依然是不能作爲一個結論的。所以「婚姻」常有矛盾反攻。兩性爲生活而起的煩惱。就是這現象之一。有些人的主張。以爲在成了「婚姻」之後。就沒有「戀愛」的存在。所謂「戀愛」的功力。已在「婚姻」的實質上消逝去。「婚姻」是單獨一個問題。「戀愛」本完全是「婚姻」的一個幌子。「戀愛」的界限只在「戀愛」的界限。「婚姻」是比「戀愛」跳前了一級。所以「戀愛」的幌子在「婚姻」的階級上就揭碎了。這便是「婚姻」的力。所以「婚姻」的基礎不單是「戀愛」。這基礎所憑托的是零外一種眞理。這眞理便是「性慾」「戀愛」「婚姻」三角形的聯繫性。對這聯繫性有朗澈的記憶。不受這三角形的聯繫性的任何一角的閡隔而起不安協的現象。重重的深深的凝結一層心理。不給任何一種煩悶的對象誘動。絕對的明瞭「婚姻」是個小體團。將個人的意志融化在團體的幸福裏。不施行個我跳出了範疇的慾念。養成這個小團體中定型的理性。所謂美滿的「婚姻」即此是也。

監犯性慾問題

（郁懿新）

溯自漕河涇監犯王家祥呂宗瑞二人。委託董康律師。代表上呈司法部。要求澈底肅清監獄積弊。改良待遇。保護人權後。於是改良監獄之說。甚囂塵上。董律師復提議解決性慾之法。且歷舉其舊時。曾爲監犯另設密室。許男女監犯在一定期間內。接近其妻或夫一次之成效。最近法長羅文幹氏。爲解決監犯性慾問題。已採取此說。交監獄司長王新之擬訂辦法。現已着手起草。其內容大意。(一)判處刑期在一年以上者。(二)經調查確係有正式夫妻關係者。假定每二月或三月。在某種保障之下。接近一次。(三)男女監犯。均適用之。將來擬先就本京蘇省第一監獄試辦。如不發現弊竇。逐漸向各地監獄推行。其關懷監犯疾苦。切心改良之忱。良足欽佩。然吾國各地監獄。設署咸不完備。其腐敗殘酷。或有尤甚於迷信者之所謂地獄。是整頓當爲急務。乃不務本而務標。竊有所不取也。至於從事解決監犯性慾。雖董律師列舉其利益。然愚意以爲弊實多於利。且利疎而弊切也。爰就管見所及。一詳論之。膚淺之說。其亦爲法家所許乎。

監獄爲殘酷之場所。空氣沉悶。情景慘淡。彼劇盜巨梟。一居其中。亦必別具感想。其性情沉鬱可知。如許其每兩月或三月。在某種保障之下。得接近一次。苟因此而受胎。能不受父或母之遺傳耶。且據王氏擬訂辦法第一點說之。是其最低限度爲一年以上。最高者爲無期徒刑。其所處之罪既重。其惡性當亦匪輕。胎兒苟得其父或母之遺傳。必將爲一生來之犯人矣。卽不若是其甚。亦必爲一質愚性狠之人。蓋當其受胎時。其父母咸處於悲慘憂鬱之情景中。有以使之然也。且卽設有密室。在初次犯罪而稍知廉恥者。或不願爲之。而願之者。則必寡廉鮮恥。窮兇極欲之重犯。卽不盡得其遺性。亦必非安分守己之循良者矣。其後患孰甚。

夫自由刑之期限愈長。則必其惡性愈深。而欲使其隔離社會愈久也。至於終身刑

中国近现代中医药期刊续编·第三辑

則以其惡性太深。無可藥救。而使之永遠隔離矣。亦一消極之淘汰法也。在其本身則淘汰之。在其所生者。則保存之。目前之社會安甯。雖藉之以保全。然二十年後。又將多一犯人矣。養癰遺患。其何以自解耶。昔意大利法醫學者林布羅蘇。Cesare Lonbroso 主張氣候之影響。人口之增殖。以及文化。宗教。教育。皆足以爲犯罪之原因。而遺傳性與經濟狀況。尤爲其要因。由是觀之。卽幸或不受其父母之遺傳。而經濟之困難。亦足以迫而使之犯罪也。蓋其父或母既曾犯罪。則其所存之一方經濟必不充足。無以生活。自非犯罪不可。其貽害於社會之將來。實非淺鮮。希羅氏有以斟酌之。

□房事之適當度數

（李公博）

性交之度數。本以個人之年齡。體質。及生活狀態。爲準則。現經衛生學者之嚴密調查。除患有性病或孱弱者外。應以下列度數爲最適當。

二十歲至三十歲。　每週二回至三回。

三十歲至四十歲。　每週一回至二回。

四十歲至五十歲。　每月二回至三回。

五十歲以上。　每月一回或絕無。

上述之性交度數。係隨個人之年齡而言。惟其關於國家之盛衰亦極重大。故昔波斯法律上曾禁止虛弱之女子性交、及限制健全之女子性交。明訂爲每九日一回。希臘索龍王限定爲虛弱者每月一回。健全者每週一回。更有特殊者。如猶太人凡於女子經期中犯性交者。則男女皆處死刑也。

花柳指迷

口梅毒治療大要

（倪夢若）

攷楊梅毒。又謂綿花。廣痘。廣瘡。同形名異。然其感毒無二。以化毒爲貴。薰罨爲忌。罨定復發。難以治療。始以三黃丸（丸方列後）每日五更時。取四錢熱酒送下。出汗爲度。初作五日之間。服三黃丸。宜再取忍冬籐。牛蒡草。地丁草。白甘菊等煎湯當茶時飲。如潰後以藥渣煎湯。日洗二次。接服聖靈丹（方列後）以便毒盡。色轉紅活。方可收功。如下疳臟燭質等毒。治綜不離此諸法。倘疼痛難忍。以聖靈丹五分數服。能克奏全功。潰爛俟毒盡痛止。色變紅活。當以生肌可也。如陽物硬而不痿。精時流出。此乃妒精。用破故紙。韭菜子各一兩爲末。每服陸錢。水一碗。半煎服。如見愈。宜以藥剩

倘毒重服聖靈丹。無不全愈也。

附三黃丸方　熟大黃三兩。乳香沒藥各一兩。雄精五錢。寸香一錢五分。犀黃三分。以熟大黃酒浸透。入碗隔湯蒸輭。然後以乳沒雄香犀五味細末和入。再打千捶爲

丸。如桐子大。每服五錢。此丸專治懸癰紅腫熱毒疼痛大癰楊梅廣瘡結毒火毒等證。連服十次。上述之症雖險。苟胃氣不敗。亦能全愈。

附聖靈丹方　眞珠犀黃冰片各一錢。琥珀四錢。硃砂三錢。鍾乳二錢。各製研末。入乾麵四兩。研和。每服取末五分。煎土茯苓湯調送下。服無不愈。但鍾乳犀黃眞珠三物價雖貴。不可輕減分兩。以上之方頗著奇效。謂余不信。世有結毒。諸君盍一試之。方信余言之不謬也。

楊梅結毒散

（亦仁錄）

蟬退三錢　大茴三錢　川椒三錢　以米一兩五錢　草節六錢　銀花一兩　角刺六錢　荆芥六錢　皂角子六錢　爲末每服四錢　用土茯苓四兩　去清皮。熬膏。開水冲服。

淋濁概論

（張子英）

人體生理。腎爲排泄水道之器。膀胱爲藏水之器。其泄而不至於遺溺。全賴膀胱之神經系充實。其藏而不至於閉癃。亦賴膀胱之神經系疏泄。所以泌泄器健全而水道調和也。內經謂膀胱約下焦。實則閉癃。虛體則遺溺。蓋膀胱器神經虛弱。則夜多小便。甚則遺溺。膀胱器神經充實。則小便短少。甚則閉癃。而且人體膀胱之能藏水。亦由於胃神經之下降氣聚於下也。腎臟之能排泄。亦由於神經系之能升達。所謂淋濁者。藏不能藏。泄不能泄。既病遺溺。又患閉癃之現狀。時醫以小便流濁而刺痛者。爲淋病。但流濁而不痛者。爲白濁。其實淋濁同一病源。有從傳染而得者。有從氣血鬱滯而成者。若用顯微鏡檢查尿道。必有球菌在也。

西人納錫爾氏。於一八七九年試驗各種炎症。發現淋毒球菌。始知淋濁發生之根源。因有球菌繁殖於男女生殖器內之尿道粘膜上。由是全世界醫生。公認淋濁病爲細菌病之一。而球菌之發生。大抵公認爲傳染來。但是依國醫之細菌學說研究起來。淋濁病之球菌。不僅由於傳染而來。亦由於生殖器內細胞組織鬱結。先發生尿道粘膜炎。而後細菌逐漸繁殖。蓋淋濁大抵由於脾陽陷。肝虛不達。氣脈肝絡器陰細胞組織鬱滯。則陰器內粘膜發熱。（西醫稱子宮炎尿道炎膀胱炎等）熱久細胞組織愈鬱滯。則細菌生而小便濇痛。溺下赤白。或粘膜內血液被細菌腐融而下。若因不潔之交媾。或從浴布毛巾等一切附着淋菌之物件傳染而來。則細菌附着粘膜。繁殖極速。甚易釀成急性淋病。

近代治療淋濁。有所謂用注射法者。用電器療法者等等。皆非根治淋濁之正當療法。蓋根治淋濁。決非局部治療可以奏效。大凡肝脾腎三臟。皆有密切之關係。若因傳染來之急性淋濁。而脾腎肝三臟之機能素無缺點。用注射殺菌等療法。或可治愈。否則表面上雖呈佳象。不知早入慢性淋濁之途徑。根治頗費時日矣。根治淋濁之正當療法。以內服藥爲相宜。蓋患淋濁者之尿道後尿道膀胱及女子子宮卵巢等處。粘膜必發炎症。其細胞組織必鬱滯而不疏通。所以細菌甚易繁殖。內服藥宜用開達疏通之劑。不宜用固濇收斂之品。使局部之細胞組織鬱滯而發炎者。開通之疏達之。則不消炎而炎自消。不利尿而尿自多。若尿道膀胱及女子子宮卵巢等處。粘膜內細胞組織不鬱滯而流通。則細菌自無繁殖之可能。而有向愈之效。率若市上檀香油一類製劑之白濁丸。固濇收斂。反使細胞組織愈鬱滯。成爲頑固慢性淋濁。最爲害人。人體肚臟。喜開達。脾臟喜升運。腎與膀胱爲排泄水道之器。而排泄之權實操諸肝脾二臟。所以根治淋濁。必須消炎利尿鎮痛。而消炎利尿鎮痛之方法。尤宜升達脾肝。脾肝升達。則肝臟疏泄之令暢遂。而水道清通。炎症自除。況且肝脈絡陰器。脾主肌肉。肝脾升達。細胞組織亦不致於鬱滯而生淋矣。

□老白濁驗方

（朱振聲）

急性白濁。失於治療。或治不得法。延成慢性。卽所謂老白濁也。凡患淋病之人。往往轉成老白濁。或因不知利害。遷延誤事。或因不明攝生之法。不能全愈。或因經濟問題。不能長期就醫。或因職業關係。不便就醫。或因醫生之無能。不合治法。或因夫婦二人。不能同時就醫。以致互相傳染。而藥物方面。確實之特效藥。尚未發見。西醫所用之檀香油劑。苗漿注入。黃色素注入等。亦並不一定有效。卽紫光線。太陽燈。透熱電等。雖大吹大擂。誇眩其如何靈驗。實則亦不過以新奇炫人。對於殺滅濁菌之效能。倘未得醫學界之公認。職是之故。白濁難於治愈。而轉成慢性。慢性之老白濁。已無急性時之痛苦。在精神健旺之時。並無若何感覺。一若白濁之已消滅者。實則尿道組織因炎證關係。發生變質。更因自己毒素之蓄積。濁菌之生殖力反因以減削。故症候漸輕。與治愈者無二。惟一有機會。濁菌卽復發動。故當身體衰疲。精神感受不快之時。濁液仍復下流。或有或無。時輕時重。經年累月。不能斷根。以致面色萎黃。精神不振。或則濁菌竄入他部。發生種種變化。

治老白濁。因濁菌潛伏深處。用殺菌之劑。實已無能爲力。不但不能發生作用。反有害於身體。故宜改變方針。一面培補腎陰。以增加局部之抵抗力。一面用收澀之品。以固斂其下元。使濁菌潛伏之處。緊湊擠迫。無容身之處。以消滅於無形。余常用熟地五兩。山藥兩半。萸肉二兩。杞子二兩。杜仲兩半。當歸兩半。龍骨二兩。兔絲子兩半。苡仁兩半。白茯苓二兩。研末。金櫻子煎湯泛丸。滾水送服。每收奇效。卽本此意也。

孕婦須知

□妊娠腹痛

（汪錦珍）

夫妊娠腹痛之原。不惟一端。有因外感六淫者。有因內傷七情者。或因痰飲瘀血之內阻。或因飲食饑飽之內傷。或血虛氣弱。或跌仆損傷。皆能致其腹痛也。然病原既非一端。則治法亦當分別。若夫腹痛而惡寒發熱者。此由客邪襲于肌表陽氣不得宣通而致也。宜用紫蘇飲（一）以散之。或腹痛而嘔噁腹鳴。痰多納少者。此因痰阻中焦氣機流行不暢之所致也。宜二陳湯（二）主之。或由憂思過度而痛者。必兼減食胸悶。因其脾肺之氣結而不行。健運失司而致也。宜逍遙散（三）主之。若因忿怒而痛者。痛連脅肋。攻痛無定。胸悶泛噁。此因肝氣橫逆所致。宜抑氣散左金丸（四）主之。如血虛氣虛而痛者。皆喜按畏寒。惟血虛而痛者。面色白而脈細。氣虛而痛者。氣息短而脈微。血虛者膠艾湯（五）主之。氣虛者補中益氣湯（六）主之。或因飲食不節而痛者。痛在繞臍。拒按而硬。宜用保和丸（七）主之。或因停飲而痛者。必兼腸鳴腹脹。宜用治中湯。(八)主之。若跌仆損傷而痛者。必兼腰痛小腹重墜等症。通氣散。(九)主之。此皆妊娠腹痛之治法。不可不知分別也。

(附方)

(一)紫蘇飲——紫蘇莖葉。大腹皮。人參。川芎。陳皮。白芍。當歸。甘草。生姜。葱白。

(二)二陳湯——陳皮。茯苓。半夏。甘草。

(三)逍遙散——柴胡。白朮。茯苓。當歸。白芍。甘草。陳皮。薄荷。煨姜。

(四)左金丸——川連。吳萸。

(五)膠艾湯——當歸。熟地。阿膠。川芎。艾葉。甘草。白芍。

(六)補中益氣湯——黃芪。人參。歸身。白朮。升麻。柴胡。陳皮。甘草。

(七)保和丸——查肉。半夏。橘紅。神曲。麥芽。白茯苓。連喬壳。蘿菔子。黃連。

(八)治中湯——人參。白朮。乾姜。甘草。橘紅。青皮。

(九)通氣散——破故紙不拘多少。瓦上炒香熟研爲末。先嚼胡桃肉一個。每服三錢。空腹時溫酒調下。

胎漏與流產

（郭柏良）

女子經血原充滿於子宮黏膜。預備養育受胎之卵子之用。如卵子不受胎。而排出體外。子宮內充血之黏膜。已無機能之必要。故卽崩壞而出血。成爲月經。受胎之後。充血之黏膜。卽得其用。故月經停止。其於妊娠時期。仍有出血現象者。當辨其是否爲胎漏。抑爲流產之先兆。

胎漏者。有時陰道出血。毫無其他病狀。不過稍流卽止。對於孕婦。對於胎兒。皆無何種大影響。流產者。卽胎兒未具有在母腹外生存之能力。而卽墜落者。其最大原因。卽胎卵生長力不堅。胎盤之血管太薄。稍經傷動。卽致損破。因此出血。同時胎卵亦脫落而下墜。

出血而見腰脊酸痛。雖不能必其有流產之處。然亦不能保其不致流產。若腰酸而垂重。少腹脈痛。雖爲流產之先兆。此時投以安胎之劑。尚有固攝之望。安胎之品。如歸身。熟地。人參。白朮。杜仲。續斷。黃芩。白芍。阿膠。南瓜蒂。苧蔴根等。可以酌量採用。如腹痛陣陣。血出不止。流產卽在傾刻。切不可再用安胎之藥。若誤用之。胎已脫落。反不能遽下。亦不可匆忙慌急。以防他變。宜相機進行。可安則安。不可安則促其速下。以減少孕婦之痛苦。得以早事休養。

流產多發生於孕娠三四月之前。普通之診斷。凡月經停止一二月或三四月而忽然出血見紅者。必先疑其爲流產。然月經停止不一定爲妊娠之特徵。如血虧腎病癆瘵。以及因受生活及地方環境之特別變動等等。皆足引起月經停止一二月或數月之現象。迨其病稍愈。或生活及環境已轉變。經血復行。凡此種種。頗易誤疑爲流產。臨診時當審辨之。

◻妊娠血淋治驗　（王愼軒）

余氏婦。去秋結褵後。癸行一度。嗣後經卽不行。今春患血淋症。歷經蘇垣名醫診過。未見功效。是歲仲夏。求診於余。余切其脈。兩寸關數疾。舌黃質絳。入暮潮熱。渴而引飮。納穀大減。便行溏薄。心悸足腫。臍腹膨脹不堪。小溲頻數。痠楚不爽。所下瘀塊形如海蛇。溺色如泔。屈指經居已踰十月。伊母及乃夫。均懇余爲之治療。余謂病延數月。安胎必礙乎邪。症屬心火熾甚。移熱膀胱。發爲淋症。遂以小川連、黑山梔、淡竹叶、血珀屑、海金沙、車前子、懷牛膝、生草梢、塊滑石、大腹皮等味出入爲方。服十劑。身熱已和。小溲得爽。淋痛亦止。惟溺色混濁如故。再加二妙丸。淡秋石。大淡菜粉萆薢等味。調理兩旬。腹膨得鬆。足腫全消。溺色漸清。匝月餘誕生一女。母子安均。產下子甚茁壯。惟方中血珀屑海金沙車前子懷牛膝塊滑石等。俱係妊娠禁服之藥。如用之失當。非特傷其子命。抑且損其母體。其害何可勝言。益信經文有故無殞。亦無殞也。大積大聚。其可犯也。衰其大半而止之。訓然則辨症用藥。豈可忽乎哉。

□孕婦宜注意胎教　（七）

『胎教』的道理。如果人們明瞭以後。那末簡直可以說。『無論何人。要求子孫將來長大後思想的聰明愚笨面貌的美麗醜惡等等。都可以預先自己操縱。要生一個思想敏捷。面貌美麗的小孩子。實非難事。』

先舉一個實例。有一婦人。她講起她初次懷胎時。年紀極輕。懷胎以後。仍是東走西跑。不知輕重。她的丈夫因此逼她只准睡。不准下牀。她本是素性好動的女子。那裏奈得住這樣的納悶。在牀上悶得慌了。便把小孩子們玩的泥囡囡不住地玩着。天天只有這泥囡囡可以使她解悶。於是這泥囡囡的相貌。差不多只要一閉了眼睛後。就可以活現到眼前。所以無論如何不至忘却泥囡囡的面貌的了。後來臨盆了。小孩子也漸漸長大了。說來可笑。那小孩子的面貌。簡直和她懷胎時代玩的泥孩子的面貌。一式一樣。這一段並非笑話。因爲懷胎時心理上對於那泥孩子的面貌。有了深刻的影象。才應感到她未來的小孩子。世上小孩的面貌。往往活像他的父親。因爲他的母親一刻不忘的面貌。就是他父親的面貌。於是她的小孩子脫不了他父親的面貌了。也有婦女們歡喜對鏡自照。於是她的兒女。便脫不了他們母親的樣式的。

照此講來。我們要使未來的小孩子。長成絕頂的美麗。也只消常看一個絕頂美麗的面貌。使其印到心的深坎。就是了。怪不得中國歷來胎教的論文。老是教懷孕的婦女們。

（一）佩美玉觀鸞鳳牡丹

（二）施環佩勿見鬼怪戲

面貌是物質的構造尙能利用心理的暗示。感應到生理。而使隨心所欲。抽象的構造。當然也可以利用心理的暗示。使將來生產的小孩子。思想敏捷純正體態大方活潑成爲社會上有作爲的人材。中國歷代的胎教論文上也曾說過。

（一）婦人有孕。卽居側室。不與夫接。

（二）讀詩書。習禮樂。勿聽淫詞野傳。

如果孕婦們對此毫不注意。懷胎之後。天天打麻雀鬧閒氣或是聽穢褻的歌曲。或是看姦盜的戲劇。那末那末來的小孩子。在先天上已種下了惡劣的教育。將來要希望他成大思想家大道德家大偉人。萬萬不可能的。所以書香門第的後系。脫不了書香氣息。大戶人家的後系。脫不了大家風範。婢妾們以及其他下等社會婦人們所出。總脫不了他們的劣根性。可見社會上的強盜偸兒。雖然一半由社會環境所迫成。一半却也是孕婦們思想不純正所釀成的呀。又譬如社會上的逆子。推其所以為逆。也無非因他在胎胚時代。他的父母灌輸着不良的思想。往往他自己能孝父母的人們。才養得到孝順的子女。如果養到了不孝的逆子。正該自己痛責自己。以後逢得孕時期。應該遵守上述的方法。自己思想高尚之後。那末將來的孩子。自然有希望了。美國現在由醫學家心理學家胎生學家優生學家經多年的討論。結果設立一種胎教院。懷孕後的婦人們。都送入胎教院。胎教院裏一切布置都含着美術意味。又陳列着許多修養文學的書籍。以及哲學文學的書籍，使孕婦們天天把美術哲學文學修養的思想。灌入胎兒先天的心靈之中。說是胎教院裏生的小孩子。可以得到醫學上心理學上優生學上最良的結果。他們以為這是近代一大發明。其實中國對於胎教的學理。早已流傳了幾千年了。

美容妙術

□美容秘方

(尢學周)

人無古今。世無中外。『莫不好姸惡媸。蓋愛美爲天性使然。而以女子爲尤甚。然造物弄人。或艷如西施。或醜如無鹽。相形之下。能毋悵然。於是不得借助於人力。則有美容法焉。其法不特媸者可以掩蓋。而姸者又可藉之益彰。相傳拿破侖第一之皇后。常煮牛乳塗面。唐代有名美人楊貴妃。亦塗玲瓏散。塗後色白而豔。益臻佳麗。六宮粉黛。相形失色。玲瓏散一方。失傳已久。余曾於某筆記見之。亟摘錄於下。以爲好修飾者取法焉。

玲瓏散方　密陀僧二兩。白檀二兩。蛤壳粉五兩。研細末。和勻。入雞蛋之白。而塗於面。經少時以糖洗之。

(按)密陀僧爲酸化鉛。用之恐有害於皮膚。愛美之人。不如採用下方。小豆五合。滑石二兩。白檀一兩。研末塗之。或但用雞蛋白擦面亦佳。

面不生皺祕方

(藝圃)

婦人年老色衰。額面卽滿生皺紋。殊令人起憔悴之感。可將大母猪蹄四隻。洗淨熬汁成膏。每晚臨臥。塗面上。明早以漿水洗去。半月後面皮卽細嫩如童子。或取新鮮小牛肉約兩許。淨砧搗爛。榨生肉汁塗面上。每日一次。數時後再用上好肥皂洗淨之。如此亦嬌嫩異常。雖五六十歲之老婦。用之俱效，

如皋民婦崔氏。年五十歲。而面容皎艷。肌膚細嫩。望之如二十許人。人問其何術致此。謂時常塗彘蹄膏而然。他人效之。不驗。疑此婦狂己也。恚之。因語之曰。熬此膏須得法。過稀不澤。過稠亦不澤。必稀稠適度。乃見效耳。

(按)面生皺紋。與人之年齡及境遇有關。情懷舒暢。笑顏常開。尤爲無上妙法。此外常見乳汁搽面。亦可令面色光澤。

染指甲的要訣

(佚名)

染指甲的方法。非常簡單。但是有許多要點。不可不注意的。現在所流行的指甲式樣。大概爲鋤形與鑽石形兩種銳角形。用桃紅色的琺瑯質美爪藥塗上後。就會發生美艷的光澤。可是妝飾指甲應當先把自己手忖度一下。是否合於妝飾的換句話說。就是看看自己的指形。是否有裝飾的資格。爲什麼呢。因爲許多人的手。皮膚粗黑。指形闊扁。指頭粗短。這種手。無論怎樣妝飾起來。總不能使人引起美感的。應當具備「玉指纖纖」「嫩如春筍」的要件。方值得妝飾。我常常看見婦女們的手。指甲內積滿垢汚。指頭上爲烟氣薰得黃黑。而在指甲上。染了桃紅色。這眞是矛盾極了。所以請婦女們先從根本上解決清潔後。才談得到妝飾呢。至於染色時。有一點我們應當特別注意。因爲有許多病毒。往往從修指甲而起的。就是醫學上所謂一種瘭疽蟲。竟有把手指的關節。成爲痙瘋麻木的。又因黴菌從指甲內侵入。發生化膿痰症的。所以修剪指甲的時候。應當消毒。現在普通的消毒法。先用微溫的肥皂水洗淨垢汚。再用千倍的昇汞水浸五分鐘。把指頭揩乾。再浸在百分之七水酒精溶化液中。使指甲上的表皮。漸漸剝脫。最後塗上桃紅色的琺瑯質美爪藥。那末不會發生危險性的病毒了。

點脣須知

(佩　萸)

假使你在化妝修飾的時候。嘴唇上厚厚地。重重地塗上了點唇膏。那麼你的嘴唇。難免要有變硬的趨勢。

假使你的嘴唇已經變硬了。不用懊喪。祇要用甘油與檸檬來塗上。就可使嘴唇柔軟。並且增加美的顏色。達到既紅且艷的標準。

假使你所用的點唇膏是乾的。看上去似乎沒有油質在其間。那麼你用點唇膏之前。先在嘴唇上搽些潤面膏卽可。（潤面膏就是普通的雪花膏。白玉霜。夏士蓮等類）

假使你的嘴唇是厚的。最好不用完全塗到。嘴唇的兩條邊上。千萬不要去塗。假使你的嘴唇是薄的。那麼要完全塗到。卽使塗出了唇邊也不妨。

點唇膏塗好之後。最好把唇膏的顏色。稍揩去些。要知道普通的鏡子。尤其是糊塗。

不平劣等的鏡子。照出來的像。常是比眞的要薄暗些。模糊些。最科學化。藝術化的點唇膏塗法。並不像大多數摩登姑娘一般的想像。普通認爲最適當最便捷的。是橫的塗法。就是從嘴唇的左端塗至右端。再從右端塗至左端。其實這樣不算最好的塗法。應當改爲縱的塗法。就是從嘴唇上邊塗到下邊。再從下邊塗到上邊。因爲這部分的皮膚也是自上至下。自下至上生長的。同時再順依唇的線紋而塗。這樣的塗法比較要多費些時間。但是一塗之後。立卽滿意。如若不信。請卽一試。

育兒指南

□小兒病經驗療法

（胡　佛）

小兒三歲以前。形質微弱。不能診脉。但看他的病勢緩急。身體強弱。再看他的第二指節。寅卯辰三關。分男左女右。在指側近虎口處。第一節叫做寅關。第二節叫做卯關。第三節叫做辰關。這三處地方。小兒有病。必有脉紋外現。若只現在寅關。沒有過卯關的。尚容易醫治。通過卯關的。就難醫治。通過辰關的。更加難治。若一條紋路。從寅卯辰直透過的。這是死症。紋路青的是風。紫的是瀉痢。青紫色是肝木剋脾土。紅的是熱。淡白的是寒。再將面色嘴唇舌苔。合攏來參看。小兒的病。大概也可見了。到了三歲以後。方可看他脉。用手按上去。脉來六七至。叫做平脉。四至五至。叫做寒脈。九至十至。叫做敗脈。弦急是氣不和。沈緩是傷食。促結是虛驚。浮是風。沈細是寒。若脈勢來得亂的。不能醫了。

急驚風。這個病。小兒口眼歪斜。手脚抽搐。痰壅心迷。像死去一樣。這是肝經風熱的症。俗名叫做急驚風。當用抱龍丸。胆星(二錢)天竺黃(一錢五分)雄黃(一錢)辰砂(一錢)射香(三分)共研末糊丸。燈心湯送下。再服清膈煎。製胆星(一錢)木通(一錢)白芥子(二錢)川貝母(二錢)陳皮(一錢五分)竹茹(一錢五分)石菖蒲(六分)這方子。皆是疎風化痰的藥。

慢驚風這個病症。因小兒吐瀉成的最多。或因久瘧久痢。痘後疹後。或因飲食風寒積滯。用攻伐的藥太多。傷了脾元。也有因體質本虛。也有因誤吃涼藥。也有因先是急驚。用藥攻降太過。失於調養。都可成這個病。病的見症。神昏氣喘。或大熱不退。眼開驚搐。乍寒乍熱。面色淡白青黃。或尿屎清白。口唇開裂出血。口中氣冷。或瀉痢冷汗。四肢冰冷。肚內時有響聲。喉中痰響。角弓反張。目光昏暗。這是頂虛的症。頂險的症。俗名叫做天弔風。虛風。慢脾風。都是這個症。大凡因發熱不退。及吐瀉而成的。總是陰虛陽實。必成驚慢。并非感冒風寒發熱可比。不可用發散藥。當用培補元氣的藥。加姜桂引火歸原。必定要先用辛熱的藥。冲開寒氣。再用溫補。今把經驗二方錄在後面。逐寒蕩驚湯。伏龍肝(三兩)丁香。(十粒)炮姜(一錢)胡椒(一錢)肉桂

（一錢）這五味部研末肉桂不可見火煎。一酒杯灌下去。吐瀉立刻就止。接吃後方加味生地黃湯。熟地（五錢）當歸（三錢吃三四劑後泄瀉不止卽去掉不用）萸肉（二錢六分）枸杞（三錢）炮姜（一錢五分）條芩（二錢）棗仁（二錢）補骨脂（二錢）炙甘草（一錢）肉桂（二錢）五味子（一錢）白朮（四錢）這方內加生姜（三片）紅棗（三個）胡桃（一個打碎）仍用灶心土（一兩）煑水煎藥。取濃汁大半杯。加附子（三分）煎水攙在內。量小兒大小分數次灌下去。倘是咳嗽不止的加粟殼（一錢）金櫻子（一錢）大熱不退加白芍（一錢）泄瀉不止。加丁香（六分）只吃一劑。卽去掉附子。只用丁香（七粒）隔二三日。只用附子（一二分）因附子的藥性太熱。中病卽宜去掉。倘用得太多。小便閉塞不出。如不用這味藥。沈寒在臟腑內。又固結不開。如不用丁香。恐泄瀉不止。這全靠醫病的人。隨時審察。見機用藥。這個方子。是救陰固本的要藥。治小兒慢驚的神方。若小兒吐瀉不止。微見驚搐。胃中尚可受藥。吃了乳後。就要瀉的。不必吃逐寒蕩驚湯。只吃這藥一劑就好。若小兒尚未成驚。不過昏睡發熱不退。或時發熱。時不發熱。日裏安靜。夜裏發熱。或午後發熱等病。都是陰虛。都宜吃這方子。若新病壯實的小兒。眼紅口渴的。這是實火。方可用清涼解乞化。但是實火的見症。必定大便不通。聲響神躁。並喜吃冷的茶水。若吐瀉交作。這必定不是實火。這方子都可吃得。倘是大虛的小兒。吃了一劑不見效。必須大劑多吃爲妙。

■小兒下綠色大便

（尤學周）

初生小兒之大便。濃黑而厚。謂之胎糞。氣味甜甘。排泄之量。愈多愈妙。迨後逐漸轉爲黃色。康健小兒之大便。色淡黃。軟硬如芥糊。性質屬酸。氣味略帶酸香。一日夜間。排泄二三次。

在未及週歲之小兒。其大便初爲黃色。與空氣接觸後。往往變爲綠色。在出牙之時。微微發熱。俗名變蒸。大便亦有現青綠色者。二者同受生理上之影響。不必服藥。如綠便次數加多。一日夜自四五次。加至十餘次。氣味甚酸。或帶惡臭。或煩躁不安。或泛嘔作吐。或發高熱。則爲病象。宜及早調理。

中国近现代中医药期刊续编·第三辑

大便綠色。多由不消化而起。其最大原因爲食物濃厚。脂肪質含量太多之故。脂肪之消化。全賴胰腺所分泌之胰液。與肝臟分泌之膽汁。太多則消化不及。即排泄而出。糞帶綠白之色。白色者爲脂肪。綠色者膽汁也。膽汁欲消化脂肪而時間上不足。故綠色每附麗於白色物之上。或帶綠色而鬆軟。或有塊壘者。皆由此理。綠糞之見於泄瀉初起。或因泄瀉而繼呈綠色者。大多爲不及消化。如綠糞日久不愈。則爲不能消化。不及消化者。因過食所致。宜節制其飲食。或竟不與食。一面用消導之劑。去其宿積。乳母方面。含有脂肪之物品。亦宜少食。不能消化者。因消化機能減退之故。宜健脾扶元。助其消化。以恢復其機能。

□小兒急驚之由來

（黃玉麐）

小兒病之最危險者。莫若急驚。古方不載。但曰陽癇。然則其症何以成。蓋皆由保養失宜。有時汗出立於當風。或逼近於烈日之地。亦有因食時厚味太多。睡時多蓋衣被。邪熱鬱蒸於心。心傳於肝。加以外感驚觸。神經承受戟刺。故其病之發也。夜臥不寧。睡中或哭或笑。身熱煩躁。便祕溺赤。痰嘶氣喘。咬牙咬乳。忽爾悶絕。目直牙閉。四肢搐搦。面紅。脈浮數洪緊。足證內有實熱。外挾風邪。鬱蒸於心。心受熱而發驚。肝生風而發搐。二臟交爭。風火相搏。痰涎壅塞。關竅不通。風氣蓄盛於內。而無所發泄。故暴烈而爲急驚也。由此觀之。凡愛護小兒者。豈可不愼於平日間之飲食起居乎。

□胎毒驗方

（尤學周）

年來因舊道德破壞。以致慾海橫流。難於挽囘。青年之沈溺於中者。正不知凡幾。滬上一隅。此風尤甚。妓院肉莊。林林總總。觸目皆是。而雉妓私娼。又隨處勾引遊人。春風一度。固足以蕩魄而銷魂。而花柳惡疾。亦由是傳染。故滬上青年。患花柳病者。竟什占八九。所生小兒。卽難免胎毒之患。

小兒發生胎毒。膿瀋漬漬。痛苦不舒。呱呱啼哭。日夜難安。爲父母者。每爲軫憂。訪求治法。雖多成方。實效者甚少。余有一實驗方。用煅石膏三仙丹片腦朴硝白芷各等分。研末時時調塗。甚效。再用金銀花甘草白鮮皮煎湯服之。尤佳。

經驗良方

白菓的功効與用法

（新 生）

炎夏已逝、涼秋乍臨。街頭巷尾。瀰漫着一片叫聲。洋洋盈耳。『燙手熱白菓。香是香來糯又糯。』這是小販們叫賣所謂『熱白菓。』在上海是一種極普遍的應時點綴。

白菓是銀杏樹所結果實的核子。銀杏。一名公孫樹。落葉喬木。高五六丈。葉薄。形如扇。有缺刻。春日開小花。色白。略帶淡綠。初秋結實。去肉取核。就是白菓。

白菓的命名。是就其本體形色而言。果仁當鮮嫩的時候。明瑩鮮綠。時日一多。就帶黃色。形橢圓。二頭尖小。略如橄欖。但有稜紋。二稜或三稜不等。照此標準的。名叫『佛手菓。』是上品。也有形體渾圓。好似櫻桃樣的。稱做『梅菓。』比較的次下了。

白菓性甘苦。平濇。無毒。熟吃有溫肺益氣的功効。照本草綱目上有好幾則應用的方法。摘錄一二如下。(一)面部酒皶。手足皴裂。生白菓嚼爛。以汁塗敷。(二)小便頻數。白菓十四枚。七生七煨同吃。(三)白濁。生白菓十枚。研細。和溫水吞吃。每天一次。很有効驗。(四)乳癰潰爛。白菓半斤。四兩研細和酒服。四兩研細敷塗有効。

□車前草治癃閉之特效

(沈仰慈)

癃者小便不利。卽滴瀝不爽也。閉者小便不通。卽點滴難洩也。吾醫察症審因。治法多端。曰分消法。三焦者決瀆之官。水道出焉。因溼壅三焦。水道不利。以致癃閉者。以通草。滑石。薏仁。茯苓。車前。分消之。曰宣通法。因溼熱之邪。阻滯經府。氣分者以石膏杏仁厚朴防己大腹皮。海金砂。六一散。宣通之。曰清降法。因心火鬱結。致溺短而痛者。以導赤散加滑石清降之。曰潤肺法。因肺氣燥涸。不能生水。氣化不及膀胱。以生脈散加沙參。茯苓。桑皮。車前。清潤肺氣而通之。曰滋腎法。因腎水燥涸。致小溲不利。以知母。黃柏。黃芩。澤瀉。通草。滋腎滌熱而通之。曰探吐法。因上焦氣閉。不能通調水道。下輸膀胱。以沉香。木香。枳殼。陳皮。小茴。木通。煎湯探吐。氣通則溲自行也。曰升舉法。因氣虛下陷。升降失常。及孕婦胎重壓胞。小水閉者。以補中益氣湯升舉其氣。氣升則水降。如滴水之器。開其上則下自通矣。內經曰胞移熱於膀胱則癃。張仲景曰陰虛則小便難。朱丹溪曰小便濇者血因水燥下焦血氣不得降而滲泄之令不行也。宜補陰降火。李東垣曰小便不通有氣血之異。如渴而小便不通熱在上焦氣分也。宜清肺氣。如不渴而小便不通。熱在下焦血分也。宜滋腎水。又曰血分燥濇致氣不通而竅閉。宜導氣除燥。凡此先哲發明之治法。全在醫家之診斷擇用。而尤憑病人之詳述症狀。症與法合固有效如桴鼓者矣。若夫世俗流傳單方之神效。則莫如吾最近聞之車前草一則。西門路潤安里林君夏秋間患小便閉塞。脹滿難忍。邀西醫治之。西醫用橡皮細管通於尿道。溺得大泄。頗覺暢快。但一日不用橡皮管通接。則脹滿欲絕。於是上午通一次。醫費規元五兩。夜間通一次。醫費規元十兩。久之耗費多而病不愈。頗以爲苦。或呈以車前草搗汁飲可通小便。姑信之。專人往田野間覓得車前草。搗汁半杯。沖水一碗飲之。小便竟暢。不復閉塞。其病爽然若失。林君語人曰。不圖一味草藥。乃有若是神效也。於是西醫生每日規元十五兩之診金。遂爲中斷。林君之友語余如此。余笑曰。諺有「一味單方氣死名醫」其是之謂乎。

口專治癲犬毒經驗良方

（林燮元）

癲犬之毒。甚於蛇蝎。但經一撲。雖未沾身沾衣。亦皆有毒。被咬傷痕。且易收口。毒內攻也。打癲犬不可用木槓須用竹竿。竹有節。毒不過節也。是方屢試屢驗。萬無一失。妙在可試驗其有無受毒。但咬後五日服藥方見。若咬後即服藥。毒未入內。雖服藥亦不見也。惟係以毒攻毒。性近攻耗。病後須有培補方不礙體。百日內忌食蟹鯉雞鴨韭菜。以及甘甜之味。並忌鑼鼓喧鬧之聲。

試驗方

木通三錢。車前三錢。淡竹三錢。滑石三錢。樟腦七分。山查一錢。班貓大七頭去翅足同朮米粳米炒至米黃存性用。

服試驗方倘有腹痛。大小便急而不通。知內無受毒。須預浸川連水。以待服之即解。

解毒方

木通三錢。車前三錢。淡竹三錢。滑石三錢。樟腦五分。班貓七頭製法同前。山查一錢。白柚半粒。大黃二錢。朴硝一錢。麥芽一錢。眞射香一分。

服試驗方。若無腹痛大小便急而不通。急服此方二劑。其毒自從大小便而解。

◻治血蠱鼓脹方

（章　芝）

週身老黑色。皮肉有紫黑斑點者是。用雄鷄屎（炒）四兩。茜草。紫背浮萍各二兩。老絲瓜筋半條。雄猪肚一個去臟。將各藥裝入肚內。用麻線縫好。煮熟去藥。將肚切片。仍入原湯。加螞蝗一條（燒枯存性）乾漆三錢（煅令烟盡）炒蝱蟲。眞血竭。眞花蕊石（研）各三錢。紅花。降香各五錢。大戟。甘遂（麵包煨）芫花（醋炒）各二錢。文武火煮好。去藥。食肚與湯。分作二三次服。服後以大便下黑水數次爲驗。

徵文

經驗良方

少婦素無疾苦。一日晚。似覺胸悶。起見旋卽牙關拘緊。不省人事。喉有痰聲。四肢抽搐。脉伏。擬案方。

此次徵文。准在下期披露。一經刊載。略具薄酬。

幸福雜誌

價目表

零售	每冊實售大洋二角		
時期	冊數	連郵費 國內	連郵費 國外
半年	六冊	一元	二元
全年	十二冊	二元	四元

廣告價目

等第	地位	全面	半面	四分之一
特別位	封面		四十元	
特等	底面之內外 封面之內	四十元		
優等	封面內面之對面	三十元	十六元	
普通	正文之前	二十元	十元	五元

彩色另議

中華民國二十二年十月一日出版
幸福雜誌第一期
編輯者 朱振聲
撰述者 全國醫家
發行者 幸福書局 上海三馬路雲南路轉角
印刷者 華豐印刷鑄字所

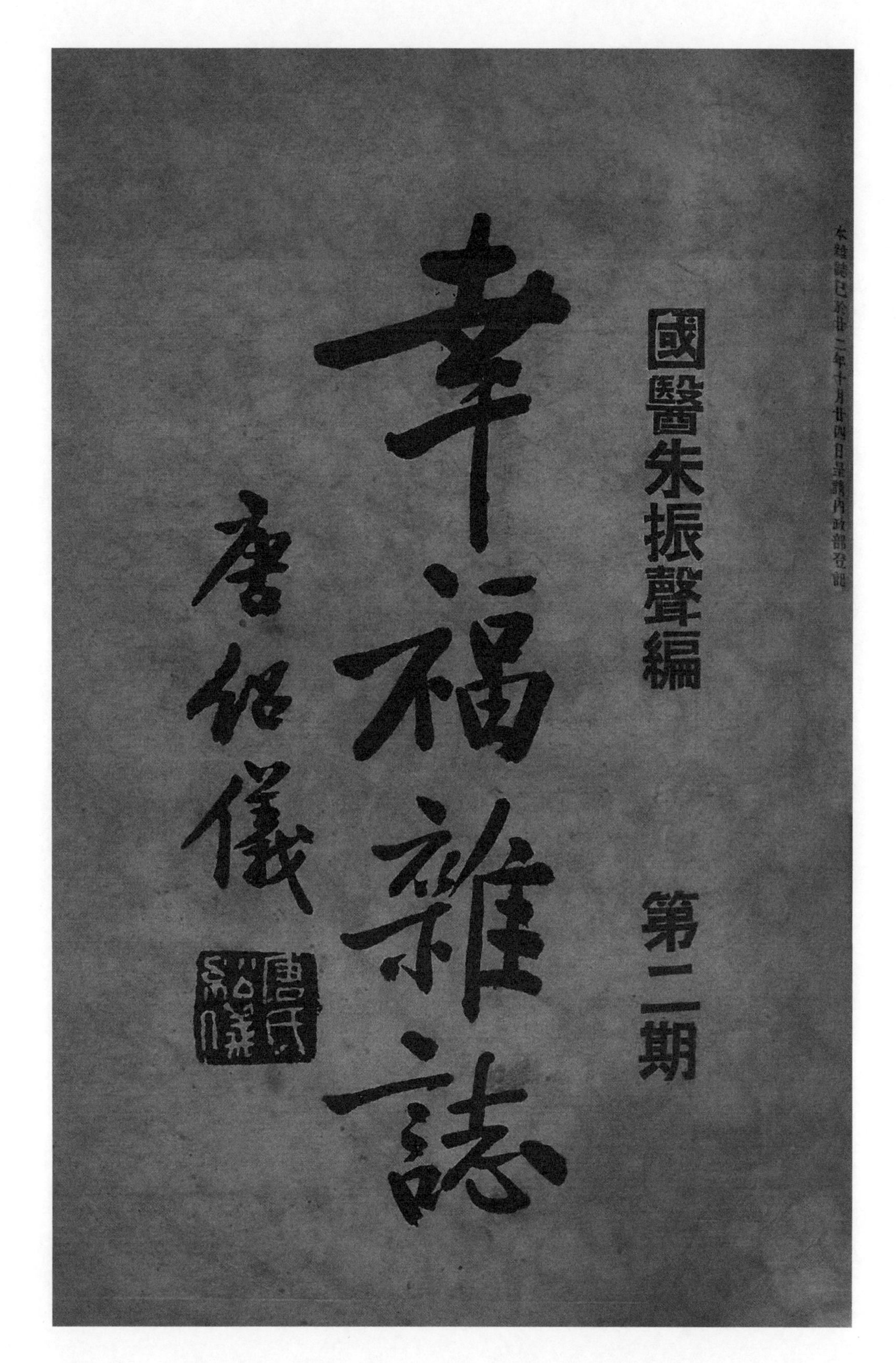

本雜誌已於廿二年十月廿四日呈請內政部登記

國醫朱振聲編

幸福雜誌

第二期

唐紹儀

唐氏紹儀

幸福雜誌第二期目錄

各項衛生

飲食品的衛生……嫣然
月經中之衛生……叔子
孕婦之衛生……欽
健忘者之衛生……郭伯良

診斷講義

十種問病法……張汝偉
疾病簡單之審察法……曾
小兒測病法……尤學周

藥物彙談

談談雅片……子展
銀耳成分與滋補功效……佚名
別直參之正僞……曹炳章

失眠自療

意志不寧而失眠之治法……鈺
不寐與神經衰弱……謝安之
失眠之自療八法……健

幸福雜誌　目錄

胃病概論

胃病與飲食之關係……文淵
胃口不開……丁仲英
胃氣痛……尤學周

婚姻問題

結婚與康健……嫣然
結婚之年齡……守一
結婚之第一夜……佚名

性病研究

陽萎之二大原因……范守淵

淋病之傳染問題……任先
白濁零話……時逸人

美容妙法

美貌之培養……佩萸
五張美容驗方之研究……范天磬
去面上黑氣法……宋愛人

調經指南

經事超前的變態……邱治中
月經落後……郭伯良
經閉……阮金堂
調經之要義……朱溪裔

產後疾病

產後傷食……仲英
產後遍身疼痛……銘
產後兒枕疼……陳百祿

小兒慢驚

小兒慢驚不可偏於溫補……沈潛德
慢驚之研究……丁仲英
慢驚與急驚之分別……王鞠坪

病家須知

調理病人之方法……林靜英
居家養病者注意……邱治中
慢性病之調理……姜常材

徵文揭曉

其一……楊先橘
其二……呂芳
其三……盛載銘
其四……黃葆良

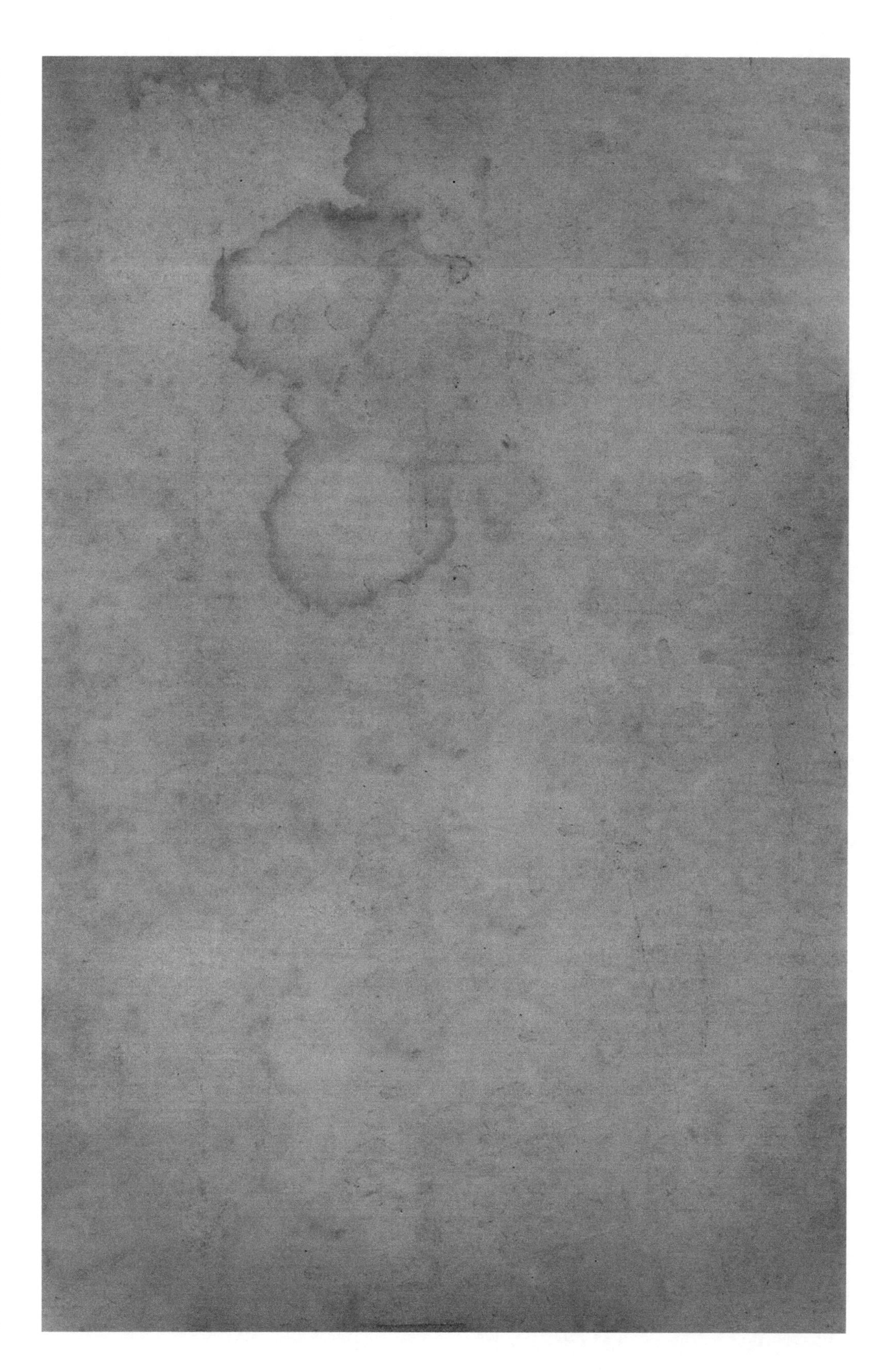

各項衛生

口飲食品的衛生

（嫣然）

家庭中的飲食問題。對於家庭衞生。有絕大的關係。而家庭中飲食品的採擇權。是完全操在主婦手裏的。所以依了邏輯的理論而說。家庭中各人的健康問題。主婦該負絕大的責任。所以對於飲食品的選擇。就不得不處處要加考慮。例如吃的米。米有碾得很白的。有碾得不很白的。有碾得十分粗糙的。自然碾得白的。比較糙的好吃。但是米中所含的維他命。是大部分在外皮裏的。所以糙的米。因爲外皮去得少。維他命的成分。也被碾去得少。所以米越糙。所含的滋養料越多。對於人體健康。越是有利。白米因外皮都碾去了。滋養質比較的少。所以吃白米的人。往往不及吃糙米的人强。在這上面。主婦該設法使全家庭中人。養成愛吃糙米的習慣。若是在事實上。容或有不能辦到的苦處。那麽爲救濟起見。最好每星期吃二餐或三餐麥製品。例如麵包。麥餅。或麵條之類。因爲麥類所含之維他命。比了米中所有的豐富。這麼。不特可調換口味。并可調劑米中不足的滋養質。

菜餚是每一個家庭主婦所最不易解決的問題。因爲菜餚不只有關衛生。對於經濟及花式也有聯帶的關係。依理論而說。自以蔬菜爲最宜。因爲蔬菜不只價賤。而且所含滋養料也極豐富。但是人類是有食肉的天性的。自然也不能每天吃蔬菜。但是爲了攝取維他命。以及潔淨腸胃起見。我以爲每餐不拘菜餚多寡。至少該有半數是蔬菜製成的菜餚。至於葷菜方面。自然該以家庭中人大多數的嗜好爲標準。但做主婦的。也該以時令爲選擇的從違。例如脂肪質太多的。不宜於夏秋。某種菜餚。對於時令病有關係的。在這時令裏。便該絕對的不買。每天預備菜單的時候。自然該以衛生爲前提。而後再顧到經濟與花式方面。

水菓也是極關重要的。更其是對於兒童們。水菓中所含的成分。至不一致。某一種體格。需要某一種水菓。這是做主婦的。該向醫生徵求意見。而謹慎從事的。腐爛的水菓。是誰都知道不能吃的。但不腐爛的。也並不是任何人吃了都有益的。例如有某種病症的不能吃含有某種成分的水果的。這些場合。做主婦的該特別留意。飲料方面。含有酒精成分的。除了在療治上的需要之外。該絕對的禁止。開水代茶。是很好的。但若事實上有困難。而不能不用含有刺激性的飲料時。也該檢用刺激性最弱的東西。夏季裏的冷飲品。很容易引起疾病。也該特別注意。做主婦的能顧到飲食品的衞生。那家庭中便可相當的減少疾病的煩擾與經濟的困難。

□月經中之衞生

（叔子）

婦女之初有月經也。其時因氣候之寒暖。生活之狀態。身體之健否。而有遲速之不同。蓋生長暖地者。較生長寒地者爲早。富貴者較貧賤者爲早。都會之人。較村居者爲早。身體健全賦有多血性者。較柔弱而賦有貧血性者爲早。由此種種。婦女月經開始之時期亦各異。惟大抵在十四歲至十六歲之間耳。其閉止之年齡。則約在四十歲至五十歲之間耳。月經之量及日數。亦人各不同。日數之短者。僅一二日。久者或至八九日。量之少者甚少。而多者極多。大抵熱帶中人多。寒帶中人少。當經行之時。無論何人。其身體必受影響。是卽血行器消化器及神經系統所起之障害。而腰部覺有抽痛者亦屬之。經行中養生之法。第一、在清潔。每日須以溫水淨洗數次。洗後。以柔輭之布帛拭乾之。第二、身體宜安靜。不可爲劇烈之運動。快步疾趨。亦所當戒。第三、精神不可過勞。此時婦人之精神特別敏銳。舉凡可悲可怒之事。足受劇烈之刺激者。皆宜避之。而沈溺書籍。廣爲酬應。亦屬有害。第四、食物宜取其清淡而有滋養性者。酒類及辛辣之品。須禁而勿食。第五、睡眠宜足。大小便宜暢。身體宜帶暖。第六、不可行遠路。不可負擔什物。不可乘馬。不可乘車。以上各節。皆經行時養生之要道。若經行之日數過差。量數素多者。忽而減少。素少者。忽而增多。或下腹作痛。或精神有異。或非妊娠而經忽不行。有一於此。皆當亟行醫治。不可怠忽。

◻孕婦之衛生

(欽)

夫衛生之知識。爲保身必要之事。而妊娠之衛生。尤爲孕婦切要之務。蓋妊娠之時。形體精神。皆生變化。稍有不愼。往往疾病叢生。故不可不衛生。是尙也。且子居母腹。

其氣相通。若寄生蟲之托於苞桑。蔦蘿之依於松柏。先哲謂其安危同休戚。豈虛語哉。是以爲孕婦者。愼於調攝。則母體康健。氣血充實。產如泰山磐石之安。無纖疴微恙之患。不然。不徒孕婦失其健全。胎兒亦且受傷。輕則生兒孱弱。重則暗產半產。甚或子母同殞。玉石俱焚。此不知衛生之害耳。

況孕婦之强弱虛實。性情之溫順急躁。胎兒秉受其氣。卽爲他日賢愚强弱之基。故欲養成健全優良之兒童。尤必以衛生爲要務。然則衛生之法誰何。曰宜勞動其筋骨。活動其氣血。不怠惰。不貪逸。俾得氣以煦之。血以濡之。諸氣舒暢。百脈調和。則胎元以固。胎氣均順。不致有墮胎難產之患矣。惟過度之操勞。劇烈之運動。則有振撼胎元之虞。尤當屏絕。

兩手高舉取物。則腹壁緊張。恐傷胎脈。或俯身作事。則腹部曲折。恐傷胎氣。皆當隨時隨地留意戒之。至於登高臨淵。越險跌重。或履高跟之鞋。或作跳舞之樂。皆易跌仆損傷。尤宜謹戒遠避。此運動之衛生一也。

七情不起。五志和平。則精神不散。胎氣得全。爲姙婦者。宜安閒寧靜。以和志意。逍遙快樂以暢氣血。作詩歌繪畫。以娛性情。讀聖經賢書。以修身心。此精神之衛生二也。

有孕之婦。血脈易受阻碍。故宜勤洗勤浴。俾去皮膚之垢穢。而助血脈之循環。惟浴水宜溫。時間宜短。以防感冒而杜疾病。且衣服亦宜時常更洗。庶不致藏垢納污。留爲疾病之媒介。此清潔之衛生三也。

孕婦之居室。宜空氣清潔。光線充足。俾有精神舒暢之樂。心志快愉之感。至其睡眠之時間。亦宜適度。過長則血行遲緩。過短則精神疲倦。大概以十小時爲標準。此起居之衛生四也。

腹帶之用。能保腹部之溫度。以避風寒。併防外來之衝突。以護胞胎。迨臨產卸去腹部。驟寬分娩可速。實爲孕婦必不可少之物。惟束之過緊。則有碍胎兒之發育。阻氣機之流通。務使寬緊適宜。卽衣服亦宜寬大柔軟。並隨氣候寒溫而加減。幸勿過厚以東皮膚。亦勿過薄以冒外邪者。此衣服之衛生五也。

飲食注意。亦爲姙娠衛生之要點。蓋孕婦腹中既增一物。則食入胃中。殊難消化。食之不愼。每致釀成疾病。損及胎兒。故斯時食物。宜擇易於消化而富於滋養之品。如牛肉汁。雞汁。雞卵。豆漿。蔬菜之類。減少其食量。增多其次數。庶有滋養之益。而無壅滯之弊。至茶椒姜芥酒辛熱刺激之物。易耗胎元。生冷瓜果堅硬難消之物。易傷脾胃。肥甘則壅氣生痰。酸鹹則耗血傷脾。均非孕婦之所宜。此飲食之衛生六也。

姙娠有病。宜速就醫。不可執胎產勿藥之說。以致輕病致重。重病致危。然亦不可妄服方藥。如保產無憂散及保胎等成方。非人人可服。切莫妄試。亦為孕婦不可不知者。此醫藥之衛生七也。

總斯七端。皆為姙娠衛生之要務。深願姙娠婦女。履行之。實踐之。非特胎產之種種疾苦可以防患於未萌。且將來胎兒之身體。亦可由此而强壯矣。

□健忘者之衛生

（郭柏良）

健忘既由於神經衰弱。而腦力之保養。當為要着。蓋腦為全體神經之主宰。神經之衰弱。與健全。與腦力有密切之關係。各部之神經。固不宜使受過重之刺激。以賊及於腦。而腦之本身。尤宜加意保養。不可過於勞碌。精神愈用則愈出。腦力愈用則愈靈。然用時貴在有節若一勞而求永逸。則逸且不可得。反因勞而傷其腦力矣。莘莘學子。治學過猛。於功課方面固以出人頭地。腦力必爲之大傷。又有平日優游成習。置功課於不顧。臨考之時。發憤忘食。夜以繼晷。亦非所宜。如神經本已衰弱浸成健忘之症者。腦力之使用。尤宜節制。否則其證情必復加甚。已忘之事。亦不宜勉强追憶之。當迴溯而不能記憶之時。宜棄之不顧。或能於偶然之間。若强加思索。最爲不宜。且有因此而更不能想出者。即幸而憶及。有傷腦力。非衞生者所當爲。

勿過用腦力。爲健忘或消極之衞生法。充足其睡眠時間。爲積極之衞生法。俗尚之三八制。規定工作八小時。休息八小時。睡眠八小時。乃指普通之康健人而言。如身體失於健全。則不能以爲例。譬諸健忘之人。腦力之休養。最爲緊要。八小時之睡眠。尚嫌不足。當必增加而使其充足。

然患健忘者。每有失眠之傾向。其睡眠時間。不足八小時者有之。睡眠不足。精神恍惚。記憶力必愈減退。故睡眠充足之先決問題。爲如何可以得使熟眠。

熱眠之法。最好於寢前作適宜之運動。運動之後。繼之以沐浴。即不沐浴。亦當以溫水洗足。洗後就寢。被褥以柔軟爲尙。睡後運行精神集於足之趾尖。又屈數兩手之指。則腦間血液。自然流注於他部。由是一切皆空。漸入於涅槃之境。可以鼾然入睡。一覺醒來。精神倍增。此健腦之良法也。

醫學史之巨著

中國歷代醫學史略

出版

編纂者　上海醫界春秋主編　張贊臣

題眉者　國民政府行政院祕書長

題序字者　謝利恆　陳无咎　宋愛人　王一仁　朱壽朋

內容分縱橫二大綱敘述　（醫事之沿革）（學說之變遷）

中國醫學自黃帝紀元。相傳迄今。已有四千六百餘年之歷史。然其中沿革。以及學說之變遷。雖散見於歷代各史。皆是局部片斷。毫無一貫系統紀載。誠醫林之憾事。張氏贊臣。爲當代醫學大家。曩任中國醫學院教授時。有研及此。特發弘願。以其平日研究所得。著成『中國歷代醫學史略』一書。授之學生。以循轍踐跡而登醫學之堂奧。內容分縱橫二大綱。縱的方面。則主時代性。自周。秦，漢，唐，金，元，明，清，爲止。橫的方面。取典籍與科目。計分十九類。(一)本草(二)女科(三)幼科(四)推拿(五)瘍科(六)眼科(七)脚氣(八)霍亂(九)痧脹(十)鼠疫(十一)虛勞(十二)導引術(十三)調攝法(十四)祝由科(十五)醫史(十六)醫案(十七)辨舌法(十八)醫學叢刊(十九)中西匯通等。以持中之眼光。作簡要之敘述。引徵考核。分析詳明。全書二萬餘言。用潔白連史紙精印。磁青紙封面。仿古裝訂。書印無多。欲購從速。

價目

全書一冊。(定價洋六角。特價實售洋四角八分。外埠郵費加二。)凡醫校團體等。一次購滿二十冊者。照特價再打八折。惟以總發行處爲限。

▲中國醫藥書局詳細目錄函索卽寄

總發行所　上海白克路西祥康里第七十七號　**中國醫藥書局**

診斷講義

十種問病法

（張汝偉）

醫生入病者之門。臨床問證爲第一要務。第一問明外感內因。內症外瘍。及何日起點。迄今幾日。輪算其現在所屬何經。譬如一日太陽。二日明陽。三日少陽。四日太陰。五日少陰。六日厥陰。七日不愈爲再傳。有併病者。有合病者。有始終在一經不移者。務必辨認清確。然後斷定病名。再往下問。

第二問必先問病者之惡寒與否。惡寒者。不見風而亦寒。重衣厚被所不溫者。此由風邪襲入腠理所致。宜表。微惡寒者。表邪輕而未解也。宜疎解。凡發熱惡寒者。發於陽。宜表。無熱惡寒者。發於陰。宜溫。汗出惡寒。表虛也。宜解肌。無汗惡寒。表實也。宜發汗。汗後仍惡寒。營衞俱虛也。宜和解。倘惡寒踡臥。手足冷。自利煩躁。脈不至者。死。惡寒自手足頭部起。而侵入於全身。爲表。爲陽。輕症也。惡寒自背部起。而漫及手足者。爲裏。爲陰，重症也。故醫士問明一症。務必考究清楚。不泛泛然問惡寒與否一句了之則虛實寒熱瞭如指掌矣。以下諸問。俱可類推。

三問發熱。發熱者。發於外之表熱也。其連續不已者。謂之傷寒。屬表者宜疏解。屬裏者宜化泄。各隨其症之所見而治之。然挾表者惡寒。(故俗言寒熱)潮熱者發有定時。熱有輕重。似間斷而不間斷者。是宜疏解。蒸熱者。蒸蒸然發熱。熱在內也。宜微下。煩熱者。熱在營分。宜清化。發熱而脈沉下利。手足冷。爲陰症。宜溫之。下後發熱。有因宿垢未盡。有因誤下而成結胸之別。食復、勞復、皆能發熱。但當輕以和之。寒熱各半。止作有時者。爲時瘧。宜和解。而瘧之種類又夥。治法不同。當另於治瘧門求之。此但言發熱之大概也。

四問惡風。惡風者見風則慄然。若在密室幃帳之中。卽無所畏也。汗出而惡風者。衞氣弱也。宜固表。尋常惡風。悉屬表症。故三陰經無惡風之表症也。無汗惡風。爲傷寒。宜發汗。汗出惡風。爲中風。宜解肌。下症悉具而惡風。先解其表。亦有風溼相搏。惡風而氣促者。必有甘草附子湯。散其溼而和其營衞也。

五問汗。自汗者不因發散。自然汗出也。若遍身漐漐。謂之熱越。是表邪自解之機也。

若挾惡風惡寒者。仍當疏解。但頭汗出者爲五內乾枯。津液衰少。不可再汗。發黃症。溼鬱熱伏。亦但頭汗出。宜化溼。吐下之後。小便不利。而見頭汗者。爲陽脫不治之症。盜汗者純由陽虛。宜和表內。蘊熱邪。燥屎譫語。手足汗出。宜下以解之、挾寒則水穀不分。手足冷而自汗者。理中湯溫之。

六問頭痛。頭痛爲寒邪入足太陽經所致也。滿頭痛而牽引眉棱骨痛者。宜汗以散之。厥陰頭痛。分偏左偏右。左者主風。入於營。宜養血熄風。右者主風濕互阻。宜開濕疏風。如兩感於寒。痛連腦際。手足青至節者。爲眞頭痛。不可治。若但覺頭旋者。謂之頭眩、乃少陽之風火也。經曰。上虛則眩。下虛則厥。亦有痰火上冒而頭眩者。不識人。卽類中風之漸也。宜熄風鎭攝。亦有正氣虛而眩暈耳鳴者。宜補益心腎。頭腦鳴響狀如蟲蛙。名天白蟻。宜清腦風熱。頭痛起塊作響者。名雷頭風。宜升陽散風。

七問口渴。渴者裏有熱也。脈浮而渴。屬太陽。宜疏解。有汗而渴。屬陽明。宜清化。自利而渴。屬少陰。宜下之。熱結旁流之謂也。凡無汗而渴。不可與白虎。汗多而渴。不渴與五苓。渴欲熱飲者。眞寒假熱。中有飲邪也。渴飲喜涼者。熱甚之徵也。渴不欲飲者、中有痰滯兼表邪未淨也。飲一溲二謂之消渴。宜滋陰養液。少陰症咽痛口乾而渴者。相火熾也。宜潛養。

八問小便。小便爲人身水濁排泄之總機括也。然其主宰。則均由於氣化。故經曰。膀胱者州都之官。津液藏也。氣化則能出矣。小便不利短赤者。裏熱也。小溲頻數。腎與膀胱俱虛。而兼有客熱也。凡屬濕熱阻氣而小便不通者。宜通利。若屬少陰而不利者。宜四逆湯溫之。若下焦有熱。小腹滿。應小便不利。今反利者。有瘀血也。宜抵當湯。陽明症有汗而復誤汗之。應小便不利。今反利者。是津液散亡而氣不固攝。大便雖堅。愼不可再攻之。

九問大便。大便分自利。泄瀉。便堅。言之。自利分協寒協熱。協寒自利。屬三陰症。溜之不覺。下利清冷者是。協熱自利。屬三陽症。臍下必熱。渴欲飲。水泄下黃赤者是。泄瀉分完谷。鶩溏。水泄。三者。完谷屬脾憊。宜健中帶溫補。鶩溏屬腸中熱。宜化滯兼清疏。水泄則或因風入腸中。或因熱結旁流。或因積寒所致。總以小便利不利。腹中拒按與否爲斷。在神而明之者自悟也。便堅分欲廁不得。及不欲廁二者。裏急後重。欲廁不得者爲痢疾。各有專治。若完全秘結。則有熱甚積滯者屬實。宜下之。有汗後不通者。爲津液內竭。宜導法。若帶嘔噁及小便清長者。均不可攻。總以頻轉矢氣知便之將下。少腹拒按環臍作痛者。爲食積之徵。均宜下之。老年人精血枯及虛弱人元氣弱。有嗜好人(即吃鴉片人)之腸中燥者。雖有食積。不可猛攻。祇宜微潤或溫下之。臨證者又宜加意細心。問明之後。方不誤事。古人急下存陰及下不嫌遲二句。非各爲反對。均有至理。能悟及此。思過半矣。

十問經過情形。病有萬變。有始惡寒而今不惡寒者。有陽經陷入陰經者。有陰經透出陽經者。有兩感者。有曾服表藥而邪仍不解。宜再表者。有曾服下藥而裏仍實。宜再下者。有誤下者。有誤汗者。所謂先醫藥後醫病是也。有女子隱曲不宣者。有羞惡難言。有先富後貧。名曰失營者。有飢飽勞逸之不勻者。有猝然起危急之症。由誤食毒物。或卒犯中暍中寒者。有踰山越嶺渡河涉水勞頓而起者。有水土不服者。有思慮不遂者。均當一一問之看護之人。詳晰其由。再參病理。方無一失。亦爲醫者所不可不知也。

□疾病簡單之審察法

(曾)

人體各部。各依其生理的作用。營適當工作時。謂之健康。反之。其有一部或數部不能營工作。或其工作逾乎常軌。皆謂之疾病。但疾病之生。其來也漸。當其初每不易覺察。及至覺察。則受病已深。不易醫治。吾人對於疾病之審察。故當時時注意。簡單之法有四。

一、氣色　健康之人。其面部潤澤。微現一種淡紅色。目光敏銳。有活潑之氣象。凡目光遲鈍。面乏生氣。皮膚作蒼白。或深紅色者。皆病徵也。

二、體溫　人體溫度有一定之數。冬夏不變。其數約華氏九十八度六。卽攝氏三十六度。雖以各人所居之境地不同。而略有相差。但就各個人本身而言。則不應差變。倘以體溫計含於口中。過二三分鐘。視其溫度過高或過低。皆病徵也。

三、呼吸　常人之呼吸。其速度一定。壯者每分鐘約十五至二十次。兒童較速。其深淺之度。亦有一定。凡呼吸無規則者。皆病之現象也。

四、脈搏　脈搏次數。與呼吸有關係。大概每呼吸一次。脈搏四次。試按右手二指於左手大指根下方之腕節上。卽覺有脈搏動。壯者無病時。脈搏之次數每分鐘約六十五至七十五。其搏動之力。亦有一定之强弱。其次數過多過少。及搏動之力時强時弱。皆爲病徵。吾人用此四法。常自審察。卽可預知病徵。以便及早求醫診治。不與遺誤。又兒童對於本身之疾病。每不自知。爲師傅保母者。尤宜時時注意審察爲要。

口小兒測病法

（尤學周）

坊間出版之兒科書籍。於小兒衞生各法。及證治方法。甚爲詳明。獨於診斷一門。非失諸簡略。卽屬諸理想。無裨實際。而小兒有疾苦。不能自言。其能言者。言之又不能詳盡。端賴保育者隨時細心觀察。故診斷一法。實不可不知。茲擇其簡單而又切合於實用者。得十六條。錄之於後。

（一）初生兒之康健者。啼聲雄壯。皮色微赤。筋肉與脂肪豐滿。指爪與頭髮發生暢旺。反之爲未成熟。及衰弱之徵。

(二)小兒生後三四日。皮膚變黃色。此爲生理上應有之現象。不足爲慮。若三星期後。黃色不退。爲疾病之徵象。

(三)康健小兒。睡時常呈和顏悅色之態。若忽啼忽醒。或呻吟微聲。或頻頻反覆現種種不安狀態者。其身體必有不適。

(四)襁褓尿布乾潔無汙。床褥安適。又非饑渴。而啼哭不能安然入眠者。其中必有何種障碍。宜留意觀察。

(五)小兒之舌。以紅潤爲良。若有白色厚苔。所下之糞。濃厚如糊。有强烈之臭氣。乃消化不良而引起之腸胃病。

(六)小兒二歲以後。顱間頂骨猶未閉。或凹下不凸起者。係發育不良及有病之現象。

(七)小兒初生。其頭圍較胸圍爲大。日久則胸圍發達。大過於頭。若半年後胸圍尚不及如頭圍者。卽屬虛弱之徵。

(八)小兒腹圍較胸圍大。及時腹痛。必腹中有蟲。與消化器寬鬆。亦虛弱之象。

(九)嬰兒之尿。平常隨食物而異。如質薄之乳。其尿必多。多飲水份。其尿亦多。若尿色濁而帶酸氣者。大半屬消化器有病。大概無病之嬰兒尿常清而微帶酸性。

(十)飲人乳之康健小兒。其大便之色。濃厚如蟹膏。均勻而少。每日約二次至四次。若作綠色或暗褐。(初生三五天之胎糞不在此例)或混黏液。或有凝固之粒塊。每日在五次以上。卽腸胃有病之徵。

(十一)食指靠大指一面有筋一條。現紫色而直上指之第三節者。內熱必盛。

(十二)小兒食後卽吐。多因食不消化。(其在乳兒。食後抱法不妥。亦能作吐。)若平時身體尙好。忽然作吐。兼有發熱者。必屬傳染病。卽發疹之各種熱病也。

(十三)呼吸之數。初生兒每分鐘約有三十五次。週歲後減至二十六七次。小兒患熱病及肺病。呼吸之數必增。

(十四)小兒脈搏。較成人爲數。每分鐘約有一百三十六次。至週歲後減至一百十六七次。十六歲後同於成人。每分鐘僅七十五六次而已。

(十五)小兒體溫。在七八歲前。約爲攝氏檢溫器三十七度八九分之譜。若降至三十五度八分以下。或升至三十七度八九分以上。其因啼哭運動飲食饑餓而致者。尙無妨碍。否則身體有變異發生疾病之象。

(十六)每星期磅小兒一次。身體日瘦。體量日減。或身體過於肥胖。而皮膚少紅潤色者。均非康健之徵也。

藥物彙談

談談鴉片

（子展）

昨訪趙譽船先生。彼以一八八九年第九册萬國公報相示。其中錄有署名艾約琴者關於鴉片之文。此公從希臘拉丁大食國說到中國。文長五六千言。引證頗爲繁富。疑其爲深通漢學之西人。倘爲華人。則亦頗通西學也。

中國隋唐之世。亞拉伯人自立爲大食國。彼等極重希臘醫藥。以治諸疾。所用各藥。鴉片亦在內。希臘古代醫家丢利哥斯低斯所著萬種藥料集成。固嘗言鴉片有安神止疼。使人多眠。獲愈之功效也。

大食國於唐太宗時已來中國通商。故亞拉伯人航海至廣州等處海口。携來象牙。乳香、賓鐵、綿花、白龍腦、白砂糖、琉璃器、薔薇水等貨。並各種藥材。相與交易。罌粟或亦在藥材中。揆厥情形。彼時之先。中國殆未嘗有罌粟花也。一稱爲米囊花者。則以其結實如囊。其子如米。故云然也。

唐明皇時。陳藏器述嵩陽子言曰。罌粟有四葉。紅白色。上有淺紅暈子。具囊形。觴頭箭中有細米。又唐郭橐駝種樹書云。鶯粟九月九日及中秋種之。花必大。子必滿。（見圖書集成博物彙編草木典鶯粟部彙考並花部） 按柳宗元有郭橐駝傳。可證郭亦生於盛唐。與陳藏器年代殆相及。自太宗至明皇時。距百年。大食國通商中國久矣。中國已知自種罌粟。是固可有之事也。

宋太祖開寶六年。命尚藥奉御劉翰。道士馬志等九人。參訂開寶本草。呼罌粟曰罌子粟。一名米囊子。又名御米。並言其米主治丹石發動。不下飲食。和竹瀝煮作粥食極美。又宋仁宗詔天下郡縣。圖上所產藥物。用唐高宗命英國公修成英公唐本草故事。專命太常博士蘇頌撰述。成圖經本草。其書中云。罌粟花處處有之。人多蒔以爲飾。種有紅白二花。微有腥氣。其實形如瓶子。有米粒極細。圃人隔年糞地。九月布子。涉冬至春。始生苗。極繁茂。不爾。即不生。生亦不茂。俟瓶焦黃。乃采之。又云治反胃吐食。有罌粟粥。用白罌粟米三合。人參末三錢。生山芋五寸。細切。研三物。以水二升三合。取六合。入生姜汁及鹽花少許。和勻分服。不計早晚。亦無妨別服湯丸。又宋徽宗政和中。醫官通直郎寇宗奭譔本草衍義。略云罌粟子性寒。多食利二便。研此水煑。如蜜作湯飲之甚宜。他如楊士瀛直指方。王璆之百一選方。王碩易簡方。均云罌粟殼治痢有特效。根據以上諸說。可證宋人已以罌粟子或其外殼煑湯製丸治疾。且以爲治痢之珍品也。至宋詩有詠及罌粟者。除蘇軾蘇轍之詩外。尚有謝邁詠罌粟花七絕一首。詩云。

鉛膏細細點花梢。
道是春深雪未消。
一斛千囊蒼玉粟。
東風吹作米長腰。

金劉河間宣明方。治咳嗽多年自汗者。用罌粟殼二兩半。去蒂膜。醋炒。取一兩。烏梅半兩。焙爲末。每服二錢。臥時白湯下。又李杲云。罌粟殼收斂固氣。能入腎。故治骨病尤宜。又危亦林得效方。治久泄不止。粟殼去筋。蜜炙爲末。每服五分。蜜湯下。卽效。又朱震亨曰。今人虛勞欬嗽。多用粟殼。止刼。及濕熱泄痢者用之。止澀。其治病之功雖急殺人如劍宜深戒之根據以上諸說可知金元時代罌粟殼不僅用以治痢且有用以治欬嗽治骨病者至朱震亨謂其殺人如劍宜深戒之可見彼時已有因鴉片中毒而死之人也至其見於文學者馮子振十八賦云或簪烘霽之罌粟或戴凝霜之菊英則罌粟花尙有觀賞之用也

銀耳成分與滋補功效

（佚名）

吾人每到秋冬亟思服食補品蓋一年來事業勞形身心不無虧損自應有以調補補品中所熟知者如參茸燕窩銀耳等類但究含何種補質有何功效大多茫然僅知人參之補氣鹿茸別直參之性熱燕窩之滋陰對銀耳之功效所知比較稍多如治陰虧體氣虛弱肺病咯血久咳胃炎便秘痔瘡婦女血崩白帶不消化等症據上述各補品之功效參茸燕窩至屬單純效力微薄且多偏頗自以銀耳（卽白木耳）一物功用最多最適合吾人之服食

銀耳功用雖如上述但究屬父老相傳未足據以爲信今科學昌明自應實地化驗

知其成分所在。方能據爲準確。

中國科學社胡澤君。作科學上精確之化驗。化驗結果。銀耳內含多量之脂肪。蛋白質、磷、鐵、鈉、等原素外。更有甚多類似亞拉伯樹膠之粘液汁。精於醫學者云。此項粘液汁有三大功效。（一）助消化（二）補血液（三）利大便（按歐戰時戰場上流血過多之人。醫生用百分之六之亞拉伯樹膠和千分之七食鹽加入蒸溜水注入血管以填補血液。有良好成績。）世傳四川銀耳能治百病。久服益壽延年。今觀所含成分。自非虛語。蓋食物中未有能同時具上述三種功用。而補品中更難覓得。今銀耳能全數具有。奇珍之稱。當之無愧。

查銀耳產地。非只四川一處。貴州湖北兩省亦有出產。以地理氣候之不同。功效似不及四川所產之偉大。故售者均以四川銀耳名之。

□別直參之眞僞

（曹炳章）

別直。產韓國。卽古之高麗。其產參之地。如京畿道之松都。龍仁。平安道之江界。全羅道之錦山。忠淸道之忠州。其間以松都產者爲最勝。紅參製造官廠在焉。其地在韓京之北二十餘里。四面皆山。居北緯三十八度。寒暑之差殊甚。如松都產者以金剛山出者曰金剛參爲最上品。卽今正官別直也。而拳頭參次之。且有官私之別。紅白之分。官參松都所產。由義州出關。加以重稅。私參別處所出。多偷漏出口。故曰私也。廣報云。白參雖不行於內地。而實則紅參鮮時亦是白參製成。不過加附子水以釀其色。價且較白參爲昂。及考其性。紅參又遠不逮白參之和平。故土人無食紅參者。蓋別直雖爲種品。如歷年愈久。質味愈良。古時每栽七年而採。後則五年而採。近世韓國割讓日本。日人多精農學。敎以人工栽培速成之法。三年卽能採買。故其受氣逐年薄弱。而性味效能。亦年不如年也。凡辨眞僞。若眞正官別。體態圓方形而直。蘆頭大與身混。直而上。皮面近蘆有細橫縐紋。中身綑直紋杈鬚。則無紋。味苦兼微甘。鮮潔而有淸香氣。煎滷多次。汁淸而參仍不腐爛。此爲最上之品。近時射利之徒。多以廠參僞充。卽俗所爲扁剛。石渠子。是也。考廠參中身大。蘆頭小。頸細。杈下亦粗圓而大。皮紋直而粗。味苦而兼濇。煎滷汁混。參亦腐化。以此可辨爲贋品。若廠參以鑛灰同貯藏年餘。參性受灰炕燥過度。形質因此堅緻。煎之亦汁清不烊。其味仍苦兼澀。不若眞別直質味之淸香鮮潔也。

失眠自療

□意志不寧而失眠之治法

（鈺）

吾人日間操作之後。軀體中即有一種毒質產生。白血球遂蒙其害。而減少其抵抗病菌之力。是時設再行勉力工作。白血球必將盡失其功能。一遇病菌。勢必燎原。一發而不可收拾矣。故欲免除此弊。生理上即起一種自動作用。即此種毒質刺激神經。傳之大腦。大腦乃命令筋肉及細胞。停止工作。吾人即覺有疲勞之感。不能再行工作。而昏沉欲睡矣。是故睡眠乃所以調節疲勞者也。吾人日間必欲工作。故夜間亦必須睡眠。然則睡眠如有不足。或竟至不能入眠。則其害甚大矣。考吾人所以不能入睡之故。除因病理以外。皆係精神不寧。思慮過度。致意志不能專一所致。故欲其入睡。必須使其意志專一方可。而意志專一之法。最佳莫如睡在牀上而觀閱書報。或靜數鐘聲。俾全神灌注於一物。則意志專一。而漸漸引入睡鄉矣。吾人日間睡在牀上閱書。亦易於入睡。即此故也。固無須必待乎夜間焉。諸君如有是患者。曷請一試之。

不寐與神經衰弱

（謝安之）

不寐之症。原因甚多。最大者爲神經衰弱。治法。內經以陰陽不交爲大原因。冷盧醫話以操縱二法爲惟一治法。鄙意總以安腦爲第一要著。每遇此症。無論虛實。令其每夜以熱水洗足。無不神效。以之治頭痛尤效。

（振聲按）操者。睡時心想頭頂。默數鼻息。返觀丹田。使心有所著。乃不紛馳。庶可獲寐。縱者。任其心思游於杳渺無系之區。亦可漸入朦朧之境。歸安沈鹿坪先生官台州教授時。因閱文繁勞。患怔忡不寐。有人傳一法云。每夜就枕後。卽收斂此心。勿萌雜念。惟游思於平素所歷山水佳處。任情一往。定而能靜。久而久之。心漸入於杳溟之中。則不期寐而自寐矣。如法行之。獲效。是其能得操縱法之要者。又。熱水洗足。引血下行。血厭降低。亦能入睡。

失眠之自療八法

（健）

人不熟眠。必多幻夢。稍觸便覺。故雖眠臥八時、其結果與四時者等。且不睡眠則心思煩亂。精神日耗。而百病因之而叢生。其害之大。曷可勝言。數年前余有此患。雖常服安眠劑。亦不過取效一時。及後幾至非服此劑不可。儼成習慣。由此身體日趨衰弱。後因醫學叢書有熟眠法一節甚善。乃照法試行。不一月而此患霍然。一得之愚。敢以貢諸讀者。

（一）居住宜擇閑靜之地。則五官不受外界刺激。易於安臥。

（二）寢室不宜過於溫暖。亦不可過於寒冷。總以較常度稍冷爲適。室中空氣須充足、早晨窗戶宜開。晚間亦不可全閉。庶空氣得以流通。

（三）被蓋不宜過重厚。取其不致冒寒可耳。褥厚無妨。軟者尤佳。

（四）晚餐食物。宜避絕刺激性食品。當取易消化者爲佳。然亦不可過量。飲食時間當離就寢二三時之前。

(五)作事宜適度爲之。每作事二時間。以休息二十分爲度。晚餐後或事務畢後。宜撥冗一二時間。爲諸種愉快之談話。以代償身心之疲勞。

(六)運動因人而異。總宜量力適度行之。或朝食前散步半時間。晚餐後約一時間。或演習八段錦甚佳。

(七)沐浴能使血液循環。清潔身體。除却皮膚生癢等效。每日事畢後。一度行之最宜。

(八)睡眠者所以使腦完全休息。思想愈複雜。則愈難寢。然以何法息腦乎。余每際此時。輒靜聽時辰鐘之行動聲。便能眠。非常效驗。

□胃病與飲食之關係

（文淵）

胃之専職。即司消化食物。故其疾病。亦太半由於飲食而來。譬諸於人。其所業何種職務。亦必爲此職務而犧牲。食之於胃。固足以養之。亦足以病之。胃病與飲食之關係。有下列數端。

（一）飲食過度　胃雖有伸縮之能。然其消化力。有一定限度。在一定限度之內。消化尚不費力。若飲食過量。胃內容積太多。一時不能消化。或竟無力消化。勢必停積於內。脹滿不舒。或則腹脹而痛。積久不下。發酵腐敗。發生毒質。刺激胃部。引起其他變化。

（二）飲食不潔　論語鄉黨云。食饐而餲。魚餒而肉敗。不食。臭惡不食。深得衞生之道。此實防制胃病發生之一法也。腐敗之物。多有微生物潛伏於內。食後即引渡入胃。消化力之強者。或能抵抗而撲滅之。消化力之弱者。惟有退避三舍。任其跋扈。不特有傷於胃。且影響及於全體。

（三）飲食無時　飲食貴在有定時。則胃之消化機能。亦可養成有規律之習慣。若飲食無時。不時刺激其機能。以致作息之間。毫無定律。其消化力必形薄弱。毫無抵抗能力。易於發生疾病。孔子之不時不食。良有以也。

（四）飲食不合。　吾人之口味不同。或嗜酸。或嗜辣。或嗜甜。此因各地之風俗習慣之不同。自幼至大。鍛鍊成習。不合其習慣上之食物。不特不能引起其食慾。且反引起不良之影響。如胃痛。泛噁。嘔吐等症。俗謂『水土不服』。即飲食不合之故。

其他不可食堅硬之物。食物宜細嚼。不可急遽。蓋堅硬及不細嚼之食物。皆難消化。能賊害腸胃也。

胃口不開

（丁仲英）

胃口不開。即納食無味。一普通之證象耳。其原因亦頗複雜。常人發現此種證象。每忽略視之。不知胃爲生化之源。飲食又爲人體營養上之原料。納食無味。即其消化上已發生障碍。拒絕食物下胃之表示。故名之曰胃口不開。胃門既不開。飲食必爲之減少。營養上亦因之發生影響。此不可不加以注意者一也。胃口不開一面表示不欲多食一面又因消化之障碍影響於身體之營養。表示其內部發生變化。此不可不注意者二也。

胃口不開有直接爲消化器官發生障碍者。有間接受其他各器官之影響者。而感情之衝動。精神之過勞。亦能於短時期間納食爲之無味。常人於胃口不開。有二種誤解。其一以爲食之無味。在於肴饌之不佳。不能誘起食慾。故每遇胃口不開。常殺鷄烹魚以作佳饌。使食慾之進增。不知消化上既生障碍。多食無益。積聚於胃。反易釀成變端。其一則雖知爲消化障碍。而不知有間接與直接之關係。一味投以開胃健運之品。不揣其本而齊其末。胃口之不開。則依然如故。

猝然胃口不開。或胃口漸漸不佳。縱無其他證象發見。卽宜注意。以防發生意外。切不可徒用治標之法。以爲畢事。病後納食大都無味。然又當分別其有邪無邪。邪未去盡。消化難轉。再當清肅餘邪。如邪已清肅。因刦後胃弱不振者。始可用味佳而富於滋養之鷄湯肉汁之類投之。初起亦宜淡薄而量少。逐漸增加。不可貪慾無厭。欲速則反不達。

□胃氣痛

（尤學周）

原因　神經衰弱。胃部各病。烟酒過度等。皆易患此病。婦女月經異常。子宮有病。亦易誘發。故婦女患本病者。多於男子。

症狀　胃部發劇痛。漸次及於肩背各部。顏色蒼白。苦悶異常。按壓胃部。痛苦可以減輕。

療法　香附子爲末。加縮砂少許。白湯送服。或用生芝蔴半斤。放銅鍋內炒黑。爲末。好酒送下。抽吸鴉片。祇能暫時忍止。久則復發。且易成癮。成癮後。痛益甚。

□結婚與健康

（嫣　然）

男女婚姻自决權沒有成立以前。婚姻權是操諸雙方家長之手的。在那時候。當未締婚約之前。雙方都得仔細地探聽對方的家世。財產。以及其他。如子壻的學問或媳婦之品貌等等。自從子女們從父母手裏奪得了婚姻自主權之後。除了上述種種。都由自己考察之外。其他如性情。健康。嗜好等等。也有機會可以窺視。但是家世。財產。品貌。學問。性情。嗜好等等。都還容易明瞭。惟有健康問題。才是很值得討論的。在廣東潮惠諸地。流行着一種有傳染性。而且有遺傳性的惡疾。叫做痲瘋。這一種病。一經傳染。便無法醫治。或許因症候輕些。不至於潰爛到殘廢與死亡。但是所生的子女。是無論如何。不能避免受這疾病的蹂躪的。所以在那地方的人。爲女子訂婚時。異常愼重。除了對於一切普通問題。也須仔細探詢之外。還須探詢對方的三代之內。曾否有人發過痲瘋病。這一種制度。我以爲應加以擴大。而應用到一般婚姻上去。

據我人普通所知道的侵蝕人體健康。而最不易療治的。是肺病。患肺病的人。不特壽命短促。就是平時也不能夠振作精神。不特不能負擔重大的工作。就是夫婦的性生活。也不能不受到相當的影響。肺病。不只會傳染。而且也會得遺傳。有的自身不發現病徵。到了下一世。忽然發現了。自然的在這種場合。除了肺病的徵象。已經暴露者之外。是無法察得對方面之是否有肺病。

同肺病差不多重要。而且與肺病同樣地不易覺察的。是花柳病。花柳病對於壽命。精神。性交等關係。與肺病相同。而易於傳染。以及有遺傳性等。也與肺病相仿。而且花柳病。也是除了已經暴露着。花柳病徵象者之外。也能與平常人一樣。使人無法用肉眼判定有無花柳病菌潛伏在血液裏。

除了肺病與花柳病之外。自然還有許多有傳染病。或遺傳病。而不易被人察得。或竟連自已也不知道自已的血液裏。或某一器具裏。有某種遺傳下來的有害微生物寄生着。身體的健康。對於家庭中生活的愉快與否。是成正比例的。為謀家庭生活的愉快起見。徵選對方時。便不可忽視了健康。但有些病。不特肉眼不能覺察。就是患者自身也不能知道自己有病。所以我倒很主張把潮惠各縣人民訂婚時探詢對方三代之內曾否有患過痲瘋病的祖先的那個原則。從這原則上擴大起來。我以爲凡有男女預備訂婚的。在訂婚之前。該互相索取醫生正式簽證的健康證。證明對方沒有傳染性或遺傳性的惡症。那才訂婚。

這一個建議。似乎有些累贅。但是我可以擔保若大家起而提倡。那麽互示健康證那一回子事將與交換約指一樣的平淡無奇。而無形中。使未來的家庭。得了不少安全的保障。

□結婚之年齡

（守一）

結婚適當之年齡者。男女雙方心身。俱達於成熟期。其判斷力與品格。已十分發達之時也。卽男女在思春期之後四五年。或七八年。爲最宜。例如男子之思春期十七八歲。女子之思春期十四五歲。則男子二十三四歲乃至二十六七歲。女子二十歲乃至二十三四歲爲正當年齡。過早爲早婚。過遲爲晚婚。早婚晚婚。皆有弊而無歐洲各國法律。規定男女最低度之結婚年齡。不及者有罰。我國古時男子三十而娶。女子二十而嫁。雖非法定年齡。然習慣相沿。頗爲適當之數。惜乎後世不能行也。西洋女子出嫁之年齡。二十歲前後最多。約占結婚者全數之百分之六十七。二十歲以下結婚者。三十五歲以後結婚者。均極少。然亦有四十歲至六十歲始嫁者。

(1)父母年齡在二十歲以下者。其小兒羸弱。

(2)父母年齡在二十五歲以上四十歲以下者。其小兒最强健。

(3)父之年齡在四十歲以上者。其小兒多不强健。

(4)母之年齡在三十五歲以下者。其小兒最强健。

(5)母之年齡在三十五歲以上四十歲以下者。其小兒有百分之八不强健。

(6)母之年齡在四十歲以上者。其小兒有百分之十羸弱。

(7)父之年齡大於母之年齡者。其小兒概强健。

結婚過早者。不獨害一己之健康。促個人之壽命。又能貽禍於子孫。女子出嫁過早者。花容月貌。轉瞬變爲衰老。多不能全其天年。男子結婚過早者。體力減退。意氣消沈。無進取之氣。有萎靡之象。加以妻之養育。擔負過重。心身不能完全發育。遂無强健之精神。與遠大之志望。幸而醉生夢死。得免於夭折。甚者疾病纏綿。有悲慘之運命。世界各國中印度結婚最早。男女至十二三歲。即已有室家。故其國元氣頹唐。不得不屈服於歐洲强國之下。要之早婚之害。影響於人民之健康體格知識道德財產甚大。更言其所生小兒之影響如下。

富拉夸氏曰。年少夫婦所生之小兒。猶如冬日暖室中促成栽培所得之水菓。柔嫩而無味。斯言最切中早婚之弊。故早婚之小兒。罕有强健者。

英國季理斐博士曰。現在印度與中國婚期。都覺太早。此事既有礙於衛生。亦不合乎文明。如男女婚嫁太早，血氣未定。所生兒女身體皆弱。所以西國婚姻年齡。漸來漸晚。學生不得成婚。免誤功課。中國早婚只因父母望孫太切。越早越好。有了孫兒。父母死去。便得受人祭祀。又說不孝有三。無後爲大。此等意見。未免錯誤。應注重的。不是要子孫多。乃是要子孫賢良。若出敗類。與社會國家。却多妨害。

晚婚又有弊害男子至三十五六歲以後結婚者活潑之熱情已大半消亡體力與性情逐漸萎弱對於結婚之快樂旣減退不少其子女多未及成人而爲父者已鬚髮班白不能盡撫育之責女子之晚年出嫁者生殖器多障害患難產又患歇斯的里。

夫婦年齡相差過遠者體力與性情不同常爲家庭不和睦之基例如男子過老女子過少則男子勉强滿足女子之欲望終必致於身心衰弱釀種種疾病故依生理上言之夫之年齡大於妻三四歲爲適當多則五六歲爲限如夫妻同年及妻大於夫在結婚當時雖無影響及長則女子已老衰而男子尙在年富力强亦爲家庭不睦之原因從生理上立論夫妻年限至多相差五六歲然今日男子爲畢業於高等教育須二十八九歲而子女多數出嫁在二十一二歲故夫婦年齡之相差不免在十歲左右矣。

結婚第一夜

結婚爲人生一大變換期。及於心身之影響最大。故結婚之當夜。處女初與新郎接觸。羞恥之心既重。恐懼之念亦大。交合之時。每有一種痛癢之感。而此感非但存於一時。往往持續至一週以上。故在新婚之際。不克滿足新郎之慾望者。其例甚多。幸而無之。其神經亢奮。心動劇速。屢有痙攣。同時女子爲變換其舊居生活狀態。與母家不同。精神上又有重大之影響。故爲良人者。當於新婚之數日中。暫與新婦以休息。俟其精神安靜。發現眞愛情。而後徐圖肉體之快樂。亦爲結婚當時必要之注意。今之男子。不明此義。故每使新婦驚恐憂慮。惹起精神之病。如歇斯的里等。外國常有新婦結婚之當夜。逃歸母家者。再三勸導。不肯往夫家。我國亦不乏其例。雖其原因不一。而大半由於新郎之不注意爲多。

新婦如適在月經中。更宜使之安靜。若誤犯房事。月經卽行閉止。腹痛極劇。有因此而患重病者。又月經沾入男子尿道內。男子尿道因此發炎。而起淋病者。亦不少也。故月經未淨。最忌房事。

性病研究

陽萎之二大原因

（范守淵）

陽萎又稱陰萎。什麼叫做陽萎。就是男性的生殖器——陰莖。在交合時。不能興奮勃起。放入女性的生殖器——膣道中。舉行性的行爲之謂。所以也是屬於機能障礙之一種。因爲不能擔負其與異性交合的使命。不消說。起自然不能達到生育的任務和目的。故陽萎亦爲不妊症中的一個大原因。因陽萎之故。一則性交的使命完全消失。兩性卽因之而失去性的互慰。二則不能完成生育的任務。卽無生殖的希望。其結果必易造成家庭的不和。男女的煩惱。故其影響於人生的幸福家庭的安樂。是很大的。簡直地說。他是人生幸福的惡魔。家庭安樂的倒鬼哩。

陽萎的原因。不外乎。一由於生殖上或病理上的生殖機能反常。一由於心理上或精神上的反射機能的消失。生理的生殖機能之反常又分爲生殖器本身的疾患或異常。及勃起中樞的性神經的衰弱或消失的二種。

由於生殖器本身的疾病或異常的。如先天性的發育不全。以及各種各樣的陰莖畸形等後天的陰莖損壞破裂。以及各色各樣的疾病（如象皮病腫瘤水腫等等的陰莖疾患。）或因疾病的結果而使陰莖變成強度彎曲。這都是屬於器質上的障礙。而使之不能舉行性交。又包皮過長的皮莖。亦可以影響於性交的。除了這種種直接的疾病而外。還有由於陰莖附近的種種疾患或異常而引起性交的障礙的。

因爲勃起中樞的性神經的衰弱或消失而起的陽萎。那到的確是正正式式的性神經衰弱症。哩原因亦分多端。一種是由於全身疾病或局部疾病的影響而成功的。如梅毒。結核。腎臟病。脊髓炎。肥胖病等等。以及攝護腺或尿道的炎症。尤其是由于慢性淋症的。算是最佔多數最習見的了。次則各種中毒症。煙草。酒精。嗎啡。鴉片。砒素等等的中毒。也能成爲陽萎的原因。一種則由於性慾過度與手淫的自戕。由於這種性慾過度與手淫自戕的陽萎。可以說是目前一般發生陽萎的青年朋友的最佔多數的陽萎原因。性慾過度以已婚者爲多。而手淫則爲意志薄弱情慾與奮的未婚青年。此輩青年。一方面受不了情慾的日常刺激。好奇心的誘惑。一方面又因爲意志的薄弱。沒有堅定的理志去克服。去制裁。因而逐漸由不正的念頭。而作不正的行爲。犯上手淫的惡習而不知自拔。這陽萎一類的性機能障礙。便是性慾過度。與手淫惡習的最靈驗的報答。因性慾的過度。與手淫的行爲。能持續的興奮生殖器。刺激性神經。久而久之。性的神經系漸漸疲乏起來。由疲乏而漸形麻痺。於是性的興奮能力完全消失。勃起的中樞也消失了勃起昂奮的本能。而得陽萎的結果。而尤其是未婚青年的手淫惡癖。不但造成目前的神經衰弱症。而妨害身心健康。妨礙學問事業。更能影響於未來婚後的兩性生活。與終身的健康幸福呢。除了生理上或病理上的陽萎而外。尚有由於心理上的造因而成的陽萎者。這種心理上或稱精神上的陽萎。就是由於其人的心理作用或精神作用而引起的。譬如受了驚懼。恐怖。思慮。暴怒。羞恥等等的精神刺激以後。往往便發生陽萎現象。但這種一時的受了精神刺激而誘起的陽萎現象。大多是一時性的陽萎。過了這精神受刺激的時間以後。仍能回復其勃起的興奮作用。對於這精神陽萎的例子很多。譬如有的在宿娼時。因爲過慮妓女有毒。恐被其傳染成疾的恐怖心理而終至不舉。有的因對性交的觀念錯誤。認性行爲不正當的行爲。於是在舉行時。抱着怕羞觀念。而果然成了萎靡不振之結果。還有因思慮某種問題過度。把全付精神都灌注到某問題上去。其結果。亦可陽萎。

還有由於心理變態的精神陽萎者。譬如有除了自己的女人而外。對其他的女性。均不感到性的興趣。反之。亦有與其他的女性。才有性的興感。而對於自己的女人。便覺得性感全無。這種心理上的陽萎。無以名之。名之曰心理變態或精神變態的陽萎症。總之。由於精神上的刺激或變異。而能引起反射中樞的精神障礙。都屬之於心理的或精神的陽萎。

◻淋病之傳染問題

（任　先）

在玩笑場中。常常有一件事情會發見。就是同一娼妓做的進攻目標。然而甲乙二人嫖宿的結果。往往得到各異的結果。有時候甲先生染到了下疳。而乙先生却拿了白濁的贈品去。不過。這一問題不涉我們的範圍。且不去管他，現在要講的是甲先生在宿娼後依然好好的無恙。乙先生却不幸染了淋病。並且類似這樣的紀錄。決非是偶然的事實。

這一問題。根據醫學上論斷是不合邏輯的。換一句話說。也就是無法解答的。不過天下的事件。有了現實。一定就有理解。所以本一事件。多少含蓄着理由。這裏且分別了演述。

(一)或許這女子豢伏的淋菌在比較深隱的所在。甲因交接時候短促。淋菌尙未至過導的機會。乙則時間長久。淋菌有着從容進襲之充分。

(二)兩人的體力或有異點。發生的感應特殊。(這一層却顯有神秘性。原因是不一定壯健的可以免染。)

(三)甲於事後或經過無意間的預防手續。若局部的洗滌，交接後立卽放尿等等。(卽女子事先的洗滌。亦有重要關係。)

(四)下等妓女。更因嫖者數量之多。難免有甲宿時勉維清潔地位。乙宿時適留臏前一人之過導病菌亦未可知。

白濁零話

（時逸人）

（一）普通白濁。分急性慢性二種。急性者。乃花柳病之附屬症。或續發症。皆從不潔之苟合。而起嚴禁不潔之苟合。卽爲治花柳病之根本療治法。慢性白濁乃急性者未經治愈之現象。或治之未曾合法。其結果皆足變爲慢性。

（二）小便前。或小便後。淋瀝不斷。如瘡之膿。如目之眶。甚有無故下淋。不能自禁。其色或白或赤。此卽赤白濁之現症。宜急治之。若歷久不治。則精液漏泄。相火內灼。或爲强中消渴。轉成不救。或則身體從此虛羸。非持不能生子。更不能任作事之勞矣。

（三）白濁病灶。爲白濁細菌。寄居人身。取人身之蛋白質以爲營養素。故患白濁病者。若不從速施治。身體日陷虛弱之境。以致不救。

（四）妓女不生淋濁病者。千人中不及十人。宿娼最爲危險。因此病易於傳染故也。

（五）另有不因宿娼。而得白濁病者。必其人相火太旺。慾念太多。精液流滯精道。或因小便熱痛。敗精自出。宜用龍胆瀉肝湯治之。

（六）白濁病菌穿過尿道或生殖器黏膜。竄入近傍之血管內。由血液送至他處。然一至大腿關節間因有阻隔。暫不能進。羈留該處。即發生橫痃。

（七）白濁無免疫性。非若天痘種牛痘可免。霍亂注射防疫針可不發生也。患白濁者一次治愈。再能傳染。惟其症狀。不若初次之甚耳。

（八）國醫將淋濁混爲一談。五淋卽白濁之初症。謂人之體質不同。故見症各異。實有誤解處。患白濁者。初起時小便必淋瀝。而小便淋瀝者。未必卽爲白濁症也。

（九）白濁之傳播甚爲普遍。據美醫林克博士之報告。紐約城二三十歲之男子。百分中有七八十人。曾患一次或數次白濁。歐美各大城市。與紐約無甚軒輊。我國青年患白濁者。雖不及西洋市民之多。然近年以來。風俗大變。有流戀忘返之象。患白濁者亦日益增多。

（十）男子包莖者。宜延醫生割開。以免傳染。龜頭不脫不潔之物。浸入不能洗滌。易染白濁。

(十一)白濁不僅足以危及康健。且能斷絕生育能力。世以患濁而絕子嗣者甚多。計其全數實佔百分之四十。蓋生殖器被害。不能受孕也。即令懷孕產時小兒經過產門。產門內之白濁菌。浸入小兒目中。引起目疾。往往成盲。甚可畏也。

(十二)病者須靜臥休養。禁食一切刺激之物。於寢前為尤甚。夫婦均受傳染者。須同就醫生診治。僅治一人。病源未去無益也。於病根未斷以前。不可交合。否則不治。

美容妙法

美貌之培養

（佩　英）

在我做女孩兒的時候。有一個老保姆曾經鄭重其事的對我說。「美麗只是皮相的」。我總覺得這句話是虛浮不足信。後來有一天。我的叔叔在老保姆所說的話加上這麼一句。「但是醜陋却是入骨的。」才完成了伊原來的意義。我也恍然大悟。得了相當的慰藉。如果女孩兒喜歡的話。讓伊們保存這顆小小的虛榮心。

現在大多數的母親鼓勵伊們的女孩兒去培養美貌了。這種的確是好方法。因爲假使女孩兒在年輕的時候。對於頭髮皮膚。牙齒。和運動。都有相當的注意、那麼伊們將來大起來。一定有美麗的容貌和健全的體格。而且還有最重要的一點。那便是伊們對於自身。也會有相當的認識和適當的保養。

我願指導每一個女孩兒去注意伊的頭髮。每天早晨和晚上。費十分鐘去刷頭髮。是值得一做的。我願鼓勵伊去保護伊的皮膚。不單是靠了利用香水或化裝品的幫助。而且要靠了實行深呼吸和運動的功效。使皮膚達到潔白滑膩滋潤柔嫩的地步。多量的新鮮空氣當然使皮膚變爲潔白滑膩滋潤柔嫩的最有效最顯著的東西。

現在學校中的運動。對於兒童是很有利益的。但是。假如母親與兒童每天早晨。實行一次規定的運動。如柔軟體操之類。那麽日間的愉快生活和美麗容貌已經創造成功了。

至於牙齒在學校裏也很注意。亦有相當的檢查。珍珠一般潔白的牙齒。的確是每一個女孩兒的光榮。但是刷牙齒的訓練。應該從幼年時期開始時起。就着手實行的。一個孩子剛會拿牙刷的時候。就要教他或伊怎樣用牙刷。然後再講給他或伊聽。爲甚麽口要這樣謹愼的嚴厲的保存一種清潔和良好的狀態。假使做母親的對於子女的牙齒和口多少注意一下。那麽他們將來大一半的疾病可以避免了。漱口也要教導兒童的。並且還要教他們用一種鼻的薰滴法。行此方法後。許多惡劣的傷風也可避免。

五張美容驗方之研究

（范天磬）

美容藥的方法。從古書籍中。就有不絕的紀載。而口頭留傳下來的。亦屬不少。足以證明古人於此。早有相當苦心之研究。可憐今日醫學與化學的智識。猶在幼稚時代。和發展途中。所以美容藥未見長足的進步。而只收甚小之效果。可是漢方於此。早有相當的紀載和效驗。今爲檢出列下。以供參攷。

（1）白附子密陀僧茯苓唐土白芷桃仁各一兩。研爲細末。熔於乳中。臨睡塗於臉上。次日用熱水洗去。十日後顏如美玉。

（2）密陀僧研細末。和水少許。燉熱。每晚塗顏。次日洗去。一月後容光皎潔。

（3）綠荳五合。龍腦二錢。滑石白附子白芷白檀甘松各一兩。共研末。將此藥放入溶湯中。洗之。亦可使容顏潔白。全身肌肉細膩。

（4）官粉一兩。密陀僧二錢。白檀香二錢。蛤粉五錢。研末。將上藥調入蛋白中。塗擦面龐。再將米糠洗去。能除油光。使面色煥潔。

（5）朝顏（木槿）天花粉犀角甘松鎖香白芷各五錢研爲細粉以絹篩濾過早晚洗面時注藥於掌摩擦手足可使色白

此等藥品的主要幾種藥物特說明其效力如下。

（1）蜜陀僧化學上所謂酸化鉛配伍膏藥可治創傷如用來研末就臥時以乳汁融化塗於顏面次日洗去能治面上赤皰。

（2）犀角有强壯解毒與解熱的功效。

（3）白檀提出白檀油是淋病聖藥又可爲香竄衝藥用而他的香氣可治頭痛而使精神活躍而頭目眩暈心中悸動亦有偉效。

（4）甘松（甘松香）可治狐臭（有效成分爲錫克脫兒本）亦有强健頭腦破氣祛風之效。

（5）綠豆解諸毒以綠豆粉與天花粉相融洽能治瘡疽已潰爛者又用綠豆黑豆等分以水調和能消諸毒。

（6）白附子有白面之功效。

(7)白芷內有通經解毒之效。外用有生髮之效。

(8)龍腦。漢方言能通利九竅。爽快神氣。與治中毒中暑之效。

此外古來所謂美容藥的。倘有幾種。再爲摘錄如次。

(1)用絲瓜水洗面。考絲瓜一物。洗衣時極能除垢。其他化妝亦用絲瓜水。能溫潤肌膚。故又稱「美人水」。

(2)用茯苓粉。能除白癬。潔白皮膚。內服作强壯劑。菊花黑脂麻等分。爲末煉丸。每日服三次。能除眩暈。又能黑髮白面。

(3)用大麥爲粉。溶於水中。洗之能使面色皎白。又能除汗斑。我嘗用來炒香內服甚效。

(4)紫草煎汁洗面。能使色白。亦治血熱。

(5)桃用白桃煎湯洗浴。可治霍亂。腹痛。汗瘡。又能使皮色轉白。

(6)柳。以柳葉煎湯洗面。能治面上發出汗斑。又能使膚色轉白。

此類美容漢藥甚多。此不過言其一二罷了。

去面上黑氣法

（宋愛人）

（原因）面生黑氣。原因複雜。人有悲思恐驚而黑色現於面部者。蓋悲傷肺。思傷心。驚恐傷腎。精氣內奪。而華光不澤也。又有斲喪太過。腎虛水虧。有所謂女勞疸者。此亦面見黑氣也。然此皆宜就醫而圖治之。且治之亦頗爲棘手也。（按以上兩證之面黑。確爲難治。惟非本篇範圍之內。故略說其大要）本篇所謂面生黑氣者。由於煙霧昏蒙。感冒而起。其籠奪之黑氣。一時不易渙散。恢復其舊有之面目也。

（證狀）面多油垢。與面生黑氣。二者皆失雅觀。吾人日間於交際之場。亦當潔白無疵。其有油光者。則人雖未必凶戾。而望之似覺可憎。有黑氣者。則更覺可畏矣。故亦可謂人體上不如意事。而將以解除之也。致爲烟霧籠奪面生黑氣者。其證狀不過面上薄薄罩上一層。唇紅如常。齒白如常。其聲音言貌亦如常。致眼眶黑陷。天庭黑陷。神識失常者。此惡候也。當另求方劑以治之。非本篇所欲言。

（治法）取生半夏。不拘多少。焙研爲末。米醋調敷。不可見風。自早至晚。不計次數。三日後。用皂角煎湯洗下。即白。此亦屢試而屢效者。與若另有蒼黑之人。其皮膚中藏有黑色素。太多。即無治法。世之服美容術者。未必如願以償也。然此法對證用之。亦輕而易舉。世之患同病者。請一試之也可

調經指南

經事超前的變態

（邱治中）

經者常也。如潮之有信。月之盈虧。應期而至。卽爲無病。若六淫外感。七情內傷。以及飲食勞倦。皆足使氣血不暢。而經水之來失常。有不調者。有不通者。有兼疼痛者。有兼發熱者。而不調之中。有經期超前者。超前爲熱。亦腎中水火交旺也。或多量之血液下迫。而因熱在下焦。或膀胱虛傷。皆成血崩。因經先期而行之不淨者。血留經絡。卽成血瘕。少腹急痛。陰中若有冷風。或背脊痛。腰痛不可俛仰。其他如經事先至而不止。以致血液枯耗。漸成體瘦腹滿。不能飲食。肌膚甲錯。面目黯黑。爲乾血癆疾。又如經水先期未絕。肝經積熱。或因鬱久成火。凝滯濁液。漸結成粒。爲石淋症。

或因鬱怒而致傷肝。肝乘脾土。土傷生濕。濕鬱生熱。經事超前。本爲有熱。熱則流通。滑濁之物。滲入脫膀。故時流清冷稠液。則成帶下。或見五色。或見赤白。多見面色無光。腰痠腿痛頭暈眼花精神短少等症。况經水不調。則不能成孕。故凡婚後不育者。皆因月水之不調也所以婦女月經之調與不調。于生育上有莫大之關係焉。安得不重視哉。

□月經落後

（郭柏良）

婦女之患月經不調者。以余經驗之所得。最多者爲後期而至。普通之人。以落後爲虛弱現象。譬諸賽跑。體力充實者。皆捷足爭先。不甘落後。惟虛弱之人。無力爭先。往往落於人後。此種見解。不可謂全無理由。若以月經落後。皆由虛弱所致。則未免混糊。

月經落後。以經色而言。有鮮紅者。有紫暗者。有黃淡如水者。以質量而言。有漸後漸少者。有忽多忽少者。有多而成小塊者。以感覺而言。有但覺脹滿者。有按之作痛而有塊壘者。有痛而喜按者。且名謂落後。有漸漸落後者。有忽然落後者。落後之時日。有多有少。差一二日爲落後。差一二十日亦爲落後。安可一概而論。

月經來潮。率以爲每月一至。實際上每次相差之時期爲二十八日有餘。通常計算。皆以廢曆一月爲準。則月既有大小。每次又不足一月而至。如落後一二日。原非病象。惟落後之日期過多。則當加以注意服藥調理。

月經漸次落後。以至涓滴漸無。同時兼見潮熱盜汗等象。身體日漸消瘦。而面色則又鮮艷紅潤。如泛桃花。卽癆瘵之的確。俗名乾血癆是也。此證初起。亦月經落後。或減少。證情尙未波及全身。無顯著之癆瘵徵象。誤認爲普通之月經落後。投以培補氣血。或溫經通絡。難於收效。

□經閉

（阮金堂）

肝傷血枯。載于素問。惡血不去。著于千金。此經閉不行之有虛有實。所當首先辨別者也。經閉之病原。異常複雜。其屬于虛者。則爲血枯肝傷。痰滯中虛。何以言經閉不行。由于血枯肝傷哉。內經謂中焦受氣。取汁變化爲赤。是爲血。設中焦取汁與變化之機能退減。則血液乏生化之源。經水亦由此而告竭矣。況肝爲剛臟。體陰而用陽。

血虛無以養肝。則肝受傷矣。肝虛無以藏血。則血愈枯矣。是故肝愈傷而血愈枯。血愈枯而肝愈傷。血既枯矣。肝既傷矣。經水又安得不斷絕乎。更何言經閉不行由于痰溼中虛哉。蓋中虛者胃之消化力減少。脾之運輸力薄弱。是故飲食入胃。不能盡化精微而若干分子。且必稽留于脾胃。醞釀而爲痰溼。于是壅于上者。則爲胸悶脘脹。咳嗽氣逆等症。滯于下者。則爲白帶白淫等症。遂致卵巢與子宮黏膜。發生障礙。而不能照常分泌。病之輕者。則爲經水衰少之症。病之劇者。則成經閉不行之候矣。

經閉之由于虛者。上文已約略言之。今當進而言經閉之實症矣。其最普通之病原。則爲瘀血停留。或經來行房。或癥瘕積聚。蓋瘀血充滿。或敗精停滯。癥瘕凝結。必致子宮內膜。發生障礙。而不能分泌。且排泄道路。亦必因阻塞而不通。于是惡血當瀉而不瀉。敗精當去而不去。癥瘕當化而不化。遂致經閉不行。腹大如孕。而成臓脹石瘕。或乾血癆等病矣。噫。同一經閉。而有此虛實之辨。吾人豈可妄認經閉屬實。而妄投攻伐之藥耶。

□調經之要義

（朱溪裔）

古人云。寧醫十男子。莫醫一婦人。乃言婦人之病。每兼經帶胎產。甚爲複雜而難治也。然婦人胎產之期。每人平均不過三四次。而行經之期。每人統計。約有三四百次、故婦人之患病者。往往兼有經水不調之症。如經期超前落後崩漏停閉等是也。然其經水之所以不調者。實皆因病所致。故凡治女子經汛不調之症。皆當先治其病也。如因外感風寒陰溼之邪。以致月經愆期停閉等症者。治宜溫散宣化。如因外感暑熱燥火之邪。以致月經超前或崩漏等症者。治宜涼解清泄。要而言之。當如外感諸病之治法。邪在表者汗之。邪在上者吐之。在裏者下之。在半表半裏者和解之。寒者溫之。熱者清之。邪去則經自調。此治月經不調由于外感之治法也。若因勞倦傷脾。脾健運失職。以致胃中水穀之精微。不易生化血液。而反釀爲痰溼。血液不足。則月事無以時下。痰溼阻滯。則經血不能流通。皆足爲月經不調之症。治此症者。但當補脾化溼。脾健則血液自生。溼去則經絡通暢。不調其經而經自調矣。倘因鬱怒傷肝。

疏泄失常。以致全身之氣血。不能條達疏暢。而反鬱結停留。氣鬱則爲瘕聚痞脹。血停則爲癥積痠疼。亦足爲月經不調之症。治此症者。但當解鬱疏肝。肝氣條達。則經自調焉。餘如思慮傷心。悲哀傷肺。恐懼傷腎。莫不有累及月經之可能。蓋心主血液。肺朝百脈。腎司天癸。皆與月經有密切之關係。審其傷在何臟。補之調之。使其和平。此治月經不調。由于內傷之法也。是以治女子經水不調之症。當先求其所因。治其所病。因於邪實者。袪其邪。因於正虛者。補其正。使其臟腑之營運如常。則月經自然調矣。故余謂調經當先治病。然乎否乎。質之明者。

產後疾病

產後傷食

（仲　英）

飲食所以養身。亦足以傷身。身體勞疲之時。不宜多食。精神萎靡之時。不宜多食。病後不宜多食。皆防其運化不健。停積傷胃。產後一如病後。身體既勞疲。精神亦萎靡。此時之脾胃必衰弱。消化力不強。宜少食。且以易於消化者爲貴。若因胃口之佳。飲食過量。或不思納食而防其虛弱。強與食之。胃難受容。脾難轉運。必成傷食之症。習俗於產後有食苦草（卽益母草）蛋者。不知作俑於何時。此種食品。不特不利於產婦。亦易發生危險。蓋所謂苦草蛋者。大多煮時頗久。蛋白與蛋黃凝結甚固。食後不易消化。常人食之。尚易起胸膈滿悶之現象。矧在產後。此習宜改革。否則不宜過久過熟。以妨消化。

語云。疾病從口入。蓋食物下咽。不能復出。稍一不慎。卽有傷食之患。輕者胸膈痞滿。噯腐吞酸。其重者。胸腹脹痛。大便不下。甚則發熱。引起全身證狀。產後體力本弱。復傷於食則虛中挾實不易調治。

產後傷食當辨其輕重而施治其泛酸痞滿之輕者。可用消導之品如枳實。瓜蔞查炭。檳榔。炒六曲。陳皮。穀芽。蔻仁。雞內金之類。其胃實腹痛之重者。可用導下之品。如元明粉。郁李仁。瓜蔞仁。枳實。查炭。大麻仁。穀芽之類。如有發熱現象。可酌加川連。淡芩之類。方爲允當。

□產後遍身疼痛 （銘）

（原因）產後百脈空虛。運行失常。新血不能驟生。無以養筋骨而和血脈。故遍身常痛。哀弱婦人患此恆多。若氣血盛者。或因風濕之邪。鬱於經絡。以致瘀血停留。不得下降。亦以作痛。

（症狀）或肢節走痛。或肩背串痛。甚至身重不能轉側。手足不便屈伸。宛似風痺之狀。

（治法）無瘀者以培養氣血爲先。有瘀者以宣通經絡爲要。但得血脈流行。骨節便利其痛自然不作。若誤認太陽。而用表散發汗。則筋脈動搖。手足逆冷。變證疊起。漸致不治也。

血脈凝滯　袪痛散

當歸二錢。甘草。白朮各一錢。黃芪。牛膝。獨活各八分。桂心四分。薤白一錢。

右方加生姜一片。水煎服。

如神湯

當歸五錢。延胡三錢。桂心五分。右藥水煎。熱服。

血虛兼瘀　加味四物湯

生地三錢。當歸二錢。炒白芍一錢。川芎八分。秦艽一錢。桃仁十粒。紅花五分。明乳香八分。右方水煎。溫服。

血虛有風　杞菊歸麻湯

甘杞子三錢。歸身三錢。菊花炭一錢。三角胡麻二錢。製首烏三錢。柏子仁一錢。刺蒺藜二錢。嫩桑枝七寸。右方水煎。溫服。

□產後兒枕痛

(陳百祿)

(原因)腹中有塊。上下時動。痛不可忍。此由產前聚血。產後氣虛。惡露未盡。新血與舊血相搏而痛。俗謂之兒枕痛。卽血癥之類也。下列三方。可以參酌用之。

生化湯

當歸三錢。川芎錢半。炙甘草五分。炮姜五分。桃仁去皮尖杵七粒。

右藥水煎。入陳酒一二匙。溫服。

三聖散

當歸一兩。延胡索五錢。桂心一錢。

右藥爲末。每服二錢。童便或熱酒調下。

當歸元胡索湯

歸尾。元胡各錢半。五靈脂。蒲黃各一錢。赤芍七分。桂心。紅花各五分。水酒各一盞。入童便煎服。

□小兒慢驚不可偏於溫補

（沈潛德）

嘗讀福幼編一書。竊嘆莊一夔先生用心之仁。而又不禁痛其遺禍之大者也。何則蓋先生鑒於世俗沿用疏風消導淸熱定驚之法。妄治慢驚之禍。遂推其保赤之心出其經驗之方。廣爲傳送。使天下後世之患慢驚者。得免枉死。謂其非仁可乎。殊不知仁者其心。禍者其實。於是余不能己於言矣。竊謂醫之立方。猶國之立法。立法貴乎嚴密。庶無枉法漏網之弊。立方亦貴乎嚴密。俾無濫施誤人之害。今觀莊氏之方。用藥則純偏于辛熱溫補。辨症則過偏于浮泛籠統。安得免其無弊乎。試觀其逐寒蕩驚湯一方。爲伏龍肝三兩。丁香十粒。炮姜一錢。胡椒一錢。肉桂一錢。加味理中地黃湯一方。爲熟地五錢。當歸三錢。萸肉一錢六分。枸杞三錢。炮姜一錢五分。條芩二錢。炙草一錢。棗仁二錢。肉桂一錢。五味一錢。補骨脂二錢。白朮四錢。以生薑紅棗胡桃爲引。夫以若是之大劑。加于嬌弱之小兒。苟非大虛大寒之病。决不可誤用此方也。否則。下咽之後。未有不焦灼閉悶而死焉。蓋猶初萌之孽。豈能經烈日之煎熬。沃料之暴施哉。試更就其辨症而論。其云慢驚吐瀉。脾胃虛寒也。夫因瀉吐過甚。而成慢驚。固屬虛寒。然若因受邪傷食。而吐瀉同時並見。如西醫所謂急性胃腸炎者。亦將認爲虛寒乎。又云慢驚鼻孔煽動。眞陰失守。虛火爍金也。然風邪痰熱。壅塞于肺。亦足致此。如西醫所謂急性肺炎者。豈得亦認爲虛火乎。又云慢驚手足抽掣。血不行於四肢也。慢驚角弓反張。血虛筋急也。然必抽掣而不勁。角弓而不硬。方爲虛寒之確徵。不然、多屬腦膜炎之類。安可誤投溫補乎。又云慢驚汗出如洗。陽虛而表不固也。然必汗出如珠。味淡不鹹。方爲虛寒之證據。否則、多屬白虎湯證之類。安可誤認虛寒乎。其辨症之浮泛籠統。于此可見一班。且其下又自註云。凡有數處相合。即可照方服藥。凡有寒熱昏睡而未成驚者。均可服之。如一劑無效。必須大劑多服。其大膽武斷。有如是者。況又自讚云。此方爲救陰固本之要藥。回生起死之神劑。于是味者不察。一見症象相符。輒爾妄投。以致殺人無算矣。曾憶律師唐愼坊之孫。初患寒熱咳嗽。醫以涼濇之劑强止之。遂發熱不揚。入昏睡狀態。於是疑其爲痧氣之類。

急延挑痧者來診。曰此慢驚之漸也。卽開加味中理地黃一方以進。服後遽現氣塞痰壅鼻煽胸挺之危象。終至無法挽囘。是其自謂囘生之神劑者。直等於催命之靈符。所謂起死之良藥者。不亞於送死之毒藥耳。福幼云何哉。福幼云何哉。嘗考小兒驚風一症。實卽古人所謂痙也。痙是症名。不是病名。近賢吳涵秋君曾有明論矣。蓋傷寒有痙之變症。溫病亦有痙之變症。霍亂、痢疾、及產後等病。均有變痙之可能。是卽以傷寒、溫病、霍亂、痢疾、等爲病名。而以痙爲症名也。然則小兒之痙。亦必因種種疾病而致痙。則治痙者。必當因病而異。若夫一見痙症。便投驚風之方。是猶見咳治咳。不分外感內傷五臟六腑之異。而逕用麥冬五味以止咳。甯無殺人之害乎。況小兒之體弱者。一染感邪停滯等症。輒易變痙。爲醫者。必須細察脈症。斷定何病。然後施以對症適當之藥劑。方免失之毫厘。差以千里之弊。若審其外感也。則解表之品不可少。有食滯也。則消導之藥不可缺。挾痰者化痰爲急。受驚者鎭驚爲先。實熱者清之。攻之。虛寒者溫之補之。病各不同。治法各異。是故當用葛根蘇荷以疏風者。不可用枳實硝黃之消導也。當用牛黃羚犀以清熱者。不可投參附薑桂之溫補也。奈世之爲醫者。往往不顧病情之不同。常以一得之方。以概治一切。欲其無失。安可得乎。今莊先生以倖中之方。擬爲慈善之舉。遂不免蹈有心濟世無意殺人之轍矣。悲夫。

□小兒慢驚之研究

（丁仲英）

（一）急驚與慢驚

急驚猝然而來。其發也驟。慢驚則日久始能發生。故其來也緩。身熱唇紅。四肢俱熱。其熱始終如一。毫不減退。猝然驚搐。其抽掣一陣緊一陣而無汗者。急驚也。身不大熱。手足冷。唇淡。面黃或白。氣冷。大便溏泄。抽搐不甚者。慢驚也。

（二）慢驚之由來

方書謂小兒眞陽不足。百病叢生。或因寒涼金石之藥過投。或因久瀉傷脾。或因傷寒。邪陷皆易成爲慢驚。其所以成爲慢驚之理。仍未加以說明。蓋慢驚與急驚。截然不同。急驚乃腦部發炎。故其勢甚驟。慢驚因病久不愈。陰液虧耗。神經失其涵養。發爲痙攣。故現衰弱徵象。

(三)小兒之泄瀉與慢驚

小兒脾胃不強。消化力薄弱。飲食不節。往往發生泄瀉之症。爲父母者缺乏衛生常識。每以多食爲貴。毫不加以裁制。甚且以食物弭其啼哭。不特養成不良習慣。消化機能。且因之大受危累。於是完穀不化者有之。溏泄不止者有之。不特耗去多量之液體。且食物不能化生精血。營養因之不良。爲造成慢驚之最大原因也。

(四)慢驚用理中湯之功効

治小兒慢驚。以理中湯爲最有効。此方爲人參。乾姜。白朮。甘草。四味所配合而成。有健補脾胃。奮興心臟機能之作用。頗能收偉大之效果。於小兒之因泄瀉而轉成慢驚者。如響斯應。尤有不可思議之功用。如由其他病證延久而轉成者。祇能收效於一時。且可一而不可再用。初投見效後。須變更他法。對證用藥。去其病源。爲最要。

□慢驚與急驚風之分別

(王鞠坪)

急驚實熱。慢驚虛寒。急驚驟發。慢驚漸成。急驚生於壯實之體。慢驚因於不足之軀。急驚之熱。如火燒。必面赤口渴喜冷飲。聲壯氣粗。大便或閉結或洞泄。小便短赤而熱。甚至四肢厥冷。面色轉青。熱極以寒之象也。治宜瀉火爲急。（莫妙於夏禹鑄之幼科鐵鏡）慢驚之寒。是眞陽告竭。譬如隆冬冰合。不易熔化。非用附桂薑椒。斷難挽救。況虛陽上浮。亦必發熱。其熱夜盛朝淡。溫和而烙手。面色桃紅或白或青。口鼻中無莽莽之熱氣。舌必滋潤。苔必淡白或微紅。口不作渴。卽飲亦不多。喜熱不喜冷。是謂虛熱。甚至有唇裂出血。寒極似火者。治宜引火歸原。大劑扶正。庶乎有濟。（莫妙於莊在田之福幼編）若誤認實熱爲虛熱。而投以溫補。誤認虛熱爲實熱。而投以寒涼。皆必死之道。害人不淺矣。

◘調理病人之方法

林靜英

危矣哉。吾人之處身於天地間也。其能不罹於疾病者。幾希矣。有病菌之圍繞。有誘因之潛伏。偶或不愼。隨在足以致疾。藉曰攝生得法。而疾病之來。每有爲吾人所不及備。故終不免於病。然吾人既不能防患於未來。勢不得不愼之於已然。看護之方。固不可不審愼周詳也。顧吾國家庭素乏醫學之常識。罹病之誘因。既不熟察。適當之防衞。又難施行。消化不良之際。復强使之食。而於消化之難易漠然也。空氣汚濁之處。更妄使之居。而於空氣之交換茫然也。飲食無定時。起臥無定晷。凡此種種。皆大有背於醫理上之原則。强而行之。非驅病人於危險之途而何哉。靜英不才。爰將對於病者一般之注意。畧述數端。以貢獻於女界一得之愚。或能裨補於萬一也。

病徵之預察

吾人身體之罹病。不可不注意於最初之徵候。例如有頭痛腹痛之感。或出鼻血。或患咳嗽。或便溺不通。及其他種種徵候之發現。務宜注意。蓋爲虺勿摧。爲蛇何及。設不受醫於病輕之時。則遷延愈久。治療愈難。循至病入膏肓。圖救莫及。良可畏也。雖然。疾病之來。每不經意。若發熱。若感寒。常爲恆人所輕忽。如晚覺發熱。(俗名升火)晨覺寒噤。又爲人之所習見。而不知疾病之根源。卽潛伏於斯時矣。故家庭不可不備有檢溫器。以便檢察。然成人之罹病。或可預知。彼無知之嬰兒。則更難處理。而爲之母者。又不可不深注意也。法當辨其泣聲。觀其鼻汁。察其便溺。若有發現手足痙攣。皮膚變色。與其他驟失常度。顯呈異狀。卽宜延醫診察。俾得防患於未然也。

醫藥之愼重

人於疾病之時。每多自選藥料。然此事甚屬危險。蓋恐未獲治療之効。先遭舛誤之害。夫疾病之種類甚多。依種類之不同。而治療之方法。亦多殊異。某種藥性之適宜與否。豈可一概例哉。彼製藥之人。有營業之關係。故謂同種之藥。能愈多種之病。而吾人斷不可聽其簧鼓之言。以爲必信。如關於小兒老人孕婦之瀉劑。更宜注意。然若出血。則以布緊札其口。而使之止。誤嚥毒物。則以指入其咽喉。而使之吐。此皆爲普通之所能行。無俟乎醫師之診察者也。凡受醫師之診察。務宜信任。而不可時時更換。不然。殊非有利於病人也。當知病者之命。皆懸於醫師之手。故醫師之命令。不可不遵。而於禁食物。禁談話。更宜確守。他若服藥之時期。飲藥之定量。亦當惟命是聽。若病者或看護者。不遵其命。恐難達治療之目的。且醫師之命。於疾病愈將之時。最宜遵守。若既愈而復病。則治療手續。益陷於困難矣。

病室之潔淨

病者之臥室被褥衣服等之注意。本爲看護婦之責任。然普通家庭。每無力以雇看護婦。又不能送入於醫院。故理家以兼看護者。婦人也。婦人既有此責。安可不有此等之智識。

病室宜擇閑靜而光線透射之地。空氣尤宜流通。面積亦須廣大。室內不宜多置什物。若以每日之必用品。放置室內。則時出時入。殊不利於病者也。病者之被褥。須求其軟。而尤宜不時更換洗之曝之。是在於看護者。又病者之衣服。亦須柔軟而清潔。

病人之安慰

久臥之病人。其臥榻之方向。宜行更換。俾觸於眼簾者。不至使病人生厭。更當取應時鮮花。供諸花瓶。風景墨畫。懸諸枕邊。免病人作無益之幻想。以消耗其腦力。暇時宜與之談愉快之事。以資消遣。病者有所需。苟非萬不得已。尤宜順其所欲。至若祈禱神佛。大非保護婦之所宜。恐惑於宗教。怠於醫藥。實際上反有不利於病者也。

飲食之調理

病人之飲食。須受醫師之支配。而受命其所可者。普通飲料宜用煑水。或乳汁。而珈琲與茶非所宜也。有時因病人之狀況。或可稍稍用之。然酒類非經醫師之許可。不可濫用。患熱病之時。飲多量果實之汁。無傷於病人。而病者之食物。苟非消化器十分衰弱。通常之物。皆所不禁。惟麵餅及多脂肪之肉類。不易消化。又宜禁制。至若消化力衰弱者。其食物宜受醫師之指定。且同種原料。因調理法之不同。而消化有難易之別。是又看護者之所當注意。在規定時刻外。與病者以食物。有傷消化。故為衛生之所當禁。久臥不起之病人。飲料可用玻璃管而令之吸。食物可用調羹而與之食。亦爲病者便利計也。又病人之食物。不可一次過多。恐傷其食慾。有害其脾胃也。

排泄之注意

病人之排泄物亦宜注意。所用器具。悉宜消毒。免菌類之傳染也。應行何種之消毒。則詢之醫師可耳。病人不能起牀而便溺。則用牀上便器。然便器爲磁製。冬日甚冷。器周宜圍布套。俾不至感寒。而虎列拉窒扶斯及赤痢等之傳染病。須行適當之消毒法。此亦看護者之所不可忽也。

體溫之檢查

人體之溫度。普通爲三十七度。超過此限度以上。卽爲罹病之徵兆。當病勢劇烈之際。或有達至四十度乃至四十二度者。可因體溫升降之故。而知病勢之增減。若四十度以上之體溫。連日繼續。則其病勢必入於膏肓。可無疑也。彼醫師欲悉病勢之經過。故不得不測體溫。以診斷焉。

檢查體溫用檢溫器。此器可購之於藥房。其價約在一圓內外。普通之家庭。當常備一支。檢查時將此器之水銀部。置於舌下。經數分鐘。取出而視其度也。普通體溫器。

在人體常溫三十七度之所。有赤字表之。依此觀其昇降之度。易於目覩。使用後務必振搖三四囘。蓋欲令其升上之水銀復舊耳。

脈搏之按測

人體之脈搏。視病勢而增減。故病勢之如何。可由脈之强弱而推知。普通康健者之脈搏。平均一分鐘間約七十二次。但亦因種種之原因而異。大概運動食後及精神之奮激時。其數較增。睡眠安靜時。其數略減。病勢劇烈之時。甚有達至百二三囘以上者。若此種現象。永久繼續。危險孰甚。檢驗脈搏。可執病者手。以示指中指接觸其脈上。依時計測算之。當時計之秒針指示六十秒之際。作爲開始。至一囘復間（卽一分鐘）而止。此時體溫與脈搏之過度急變與否。不可不詳加審愼也。

服藥之謹愼

服藥之方法。當遵醫師之命。旣如上述。至服藥時間之須在食前飯後。亦以藥性之必要而無可或爽者也。凡一日之藥。須三囘分飲。恐一囘服之有中毒之虞。而小兒或衰弱之人。更宜加意。又小兒最厭飲藥。被愛兒之親母。雖性具慈善。不可以姑息之愛而舍之。他如嗽藥點眼藥及其他之飲藥。均須依醫師之用方而施行焉。若用藥所經之時日過久。難保無變質腐敗之虞。是藥之能否經久貯藏。亦當善爲詢問者也。又或有二人以上之病人。一時而有數種之藥。此際甲乙間之混雜服用時刻之前後。亦當注意及之。

病體之清潔

病者之體。貴乎清潔。苟非病勢劇烈。沐浴爲要。而熱湯長浴。又非所宜。浴後當安靜而臥。又食後不宜入浴。又有稱爲藥湯浴者。對於病人。殊無利益之可言。惟鹽浴冷水浴有强壯皮膚之功。施之衰弱之病人。頗有成效。若不能入浴之病人。可揩拭其體。以保清潔。冬季當溫其居室。出汗後宜拭其體。而更其寢衣。尤爲必要。他若剃髭剪爪等事。皆有利於衞生也。

病室常宜掃除。空氣常宜交換。若掃除之際。有擾病人。則可移入他室。被覆其身。毋使塵埃之侵。及且病室之空氣溷濁。故每日午前午後。當開窗一二次。以便空氣之流通。

病後之留神

病後之食物最宜注意。蓋病後食慾增進。食物之入胃。頓增其量。而破壞醫療之苦心。遂肇端於斯時矣。在腸窒扶斯之囘復期內。食物之愼重。尤爲切要。又當病人初愈之際。一切業務。概當屏棄不理。須俟諸數月之間。身體與精神恢復舊狀。而後舉行。飲酒喫煙。有礙衞生。病後更當切戒。語曰爲山九仞。功虧一簣。吾人當三復也可。

▣居家養病者注意

（邱治中）

病房空氣。最宜新鮮。先線充足。牆壁地面。常宜洗掃。病房僅置病人需用之物。其他雜件。一概撤除。所有器具。當以便于洗濯消毒爲佳。

病榻宜四面不靠。以便侍病者。盤旋左右。如是則牆壁不受汚染。病人所有器具。當置于消毒溶液內。他人不得使用。

凡自病房取出之物。當先事消毒。以免病菌散佈於外。病人未愈之前。房間宜日日洗掃。愈後當卽從事房間及器皿消毒。

病者身體宜絕對清潔。手口牙齒之間。應按日洗盥。凡洗盥後之水。須先消毒。然後倒出。病房內如有其他物件爲病人所不需用者。宜用被單或布幅罩之。使不爲灰塵所汚。

除侍病者及父母醫生外。他人不得入病者之房。而入內者亦當注意預防法。其他家畜如貓狗等類。絕對禁止入病房。

◻慢性病之調理法

（姜常材）

(一)信佛　人既患病。則心中必有無量恐怖。能信教則信根既深。恍若舉此身歸諸教主提攜保抱之中。得大無畏。得大解脫。自有無量受用。佛教爲羣教之主。故余所信仰者。乃佛教也。

(二)靜坐　三教皆有靜坐一法門。佛之靜坐也。以見性。道之靜坐也。以修元。儒之靜坐也。以澄心。以養病家眼光觀之。皆養病之絕好法門也。可以聚神氣。生智慧。掃雜念。誠心意。而余腦筋抽搐之病。至靜坐中。亦覺大殺劇烈之勢焉。苟能加增其靜坐功夫。則余之病。或竟能愈。未可知也。然此事非持戒不可。

(三)持戒　佛教以淫殺爲最重之戒。然斷殺易。斷淫最難。此事非下死功不可。由戒生定。由定生慧。一定之理。故靜坐必先以持戒也。

(四)運動　余在日本。聞日本體育家之言。運動只要有恆。不必多費時間。譬如每日能向空力擲一拳。亦是運動。苟能日擲一拳。久之此拳之肋肉。必見發達。由此觀之。余之運動法分三。

(一)十二段錦　晨起後夜臥時行之。日間并略習體操。按照啞鈴練習法。而不用啞鈴。並減少其次數。每式以五次爲度。

(二)園藝　此可以運動軀體。且可以得空氣日光。與得賞自然之美焉。

(三)散步　以在曠野爲宜。其益與園藝同。

(五)呼吸　行深呼吸分二。(一)規定的　每日晨起後行之。十次爲度。(二)不規定的　於園藝散步時行之。無一定次數。

(六)滋養　素食滋養料頗足。此衞生家之公言。非余佛徒之偏論也。

徵文揭曉

□少婦素無疾苦一日晚似覺胸悶起見旋卽牙關拘緊不省人事喉有痰聲四肢抽搐脈伏擬案方

（楊先橋）

始由似覺胸悶起見。繼卽牙關拘緊。不省人事。喉有痰聲。四肢抽搐。脈伏。良由肝爲風木。性喜條達。志意不遂。肝氣橫逆。肺失清肅之令。氣機窒塞不宣。挾痰濁交阻。稽留。陽明之絡。蒙蔽清竅。神明無以自主。肝風乘勢內動。經隧爲之不甯。氣閉於內。脉道不通。肝風氣厥重症。危在旦夕。書所謂陰氣衰於下。則爲熱厥是也。勉擬平肝熄風。滌痰。清神。未識能得挽回否。

羚羊片（先煎一錢）　硃茯神（三錢）　天竺黃（一錢五）　滁菊花（三錢）

炙遠志肉（一錢五）　九節石菖蒲（八分）　炙姜蠶（三錢）　川象貝（各二錢）　鮮竹茹（枳實一錢同炒二錢）　明天麻（一錢）　蛇胆陳皮（冲服二分）　廣玉金（一錢五）　淡竹油（冲服二兩）　另蘇合香丸（去殼研細末開水化先服一粒）

（評曰）從素無疾苦一層認定氣厥識解特超。

其二　　（呂　芳）

婦人以肝爲先天。肝腎之陰素虧。厥少之火內熾。津液被蒸而成痰。風陽抑鬱而化火。痰火相煽。神機被困。一旦正不勝邪。而風陽痰濁阻其絡道。是以始則胸脘滿悶。繼則牙關拘緊。神識昏迷。而不省人事。內風與氣火相搏。而四肢抽搐。三焦之絡膜。盡被痰濁阻滯。而六脉均伏。症勢危急。適當鴟張之際。急宜熄風化痰開竅淸神。俟牙關開而痰氣平。神識清而脉象現。庶可挽囘於什一耳。

羚羊角（切片先煎一錢）　明天麻（八分）　生枳實（一錢炒）

炙姜蠶（三錢） 鈎鈎（後入三錢） 九節石菖蒲（八分） 天竹黃（二錢）

川象貝（各二錢） 鮮竹茹（二錢） 廣玉金（一錢） 陳胆星（八分） 竹瀝半夏（一錢五） 蘇合香丸（研末沖服一粒） 姜竹瀝（沖服一兩）

（評曰）方案細密。

◻其三 （盛載銘）

猝病無不由於風火痰。而少婦之患。多從肝鬱。氣鬱結則化火。火動則津液煅練成痰。肝火痰熱內蘊。隨觸卽發。雖素無疾苦。一日晚似覺胸悶起。見此必食塡胃中。胃氣壅逆。痰火隨之猝動。橫趨經絡。上蒙心包。痰火壅於絡。不通則急。所以旋卽牙關拘緊。開闔不利。痰火蒙心包。清竅蔽塞。所以人事不省。喉有痰聲。惟外見四肢抽搐。則又爲肝風暴動。肝屬木而藏血。木鬱生風。風因火動。瘛厥重症。變在旦夕。況又六脉皆伏。可見痰食風火交相爲病。搏結於中。脉道不利也。內閉危候。姑擬平肝熄風。滌痰解鬱。佐以芳香宣通之品。神淸則吉。

羚羊片（先煎一錢）　竹瀝半夏（二錢）　抱茯神（三錢）　陳胆星（八分）　煨天麻（八分）　炙遠志肉（一錢）　天竺黃（一錢五）　鮮竹茹（枳實一錢同炒三錢）　九節石菖蒲（八分）　廣玉金（一錢五）　川象貝（各二錢）　嫩鈎鈎（後入三錢）　淡竹油（一兩）　生姜汁（二三滴）　二味炖溫同冲服（另）蘇合香丸（一粒去壳研末開水先化服）

（評曰）從素無疾苦悟到食阻胃氣。痰火暴動橫决。理解特眞。

▣其四

（黃葆良）

婦人以肝爲先天。肝藏血。內寄相火。性喜條達。最惡抑鬱。恙由不得隱曲。抑鬱傷肝。肝氣橫逆。氣道不利。初起似覺胸悶。繼則鬱極肝氣化火。挾素蘊之痰濁。上蒙淸竅。神明無主。不省人事。痰濁入於經絡。牙關拘緊。火載痰上。痰隨火升。喉有痰聲。肝風躍躍。四肢抽搐。氣機阻塞。鬱而不宣。脉道不通。證見脉伏。姑擬滌痰淸神。冀脉起神淸。方可許治。

羚羊尖（磨冲五分） 抱茯神（三錢） 鮮竹茹（枳實一錢同炒一錢五）
淡竹油（一兩） 生石决（八錢） 炙遠志肉（一錢） 九節石菖蒲（五分）
生姜汁（二滴同冲服） 明天麻（八分） 仙半夏（三錢） 廣鬱金（一錢五） 甘菊花（一錢五） 川貝母（三錢） 嫩鈎鈎（三錢後下）
至寶丹（去殼研末一粒）

（評曰）方案密合造句簡明。

價目表

零售	每册實售大洋二角		
時期	册數	連郵費	
		國內	國外
半年	六册	一元	二元
全年	十二册	二元	四元

幸福雜誌

第二期

廣告價目

等第	地位	全面	半面	四分之一
特別位	封面		四十元	
特等	底面之內外 封面之內	四十元		
優等	封面內面之對面	三十元	十六元	
普通	正文之前	二十元	十元	五元

彩色另議

中華民國二十二年十一月一日出版

編輯者　朱振聲

撰述者　全國醫家

發行者　幸福書局　上海三馬路雲南路轉角

印刷者　華豐印刷鑄字所　上海浙江路五三六號　電話九〇三五八

本雜誌已於廿二年十月廿四日呈請內政部登記

國醫朱振聲編

幸福雜誌

第三期

唐紹儀

唐氏紹儀

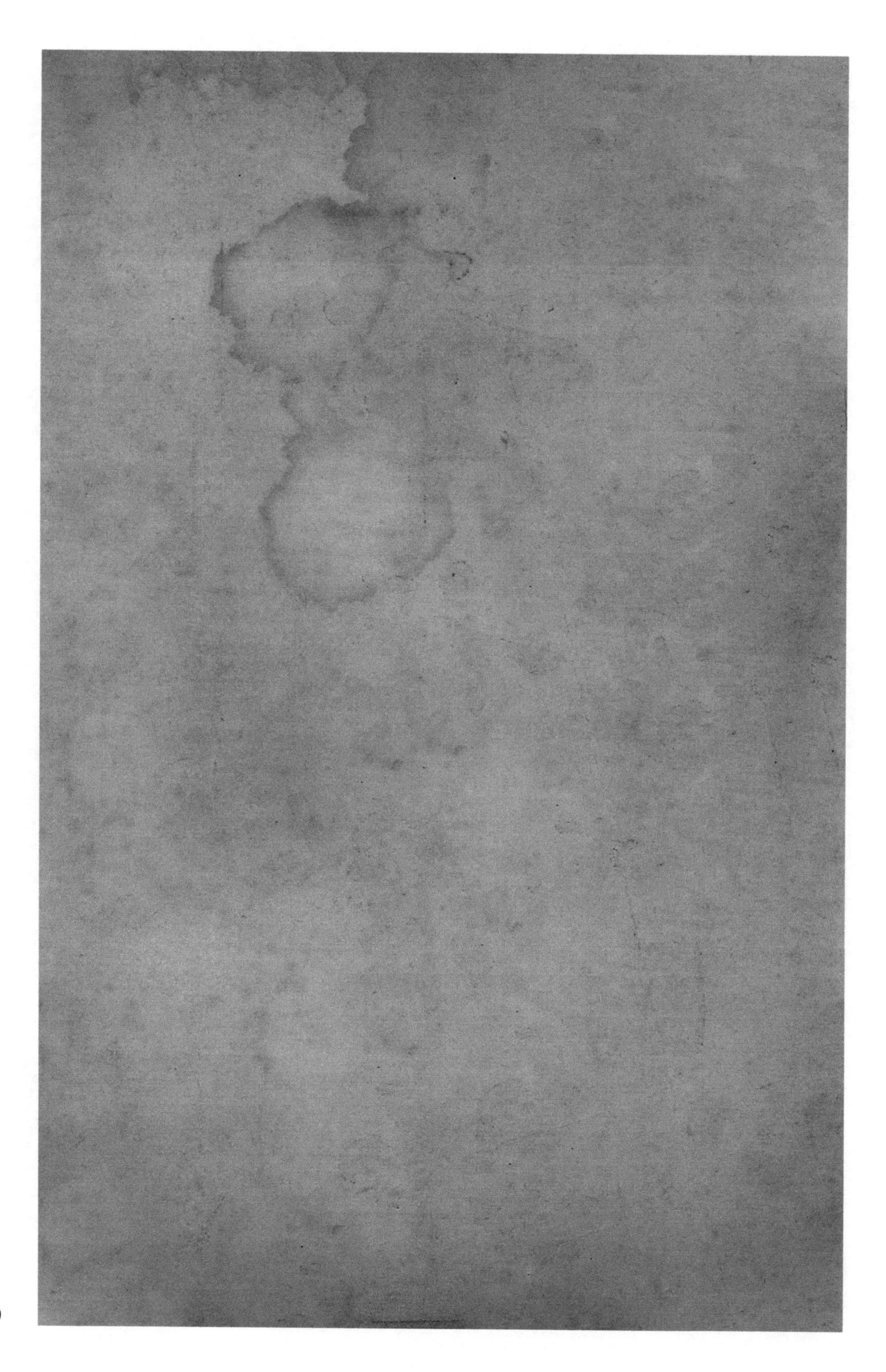

幸福雜誌第三期目錄

生理一斑

男女生理之不同……姜啓忠
鼻與諸臟器之關係……費夢蓼

藥物彙談

蘿蔔之效用……葉橘泉
談談厚朴之利害……趙魯臣
談蛤士蟆……周貴德

傷風感冒

傷風感冒……仁
傷風咳嗽……丁仲英
大可注意之傷風症……尤學周
感冒詳解……張治河

中風常識

中風之常識……李白
傷風與中風……蔣頌南
治療中風之經驗……郭受天

肺病研究

肺癆與煙酒之關係……陳存仁
潮熱之研究……陳存仁
痰中帶血……丁仲英
肺癰治驗記……王吟竹

性的衛生

房事及遺傳……丁仲祜
忍精不洩之害……我佛
行房適遇經至……佚名

解決性慾

解決監犯性慾問題……醉痴生
解決監犯性慾……春波
怎樣解決尊夫人之性慾……宋念慈

婦女白帶

婦科十帶九漏……左友和
白帶治療法……孫緯才
帶下病之家庭療法……茹十眉

生育問題

婦人不孕原因及中西治療之比較……奚可階
無子不能專責婦人……陸文表
轉女爲男之研究……胡景行

長篇專著

血症概論……朱振聲

急救良法

預防中煤毒及急救法……陳超犖
急救癲狗咬……何玉田
火傷燙傷之急救與預防……曾立羣
疔毒走黃急救法……郭志道

實用驗方

脚氣症經驗良方……成寶孫
赤白痢驗方……張友琴
金氏家傳爛脚祕方……黃勞逸
戒煙三方……朱子振

上海幸福書局出版各種醫藥新書

朱振聲編	腎病研究	每部二冊實售一元
朱振聲編	婦女病	每部二冊實售一元
朱振聲編	保腦新書	每部一冊實售四角
朱振聲編	百病秘方	每部一冊實售四角
朱振聲編	求孕與避孕	每部一冊實售五角
朱振聲編	肺病指南	每部一冊實售四角
朱振聲編	痛症大全	每部一冊實售四角
朱振聲編	肝胃病	每部一冊實售四角
朱振聲編	家庭醫藥常識	每部一冊實售八角
朱振聲編	百病自療叢書	每部十二冊實售一元六角
尤學周編	虛勞五種	每部一冊實售五角
李如珪編	胎產問題	每部一冊實售四角
葉勁秋編	花柳病治療學	每部一冊實售三角

外埠函購寄費加一　地址三馬路雲南路口

生理一斑

□男女生理之不同

（姜啓忠）

男子屬陽。陽主氣。女子屬陰。陰主血。男子氣强。所重在血。女子血多。所重在氣。固人所共知也。而厥初受胎之故。何以或男。何以或女。此則天地造化之奇。非人所能懸揣者。而方書有謂受氣於左子宮成男。受氣於右子宮成女者。有謂精裹血成男。血裹精成女者。有謂經淨後一三五日受孕成男。二四六日受孕成女者。此皆想像之談。不足取信也。男子有喉結。女子無之。是何故耶。愚謂肺開竅於喉。腎脈又循喉。聲音之發。肺爲標而腎爲本。故男子氣盛。女子氣弱。至於鬍鬚。咸謂任脈之故。男子任脈起於會陰。終於承漿。女子則至頸卽止。不得上達於口脣。所以無于思于思矣。余曰鬚者。陽氣之所發也。男子陽物。應日而一舉。女子則縮而爲子宮。試觀太監閹割。其聲卽雌。至老嘴上無鬚。此其明驗也。惟女子乳房大於男子。中國書從未言其理。全體新論云。乳者赤血所生。婦人乳頭之管。漸入漸分。如樹分枝。行至乳核。卽與血脈管相接。乳汁由是化成。可知女子以血爲主。衝爲血海。無孕時則下月事。有孕時則化乳汁。婦人天癸絕後。其乳房卽癟。婦科所以有乳懸乳縮之症。男子無乳汁可貯。此乳之所以小也。至於女子交骨下有羞比骨一塊。事一夫終身者。其骨上則一點黑色。妓女善於人交則全骨皆黑矣。

□鼻與諸臟器之關係

（費夢蓼遺著）

（一）鼻與呼吸器之關係

中醫言鼻爲肺之竅。西醫言鼻呼吸器之門戶。是卽中西醫理相貫處也。鼻竅通則呼吸流利。鼻竅塞則呼吸困難。故凡肺熱。每見鼻翼翕張。肺寒每見鼻塞不利。足徵鼻與呼吸器有直接之關係。且凡閉症。（如氣閉痰閉熱閉之類）尤當以開通鼻竅爲先務。因鼻竅一通。則呼吸自起。血液自行。不此之圖。若漫投以開肺劑疏利氣機。無效也。漫投以激心劑催進血行。亦無效也。更足徵鼻與呼吸器關係之重要。

（二）鼻與循環器之關係

直接關係於鼻者。既爲呼吸器。間接關係於鼻者。當爲循環器。(卽血行器)何者。氣爲血帥。血爲氣守。氣行則血行。氣滯則血滯。是循環器血液之運行。必藉呼吸器氣壓之激射。故常人脈搏。可與呼吸次數作一定之比例。且吸養排炭。新陳代謝。雖曰呼吸器之功能。非卽鼻之功能乎。故凡傷風冒寒。症見鼻塞不利。鼽涕頻行。脈搏必遲滯無疑。卽此例推。莫不相應。是知鼻與循環器有間接之關係。

(三)鼻與消化器之關係

鼻之內部。滿布有嗅神經。故能辨香臭。聞香輒喜而近之。聞臭則惡而遠之。此人之常情。亦卽生理之作用。然試問何以喜香惡臭。獨不喜臭惡香。是乃脾氣通於鼻之故也。蓋脾於五氣。獨喜芬芳。故鼻之嗅覺。因亦喜香而惡臭矣。且吾人在用膳時。鼻準恆津潤有光。幷覺火火有熱氣。是消化器運動時期。鼻亦爲之外應也。顧此僅就生理上之關係而言。若夫病理。則更有可指。例如消化器有病停止時。鼻準恆乾暗無光。及人之垂亡。鼻孔每現枯煤色。是乃消化器敗絕之徵。亦卽中醫所謂土絕水來乘制之象。又如呼吸器有障礙時。(例如傷風鼻塞)則鼻失其作用。必借藉其口以營呼吸。往往因艱於咀嚼。致起胃不消化。若乳兒鼻塞。甚至不能哺乳者有之。又據日人波亞斯氏之報告。（在一八九〇年）其謂胃炎一症。多由咽喉發炎而來。咽喉發炎。又多由鼻疾而起。因是知鼻之於胃。本有直接聯絡之道。一有疾患。甚且互相侵犯矣。他如鼻與喉部有疾。膿液流入於胃。卽起嘔吐及反射性胃疾。患苟其膿液含有黴菌與醱酵素者。尤易令其洄膜發炎。鹽酸減失。而生種種障礙。由是以觀。鼻與消化器關係固甚密切焉。

（四）鼻與泌尿器之關係

泌尿器者。鼻與膀胱是也。泌尿之作用。全賴乎氣化。西醫無是說。且目氣化爲迂談。殊爲大缺點也。節取吾國醫經以證之。素問靈蘭祕典論曰。膀胱者州都之官。津液藏焉。（津液二字作水液解）氣化則能出矣。靈樞本輸篇曰。少陽屬腎。腎上連肺。故將兩藏。夫主氣化者肺。運氣化者鼻也。昔立齋治小便不通。脝急欲死。取嚏得通。一時目爲神奇。其實理也。非奇也。不過立齋知乎其理而行乎其治。僅見其神耳。然則鼻與泌尿器。豈可謂無關係乎。

□蘿菔之效用

（葉橘泉）

蘿菔之消食。民間盡皆習知。本艸綱目。亦言蘿菔能制麪毒。然未能明其原理而詳其所以然。

考蘿菔又名萊菔。爲菜根類之一種。用本品生打取汁一二杯。善於消化小粉質。及肉類食物。蓋米麥山芋百合等各種植物。含小粉質極多。此等食品入人胃中。不能驟然吸收於體內變爲血液。必與唾液及膵液混和。營消化作用。而後方有益於人身。然有時多食含小粉類食物。唾液及膵液不足供給其消化之用。於是胃腸食積而發生疾病矣。是時若用蘿蔔汁。則能消化其食積。若食肉類。而不能消化時。蘿蔔汁亦奏著效。蓋近來化學家。將蘿蔔詳爲研究。始知有消化小粉及肉類之特性。因其所含之一種消化素。既可化植物中之小粉爲糖分。又可使動物肉類之結締組織就溶解。誠以蘿蔔能變小粉質爲糖分。而助膵液營消化作用。故小兒多食餅餌致病者。以蘿蔔汁治之最宜。若以各種新鮮之肉類。浸於蘿蔔汁中。不久即變爲柔軟。此非蘿蔔有直接消化肉類中蛋白質之功效。乃筋肉間之結締組織。漸爲其溶解耳。據此實驗。蘿蔔有消化肉類之功。極爲顯明。故因多食肉類而積食者。亦宜以本品治之。

談談厚樸之利害

（趙魯臣）

厚樸氣味苦溫。足太陰陽明經藥也。與攻下之藥同用。則能瀉實滿。與宣中藥同用。則能除溼滿。與發表之藥同用。則能治寒溼。與止瀉之藥同用。則能厚腸胃。其性苦溫。苦則瀉。溫則補。平胃調中。去滿行水。用之得當。誠能迎刃而解。設誤用之。則耗人津氣。古人禁訓彰彰。不可誣也。仲聖大承氣湯。厚樸三物湯。七物湯。用以助他藥推盪積邪。餘無用之者。後世治寒溼方中。亦間用之。而其配製之巧。亦示人以審愼也。晚近醫學日頹。竟以厚樸括治天下一切之病。一若不服厚樸而死者。皆爲枉死。服厚樸而死者。皆命爲之也。入者注之。出者奴之。目擊心傷。可勝浩歎。病家不知病之表理虛實寒熱陰陽。但聞厚樸。則欣然樂從。此由積習相沿。無足怪者。獨怪模稜之醫生。趨競利勢。知其死於溫藥而無怨悔也。乃衣鉢相傳。不必察其體病脈證之千頭萬緒。僅以厚樸相迭爲用。卽成一媚世之方。誤投不致卽敗。偶中亦可邀功。草菅人命。孰大於斯。人以其合我心也。多深信而不疑。迨積薪既厚。突火燎原。勢不至於爛額焦頭不止。良可哀也。陳修園醫醫之說。豈徒然哉。徐靈胎誅心之論。良有以也。或曰。厚樸不堪入藥乎。曰。不然。予所誅者。濫用厚樸以媚人者耳。諺曰。對證下藥。蓋必先論證而後論藥。藥爲病設。證既不明。藥於何有。古人謂用藥如用兵。不知病情。而妄施方藥。亦如不知敵情。而妄揮旗鼓也。可不愼歟。

■談哈士蟆

（周貴德）

哈士蟆爲關外特產。滿清時用作貢品。衛生家亦莫不珍視之。以其腹內含脂肪甚多。不寒不燥。能滋補身體。勝於參茸萬萬也。哈士蟆形如田雞。惟較小。爲兩棲動物。亦卵生。皮呈暗灰色。腹部有黃有黑。雄者俗稱公狗子。雌者爲母姆子。以腹色黃而雌者爲上品。三四月間。冰雪既融。河水澄清。蟆乃出現。鳴聲嘓嘓。欲遂其同居之愛也。而其蕃殖亦自此開始矣。其蕃殖率亦至繁而速。

捕蟆分春秋二季。春季捕法。極有興趣。捕者每於夜間燃炬持叉。蹲河畔。效其鳴聲。蟆睹光聞聲。急趨而求其類。舉叉捕之。鮮能倖免。秋季則用法填河流。使狹擇水勢湍急而蟆多之處。其下承以腹大口小之柳條筐。如是則蟆一入內。亦無法逃遁矣。至捕法甚多。大抵以上二法爲最普通。

收藏法亦極重要。先曝日中使乾。後再置於涼爽通風之處。隨時取食。其味殊不遜於鮮者。否則至易腐爛。不堪下咽矣。

其脂肪一名哈士蟆油。浸溫水中。俟其澎漲。調白糖以作羹。服之能滋陰補肺。爲養生之珍品。若將其全體烹以豆油。香脆適口。芳美無倫。關外士紳宴客。大有無此不足以表其敬意之概。

其價值以吉林舒蘭計。每枚約合大洋二分左右。按什一抽稅。每歲稅收亦殊不弱。吉林各山貨莊。盡力收買。剝其油。固封匣中。運銷外埠。恆居爲奇貨云。

□傷風感冒　（七）

傷風受寒。雖屬小恙。但往往爲一切發熱病（如傷寒。溫病。濕溫等）之初起病象。治之不愈。恆爲纏綿之病。傷寒溫病。因是而成。故不能以小恙而忽之。

惟所謂傷風受寒發熱。實不能以一種表散之藥方統治之。因其中有三種分別。一爲傷風。爲患甚輕。僅僅傷感風邪而已。一種爲受寒。爲患較重。發熱較劇。並有骨節酸楚之象。一種爲發熱。單單發熱。無惡寒之象。此三種原因不同。治方各異。今特分爲甲乙丙三種。開列藥方三張。通常如遇傷風受寒之小恙。可對症施用。藥性雖輕。惟退熱消恙。收效頗速。

(甲)傷風　此係感冒風邪。鼻塞。清涕時流。微有咳嗽。身熱。頭脹。頭部畏風。肌膚亦微有淅淅畏風者。投以下方。

荊芥八分　防風八分　蟬衣八分　薄荷八分　橘紅一錢　桑葉三錢　象

貝錢半　蔓荊子三錢

（乙）受寒　此係感冒寒邪。較前者爲重。發熱蒸蒸然。畏寒較甚。無汗頭痛。週身或骨節痠疼非常。或頸項週轉不甚靈便。投以下方，服藥後再飲熱水一碗。裹被而睡。求得汗液。卽愈。

紫蘇葉錢半　淡豆豉二錢　桑葉三錢　蔓荊子三錢　西秦艽錢半　晚蠶砂三錢　大川芎一錢　雲茯苓三錢　嫩桑枝三錢　生薑三片　紅棗一枚

（丙）發熱　初起單單發熱。絕不畏冷。身熱頭暈且痛。口乾作苦。苔黃乏味。大便不甚通暢。小便色赤。此爲溫病初起。因其不畏冷。故切不可發表出汗。通大便則無妨。

清水豆卷三錢　青蒿三錢　桑葉三錢　菊花三錢　金銀花三錢　連喬殼錢半　赤茯苓三錢　飛滑石三錢　淡竹葉三錢　全瓜蔞三錢

一切感冒發熱初起。大別之必爲上列三類。按症投藥。皆能收效。傷風感冒爲無論何人所最易罹患之小恙。上列三方。宜錄存之。需要或甚殷也。

惟傷風每年中偶然患此。固無大害。若時時易患。則顯係肺病初起之兆。切宜細加診察。務求不失時機。蓋肺病將成之際。類皆頻發傷風。不可不知。

傷風咳嗽

（丁仲英）

（一）咳嗽之生理作用

咳嗽爲呼吸器病之一種徵象。大凡呼吸器感受不快。如氣管發炎。痰阻於內。或吸入冷風。嗆烟嗆灰。皆爲咳嗽之主因。蓋呼吸器既感受不快。卽惹起一種衝動與刺激之作用。使一部份之機能。於最短期內活潑而旺盛。增加其抵抗之力。以排除其障害而咳嗽作矣。故咳嗽非病也。人身之自然療病法也。若不明此理。而早用止咳之藥。壓住其咳嗽。致障害物不能排除。窒塞於內。爲害非淺。

（二）傷風之咳嗽

傷風之咳嗽。因氣管黏膜。充血紅腫。而多痰液。藉咳嗽之力。推之外出。故嗆咳不止。蓋傷風感冒。局部之抵抗力減退。外邪乘機侵入。風邪侵入氣管。先發紅腫。繼卽生痰。此等痰液。若不藉咳嗽之力以吐出之。則氣管內之痰液。愈聚愈多。微生虫得此更易滋生蔓延。傳入肺部。必成危險之肺癆。

（三）咳嗽與發熱

傷風咳嗽。有兼發熱者。乃寒觸皮膚。體溫不能調節之故。大率不過起病一二日間有熱。熱亦輕微。以後卽漸消滅。甚者頭痛惡寒。全身感受不快。此因身體薄弱。形神萎頓。熱發不退。積漸而成大熱。其有舊疾。或與他病併發者。症情愈重。熱勢愈盛。留戀不退。每易釀成大病。

（四）傷風咳嗽之調理

傷風咳嗽。原屬輕淺之症。惟其輕淺。因循忽略。以致小病變爲大病。因是坐誤者。實不知凡幾也。治療之法。首在扶助肺氣。將黏痰逐去。第二宜疏散風寒。以調節體溫。疏散之品。如荊芥。前胡。蘇葉。薄荷。葱白。驅痰之品。如桔梗。陳皮。杏仁。貝母。皆可採用。平居又宜愼避風寒。戒食生冷暈腥等物。則易於就痊矣。

□大可注意之傷風症

（尤學周）

■傷風之由來

吾人如觸冷氣或其他物體。使身體或身體之一部分遇冷而急變。失其常態。如其時皮膚薄弱。則調和皮膚溫度之能力不足。在身體表部之血管血液不足。從而血液多集於深部。血液之充足與減少。與體溫之高下成正比例。表部與深部之血液既不同量。則溫度之分配大起差異。於是風邪乘隙而入其身體抵抗力最少之一部分。蔓延傳佈。使身體之全部爲之發熱。

通常所最易侵襲者。爲鼻管乃至氣管。故其症狀。爲鼻塞多涕。放噴嚏及咳嗽咯痰。

■傷風之危險

常人每視傷風爲微疾。無足介意。此大誤也。此症不但易於傳染。且爲各種重症。如耳聾。喉腫肺癆等症之導火線。

傷風者。口鼻喉間多黏膜之分泌液。壅塞鼻間。吾人面部及兩顴之骨窩位於鼻管後者。實爲司聽官之傳音盤。能助反響。然易受分泌液之障碍而成劇烈之耳疾。

傷風能煽起咽喉發熱。而成腫脹。頗碍嚥呑。或則傷及聲帶。艱於發音。如歌曲家演說家罹此。卽失其所長矣。

傷風能誘起肺病。俗所謂傷風不愈變成癆。如賊及於肺。則直與生命爲仇。老年人及身軀孱弱者患此尤爲危險。

■出賣重傷風

民間有一種不道德之迷信。凡罹疾者。能設法使該疾傳染於人。可以不藥而愈。出賣重傷風。卽其一例。吾人散步於街頭巷尾。常見牆上貼有紅紙字條。上書出賣重傷風者。所謂出賣。無非欲傳染於人耳。重傷風之是否可以出賣。是一問題。出賣以後。本人是否可以全愈。又是一問題。傷風而可以出賣於人。凡百疾病。無有不可出賣矣。出賣於人。而本人可以全愈者。又何用醫藥。一切生理學。病理學。藥物學。可以不必研究。付之一炬可矣。稍有醫學知識者。當能辨其舉動之毫無意識。徒見其利已損人行爲之不道德而已。

■傷風之預防及治療

防禦傷風之道大概可分二法。其一防感冒。其二防傳染。

感冒風寒者。其人身體必不康健。故防感冒之最重要事。卽保持其身體之康健。使有抵抗風邪之能力。每日有適度之運動。蓋人若多食惡動。不以適當之運動。而使汗出。則後必受患。亦常能因是而患傷風也。出汗時亦宜謹愼。衣衫未乾。坐於當風之處。或坦胸取涼。均爲傷風之伏線。每日用冷水沐浴。固爲最妙。然體力心臟未臻健全。則溫浴可也。否則反易受疾。

防免傳染之法。則談話時口沫衝人者勿近。咳嚏不知掩口者勿近。平常所用之茶杯。烟筒。及手巾。都染有他人口鼻內排洩之津液。極易傳染。此等處較「出賣」之力大於萬倍。宜愼之。疾病之傳染。大抵以同室者爲多。以易於接觸器物。共用。每爲其導線也。

治療之法。在溫熱取汗。普通患傷風者。以熱水浴身。使暢然汗出。此法甚妙。大可減輕病症。藥物治法。用清輕辛涼。佐以鹹寒。或甘寒。每多奏效。如蟬退。殭蠶。淡豆豉。葱白。杏仁。桑葉。菊花等。咳嗽者。加前胡。川貝。胸悶者。加連翹。咽喉疼者。重用生地。銀花。馬勃。板藍根等。加減與服。極爲適宜。

感冒詳解

（張治河）

（一）病原

本症之起。係爲寒氣刺激。或因天時驟冷。而著衣單薄。或因天時驟暖。而脫衣過多。

（二）病灶

本症病灶。頗不一致。有因寒觸皮膚而毛竅閉塞者。有因寒觸皮膚而末稍神經受累者。有因寒觸鼻腔咽喉氣管處而粘膜發炎者。有因寒觸腹部而腸胃發炎者。

（三）病狀

惡寒發熱。腰背四肢痠疼、目眩頭痛。鼻塞涕多。時作噴嚏。音啞喉痒。口中多涎。時而作嘔。不知食味。納穀減少。間有腸鳴腹痛大便泄瀉。

（四）病理

（惡寒發熱）寒觸皮膚。刺激末稍神經。不能調節體溫。故而惡寒發熱。

（目眩頭痛腰背四肢痠疼）亦末稍神經受寒刺激之故也。

（鼻塞多涕）鼻道粘膜發炎。分泌亢進。則鼻竅壅塞。清涕下流。

（時作噴嚏）鼻道發炎。刺激嗅覺神經。神經興奮。則作噴嚏。

（音啞喉痒）此喉頭聲帶因寒刺戟而發炎之故也。

（口中多涎）口腔咽頭發炎。分泌亢進。故口中痰涎唾之不盡。

（不知食味納穀減少）咽頭食道發炎。味覺神經麻痺。則不知食味。而惡食矣。

（時而作嘔）口膜發炎。胃肌痙攣所致也。

（腸鳴腹痛大便泄瀉）此必先有宿食。蘊於腸胃。而後受寒。刺激。或既受寒氣刺激。又食生冷油膩之物。醞釀發酵。刺激腸胃粘膜。以致粘膜發炎。消化不良。而腸鳴腹痛大便泄瀉作焉。

（五）治法

審係皮膚受寒刺激者。則投以發散之劑。如荆。防。柴。葛。蘇葉。薄荷等藥。審係鼻腔咽喉氣管等處發炎者。則發汗劑中宜加二陳。甘桔。牛蒡。杏仁。姜蠶。蟬衣等藥。兼消該處之炎。審係神經發炎者。則加羌活。白芷等藥。以興奮之。審係腸胃發炎者。則加神曲。枳殼。麥芽。焦查。砂仁。厚朴。等藥以消導宿食。去其酵之素。使腸胃無物刺激。炎自消矣。要之發汗之藥。當爲主體。蓋寒氣傷人。皮膚首當其衝。外感症未有不犯之者。

（六）調攝

罹本症者宜避免風寒刺激。戒食生冷葷腥等物。

中風常識

中風之常識

（李白）

一　引言

中風一症。在吾國病理上分類既繁。學識尤廣。既有眞中類中之別。又有中臟中腑中經中絡之殊。復有氣虛。痰熱。風火等名詞之異。欲詳言之。雖連篇累牘不能盡也。茲就其普通而切合實用者列舉之。

二　中風之原因

中風雖以風名。其原因實與風無涉。乃腦出血之爲病。由於腦部血管變脆。失其彈性。血壓高時。不能伸張。血壓低時。不能收縮。如遇暴怒勞動狂飲。及其他之事變。一旦血壓驟高。其血管卽有破裂之虞。而腦之組織。又非常嬌嫩。四圍又皆爲硬骨。一受血之壓力。無躱避之餘地。神經中樞。受其壓迫。知覺卽爲之停止。故內經云。大怒則形氣絕。而血菀於上。使人薄厥。

三　老年何以易於中風

年事日高。腦部血管漸失其彈性。管壁變硬。抵抗力弱。易於破裂。故患中風者。在四旬以上之人占多數。四旬以下。正當年壯力強。腦部血管富於彈性。故患之者鮮。

四　肥人何以易於中風

患中風者。並不限於肥人。惟肥人則易於發生耳。蓋肥胖之人。體溫不易放散。其脉管又較常人爲小。血壓易於增高。易於出血。且血壓高者。血管受其侵害。勢必生出一種自然保護之傾向。而增厚其膜。於是血管愈趨愈硬。漸失其伸縮之力。出血尤易。

五　中風之輕重

中風後。牙關緊閉。兩手握固。是爲閉症。此時尚有可愈之希望。如鼻鼾。眼合。或直視搖頭。手撒遺尿。或口開。吐沫。面赤如丹。汗出如珠。則爲脫症。已入危境。十難救一。

□傷風與中風

（蔣頌南）

吾人身體。當驟遇寒冷之時。體內調節機能。不能適應氣候之劇變。使身體或身體之一部分因遇冷而失其常態。則其時皮膚薄弱。調和溫度之能力不足。於是在身體表部血管內之血液。因抵抗力之薄弱。從而多集於深部矣。蓋人身不外氣血而血液循環。乃發生一種適當之熱力。以調節全體之溫度者也。血液之充足及減少。常與體溫之高下成正比例。今表部與深部之血液。既不同量。則溫度之分配。大起差異。於是風邪乘隙而入其身體抵抗力最少之一部分。蔓延傳佈。使身體之全部。因之而發熱。其見證爲鼻塞流涕。噴嚏。咳嗽多痰。此傷風症也。至於中風之病。稱實含有廣狹二義。廣義之中風。卽金匱要略所謂邪在於絡。肌膚不仁。邪在於經。卽重不勝。邪入於府。卽不識人。邪入於藏。舌卽難言。口吐涎之類是也。狹義之中風。卽傷寒論所謂太陽病發熱汗出惡風脈緩者。名爲中風是也。請先論狹義之中風。夫仲景所謂太陽之中風。指在皮膚而言。乃外感之寒風也。太陽主表。爲一身之外藩。總六經而統榮衞。凡外因百病之襲人。必先於表。以次遞傳。然後自表及裏。由淺而深。汪琥解曰。中風非東垣所云中府中藏中血脈之謂。蓋中字與傷字同義。仲景論中不直言傷風者。恐後學不察。以咳嗽鼻塞聲重之傷風。混同立論。故以中字別之也。由是以觀。風爲外感之總稱。而有傷中之分別。傷風者。指感之輕者而言。卽西醫所謂流行性感冒症也。中風者。指感之重者而言。卽西醫所謂傷寒症也。若夫廣義之中風。則有風之名而無風之實。其症猝暴昏厥。口眼喎斜。舌强不語。頰車不開。癱瘓不隨。痰湧流涎。或見目閉口開。撒手遺尿等候。非如外感之邪。雖亦可以深入。而必受之以漸。次第增劇也。乃世人不察。竟以猝中風邪作解。而又患其不能與病悉符。更造作外風內風之名。眞中類中之別。若李東垣之主乎氣。劉河間之主乎火。朱丹溪謂因溼盛生痰。徐洄溪謂爲痰火充實。諸竅皆閉。薛立齋謂爲眞水竭。眞火虛。肝鬱脾傷。李士材分爲火中虛中溼中風中寒中暑中氣中食中惡中等類。聚訟紛紜。莫衷一是。反使中風之病理。蒙昧不明。以致後人無所遵依也。嘗考中風一症。西醫謂之腦出血。其病之成。由於腦部血管失其彈性。而致硬化脆弱。一旦驟遇血壓之高低。血管輒有破裂之處。良以腦爲神經之總樞。腦部血管破裂。神經中樞受血液之壓迫。則全身之知覺運動勢必停止矣。不知中風之病。內經名爲厥巔疾。所謂血之與氣。并走於上。則爲薄厥。此氣字卽指神經之作用而言。蓋言神經興奮於上。則血隨之而上。與西醫所論中風之病理。如出一轍。誰謂中西之醫理。不可相通哉。

□治療中風之經驗

（郭受天）

門東某叟。年已近七旬。身體向來豐滿。酷嗜煙酒。大便常常秘結。所以喜食肉類。歷年至長夏時間。多發生濕性脚氣症。一次或數次。每次發時。疼痛異常。足不能落地。故隨發卽隨時對症治療之。今年幸未發作。一日。獨自在後院閒坐。忽失常態。大號一聲。昏扑於地。口流鮮血。全身拘攣。人事不知。喉間痰哮有聲。其家人見此狀態。驚慌失措。當由多人將伊由後院地上抬至房內。又命人呼理髮匠。欲爲其針灸。理髮匠某見伊人事不知。但聞喉間痰聲嚏嚏。束手無策。辭以不能針。伊家人於危急萬分中。忽憶余屢次爲伊治脚氣症。俱獲奇效。遂急延余往診。余至。距伊跌時已歷五小時。此時牙關仍緊閉。致舌象無由診視。姑置之。次察其脈象。則洪大而弦硬。伊家人告余曰。伊上午八時。尚食菱角半斤。毫無病狀。不知如何卒然而發者。余告之曰。

此卒中風病也。症極危險。請約略言之。

中風一病。在吾國病理上分類既繁。學說尤廣。既有眞中類中之分。又有中臟中腑中經中絡之別。復有氣虛風火痰熱等名詞之各異。若欲詳言之。雖連篇盈尺不能盡。至近世西洋醫學。謂本病爲腦中血管破裂而出血。該叟之病源。遠因於平時之嗜酒。忽一旦全身拘攣。昏扑於地。口流鮮血。以中醫之學理推之。當然屬諸熱甚火旺者。非清熱以熄風不可。因憶金匱要略除熱癱癇之風引湯。確係對症。遂略爲加減與之。果一劑而血止。再劑而神識漸清。連服至五六劑。則行動如常。惟稍稍帶有舌强言謇之現象耳。其家人喜出望外。爭詢余果有何種神妙之術。而得此佳良迅速之經過。余笑謝之曰。此非神妙之術。乃遵仲景大法治之耳。

此方之藥品。爲大黃。乾薑。龍骨。桂枝。甘草。牡蠣。寒水石。赤石脂。白石脂。紫石英。石膏等計十二味。以石藥爲最多。故近世醫家多知之而不敢用。殊爲可惜。試取清代名醫陳氏之言以證明之。

陳元犀云。此方用大黃爲君。以蕩除風濕熱之邪。取乾薑之止而不行者以補之。用桂枝甘草以緩其勢。又用石藥之濇以堵其路。而石藥之中。又取滑石石膏淸金以平其木。白赤石脂厚土以除其濕。龍骨牡蠣以斂其精神魂魄之紛馳。用寒水石以助腎之眞陰。不爲陽光所爍。更用紫石英以補心神之虛。恐心不明而十二經危也。明此以治四臟之風。游刃有餘矣。後人以石藥過多而棄之。昧孰甚焉。陳氏之言如此。對於本方之解釋。可謂深切透明矣。余猶有所言者。以本方之奇效。全在石藥。近世西洋各國。盛行加爾叟謨療法。謂其有鎭靜。鎭痙。鎭痛。止瀉。强心。止血。强壯。消炎制泌等作用。而本方之石藥。其主要成分。卽爲加爾叟謨。是加爾叟謨之醫治作用。卽本方之作用。況又加以有效之大黃。復佐用芳香品之桂枝。尤合近世各國下劑配佐法之通例。石灰劑與下劑同用。尤能使其濇而不滯。噫古醫方之神妙。誠有不可思議者也。

朱振聲編

長壽彙選

特價六角　外埠寄費九分

本書由長壽報彙選而成。內容所載。篇篇切合實用。撰述者皆全國有名醫家。全書共分內科醫藥常識。婦科醫藥常識。兒科醫藥常識。時症醫藥常識。性病醫藥常識。痛症醫藥常識。普通醫藥常識。藥物研究。診餘隨筆。實用驗方。醫藥顧問等十一欄。茲將性病醫藥常識之目錄。披露如下。其他目錄。限於篇幅。不克備載。

▲性病醫藥常識▼

◎秘尿器病簡治法
(一)小便不通之治法
(二)尿急之治法
(三)小便過多之治法
(四)溺白之治法
(五)糖尿病之治法
(六)尿血之治法
(七)遺尿之治法
(八)血淋之治法
(九)熱淋之治法
(十)砂淋之治法

◎生殖器病簡治法
(一)陽物易舉之治法
(二)陽痿之治法
(三)陽物短小之治法
(四)陰挺之治法
(五)陰癢之治法

◎陽痿自療法
(一)先天不足而痿之治法
(二)淫慾過甚而痿之治法
(三)飲食失調而痿之治法
(四)飲酒過度而痿之治法
(五)痰濕下注而痿之治法
(六)寒氣內襲而痿之治法
(七)肥人陽痿之治法
(八)瘦人陽痿之治法
(九)老人陽痿之治法
(十)驚恐而痿之治法
(十一)悲哀而痿之治法
(十二)憤怒而痿之治法
(十三)陽物下垂而痿治法
(十四)陽物雖舉如痿治法
(十五)陰痿而短小之治法
(十六)陽痿囊大之治法
(十七)陽痿遺精之治法
(十八)陽痿不育之治法
(十九)精脫陽痿之治法
(二十)夾陰陽痿之治法

◎陽痿病治療筆記
(一)手淫過度之陽痿
(二)陽虛中冷之陽痿

◎陽痿醫案選粹
(一)體肥腿酸背痛陽痿
(二)濕痰鬱遏陽道痿頓
(三)焦思憂慮精滑陽痿
(四)先天稟弱陽事不舉
(五)陽痿頭眩胸背隱痛

◎陽痿單方廿三則
◎答人徵求遺精與陽痿治法
◎陽痿與早洩
◎治老白濁最有效方
◎橫痃效方
◎夾陰傷寒方

肺病研究

□肺癆與烟酒之關係

（陳存仁）

烟與酒。皆爲嗜好品。舉世嗜之。且用以應酬賓客。習而不察。實皆無益而有害之物也。烟之發明。較酒爲晚。故其害於近世方知之。酒之爲害。古人已先我而言之矣。內經云。因而大飲則氣逆。氣逆者。飲多肺葉舉而氣奔也。說約云。酒循經絡。留着爲患。入肺則多痰。傷肺則變咳嗽消渴。蓋酒中有醇。能傷腦耗血。故飲酒過多。發爲頭眩。皮膚泛紅。或現青白色。行爲言語。失其常態。卽中醇毒之徵象。烟之主要。或分爲尼古丁毒質。性甚猛烈。較醇之害。尤有過焉。

烟酒既爲害物。而世人嗜之如故。毫無覺悟。推其意。以爲可以振興精神。減少疲勞。不知烟之所以能減少疲勞。因爲尼古丁侵入血內。血球起抵抗作用。此時之精神。故覺奮興。及抵抗力稍減。奮興亦同時消失。而勞疲更甚。至於酒。實無減少疲勞之能力。惟飲酒後。酒醇侵入血內。致神經麻木。無勞疲之感覺而已。待酒性既散。仍現勞疲狀態。彼昧於事理。以爲烟酒可以減少勞疲。而嗜之者。何異飲鴆止渴。能不爲之一嘆。

據美國人口册所載。四百萬男子中中年以後。患器官病而死者。佔百分之五十二。或倏忽之間。因心痛而暴亡。或中風而猝斃。推其致病之根原。多由吸烟所致。又有二十歲以後男子。患肺病而亡者。多於女子。此因女子吸烟者甚少。故未蒙其害。美國海軍部總醫官嘗云。『癆病與吸烟適成正比例』值堪驚人。蓋烟氣直入肺部。吸烟者肺部時受烟氣毒質之刺激。不能發育。故其肺部容量。較不吸烟者爲小。以致抵抗力減小。另受癆菌之侵襲而成肺病。

飲酒而成肺癆。爲常見而習知者。試觀嗜酒之人。多患痰喘之疾。卽肺病之徵象。有人試驗。以酒注射於兎之體內。則兎子易染肺炎而死。故嗜酒之人。什九皆患肺炎。多痰而易作喘。肺部之抵抗力因以消失。易受癆菌之侵入。而肺炎所發生之痰濁。又爲其良好之滋養料。生殖愈速。勢力愈大。病根亦潛伏愈深矣。

若體質素弱。又不履行適當之運動與呼吸者。肺部之生活力與抵抗力必弱。又復誤會烟酒有振作精神減少疲勞之功能。由嘗試而至於成習。則流毒所被。肺氣愈弱。肺癆之發生。愈形便捷矣。

□潮熱之研究

（陳存仁）

發熱亦爲肺癆必有之現象。初起熱度並不甚高。患者微覺有熱。或竟不自知。有時但覺手心灼熱耳。如以探溫器檢之。較平常體溫高出半分至一二分。勞碌之後。熱度則較顯著。然勞碌之後。無論何人。其熱度必較增高。所不同者。一則偶然發見。一則綿綿無已也。

肺癆發熱。若不早治。愈趨愈甚。最後往往發生高熱。其熱甚烈。耗灼津液。營養消失。以致身體日臻於消瘦。故此種熱度名之謂消耗熱。無論何種病症。發現高熱。身體所受之影響必大。矧肺癆原爲慢性衰弱症。而患肺癆者。又多爲身體衰弱之人乎。患肺癆者。欲知其病勢之進退。以熱度之高低爲判。病勢增進。其熱亦隨之而高。病勢減退。其熱亦隨之而低。如患者其他各症已平。而熱勢尙纏綿未已。此非病勢減退之證。未可許爲樂觀。若熱度已消。降至平常體溫。雖有其他癆症現象。已爲漸趨佳境之證。不難有復原之望矣。

肺癆發熱。與普通病症不同。早晨熱勢低落。以探溫器檢之。並無何種熱象。一至下午。則熱勢漸升。如潮水之來。有一定時間。故謂之潮熱。然熱之有一定時間者。如瘧疾。如胃實發熱。亦有此現象。不僅肺癆而已。此際又當審察其他證象。不可含糊以免僨事。

熱之有無。診斷上每於脉中辨之。有熱者。其脈必數。故一按卽知。然肺癆之脈。多現細數之象。熱勢增加。脈數亦增。乃自然之理。然熱勢退後。或熱象未現。其脈亦數。故以脈之數否。而辨患者之有無熱度。似不可攷。若用探溫器。亦當檢其準確者。或備二枝。始有標準可憑。

□痰中帶血

（丁仲英）

（一）痰血與肺癆

痰中帶血。不一定爲肺癆。而患吐血者。不遑審辨其是否有牙宣鼻衂。是否爲肺血抑胃血。所吐之痰。是否由肺部咯出。抑卽在喉管或由鼻中哼出。以爲肺癆之證象。惴惴不安。妄起憂慮。因心理之影響。往往無病者變爲有病。有病者其勢轉劇。不知肺癆爲頑固之慢性症。苟調理得宜。必不致有性命之憂。矧痰中帶血不一定爲肺癆之徵象耶。

(二) 痰血與咯血

痰血與咯血。孰輕孰重。孰緩孰急。易於辨識。痰中帶血。審其血果由肺部而起。其症尚輕。其勢亦緩。易於着手調理。若咯血則症已轉重。來勢又急。疾往往難於尅制。如狂瀾之不易挽救。以致有脫血之變。且痰中帶血。所損者僅微血管耳。咯血則大血管已遭破裂。譬諸外寇之侵襲。一則僅在瀏河口楊林河口等處騷擾。一則已深入長江腹地。而微血管之傷口。易於凝住。若破其大血管。卽凝住傷口。亦易復破裂。故咯血者。往往一再發作。

(三) 痰血與運動

痰中帶血。如無顯著之虛弱現象。對於運動一項。似不必絕對禁止運動之劇烈者。加增心臟工作。肺部血液循環。於以緊張。或能重創其血管。故在屏除之列。如普通之散步曠野。吸取新鮮空氣。輕緩易舉。正在咯血者。當加以禁止。示以靜養之法。痰中帶血之人。則不宜小心過度。以爲散步亦運動之一。而加以拒絕。日長無聊。空齋獨坐。何異於作繭而自縛耶。

或又疑吸取新鮮空氣。能直接使肺葉震動。與血症有碍者。不知呼吸有深淺。深呼吸或與血症有關。而淺微之呼吸。固與痰血無涉。且余之所謂吸取新鮮空氣。在散步曠野時。作常態之呼吸。並不以深呼吸範之。若疑常態之呼吸。而能直接使肺葉震動。則祗有停止其呼吸作用矣。患者於此點。固不必妄起疑竇也。

◻肺癰治驗記

(王吟竹)

國醫失敗之最大原因。在守秘。偶獲效方。便思專利。不肯公開。故歷代經驗良方。因守秘而致湮沒者。不知凡幾。國粹淪亡。曷勝浩歎。余忝列醫林。向以濟人爲念。特將家藏肺癰祕方及治驗概略。假本刊公開。俾患斯症者得一救星。客歲仲夏余由姜乘輪返敝村白馬廟。在艙中見一中年男子。咳嗽聲重。吐膿痰。帶血。氣喘氣吁吁。身體轉側維艱。脊急情狀。殊堪憐憫。俗云同船渡水。前世所修。況醫爲仁術。志在活人。見疾苦而不思拯救。未免辜負天賦技能。而失其仁慈之本旨。是以中心耿耿。不揣愚昧。自投問疾。據稱我係本縣(泰縣)城內人。現貿易於曲塘某布號。恙經四月。初則毛聳惡風。有聲無痰。醫者進以疎解方不效。繼則欬唾膿血。胸中隱隱作痛。呼吸不利。疊服肅肺清火豁痰降逆諸法。愈治愈重。言時面有戚容。余爲診其脈。極形數大。詢知痰有腥味。胸中隱痛。斷爲肺癰已成。因思家藏秘方。對於此症確有神效。爰即抄錄授伊。囑其照方配服。方用蘇梗二錢。佩蘭二錢。桔梗二錢。白芨錢半。各藥合研爲末。另用鮮夜合樹根皮八錢。入石臼內搗爛。再取活鯽魚一尾。除淨腸垢。勿去鱗。將各藥末裝入魚腹中。用線縫口。煨取膿汁一碗。臨臥時服下。伊見此方簡便易行。頗爲感激。并詢余居處而去。不料甫越兩旬。忽覩該病者來前。欣欣然謝余曰。歸後照先生賜方。連服兩帖。唾膿遂減。今則諸症悉退。健飯如常。數月沉痾。一旦霍然。

皆先生之賜也。後此凡遇斯症。均用斯法照方服食。無不應驗。眞神方也。讀者幸勿以平淡而忽之。

性的衛生

■房事及遺傳

（丁仲祜）

房事過度。男子則精液涸。女子則子宮病。或白帶下。故不可不有限制也。依普通衛生之規則。凡二十歲至四十歲。每禮拜一度。四十歲至五十歲。每二禮拜一度。其後三禮拜一度。或一月一回。此爲無病人最適中之數。如能守此不踰。必無因房事而身體衰弱者。若有病人。則不在此例。

行房之忌。共舉十五條如下。（一）朝起之前。（二）酣醉中。（三）食後兩點鐘以內。（四）男女患病。（五）女人月經中。（六）男女共患淋疾。（七）女人生殖器病。（八）極寒極熱及身體疲勞之際。（九）病後精神未復。（十）匆忙之際。（十一）忌憚之時。（十二）女人受胎三月以後。（十三）忿怒悲哀憂患恐懼等。（十四）服春藥以催性慾。（十五）產後或小產之後。未滿二月。子宮尚未復元。犯之則死。

孕後不節慾。則乳汁變薄。小兒食之。不克强壯。況胎兒屢次震動。最易小產。并能引出種種病症。行房時父母之性質。每能傳之於子女。如行房時飲酒過度。生兒必好飲而類癲。如病體未復。生兒則腦弱而多病。爲聖賢。爲盜跖。皆視乎得胎時之模範而已。試舉數事於後。

美國法烏羅曰。余一日訪一律師。時已黃昏。因宿其家。燈下對坐談。有女可二歲。主人指女曰。如此可愛之兒。恐君未嘗見也。與以合意之食物。使之弄玩具。則終日不出啼聲。秉性溫和。嘻嘻以遊。所以然者。請爲君言之。余曾爲巡回裁判。別荆妻四十餘日。勞苦聽訟。既積數日。將歸家。妻馳車來迎余於路。時是天朗氣清。春風徐扇。桃李競開。鳥聲和暢。遠近風景。莫不稱意。迨同車歸家。則賓客滿堂矣。遂相與談笑歡娛。晚餐既畢。唱歌舞蹈。積日之鬱情頓消。時荆妻適月經乍淨。更闌客散。引妻入寢室。身體暢然而覺輕爽。精神豁然而極愉快。氣力勃勃。意思恍惚。雲雨一度。遂生此女。後經十年。又訪此法律官。彼又語余曰。此女之數學及他種之高等學。出衆兄弟右。受敎同師。所學亦同科。而其優劣如斯。是何故乎。余應之曰。製造令愛時。身力才智優於製他小兒時也。是實合交媾之法。則得結胎之宜者。此令愛所以爲鳳兒。又十年。此女年二十二歲。甚伶俐活潑。而得唱歌舞蹈之妙。每逢歌舞宴會。雖疾病必往與焉。常以唱歌舞蹈爲醫病之藥。蓋此女結胎時。遺傳父母歡樂之氣象。故及其長成。顯此象也。余嘗演說此事。

□忍精不洩之害

（我佛）

夫陰莖由慾念而勃起。由勃起而摩擦而酣暢。由酣暢而洩精。是自然一定之理。而不能稍有違反者。世有狂徒之子。恆當於將洩之時。故抑頓而熬忍之。令精液緩洩。以圖時間之延長。而暢其如火之貪慾。詎知此類違反自然之事。每因之而起重大之疾病。如淋病卽其一也。苟與妓交合而強忍圖久。發病尤易。蓋當未經發洩之前。其膿液污水。已寖假液入於尿管。迨精放洩。隨緣迸精之力帶出於外。不然因精積蓄之故。侵入更進。至於洩時。又不能大暢。病遂發生也。

行房適遇經至

（佚名）

（症候）經水驟然停止。小腹刺痛不可忍。二便不通。由精衝血管所致。此症婦女每不肯明言。然一經窮詰。必囁嚅而不能答對。醫者以理揣之。卽可知其病由。

（治法）須將射入之精。引之使出。則經水可望復通。若疑爲胎孕。而用安斂之劑。久則命必隨之矣。

（方劑）茲將本症所用之方劑。開列於下。

（加味虎杖散合導赤散）杜牛膝一兩。麝香五厘。琥珀末三分。細木通一錢。生甘稍八分。槐米三錢。茺蔚子三錢。水煎。空心服。

（加味鼠矢湯）兩頭尖三錢。赤茯苓三錢。槐米三錢。飛滑石三錢。細木通八分。川楝子一錢五分。生韭汁一杯。冲水煎。空心服。

（鼠麝通精丸）雄鼠矢粉一兩。王不留行一兩。炒黑丑五錢。炒山甲三錢。五靈脂五錢。桃仁四錢。杜牛膝汁粉三錢。麝香三分。研勻。令細。生韭汁泛丸。每服一錢。

解決性慾

■解決監犯性慾問題

(醉痴生)

解決監犯性慾問題。司法當局業已決定辦法。但據在下愚見。其中有尚須商榷之處。茲特揭舉於下。

(一)違背優生律——德國希特勒氏。近爲改良人民個性及有健全之身體起見。特頒「優生律」。凡社會不良分子。如犯罪。瘋癲。及遺傳病等。均須設法停止其生育。或消滅其生育機能。此法定明年一月起實行。我國地大人衆。固無效法之可能。但罪犯在刑期內。是自然停止生育之時期。若許其夫婦兩月或三月接近一次。是無異獎勵其生育。以殘暴淫惡之徒。在惡劣之環境中。其所生之子女。當然無「優生」可望。其遺傳性。實屬可怕。這豈不是與「優生律」大相違背嗎。

(二)無解決之必要——俗話說得好。「飽暖思淫慾」。足見一個人處在愉快的情景中。性慾纔有衝動的機會。至於犯了罪的囚徒。身在縲絏之中。飽嘗鐵窗風味。

其身體上與精神上與感受深刻的痛苦。那裏還有閒情逸致想到這「黃連樹下操琴」一般的工作呢。所以這性慾問題。似無代爲解決之必要。

(三)不平等的待遇——這辦法原爲獎勵安分守規的犯人起見。但以正式夫婦爲限。其他無夫無婦或非正式夫婦的犯人。仍抱向隅。沒有此種待遇。那末這解決仍非澈底的解決。反致引起其餘犯人心理上之不平。及性慾的衝動。況獎勵之法正多。又何必用此難以普遍的性工作來獎勵呢。

以上三點。似尚未經人道過。在下特寫了出來。藉供法律家的研究。總之這解決性慾問題。好像是「舍本逐末」。尚非目下切要之圖。最緊要的。還是從飲食。便溺。衛生諸問題。及一切積弊。整頓改良。那末監犯倒一致能得着實惠咧。

□解決監犯性慾

（春波）

在人道的立場上說。監犯是人。監犯與普通人的生理。是一樣的。也有性的煩悶。自然也需要性的宣洩。所以由擬議的目形具體化的解決監犯性慾問題。是很對的。

但是現在且擱過了。比解決監犯性慾問題更重要的改良監獄管理問題不談。而只就改良民族問題而說。對於這個有直接關係的解決監犯性慾問題。就不能不使人有很大的懷疑。

我們看農夫們的選擇植物種子。都是很鄭重的。譬如說麥種吧。在上一年成熟的麥穗中。選擇發育最佳良。麥穗最肥碩的留下來。再剔去了每一穗中比較小顆的麥粒。而後將最佳良的藏起來。以備秋間播種。這是普通農民選種方法。若是科學化的。那麽除了用這方法之外。還須把選就的麥種浸在適當濃度的鹽溶液裏。以檢視每一顆麥粒。是否均有相當的重量。因爲植物種子中。假使有不良的遺傳病的。雖然不能用肉眼察視。但是有病的植物種子。往往比了健全的輕。所以若經嚴格檢定之後。剔除了不良種子。下一期的麥作。多少是比較的佳良。

在都市裏。大抵都可以見到擠乳用的牛。乳牛中乳量最豐的。自然要推嗬囒種。所以資本雄厚的牛乳公司。往往去定購了雌的與雄的嗬囒牛。而繁殖純種的小牛。使牛種不至變劣。這是顯然的。若把本國的牝牛與嗬囒的牡牛交合而生的小牛。

自然不會完全保持父性的特點。也不能完全保持母性的特點。而成爲一種混合種。

從這上面。我們可以略窺遺傳的重要。所以進步的植物學家。現在都在提倡植物的人工受粉。佳種植物的花粉。用人工的方法。輸送到所要改良的植物的受粉柱上去。據說用這人工受粉法。數世之後。劣種植物竟會逐漸變成佳種的。一般的生物學家都主張着這一種理論而已。有很多農夫。依着這原理在植物及動物的質的方面得了不少的效果。

德國自從希脫拉柄政後。頒佈了一條法律。禁止犯刑事及身體與精神不健全者。性交及生育子女。以謀改良民族。犯刑事的。以及身體精神不健全者所生育的子女。自然不能完全不受父體或母體弱點的影響。根據生物學者的遺傳論。是無可反對的。

我們中國監獄裏監犯的分析。不用說得。盜匪。烟犯。佔到絕對大多數。此類監犯在德國法律之下。無疑地都是不許生育的。這些人。在生物學家的眼光中。自然也都是應受淘汰的。但是現在竟有解決性慾的權利了。由這些監犯解放性慾而產生的子女。自然是很少有改良民族的希望。而很多能使這一個民族日趨於潰滅的可能。所以在民族的立場上說。我們殊不敢贊同。

□怎樣解決尊夫人的性慾

（宋念慈）

往往有許多家庭美滿的和快樂的。因爲性知識底缺乏而陷入莫大的若痛。有許多舊式新式的婦女。她們底生活是快樂的。快樂得毫無缺陷。她們底丈夫大多是年青貌美的男子。在社會上卓犖不羣的。他們也常常用笑臉去看顧他們底妻子。對於女子的痛苦。他們也很會體諒。他們和她們常常一同的進出。看來很夠羨煞一般隣居的。然而她們常常感到無形中有一種煩悶。一種隱微的說不出的肉體上和精神上的煩悶。

你夫人底性慾滿足了沒有。我將這樣的對每一個結婚的丈夫說。因爲性慾正像柴米一樣。柴米是生活上的必需的資料。瑪麗司托潑女士這樣的告訴我們。

『夫婦之間。做丈夫的向來是隨意的行使性交上的「結婚上的權利。」—法律和習慣向來都承認這一個見解。就是男子不拘何時有隨意接觸其妻的權利。女子呢。在這事件上是沒有志願沒有根本的需要的。』

那末。第一點我們就得告訴這樣的丈夫。你們夫人底性慾是有節奏的。有時可達高峯有時低到水平線以下。但是當你們夫人們「覺到一個莫明其妙的却像肚餓求食一般深切的肉體的欲望」—她們大多不會泄露出來告訴你們。所以這種時間上的覺察和留意。正是你們底一重責任。

關於女子性慾的節奏。各醫學家有他們不同的見地。自然因地域年齡生活狀況。和禮質的關係。女子間不會一律。但是。大概的說在女子二十八天的月經循環期中。她活力底變化有兩次或更多的高潮。一次剛當經期之前的兩三天。還有一次則剛在月經停止後。八九天的光景。簡括地說。女子有着十四天一期的性慾。自然對於這種女子性慾底高潮期間。每個丈夫都應該把握住。不可輕輕給她放過。但更要注意的。每一番高潮波紋底大小如何。除依着每個人活力和一般的健康的差異外。但可以說總不止一天或一次。往往可接連到三天或三次以上。甚至每天有好幾次。女子可以熱烈的十分自然的。受着激動。所以依照司托潑夫人底意見。她認爲。

「有三四天接連着舉行房事。以後約有十天全不舉行。除非有强烈的刺戟鼓起兩造的性慾。這是夫婦間對於性交最好的互相調節法。」

你夫人底性慾滿足了沒有。我們須知道。她們的性慾須盡量的滿足的。這樣纔能產生幸福。性慾底不滿足和食慾底不能滿足差不多沒有兩樣。但是聰明的丈夫們更須知道。你夫人底性慾是有節奏的。你須把握住她底高潮。否則『强姦式』或『傳統式』的性交不是適當的科學的好方法。

朱振聲編

肝胃病

每冊實售大洋四角
外埠另加寄費九分

本書目錄

上集生理篇

肝臟之生理作用
肝與腦之關係
胃之生理作用
胃動之研究

中集肝病篇

一　肝氣
肝氣痛治法大要
肝氣虛證治法
女子何以多肝氣
肝氣病之不藥療法
肝氣與脅痛
肝氣與月經之關係及治法

二　肝陽
肝陽治法大要
肝陽上升耳鳴之治法
肝陽耳鳴經驗方
肝陽頭痛

三　肝風
肝風眩暈之原因及治法
腦充血爲肝風之大原因
肝風頭眩方
肝風頭痛治法
肝風頭痛簡治法
肝風頭痛外治法

四　其他
治肝概說
治肝病三大法
肝傷簡治法
肝臟硬化之酒疸

下集胃病篇

一　胃呆
胃呆之原因及治法
胃呆之自然療法
由胃呆而起之脹滿
油煎食物與消化不良
健胃妙藥
治胸膈飽滿方
消食簡便法

二　呃逆
呃逆淺說
呃逆之原因及治法
呃逆之分類治法
立止呃逆方

三　嘔吐
嘔吐證治法
嘔吐之經驗治法
虛寒嘔吐之治法
反胃嘔吐之原因及治法
痰飲嘔吐之治驗
妊娠期內嘔吐

四　噎膈
可怕噎膈症
解決噎膈之良法
治療噎膈之妙法
膈氣之經驗治法
膈症奇方

五　胃氣痛
胃痛爲最普偏之疾病
胃脘痛簡治法
胃脘痛方
治胃痛良方
治胃氣痛效方
吾弟之胃痛經過

六　胃癰與胃癌
胃癰胃癌之鑑別診斷
胃癰與胃癌之證治
胃癌之證候及調養

七　其他
治胃病新法
健腸胃之良法
補胃何以用苦寒藥
夏令清涼飲料與腸胃病
余之胃病治愈經驗談

上海三馬路雲南路轉角幸福書局發行

婦女白帶

□婦科十帶九漏

（左友和）

男以氣爲本以血爲標女以血爲重以氣爲用譬如有陰無陽則萬物不生有陽無陰則草木不長天人一理也婦人血不足虛熱必自內生氣不足中央必致失和於是濕水內生或加煩勞或思慮過度厥陰失其條達曲直必致橫逆戊己受戕則任脈必衰任脈通於督帶任脈不固督帶亦危任主胞宮衝爲血海陰陽維蹻衝任督帶八脈不能約束則病帶漏帶者綿綿不止從陰挺而下粘滑如涕其氣腥臭而冷書名曰帶漏者陰挺血漏不斷或紫或暗或似血非血故名曰漏攷帶名有五故有青黃赤白黑之分直可一言以蔽之皆因陽虛化濕陰虛化燥居多若帶漏並見雖名曰帶曰漏實屬俗稱赤白帶是也無帶則曰漏無血故名帶不過以漏爲名病症一而已總之帶漏大旨全不離乎二氣不統也治之者不出崇土滲濕養營益氣爲主如歸脾八珍或加震靈丹直達衝任病所無不獲效耳

白帶治療法

（孫緯才）

我國古語有寧治十男子。莫治一婦人之諺。謂婦人病之不易治也。婦人病之所以不易治。卽在患帶病之多。又有所謂十人九帶。謂帶病之多。且又不易治療。今且詳論如下。白帶多因淋毒。或經生產後不攝生而來。此外如身罹感冒。房事過度。濫行手淫。寄生蟯虫。亦皆足以致之。別有一種。爲腺病性腟炎。如彼瘰癧性體質之少女。多有之也。初至之時。體先發熱。寒戰。繼之下部流出粘液。子宮疼痛。尿意頻數。病勢加重。粘液愈多。粘液似水似濃。其色或白或黃或綠。其質或稀或稠。其量或多或少。時時自陰內洩出。試觸陰道。則發熱如灼。似此情形。約繼續兩星期。病勢便可減退。如不減退。則變爲久病。粘液愈多。體漸衰弱。皮膚黃白。全身倦怠。食慾不振。因之孕育無望。或且月經不調。易有血崩及全身衰弱症。豫防之法。月經來時。最須留意。如經水多否。經前痛否。均須細心檢查。經水未淨。切戒交媾。體操等事。將出嫁之閨女。大便最須調勻。毋令秘結。患重劇之感冒者。病後務須注意。父母有淋病者。於看護女孩。益應愼重。因幼女之帶下。多半以觸受父母或乳母之淋毒而來。食物宜用滋養分多者。其有苛烈性者。不可食。酸性及亞爾加里性飲料。亦以屏去爲佳。治療之法有全身局部二種。全身治法。愼食不易消化之食物。服健胃强壯藥。如鐵劑規那皮劑等。使身體日漸强壯。局部治療用防腐藥。殺菌藥。收斂藥等。視病情之如何而斟酌加減。尋常應用最多者。防腐莫如硼酸水。殺菌莫如蛋白化銀。收斂莫如皂礬。禁用過冷過熱之藥液。注入子宮。室女及寡居忌手淫。已嫁忌房事過度。小便最須通利。急性症之局治法。又宜施冷罨法。或用冷水灌下。如兼發熱。並進酸性飲料。靜臥忌動。此卽白帶症普通療法也。

□帶下病之家庭療法

（茹十眉）

▲帶下病之判斷法

帶下未可盡指爲病。亦有生理上之使然者。如健康之婦人。於姙娠中。運動後。或冬夏之間。則帶下之量定多於平日。惟生理上之帶下。皆如卵白之透明無色無臭。反之狀如涕唾色白濁溷稠粘惡聞。此可判其爲帶病之輕者。若量多如濃。色呈黃綠或黑褐。則爲帶下之重症。速宜施治。免成久漏。更有所謂淋毒性之帶下。則於顯微鏡檢察之下。淋菌蠕動。實足驚人。

▲帶下病之預防法

帶下雖屬濕症。而實傷於憂鬱。損於肝腎。始能成病。故預防之法。先宜平心靜氣。勿爲外界事物所觸。次則常利大便。戒禁一切胡椒生薑酒類等刺戟性飲食。三則行房未可放縱。免受暗耗之害。其如是。防患之大法備矣。

▲帶下病之家庭療法

一　以人乳和稀粥久食之自愈。

二　白果去皮煑熟蜜餞每日清晨食七顆。輕者數日可愈。

三　用酒及艾葉煑鷄蛋。日日食之。

四　白果煨熟。去火氣。細嚼。米飲下。

五　白扁豆炒爲末。用米飲湯送下二錢。

▲帶下病之處置法

帶下長延。則股間潺濕不潔。甚則皮膚受其刺戟而發痒疹。宜每日用二百倍微溫之硼酸水。（西藥房有售價極廉。）或食鹽水洗滌清拭。後用胡粉（中藥店有售）盛絹袋中。撲之。其患自絕。

葉勁秋編

花柳病治療學

實售三角

得此一書

未病者知所警戒 已病者可以自療

醫學家可供參攷 醫學校可作課本

世道不古。淫風日熾。大好青年。每易失足。以致患花柳病者。幾乎觸目皆是。海上之醫花柳病者雖多。然欲求其澈底治愈者。竟不可得。推原其故。蓋僅知治標之法。不知治本之道也。本書將男女『梅毒』『下疳』『橫痃』『淋濁』等症之根本療法。盡量公開。以及原因。病象。診斷。驗方。預防。莫不切實指導。詳細說明。稱之謂近世花柳病之救星。誰曰不宜。凡患下列各症者。尤宜手置一冊。

梅毒

初起時欲求妥善治療而無後患者……不可不讀

打過六〇六九一四仍不能斷根者……不可不讀

下疳

凡碍於羞恥而不便求醫者……不可不讀

欲知硬性軟性之辨別法者……不可不讀

白濁

凡尿道刺痛時流膿液而欲求自療者……不可不讀

經年累月之老白濁欲求澈底治愈者……不可不讀

橫痃

初起時欲求迅速消散而免開刀痛苦者……不可不讀

已經開刀久不收口而欲其生肌長肉者……不可不讀

生育問題

婦人不孕原因及中西治療法之比較

（奚可階）

嘗讀內經上古天眞論曰。女子二七而天癸至。任脉通。太衝脉盛。月事以時下。故有子。考衝任督三脉。皆起於胞中。一源而三歧。胞居大腸之前。膀胱之後。中間一個膈室。是名胞宮。男子謂之丹田。女子謂之血室。此三脉在人身最爲關鍵。經曰任脉爲病。男子內結七疝。七疝者。寒。水。筋。血。氣。狐。㿗也。女子帶下瘕聚。「帶下瘕聚即婦人之疝」一衝脉爲病。逆氣裏急。督脉爲病。脊強反折。少腹氣上衝心而痛。不得前後。「前後大小便也」一爲衝疝。在女子不孕。癃。痔。遺溺。嗌乾。此段經文。不過統言男女受病之所。而未明言致病之源。余再當單述婦人不孕之因。於後。聖濟總錄曰。婦人所以無子者。由衝任不足。腎氣虛寒故也。繆仲淳曰。女子繫胞於腎及心包絡。皆陰臟也。虛則風寒來襲子宮。則絕孕無子。非得溫煖藥。則無以去風寒而資化育之妙。惟辛溫劑加引經至下焦走腎。及心胞。散風寒。煖子宮爲要也。朱丹溪曰婦人久無子者。衝任脉中伏熱也。夫不孕由於血少。血少則熱。其原必起於眞陰不足。不足則陽勝而內熱。內熱則榮血枯。故不孕。益陰除熱。則血旺易孕矣。脉訣曰血旺易胎。氣旺難孕是也。又曰人之胎育。陽精之施也。陰血能攝之。精成其子。血成其胎。胎孕乃成。今婦人無子。率由血少不足以攝精也。血少固非一端。然欲得子者。必須補其精血。使無虧欠。乃可成胎孕。若濫用秦桂丹之劑。薰戕臟腑。血氣沸騰。禍不旋踵矣。又曰瘦弱婦人。性躁多火。經水不調。不能成胎。以子宮乾澀無血。不能攝受精血故也。益水養陰。宜大五補丸。增損三才丸加減。以養血主之。東垣有六味丸。補婦人陰不足。無子服之能胎孕。又曰婦人肥盛者。多不能孕育。以身中有脂膜閉塞子宮。致經事不行。瘦弱婦人不能孕育。以子宮無血。精氣不聚故也。肥人無子。宜先服二陳湯。四物去生地加香附。久服之。用丸更妙。又曰肥盛婦人。禀受其厚。恣於酒食。經水不調。不能成孕。以軀脂滿溢。濕痰閉塞子宮故也。宜燥濕去痰。行氣。二陳加木香。二朮香附芎歸。或導痰湯。陳良甫曰。婦人有全不產育。及二三十年斷絕者。盪胎湯主之。日三服。夜一服。溫覆汗。必下積血。及冷赤膿。如豆汁。力弱大困者。一二服止。按以上數條。有虛寒。風寒。有伏熱。火旺。有血少。有脂膜。有濕痰。積血等症。可見致病之因。既非一端。而施治之法。豈庸執一。當因症施治。庶無流弊。否則其害立見。奈何今之西醫治婦人不孕之病。動輒解剖檢驗。以爲婦人之能否受孕。完全以子宮之啓閉爲其關鍵。檢驗之後。不曰子宮歪斜。卽曰子宮腫閉。但知其有形。而不知其無形。有形之病。或可用以手術。無形之病。豈刀割所能治耶。卽有形之病。亦當審其寒熱虛實。不可混同施治。卽或手術一時獲効。而移時復發如前者。又將如何耶。況人是氣血生成。非與鐵石一般。豈能任其屢割。而不慮其耗衰乎。噫。此誠所謂舍本逐末之法。揠苗助長之道也。然則中醫治此症。將何法以治之。曰。是有法以治之。譬如中風門。有口眼歪斜。舌强言蹇等症。審其症。察其脈。分其中絡中腑中臟。當攻則攻。當補則補。舒其經。活其血。調其臟腑。輕者無不立愈。重者亦可遷延歲月。以此例彼。則子宮之病。亦不難以藥治之。至于腫閉則消之易易耳。或者以爲中醫無檢驗之法。何以知其腫閉歪斜乎。不知有諸內必形諸外。既有此病。腹中必有拘急疼痛不舒之狀。可以問而知之無須檢驗也。然則中醫無括骨宛腸之病。而有起死回生之術。此中西治法之孰優孰劣。不待智者而知之矣。雖然。我謂此言非仇視西醫爲病家計實有不能已于言者。知我罪我。不遑計也。

◻無子不能專責婦人

(陸文表)

孝經云。不孝有三。無後爲大。言人生當以有子爲先。而以續嗣爲重也。良以子女不育。則宗族有絕滅之虞。後嗣無着。則家世無代繼之望。其關係之大。莫與比倫。故婦女於結婚之後。必求有所生育者。亦正當之要務也。雖然。要知生育一事。於男女雙方均有密切之關係。非婦人個人之職也。不觀夫農夫之種植。欲其收穫之豐稔。雖有肥田沃土。尚需良好之種子乎。是以世人之每以無子而專責於婦人者。誠屬一偏之見。經曰兩精相搏。合而成形。兩精者。卽男精女卵是也。蓋女子年約二七而卵巢內之卵珠成熟。男子年約二八而精囊內之精蟲成熟。當此以後。雙方發育健全。男女匹配。兩相交媾。使精蟲與卵珠得有混合之機會。然後始能生育也。推其所以不能生育之故。或由於雙方之疾病。如男子陽痿精薄。女子月經不調之類是也。或由於生理之異常。如男子精管不正女子子宮歪斜之類是也。况其他原因尚多未易盡述。總之無論何方有病。均足妨礙其生育。以此論之。豈非人之無子者。未可悉數歸咎於婦人。而亦須責之於男子乎。夫劣畦瘠壤。固難產茂盛之物。良田沃土。亦不生空穀之稻。倘病在男子。而反責婦人之不育。是猶以空穀之種子。散佈於良田。其無絲毫之收獲者宜矣。爲農夫者。不責穀之不實。而反怪田之不良。天下寧有是理耶。吾願世人求子者。須細察雙方所以不能生育之理。明其病之是否屬於男子。抑屬於婦人。而後分別爲之施治。毋偏重於此。毋忽略於彼。庶幾伯道無兒者。咸占懷麟之慶。續嗣心切者。概免無後之憂。斯乃本篇之微旨。非僅欲爲婦人一洗莫大之寃白而已也。

□轉女爲男之研究

(胡景行)

讀某報載(佩雄精確能得男之奇驗)一則。乃感我國醫藥之不振。因時代而落伍。

以致維新家目爲舊物。考其實。今之新者。不少爲中國之舊原料。所謂舊東西。不一定完全無用是也。且中古藥物。往往有不可思議之特殊功績。在在含有科學之至理。惜未經科學之證明耳。觀乎雄精之奇驗。可見一斑矣。茲將斯文錄實本刊。藉爲研究者之助。諒無不可。（報載如下）

中國古醫書載有佩雄精可以生男之說。當此科學昌明時代。必以爲萬無此理。而孰知竟能屢試屢驗。且能以科學方法證明之也。浙人某君抱伯道憂。其妻非不生育。特所生皆女性。繼納一妾。依然弄瓦。遍請數中西名醫。皆無治法。蓋不孕者欲其懷孕。尚有種子良方。若能孕者。欲其必產丈夫子。中外醫家。未聞有此靈藥也。某君有友籍隸桂省。有祖遺眞雄精一枚。大如鵝卵。據云相傳佩之可以得男。知某君求嗣情殷。借與試驗。並授以佩帶方法。（欲男欲女佩法不同）某君欣然受之。與其妻妾依法佩帶。未逾一稔。連得雙雄。尚以爲偶然巧合。又與親友中未有子者試之。先後計十五人。得弄璋者竟占十二人之多。其餘三人。一因病小產。二人或係佩帶不如法。雖未全效。亦云奇矣。某君之友。因博通科學者。對此雄精能令人生男之理。研究多時苦難理解。厥後携之赴歐。與一西友談及此事。（西友乃德國醫學博士兼著名化學專家）初亦不信乃會同研究用各種分光化驗之法歷時頗久。近忽發見此雄精得人體溫後有一種特別放射線。（凡礦物質皆有放射線各各不同如鐳錠之類）此雄精之放射線能使微生動物。各依其雌雄性。集於一端。如磁電吸鐵同性相拒異性相吸。宛然無異。試驗之法。用一種微生虫。（與人之微生蟲相類須以千倍顯微鏡窺之始能辨其雌雄）置於一溝形磁器內。加某種溫度之藥液。使微生虫能在液內自由游行。布置既畢。始在身畔取出雄精。置于試驗器之一端約半小時。再以顯微鏡照之。該微生虫顯然分集兩端。甲端約百分之九十五爲雄性。乙端百分之九十五爲雌性。歷試數種皆然。且男性體溫與女性體溫。試驗時亦有顯然之分別。眞奇觀也。由此觀之。我國舊學說新學家目爲極無理由者。豈知他日一經科學證明。即成爲極有價値之學理耶。

按雄黃之精英。結爲雄精。質堅有光。眞者極少。千金方載。姙婦以雄黃一兩絳囊盛之。養胎轉女成男。取陽精之全于地產也。本草云。凡人佩之入山林。虎狼伏。涉川水毒物不敢傷。又云。餌服之者。皆飛入腦中。延年益壽。保中不饑。類如此說。理似玄虛。安知一經科學證明。(如佩雄精得男之苦難理解)而結果或竟不玄不虛也耶。用藥力以轉女爲男。新學家已爲奇特。用人力以轉女爲男。意新學家必更咋舌不止。爰錄兩案。以光國粹。夜雨秋燈錄云。史茗楣望孫念切。子婦懷孕。未卜男女。延有精岐黃不屑以醫名者診。曰。脉主得女。竭吾術使轉爲男。第陽莖須移一股。改造得男。必缺一股。願之否。茗楣曰。請移其足指。無碍觀瞻。其人曰。不能。上可移下。下不能上。再三籌度。惟兩手小指無用。可以挪借。茗楣欣然諾。謝。遂設爐煉藥。佩服兼行。及期果產男孩。手僅八指。見客靦靦。宛若閨中人。及長羞澀更甚。有欲驗其指者。則啼而匿。爲同人所嘘。姑蘇有老翁。僅生一女。及笄病篤。醫皆束手。聘名醫葉天士診視。曰。是非病也。肯以若女爲吾女。且重我。遊百日後還閣下。以壯健者。非復嬌弱之態矣。如遲疑不決。是翁自殺之。死非其命。良可哀也。翁詫曰。誠如是。願以千金送閣下。天士攜歸。另潔密室。選婢之美而賢者使伴女宿。囑曰。此汝姑也。終身依倚在是。順姑無違。稍有拂逆。致增其病。惟汝是問。於是日給藥餌。恆往瞷之。見女體漸壯。顏漸舒。

與婢情好日密。形影相隨。知事已遂。遽入其室。迫喝婢曰。汝與姑所作何事。我窺覘洞徹。必盡言之。如敢隱諱。將以刑求。毋自苦也。婢覗而泣。女忸怩曰。婢之伴我。翁之嚴命。如違應責。順何罪耶。婢因曰。是主陷奴耳。以郎君僞稱義女而使奴同衾枕。違既不敢。從又獲咎。奴置身何地。天士笑曰。已順姑夫耶。方爲汝喜。豈汝責也。速女改裝。去髮而辮之。以藥展其弓足。衣冠履舄。居然美男子。科學萬能。此兩則其將何以解之。

急救良法

預防中煤毒及急救法

（陳超犖）

每至冬令。朔風凄其。寒凍徹骨。故市民多燒煤以禦寒。然不愼而中煤毒死者極多。甚至一門盡斃。悽慘異常。皆因無預防法故也。玆有一預防法。極爲簡便。只須投棗數枚於燒煤器中卽可。如已中毒者。可速將中毒者仰面平臥。頭部略低。抬至溫度較低之地方。將衣服脫去。或解去鈕扣。然後灌冷水於頭胸兩部。用白蘭地酒擦在口內黏膜。使嗅安母尼亞藥水。或燒鷄鴨毛之類使嗅。輕擦手掌足心。如輕者用此法已足。重者須速送往醫院。如復原後切勿驚擾。以靜養爲宜。勿使其作無益之舉動。（振聲按）據化學家云。煤在火爐中燃燒。空氣多處。則成二養化炭。此氣上升經過燒紅之煤時。則成一養化炭。至煤上之空氣內。則又吸取養氣而成二養化炭。乃燃燒而現藍色之火焰。如在室中缺乏空氣。則凡室內空氣中之養分盡被吸收。變成二養化炭。因其體性沈重。往往沈在室中地面。乃復由風門吸入爐中。通過於灼熱之煤上。則二養化炭因吸收炭分過多。悉變爲一養化炭。此一養化炭。吸入腹內。則與血液中之紅質化合。使不能吸養氣。故雖吸入些微。亦甚危險。預防之法。窗戶不可緊閉。使外面空氣得以流入。室內之二養化炭。可以流出。不致變爲一養化炭。又以水壺置於爐上。使水蒸氣充滿室內。則凡所有一養化炭。無不變爲二養化炭。蓋水之定性分析。雖爲二倍之輕與一倍之養。而以定量分析。則每一介倫水中所含之養。實比所含之輕有七倍之多。故此水蒸氣。可使輕而上升之一養化炭。變爲重而下沉之二養化炭。亦不至發生大危險。至於急救法。驗方新編解救諸毒門。所載解煤火毒方法。亦頗簡便。但用蘿蔔搗汁。灌其口鼻。移向風吹便醒。

□急救癲狗咬

(何玉田)

癲犬之毒。甚於蛇蝎。但經一撲。雖未沾身。沾衣亦皆有毒。被咬傷痕。且易收口。蘊毒於中。內攻爲患。是方屢使屢驗。萬無一失。妙在可試驗其有無受毒。但須俟咬後五日服藥。方見。若咬後即服藥。毒尚未入內。雖服藥。亦不見也。惟藥係以毒攻毒。性近攻耗。病後須有培補。方不礙體。百日內。忌食蟹鯉鴨韭菜。以及甘甜之味。並忌聞鑼鼓喧鬧之聲。切要切要。

▲試驗方　木通三錢。車前三錢。淡竹三錢。滑石三錢。樟腦七分。山查一錢。班貓大七頭。(去翅足。同木米粳米炒至米黃。存性用。)

服試驗方。倘有腹痛大小便急而不通。知內無受毒。須預浸川連水以待服之。卽解。服試驗方。若無腹痛。大小急而不通。急服下列解毒方二劑。其毒自從大小便而解。

▲解毒方　木通三錢。車前三錢。淡竹三錢。班貓七頭。(製法同前)樟腦五分。山查一錢。白粬半粒。大黃二錢。朴硝一錢。麥芽一錢。眞射香一分。滑石三錢。

若日久。腹內毒蟲業已成形。不服藥。將坐而待斃。服後列之藥。或尙有生機。須將後方煎好。俟病人煩擾舞動定後。知其毒蟲在內。以口承杯時服之。冀藥爲蟲受。或可挽回於萬一焉。

馬前子一粒。人言二分。蜑蜞菊一錢。馬鞭草一錢。

(按)此方大毒。當愼之。

火傷湯傷之急救與預防

（曾立羣）

陽光。火煥。熾金。沸湯。熱汽。等皆能因接觸而使局部受傷。暑日更爲常見。蓋衣服既少而皮膚顯露處較多故也。傷之輕重。視熱度高低接觸久暫而不同。大概分爲三度。第一度紅腫熱痛。第二度起水泡內容爲澄清微黃色液體。泡破則見表皮下之眞皮。第三度乃罕見者。局部壞死。其色褐黑。形似焦炭。傷者每感局部劇痛。所占面積較廣則口渴嘔吐譫語。脈搏細數。小便減少等象。繼起。廣達全身表面三分之一以上。則有性命之憂。小兒更多不幸。

急救之法。甚屬簡單。勿問其屬於何處。急敷以油。裹以布。即可。油能愈淨愈佳。凡土林橄欖油。花生油。菜油。蔴油。牛油。猪油。奶油。均可。惟醬油不與焉。蓋是水而非油。含鹽既多。徒痛而無益。習俗常用玉樹神油。萬應如意油。老鼠油（浸鼠於油而已陳久者）等。亦無非油之功用耳。水泡之大且痛者。可用入沸水消毒之剪刀破之。然後包裹如上述。（再好以橄欖油與石灰水之混合劑塗布上裹之）

預防之法。卽在隨時隨地留意可矣。毋置貯熱水之器於當路。行者踣焉。水濺滿身矣。毋置熱湯熱粥之盌於檯邊。兒童好奇。翹足而望。手捧而啜。輕重不均。遂傾乎胸前。毋攜易燃之物近於燈火之側。嘗有傾火酒於爐而置瓶其旁。瓶未加塞而點火於爐。轟然一聲。瓶裂酒流。火傷其面者。有酬應晚歸。惜衣服之被油污。而急於整理。乃就燈火之下。用揮發油拭去之。油揚而火着。燬物受傷。是小不愼而貽大災也。

◻疔毒走黃急救法

（郭志道）

疔之爲害。晨發旦死。午發暮斃。鄉間離鎭路遠。不及延醫而殞命者。時有所聞。初起輕症。尚可自求治法。若已走黃。非延醫不可。而此方不論如何危險。投服無不立見奇効。是方係施姓五世秘傳之寶。歷代賴以度日。余以袁頭廿尊換來。既得後。屢試輙効。故投之本刊。公諸同好。

金班毛十六只（炒）。丁香廿只。廣木香三錢。白明礬八錢。透明雄黃三錢。各藥共研細末。麵糊爲丸。如小蠶豆大。磁器收藏。臨用研細。加葱白七根。搗爛。沖下。服後。蓋被取汗。其腫即消。再服小柴胡湯調治。須要避風。

小柴胡湯

柴胡七分。赤芍錢半。甘草一錢。半夏一錢。黃芩錢半。人參五分。生姜二片。大棗三枚。

實用驗方

□脚氣症經驗良方

（成寶孫）

嘗聞患脚氣者。諸醫調治。多以其氣虛血弱。或風濕相乘。每無見效。愈久則愈危。倘用藥不愼。生死須臾。良可惜也。此方得自慈谿嚴俊卿老伯旅次良方錄。據云屢經試驗。無論乾濕脚氣。照方調治。大可轉危爲安。謹將原方列下。

山菩提（鮮用）二兩。（乾用）四兩。金釵斛一錢五分。陳皮一錢五分。鮮崩大碗七錢。（乾亦可。）川木瓜一錢五分。牛膝一錢。按山菩提及崩大碗。向廣東生草藥店或廣東藥店購買。

上藥六味。用水三碗半。煎至兩碗。去渣。再加菉豆八錢。薏米一兩五錢。雄甲魚一只。（雌者功力稍緩。）連上六味。煎成藥水。俱放在瓦罐內。隔水煑四點鐘之久。取而服之。勿用油鹽。甲魚肉。祗可用鹹檸檬汁。（廣東南貨購買）點食。並趁熱飲汁。切勿飲酒。殺甲魚之法。忌用鐵器。勿放出血。宜先用滾水。將甲魚全只泡死。去清黑衣洗淨。再用尖利碎磁片。開其肚。甲去清腸臟。勿過冷水。然後放入瓦罐內與藥水同煮。切勿再加生水爲要。如症重者。照服六七次。輕者二三次。可慶全愈矣。愈後再照下開之方多服數劑。可保永不復發。但愈後忌食甲魚。及服參芪朮玉桂。不可不慎之。製首烏二錢。當歸一錢。獨活一錢。金釵斛一錢五分。陳皮一錢。茯神一錢五分。己防一錢。木瓜一錢。炒穀芽一錢五分。澤瀉一錢。海桐皮一錢五分。上藥十一味。加生薑兩片。淨水煎服。

◻赤白痢驗方

（張友琴）

今之所謂痢疾者。卽內經之所謂腸澼也。其病源由於飲食不節。起居不愼。等斯疾發於秋天者最多。因盛夏氣候炎熇。人身調節機能之戒備懈弛。肌腠疏鬆。汗流不絕。血運弛緩。新陳代謝懈怠。全身機能衰弱。皆所以抑體溫之生成。而促其消散也。卒遇六淫侵害。或多食瓜菓等寒涼物。則內臟官能障礙矣。故秋涼外襲。多虛寒泄瀉也。是以知痢疾之原因。大都由於臟腑官能薄弱。而加六淫之侵害。與飲食之不愼。以致腸胃分泌不淸。古謂傷于氣則白。傷于血則紅。未免太空。然西醫之謂官能薄弱者。卽中醫之所謂傷氣也。故凡痢疾初起傷氣。其次傷血。（因傷及微絲血管。故有血。而謂之赤痢。）至其療法。西醫唯知殺菌。初起卽瀉。中醫之治法。甚多。自來論斯疾者殊夥。茲不贅。質言之。若受外邪傷及營衞者。必有寒熱。治當先顧其表。痢疾初起。可用蒼朮。（或茅朮）羌活杏仁生熟地川軍等。腹痛者。用炒烏頭殊效。（烏頭當麵包煨。）表重者羌活重用。表輕者輕用。此方痢疾初起用之。甚靈。屢驗不爽。更有用血炭粉治痢疾者。此法簡而且效。藥房內有出售。若腹痛下痢者。用炒烏頭研末合血炭粉服之。神效。按此法簡便。非常而其效如神。不妨試服。痢疾屬大腸迴腸者。治療較易。屬小腸者難治。茲錄小腸痢治驗一則。以供閱者。本埠唐姓病痢四十餘日。每食粥一盃。食後不二小時。必大痛不可忍。隨痢少許。延中西名醫診治罔效。後請祝味菊先生診治。察其痢屬小腸。泄時痛甚。而不甚後重。其病月餘。正氣大傷。乃用薑汁炒黃連末白蠟人參血餘炭。更用羊脂熬油。和粥食之。初食時二小時。仍有小痛。連服四日而愈。按上方製丸。又可治休息痢。若痢久津虛。口乾舌燥者。用生龍骨煎湯代飲甚效。以上各方。均是古法。而後人用之者甚鮮。坐觀驗方之淪沒不用。特爲之介紹如上。閱者可以採用也。

□金氏家傳爛脚秘方

（黃勞逸）

余友家有僕婦金氏者。紹產也。久傭於其家。性豪爽。好行善。每遇貧乏之者。恆以己之衣服及工資濟之。且有口傳單方一。靈效莫比。據伊云「係久代家傳祕方。向不示人。余因關懷貧病。如有患是疾來詢余者。余無不樂告之。」在此十餘年中。親戚鄰里。患斯疾而治效者。不下數百輩。其適應症僅二種。一曰裙邊瘡。（俗名皮蛀）一曰脚瘍。（俗名爛脚瘡）不論新久重輕。咸能治愈。甚且有患斯疾二十餘年之施太太。化金近萬元。中外名醫。新舊良藥。皆莫能效。曾出重資赴北京就醫。用錠治療一月。仍不效。家人咸謂終身之瘕病。患者亦自知爲不治之患。孰料一旦試用此藥。一服而瘥。三服而瘳。尤可奇者。不論輕重新舊之患。三服內定可全癒。今乞得其方。錄之以告諸醫及患家之試用焉。法將七十子。冰片。樟腦。龍骨。輕粉。爐甘石。各等分研末。

大磨痲油調和搽于患處。一日一換。三日換後卽愈。是方欲配製久藏。亦無不可。惟須與空氣隔離。否則卽失靈效。

戒烟三方

（朱子振）

（一）陰虛者戒煙方

淡菜一兩。新茶葉一兩。食鹽四錢。烟灰四錢。右藥三碗水煎一碗。儲有蓋瓶中。烟癮來時冲服一匙。卽不癮。且精神百倍。毫無倦態。毫無弊病。百試百驗。詢奇效神方也。

（附告）天氣熱。煎好後容易發酸。宜時時隔湯蒸之。

食完一料。欲食第二料時。前藥烟灰減去五分。成三錢半。餘藥照舊。第三料烟灰再減去五分。成三錢。漸漸烟灰減盡。則煙癮巳完全戒絕矣。百試百效。讀者當鄭重秘藏之。

（二）中虛者戒烟方

甘草二錢

每日欲吸烟時。先食甘草。則漸漸覺煙無味。而不欲食之矣。且不食之後。絕無煙癮。誠靈驗祕方也。攷甘草戒百毒。煙乃百毒之一。吸煙者必喜食甘物。用甘草以戒之。既一無痛苦。又甚便利。其對於中資階級。尤爲合宜。願讀者藏之金匱中。

（三）初吸者戒烟方

初吸鴉片。煙隱未重。精液未燥。戒之較爲便利。

食鹽少許

每欲吸煙時。先放少許食鹽於舌上。吸之覺無味。久之亦能戒絕。

攷吸煙者。一榻橫陳。呑雲吐霧。所吸均是火器。渾身精液受煎熬。故吸煙者於煙盡後。必欲盡量飲茶。以救其口渴。雖然。鴉片流毒。誠不可以言喻。傾家蕩產。亡國滅種。家庭間口角之聲。時起。而吸煙者不顧。良以煙隱已至。無可奈何也。今既有三宏大寶貝。千金不換。吸煙者可一洗其平日執迷不悟乎。

長篇專著

□血症概論

（朱振聲）

緒言

血者。水穀之精。水穀入胃。起消化作用。成爲精微。輸入於心。則變爲血。血之功用。總計有四。其一。四肢百骸所需之養料。皆由血液供給。此等養料。吸自腸胃。隨血液周流。滲出血管。以養各部。其二。生活力全賴酸化作用。此酸素吸之於肺。儲之於赤血球。隨時輸與各部。其三。全體之老廢物。賴血液爲之載運而排去之。排泄之路。由肺出呼氣。腎出尿。皮膚出汗液。其四、四肢百骸之酸化。各不同。故溫度亦不同。賴血爲之運輸。得以平均；難經云。血以濡之。內經云。目得血而能視。腦得血而能思。手得血而能握。足得血而能行。可知血爲人身惟一之要素。同時亦可知血在人體。其功用之偉大。與價值之寶貴。故血旺之人。面色光彩煥發。肌肉紅潤。潔白精神飽滿。充足意志果斷堅毅。反之血衰之人。色膚蒼黃。肌肉鬆弛。精神萎靡。意志墜蕩。血於吾人之康健。影響既如此之大。宜時時保全血旺氣盛。不使欠缺。所謂畜於背溢之四肢。以濟於康健之境。不幸而患血證。卽頓失康健。甚則危及生命。

血液循行周身。有一定之隧道。在中醫所謂經絡孫絡。在西醫所謂動靜脉及毛細血管。天然造成。完密精緻。何致血流外溢。發生失血之症。其所以然者。正以隧道有損隙。以致血流溢出。或溫度過高。血運加速。以致冲溢隧道之外。是皆失血之所由來也。惟普通常見之血證。大都屬於支絡及細管所失出。故並不爲劇。若由總幹大管失出。則血如潮湧。或上奔。或下泄。勢同崩潰。乃爲危急之候。苟不設法止住。卽可由大出血而致虛脫。

血證既爲危險之證。候對於血證之常識。不可不明曉。昔賢如葛可久。綺石。龔應圓。唐容川輩。對於血證。頗加研究工夫。其論症各有精湛獨到之處。茲彙集各說。參以己意。撰成斯文。以供失血家及同道之參攷。

（一）吐血

吐血是否可怕

便血與吐血。同是失血之症。其病理同。其影響於身體上之康健者亦同。然一般人之心理。對於吐血之症。似較便血爲重視。患便血者。苟非暴注下瀉。每多漠然置之。惟於吐血。則不論其爲痰中帶血。咳嗆出血。或成口而出。類皆惴惴然不安於心。推原其故。有二說焉。

其一。便血之量。及其血出之情形。目不能見之。目不能見者。腦膜上少一印象。故不易催起其憂慮及恐懼之心。吐血之時。血出之實際情形。一目了然。其印象顯明。故易催起其憂懼惶然於懷。

其二。吐血之病根所在。非胃部。卽肺部。胃所以司消化食物。爲倉廩之庫。生化之所。肺所以司呼吸吐故納新。亦爲主要之官。苟有疾患。其影響於康健。影響於生命者甚大。一見吐血。卽知其爲警訊。非可等閑視之矣。

大吐血。誠足可怕。然當血出之際。則不宜過於驚惶。心境宜放寬。泰然處之。不可亙於心。橫於慮。推波助瀾。增進其病勢。以安靜爲最要。平日之間。處處留意。以防其復發。所謂「怕」者。乃有「戒心」耳。非徒效杞人之憂天而已。

——未完——

幸福雜誌

第三期

價目表

時期	冊數	連郵費 國內	連郵費 國外
零售	每冊實售大洋二角		
半年	六冊	一元	二元
全年	十二冊	二元	四元

廣告價目

等第	地位	全面	半面	四分之一
特別位	封面		四十元	
特等	底面之內外 封面之內	四十元		
優等	封面內面之對面	三十元	十六元	
普通	正文之前	二十元	十元	五元

彩色另議

中華民國二十二年十二月一日出版

編輯者　朱振聲

撰述者　全國醫家

發行者　幸福書局　上海三馬路雲南路轉角

印刷者　華豐印刷鑄字所　上海浙江路五三六號　電話九〇三五八

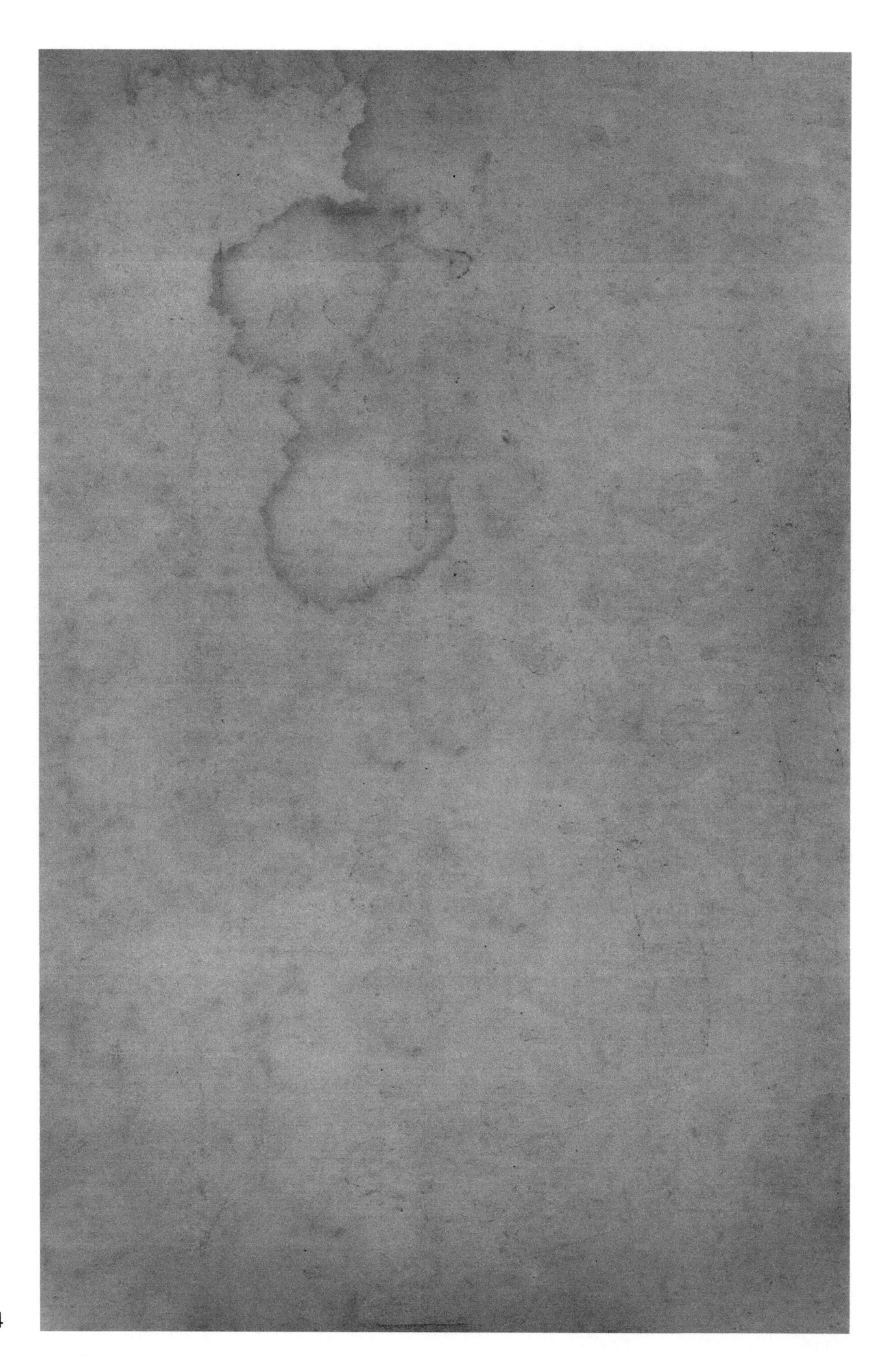

本雜誌已於廿二年十月廿四日呈請內政部登記
幸福雜誌
國醫朱振聲編
第四期
唐紹儀

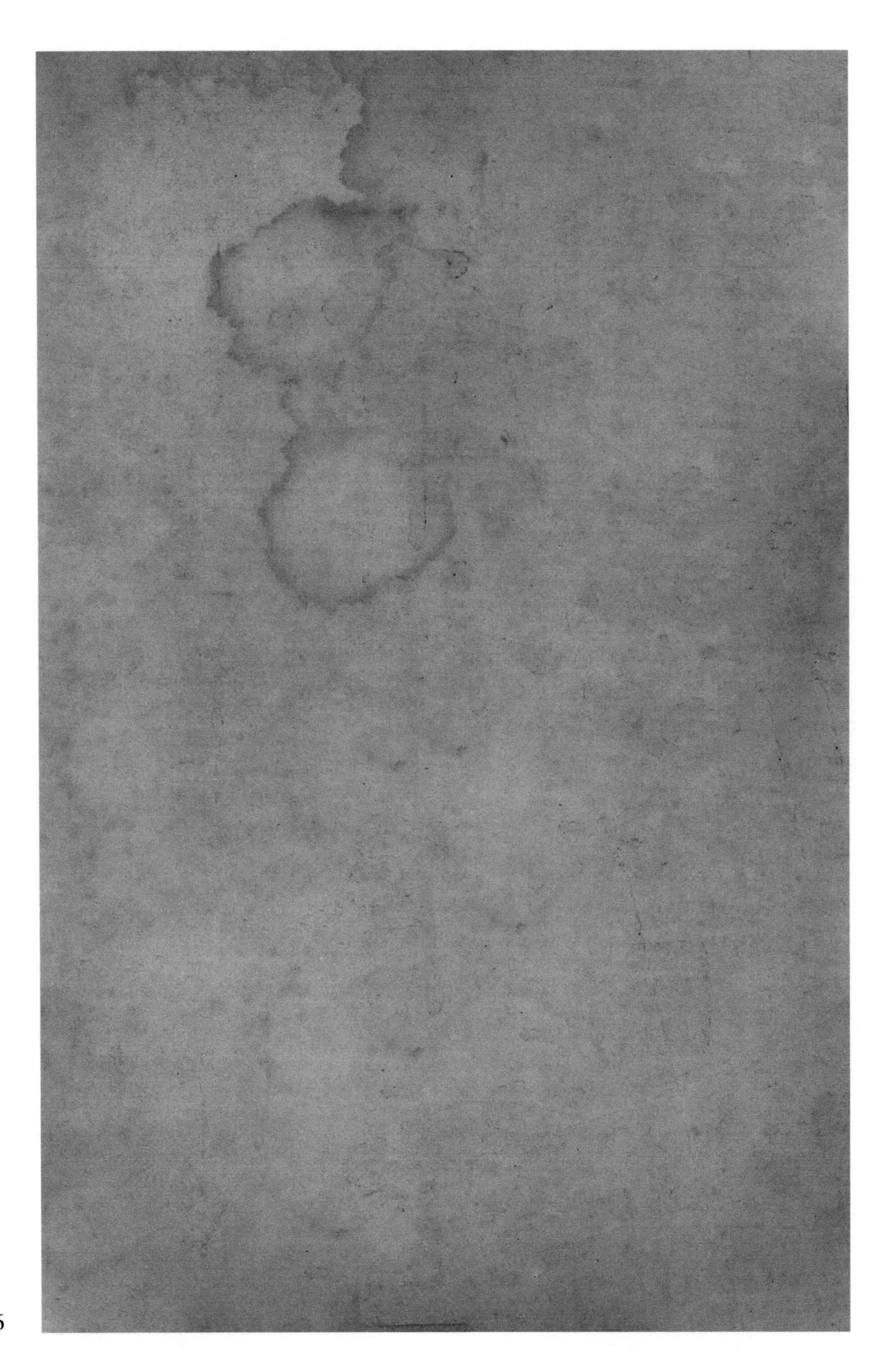

幸福雜誌第四期目錄

冬令時症

最近流行之傷風咳嗽……仲英
冬溫證治……時逸人
冬溫咳嗽吐血治驗……蔡東榮
傷寒淺說……尤學周

解除頭痛

頭痛由腦血管循環障碍之治驗……俞慎初
梅毒頭痛之治法……尤學周
頭痛淺說……俞鴻孫

睡眠問題

睡時必需之條件……吳履吉
臥床佈置之方法……吳履吉
小兒睡眠問題……吳德懿
失眠淺說……陳存仁

種種咳嗽

風溫症之咳嗽……葉鳳紀
孕婦咳嗽……尤學周

肺瘻咳嗽……張治河
咳嗽氣喘……佚名
治久嗽驗方……林植

消滅凍瘡

凍瘡之預防……蔣達仁
凍瘡之病理及治法……紹庭
凍瘡特效藥……陸天一
凍瘡簡治法……毛志伊
凍瘡經驗方……李如璋

膏滋藥方

膏滋藥之作用……石蘊華
膏方之配合……陳大可
膏滋藥之研究……陳存仁
膏方之一例……尤學周
膏方之又一例……朱振聲

五淋白濁

勞淋……仁愛
石淋……仁愛
我之治淋濁經驗談……蘭坪
男子濁症……馬千里

月經不調

月經不調之研究……治中

血虧與經閉……朱叔屛
經當行不行……越銘
經當止不止……越銘
月經落後……郭柏良

婦女隱病

下部不潔之害……仁達
陰戶生蝨……宋愛人
女子之遺精……商智
女陰寬大治法……得心

小兒疾病

小兒慢驚……尤學周
小兒水痘與天花……仲英
痧子……佚名
小兒最普通之三種病……秦丙乙

針灸入門

針科之神妙……劉富槐
針科須通內外功……陳益生
用針治病之十種手法……高一志

長篇新著

血症概論(二)……朱振聲
如何發生吐血
痰中帶血之研究

吐血之診斷法

冬令時症

□最近流行之傷風咳嗽

（丁仲英）

（傷風咳嗽之由來）春季咳嗽最爲流行。蓋春日雖和煦。而氣候之轉變甚易。忽冷忽暖。溫度之調節失宜。風邪卽乘虛襲入。通常所最易侵襲者。爲鼻管乃至氣管。故其症狀爲鼻塞多涕。放嚏嚏。及咳嗽多痰。如體質衰弱者。抵抗之力不足。得以蔓延傳佈。使身體全部爲之發熱。入春以來。寒暖失常。防護不周。風邪侵襲。故最近頗爲流行。

（傷風咳嗽之現象）本症初起。爲呼吸鬱悶。鼻塞不通。多濃厚之涕液。其次爲頭暈咳嗽。甚則頭痛。發熱惡寒。消化器方面。爲食慾不振。口中無味。蓋傷風感冒。呼吸器及消化器。往往腫脹發炎。分泌物增多。在呼吸器方面。欲排除此種分泌物。故發爲咳嗽。在消化器方面。阻碍脾胃之健運。故消化不良。納食無味。

（傷風咳嗽之危險）傷風咳嗽。常人視爲輕淺之症。實則頗爲危險。蓋咳嗽過甚。

或久咳不已。肺部大受震動。癆菌將乘機侵入。此時肺部之抵抗力以久咳之影響。爲之減退。一方面以分泌物之增加。不啻受以營養上之好滋料。語云傷風不愈變成癆。洵不誣也。

素有咯血症者。受咳嗽之震動。血絡必將重起破裂。危險尤甚。

（預防之大要）預防之法。其大要可分爲二。一爲消極的。一爲積極的。大凡易生疾患之人。其身體必衰弱。故宜講衛生。勤運動。保護皮膚之清潔。增進身體之康健。使有抵抗風邪之力。此積極之法也。發汗之後。不可脫衣。晨起扣齊衣紐。方可開窗啓戶。勿使身體受過甚之風寒。此消極之法也。

（傷風咳嗽之調攝）患傷風咳嗽者。不可不注意其調攝。第一宜多加衣服。不可重感於寒。第二勤沐浴以去塵垢。使表邪易於疏宣。第三少高聲言語。蓋喉頭過於振動。咳嗽易於增劇。第三口中無味。切不可食有刺激之物。第四食慾不振。故當少食。以保護腸胃。免致腹痛下利。變生他症。

（傷風咳嗽之經驗法）傷風咳嗽。首在扶助肺氣。將痰黏逐去。第二疏散風寒。以調節體溫。前曾約略說明。如有熱象。疏散之品宜增多。否則力有未逮。不易見功。本症治法。余常用荊芥。桔梗。紫菀。百部。陳皮。甘草。生姜七味。隨症加減。每能如響斯應此方出於醫學心悟。原方用炒桔梗。炒荊芥。紫菀。百部。（二味均飯上蒸一次再炒）各三兩。甘草炒七錢五分。陳皮一兩。（去白炒）上藥共爲末。生姜湯調下。爲備慈善家博施濟衆之用。故研末爲散。如見頭痛發熱惡寒。又當加入麻黃杏仁之類。方能奏效。

▣冬溫證治

（時逸人）

原因　冬令晴煖氣候乾燥。溫度過高。驟感冷風而發。此爲新感。病輕而淺。若冬溫引動伏暑伏燥。內發者。此爲伏邪。病深而重。必先辨其新感冬溫。伏邪冬溫。以清界限。

病理　冬溫與春溫不同之點。在時令上。一則發於初春。餘寒未盡之際。一則發於冬令晴煖乾燥之時。春溫治法。宜審別其受寒之有無。冬溫治法。當攷證其伏暑伏燥之兼證。此在證治上辨別之大較也。新感之證。爲時令晴燥氣燥之氣候感觸而發。其受病之初。除感冒之應當發現之證候。如寒熱頭痛鼻塞咳嗽等證外。厥維以咽喉疼痛。齒痛。耳下腺腫等爲主要之證。狀其內熱蘊過極重者。則發喉痺喉癰白喉肺炎等證。症候較爲險重。伏邪之證。以冬溫兼伏暑伏燥。爲兩大辨別。冬溫證候。已如上述。其暑與燥。潛伏之原理。視體質上之習慣爲轉移。內熱重者。易於傷暑。津液虧耗。易於傷燥。此定理也。伏邪之種類。(1)受邪輕淺。過後方發者。(2)已發而治不得法。病情隱伏者。(3)曾經療治。未能除根。後又復發者。其證候各詳本門。北方居民。住火炕。食椒蒜。平素蘊熱極重。故冬溫病症。亦爲數見不鮮。

證候

(一)冬溫兼寒——初起畏風怯寒。頭痛身熱。鼻塞流涕。咳嗽氣逆。咽喉乾燥。或則疼痛。繼則不惡寒。但發熱。心煩口渴。胸悶腹痛。溺赤便閉。甚則咽喉腫痛。白腐。牙床及耳下腺腫痛等證。

(二)冬溫兼伏邪——初起頭痛身熱。咳嗽。神煩。或無汗惡風。或有汗惡熱。

兼伏暑者。寒少熱多。有汗不解。日輕夜重。頭痛而暈。心煩惡熱。口渴唇紅。面垢齒燥。煩躁不寧。口乾不喜飲。飲即乾嘔。咽燥如故。肢雖厥冷。而胸腹灼熱如焚。大便溏而不爽。肛門灼熱。或有身發白痦斑疹。兼伏燥者。咳嗽痰稀而黏。咳甚則痰中帶血。或有乾咳無痰者。胸悶脇痛。氣急而咳。咽喉疼痛。大便燥結。或痢下不爽。溲短赤澀。

診斷

(一)冬溫兼寒。舌苔白微膩。屬表邪未宣。汗液停滯。苔色黃滑。屬痰熱內壅。黃而厚膩。屬糟粕堆積。其舌苔均以尖邊紅赤為據。脈形浮數。或絃數。其感寒重者。乃兼緊象。

(二)冬溫兼伏邪——兼伏暑者。舌色鮮紅。或乾絳無苔。其潛伏之邪。轉出氣分。則苔厚或黃滑。脈形多沈滑有力。或絃數有力。兼伏燥者。舌苔薄白而燥。尖邊俱紅。或乾白而厚。白如銀灰色。亦有黃白相間者。甚則僅如錢大。苔塊在舌中心。而四面如駁去者。或四面白腐。而中心如挖去者。其津虧者。則焦而起刺。氣虛者。則燥而開裂。脈象沈候短澀。浮部反覺絃數。

治法 （一）冬溫兼寒—初起畏風怯寒。頭痛身熱無汗者。用葱豉桔梗湯加防風。如不寒但熱。心煩口渴。咽喉疼痛。咳嗽胸悶者。用桔梗湯（去葱豉故名桔梗湯）加銀花。黄芩。杏仁。射干。丹皮。枳壳。鬱金。如胸悶腹痛便閉溺赤者。用涼膈散。咽喉腫痛白腐牙床及耳下腺腫痛。便閉溺赤者。用加減清肺湯。（二）冬溫兼伏邪—初起頭痛身熱。咳嗽口渴。有汗或無汗。用加減葳蕤湯。身熱下痢者。用葛根黄連黄芩湯。兼伏暑者。身熱有汗不解。日輕夜重。頭痛而暈。大便溏而不爽。用白虎承氣加青蒿黄芩丹皮犀角。兼伏燥者。乾咳或咳血。胸悶氣喘。用桑丹瀉白散加味。咽痛大便燥結或滯下不爽。用涼膈散加味。

◻冬溫咳嗽吐血治驗

（蔡來榮）

病因 素不慎起居飲食。兼司書牘過勞。致冒冬溫而起。

症候 初起時。微惡寒。發熱。鼻塞聲濁。咳嗽吐血。胸微痛。口乾。舌苔白。舌尖絳。二便赤濇。

診斷 診得兩手脈弦數而勁。右手寸關帶浮滑之象。合症與脈參之。係冒冬月溫邪無疑。微惡寒發熱。鼻塞聲濁。邪尚在表。溫熱火邪。尅傷肺金。故咳嗽吐血。瘀血挾痰。結在胸中。故胸微痛。口乾。舌苔白。舌尖絳。二便赤濇。皆係溫邪挾瘀挾痰爲患於內。而形現於外者如此耳。

療法 法當先外解溫邪。用桑菊飲爲君。兼用和血止血散瘀除痰寧嗽滋液之品以佐之。

處方 桑葉二錢五分。杭菊花二錢五分。杏仁三錢。連翹二錢。葦根三錢。甘草一錢。桔梗二錢。薄荷七分。生地黃一兩五錢。丹皮三錢。川貝母二錢。加十灰散三錢冲服。

次診 前方服一劑。微惡寒發熱。外邪已解。鼻塞聲濁亦淸。但咳嗽吐血不止。仍前方加減。

次方 生地黃一兩五錢。丹皮三錢。桑白二錢五分。杭菊花二錢。杏仁三錢。桔梗二一錢。葦根三錢。川貝母二錢。側柏葉二錢五分。山梔二錢。甘草一錢。雪梨汁一杯。藕汁一杯。加十灰散三錢冲服。

三診　前方服一劑。咳嗽吐血止其大半。尚未了了。仍依前方加減。

三方　生地黃一兩。丹皮三錢。茜根二錢。地骨三錢。杭菊花二錢。葦根三錢。桔梗二錢。桑白皮二錢。川貝母二錢。款冬二錢。側柏葉二錢。加藕汁一杯。京墨少許。

效果　前方服一劑。咳嗽吐血全止。熱退身爽。胸亦不痛。諸症俱平而愈矣。後用清補數劑。調理而康。

□傷寒淺說

（尤學周）

原因　由風寒刺激表皮而起。此病發於秋季者特多。

症狀　分前後二期。前期惡寒。發熱。頭痛。項强。徧體痠疼。咳嗽。嘔噁。食慾缺乏。後期熱度增高。煩躁。口渴。大便祕結。小便或紅或黃。兼有目赤。耳聾。譫言妄語。身發班疹者。

療法　在前期宜解肌表。有汗用桂枝湯。（桂枝五分。生白芍三錢。甘草錢半。薑棗引。）無汗用麻黃湯。（麻黃三分。（炙）桂枝五分。（炒）杏仁五錢。（去皮尖）甘草一錢。姜棗引。）在後期宜清裏熱。用白虎湯。（石膏一兩。知母四錢。甘草四分。粳米一撮。）大便祕者。用承氣湯。（大黃三錢。厚朴二錢。枳實二錢。）愈後。飲食宜少。避免煩勞。俟恢復康健原狀。方爲坦途。

解除頭痛

□頭痛由腦血管循環障礙之治驗（俞慎初）

余前在校攻讀用腦過度。致患失眠。繼則腦痛纏綿數月。每閱書過久。運動劇烈。或因激怒。卽發由微痛而大痛。甚至呼哭不安。發時不定部位。始以爲氣虛所作。用補氣之劑。不特無效。反加作痛。後以爲肝陽內動。用養陰潛陽之劑。甚至投以羚羊。然暫時安定。未能根本治療。後經多方研究。乃知由於腦中血管被血瘀積滯。而致血管循環發生障礙。蓋外方若受刺激。則血管循環必加緊。腦中之積滯血管受此劇烈之接觸。則發生疼痛。由此原因及病理之研究。非理血之藥不爲功。故投以血府逐瘀湯一劑果瘥。連服數劑而愈。

按王氏曰『頭痛有外感必有發熱惡寒之表症。發散可愈。有積熱。必舌乾口渴。用承氣可愈。有氣虛必似痛非痛。用參芪可愈。查患頭痛者。無表症。無裏症。無氣虛痰飲等症。忽發忽愈。百方不效。用此方一劑而愈。

當歸三錢。生地二錢。川芎錢半。赤芍二錢。桃仁四錢。紅花二錢。枳壳二錢。柴胡一錢。甘草一錢。桔梗錢半。牛膝三錢。

患此症者。對於飲食運動修養。亦當注意。飲食宜擇易於消化及滋補之品。如牛乳。腐乳。雞蛋。蔬菜等。日作柔軟運動數十分鐘。或往遊郊外。似換新鮮空氣。每飯徐行數百步。以暢身心。早起與睡眠。宜靜坐修養。勿煩勞。勿思慮。勿憂怒。調攝與藥物並行。則自能早離苦海。

□梅毒頭痛之治法

（尤學周）

頭痛之原因不一。有外感風邪而痛者。有肝風上冲而痛者。有痰火壅甚。清陽失宣而痛者。有血虛火盛。虛火上炎而痛者。治法不同。用藥各異。其有因梅毒竄入經絡。上擾其巔。而發爲頭痛之證者。尤當愼辨。若用藥有誤。則病根深伏。將爲終身之累。梅毒上竄。重者滅鼻。輕者害目。其初必見頭痛。不明病因。每易誤爲肝風或外感。用平肝熄風或解肌散表藥。是南轅而馳北轍也。

孫姓子。好狎邪游。偶不愼。身染惡疾。由一老江湖者爲之包醫。毒燄雖戢。而頭痛如劈。延某醫診之。適新感風寒。咳嗽。鼻塞。醫以風藥疏散之。痛益增。謀於余。廉得其實。爲處一方。用土茯苓三兩。金銀花三錢。蔓荊子錢半。玄參一錢。防風二錢。天麻一錢。辛夷花七分。黑豆三十粒。竹葉十張。芽茶五錢。煎服數劑而平。此方以解毒淸熱爲主。故能得中。

偶閱雜誌。見有類於此案者。用風藥發之。久而不愈。一人爲用石榴皮煎酒服之。其意以爲久用發散。須濟之以收歛。石榴皮味濇。取其收歛也。是否有效。未能證實。錄之以備參考。

□頭痛淺說

（余鴻孫）

頭爲諸陽之會。淸明之處。神明寓焉。智識出焉。腦髓充足。則神淸而聰明。智識必健全達於敏慧。苟工作太勞。腦力衰弱。而生頭痛。或抵抗力弱。感冒風寒。致令頭痛。則神明智識。必受其打擊。日久敏慧者降爲遲鈍。故無病須知保養。有病急當治療。余略述其種類病象病理治法等於下。

（一）外感頭痛。由洗沐不慎。或汗出當風。頭痛如劈。而以兩太陽穴爲尤甚。蓋風寒外邪。逼犯神經也。治當疎散風寒。如荆芥薄荷防風羌活細辛白芷等選用。有一外治法。購荆芥三錢。菊花五錢。煎湯乘熱薰頭。痛勢卽可減輕。切須避風。

（二）胃熱頭痛。由大便不得通暢。往往兩三日一臨圊。則胃中之積熱。可知熱氣上薰清明之腦府。日被擾亂。於是發生疼痛。則必兼有鼻乾或口燥。治當淸胃熱通大便。淸胃如知母黄芩天花粉等。通便如蔴仁瓜蔞元明粉大黄白蜜等。分別輕重選用。

（三）肝陽頭痛。此症患者頗多。而以智識界尤甚。平素操勞積慮。心血虧損。血虧則肝熱。肝之經絡直上巔頂。虛熱（重者虛火）循經上升。犯擾腦髓。而頭腦痠痛。必兼見耳鳴目花等。宜須靜養。藥用淸淺。如薄荷炭穭荳杭菊蒺藜石决鈎勾等。症勢減輕。加用補肝。如白芍。牡蠣。龍骨首烏等。取効較緩。

（四）偏頭風痛。分二種。甲虛火症。似肝陽。但晝輕夜重。痛連眼角。治當補肝淸降同用乙。風盛。則筋脈抽搐。或鼻塞常流濁涕。當清散主治。即外感藥味再加涼劑。

（五）破傷頭痛。風從破傷處襲入頭痛不可忍或兼搐搦宜祛風爲要。如荆芥防風等。

（六）大頭瘟痛。此天行時疫之症。頭腫甚者大如斗。熱毒甚也。風熱須涼散。

（七）眞頭痛。痛至腦。內手足冷至節。難治。

（八）預防。勿失眠。勿貪酒。清靜寡慾。心氣和平。即可免以上各症。

睡眠問題

□睡時必需之條件

（吳履吉）

睡眠之事雖爲恢復疲勞而設。然苟不得其法。非惟無益。亦且有害。茲爲揭其必需之條件如下。

（一）睡時之姿勢　昔孔子有『寢不尸』之說。古書亦有『屈膝側臥。益人氣力』之語。是知睡時不宜四肢伸直挺身仰臥明矣。法宜以左脇向上。右脇向下。四肢稍形鬈曲。則可免心部壓向血管。阻止血液流通之患。

（二）頭宜置於衾外　冬夜氣溫較低。睡時常藏頭於衾內。是實於呼吸極有妨礙。蓋衾內由皮膚發出之濁氣極多。苟藏頭於其中。非特氣鬱不舒。且不免因吸入濁氣。致頭部昏暈。況此種習慣旣成。有時伸頭衾外。偶觸寒氣。輒易罹感冒。故非自幼革除此惡習不可。

（三）睡時不可開口　吾人平時呼吸。不以口而以鼻。因以鼻呼吸。於衞生上有種種利益也。故睡時若多張其口。微特外觀不雅。口腔內津液易於乾燥。及易發鼾聲。且空氣中無量數之塵芥與細菌。皆乘機而入於肺中。一旦發育繁殖。其爲患何可勝言。孫眞人曰。『暮臥宜習閉口。口開卽失氣。且邪惡從口入。』所謂邪惡者。實卽細菌及塵芥之類耳。

（四）睡時頭宜高脚宜低　吾人睡眠時。所以不能成寐之故。全由血聚於腦。使神經中樞不得安息所致。故枕頭不可過低。尤不可將兩足擱於高處。務使頭高脚順。則血液流集於足部。既不至有足冷之患。且易於入夢矣。

□臥牀布置之方法

（吳履吉）

吾人畢生光陰。半消磨於睡眠之中。故對於臥牀之布置。雖不必錦衾角枕。寶帳羅幃。窮奢極慾。浪費金錢。然亦不宜過於草率。毫不注意。布置臥牀之法。首宜注意者爲地位。我國安置牀榻之法。常喜循牆靠壁。臥時以首抵壁。是不獨易吸收濕氣。且難免有電殛之虞。故必宜置於臥室之正中。既免上述諸弊。又可使空氣自在流通。

其次爲牀榻質料選擇。我國南方居民。牀榻多用木製。北方則以土磚疊成煖坑。一則易生臭蟲與白蟻。驅除頗難。一則夏秋之間。多發濕氣。於衛生上皆不甚相宜。最佳者自不得不讓諸金屬製成之牀矣。惟銅鐵二物。皆爲易傳電氣之質。故以之製爲臥具。恐人身電氣。易被攝去而耗散。近有人創用玻璃之杯。墊於銅牀之四足。亦一法也。

復次爲衾褥質料之選擇。以柔軟者爲上。至於臥時之方向。昔人多主張東首。（禮記玉藻篇。君子恆寢東首。）蓋以東方爲萬物發生之原。欲藉以得生氣也。近來衛生家。則多主以頭部面北。足部向南爲合。

□小兒睡眠問題

（吳德懿）

小兒之發育。大半在睡眠與休息之中。故睡眠時間宜較成人多。且小兒喜活動。更易疲乏。非多睡眠不足以償其勞。

母兒共睡之害。（一）兒吸被窩中之穢氣。且被中溫度不合。致兒易患感冒。（二）

大人轉身。致兒多醒。使成哺乳無節之習慣。（三）乳母青年貪睡。乳房掩塞兒之口鼻而不覺。或於睡夢中轉身。將兒壓傷。

小床褥子須柔而較厚。枕頭宜軟而略底。被亦不可過多過重。且宜時常洗晒。臥時溫度宜適當（若在天氣最寒之際。則嬰孩身傍宜用熱水樽暖之）被褥衣服不可摺皺。寢前禁飲茶。咖啡。等之興奮劑。

小兒失眠之原因。（一）食物不合。而漸成食滯症。如飼食次數過多。或晚餐分量過多。又或晚餐時間太早而覺飢餓等……（二）關於腦部。如寢前與小兒作劇烈之遊戲。或令看可怕之圖書。或故作吒吒聲。及令恐駭以促其睡。或父母腦部不健而遺傳者亦有之。（三）身體不舒。如過寒過熱。及衣服緊窄不適。或因尿布濕冷。或因蚤蚊吮刺。或因疾病之萌發。或因食物消化不良。及便閉等所致。

小兒若不安睡。切不可用藥以安撫之。須察其不睡之原因。而去其刺激。則方爲根治療法。嬰孩食後即睡。醒後即食。故哺乳時間規定。則睡眠時間亦隨之而定。決無難以入睡之患。

小兒不能入睡時。使其身體向右側臥。頗能入睡。如在夏季天氣酷暑。不能成寐者。宜疎通空氣。並以冷水毛巾按頭部。卽能清爽而入睡。稍長之兒。夜間多醒者。則日間睡眠時間減少。晚間必能熟睡矣。

睡眠失度。損害神經。以致腦力衰弱。精神疲乏。影響於發育及學業甚巨。小兒天性貪睡。惟睡過多。則爲腦病之要狀。

小兒至三歲後。卽可養成其居一定之習慣。令其早眠早起。至五歲後日間可以息睡。

早晨醒後。卽令起床。爲之洗臉。漱口。梳髮。戴帽。然後任其行走。四五歲以上之兒。天氣溫和之日。可令其在空曠之處。隨意運動。閱三十分鐘後。乃進早餐。

□失眠淺說

（陳存仁）

失眠。古謂不得臥。其病有生理病理之分。生理之失眠。秦越人言之綦詳。難經四十六難曰。老人臥而不寐。（寐目瞑神藏也）少壯寐而不寤（寤覺而有知也）者何也。曰經言少壯者血氣盛。肌肉滑。氣道通。榮衛之行。不失於常。故晝日精。夜不寤也。老人血氣衰。肌肉不滑。榮衛之道濇。故晝不能精。夜不寐也。蓋五十以上之人血氣衰。少心之循環。失其常度。肌失所榮而枯濇。不澤。腦失所養。而記憶銳減。故夜不安寐也。此乃人身自然之衰老。原非草木所能囘天。如欲服藥。以歸脾湯人蔘養榮丸爲最妥。病理之失眠。可分外感內傷二種。外感者。熱邪傳於胃經。神經受其蒙蔽。（緣胃之迷走神經上通於腦）宜以白虎湯。清熱治本。不必斤斤於安神也。內傷者。或因食積。其症胸下脹悶疼痛。舌苔白膩。脈象右關沉滑。宜以保和丸消食。或因猝受驚恐。其症夢中驚跳怵惕。通宵不得安枕。宜以安神定志丸寧心。或因思慮太過。心血空虛。其症心悸怔忡。精神萎頓。脈象虛弱。宜以歸脾湯養血。病源蠲除。睡眠自安。內經所謂治病必求於本也。若不此之務。而徒食醇酒安眠藥水。以痲醉神經。且愈治而愈劇矣。惟臨睡之際。以溫水濯足。能引血下行。靜數鐘聲。堪統一意志。少食流質。足導血歸胃。輕微運動。能流通血脈。斯皆實驗有效之自然療法。患者大可遵行也。

附方

■歸脾湯 人參。白朮。黃耆。甘草。茯神。桂元。遠志。棗仁。當歸。木香。

■人參養榮丸 人參。黃芪。冬朮。熟地。當歸。芍藥。肉桂。五味子。陳皮。遠志。甘草。生姜。黑棗。

■白虎湯 石羔。知母。粳米。甘草。

■保和丸 山查。茯苓。神麯。陳皮。半夏。連喬。萊菔子。

■安神定志丸 茯苓。茯神。人參。遠志。石菖蒲。龍齒。

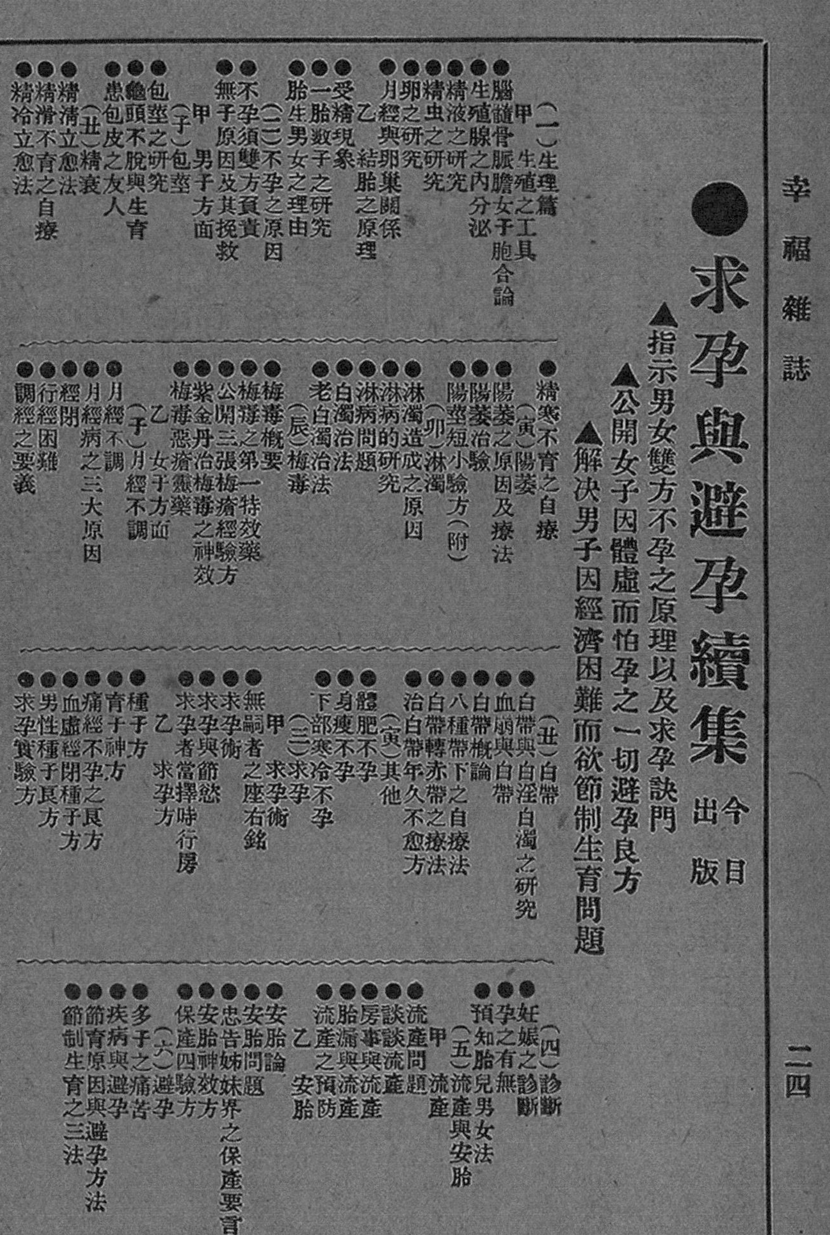

求孕與避孕續集 今日出版

▲指示男女雙方不孕之原理以及求孕訣門
▲公開女子因體虛而怕孕之一切避孕良方
▲解決男子因經濟困難而欲節制生育問題

(一)生理篇
甲 生殖之工具
●腦髓骨脈膽女子胞合論
●生殖腺之內分泌
●精液之研究
●精虫之研究
●卵之研究
●月經與卵巢關係
乙 結胎之原理
●受精現象
●一胎數子之研究
●胎生男女之理由
(二)不孕之原因
●不孕須雙方負責
●無子原因及其挽救
甲 男子方面
(子)包莖
●包莖之研究
●龜頭不脫與生育
●患包皮之友人
(丑)精衰
●精清立愈法
●精滑不育之自療
●精冷立愈法

●精寒不育之自療
(寅)陽萎
●陽萎之原因及療法
●陽萎治驗
●陽莖短小驗方(附)
(卯)淋濁
●淋濁造成之原因
●淋病的研究
●淋病問題
●白濁治法
●老白濁治法
(辰)梅毒
●梅毒概要
●梅毒之第一特效藥
●公開三張梅毒經驗方
●紫金丹治梅毒之神效方
●梅毒惡瘡靈藥
乙 女子方面
(子)月經不調
●月經不調
●月經病之三大原因
●經閉
●行經困難
●調經之要義

(丑)白帶
●白帶與白淫白濁之研究
●血崩與白帶
●白帶概論
●八種帶下之自療法
●白帶轉赤帶之療法
●治白帶年久不愈方
(寅)其他
●體肥不孕
●身瘦不孕
●下部寒冷不孕
(三)求孕
甲 求孕術
●無嗣者之座右銘
●求孕術
●求孕與節慾
●求孕者當擇時行房
乙 求孕方
●種子方
●育子神方
●痛經不孕之良方
●血虛經閉種子良方
●男性種子良方
●求孕實驗方

(四)診斷
●妊娠之診斷
●孕之有無
●預知胎兒男女法
(五)流產與安胎
甲 流產
●流產問題
●談談流產
●房事與流產
●胎漏與流產
●流產之預防
乙 安胎
●安胎論
●安胎問題
●忠告姊妹界之保產要言
●安胎神效方
●保產四驗方
(六)避孕
●多子之痛苦
●疾病與避孕
●節育原因與避孕方法
●節制生育之三法

每册實售大洋五角寄費九分如與初集同購計洋一元寄費一角另贈凍瘡治療法一册

上海三馬路雲南路轉角 幸福書局發行

種種咳嗽

◻風溫症之咳嗽

（葉鳳紀）

病症　發熱咳嗽舌絳唇燥

病原　是太陽陽明合病偏於陽明胃熱

治法　適用傷寒法當以涼胃藥與解肌發表藥併用

藥品　發表藥「麻黃」惟不出汗者方可用

疏散藥「荆芥防風」

解肌藥「葛根」

涼胃藥「黃芩黃連竹葉石膏」

主治　此病以治熱爲主治咳爲副熱退後咳不能爲患往往劇咳數日則愈所謂

餘邪以咳爲出路也

禁忌　此病切忌用「石斛」若一用石斛熱即不退熱不退則邪不出咳增劇往

往變成急性肺炎重症。

愈期　此病如誤治。一般見病症舌絳唇燥。以爲刦津。即用石斛養陰。病人得石斛。舌雖得潤。病反增劇。有至於燥原而後不可治者。蓋陽明病貴能化燥。化燥則一清可愈。用石解是助其濕。將不能化燥。乃絕愈病之路也。

■孕婦咳嗽

（尤學周）

原因　外因由於感冒風寒。內因由胎氣上逆。衝激肺部所致。

症狀　頻頻咳嗽。胎動不安。甚則喘不能臥。間或墮胎

療法　由於感冒者。帶葉蘇梗二錢。荊芥陳皮各一錢。由於內因者。桑白皮川貝母。黃芩各二錢煎服。不效加六味丸三錢（包）同煎。

■肺痿咳嗽

（張治河）

原病　本症原因。多爲津液消耗。或從汗出。或從嘔吐。或從消渴小便利數。或從便

難。又被快藥下利。重亡津液。肺失所養。轉枯轉燥。遂成斯症。

病灶　本症病灶初在肺臟。其後兩身關節。亦漸乾枯

病狀　本症病狀。先覺咳嗽。常唾涎沫。咽喉乾燥。日久不愈。即增肢體痿軟等證。

病理　咳嗽　肺少津液滋潤。不耐空氣刺激故也。

常唾痰沫　肺受熱灼。分泌元精故也。津液愈少。則內熱愈熾。內熱愈熾。則分泌愈甚。則咳唾愈甚。有不盡全體津液不止之勢。

咽喉乾燥　津液不足。喉頭粘膜發炎故也。

肢體痿軟　全體津液。一爲內熱消耗。一爲肺臟吸去。關節失其濡養。故痿廢也。

治法　本症治法。宜首補肺生津。消炎清熱。如紫菀散清燥救肺湯增液湯瓊玉膏竹葉石膏湯等方。採擇用之可也。

調攝　患此症者。切忌香燥之品。可以常食梨。柿。荸薺。甘蔗。葡萄。香膠。及牛乳。鷄蛋。肉汁等物。以冀清熱生津。而佐藥力。更宜常在空氣新鮮之處。練習深呼吸

法。既可藉其呼炭吸養。淘汰不良之質。又可擴張肺臟。促進細胞活動。俾痿縮之處。漸漸奮興。一舉數得。利莫大焉。

◻咳嗽氣喘驗方

（佚　名）

猪肺一個。倒懸。滴盡血水。又用大蘿蔔十個。搗爛。用新砂鍋一個。水五碗。先煑蘿蔔。及爛。濾去渣。白蜜四兩。鷄子青十個。不用黃。與蜜攪勻。裝入肺內。又用款冬花五味子。蘇子。訶子去核各一錢。白礬五分。俱爲末。通攪和蜜與鷄子青。納入肺管。煑熟。空心服之。其效如神。

◻治久欬驗方

（植　林）

欬久肺傷。胸脅疼痛。或吐白沫。或嘔膿血。夜間虛熱多汗。肢體羸瘦。食少不眠。

藥品　白芨（研末）白菓（去殼）麥冬、文冰

服法　每日早晨。先將銀杏等三味煎湯。即以湯調服白芨末一錢。月餘始能見效。

消滅凍瘡

□凍瘡之預防

（蔣達仁）

凍瘡一症。有因清寒過於操勞。有因過於溫暖優居。有因寒暖不調。清寒操勞而患凍瘡者。起於暴寒。遇春而愈。溫暖優居而患凍瘡者。殭塊甚多。起於旣寒。至春亦難速愈。潰爛遷延。痛苦殊深。

蓋人之血液。循行週身。遇熱則融解。流行自如。遇寒則凝結。流行滯濇。細小之血管淤塞。結爲殭塊。乃成凍瘡。

清寒操勞而生凍瘡宜也。若溫暖優居。亦生凍瘡。則其故可怪也。然就事實而統計之。往往清寒操勞之凍瘡。痛苦少而易愈。溫暖優居之凍瘡。每痛苦甚而纏綿。此何故歟。夫清寒操勞。以操勞足以運動其血脈。流行其血液。凍瘡凍其微小血管而已。若溫暖優居。多爲婦孺不事生產之流。優居適足以障碍血之運行。停滯血液之流動。本寒而標暖。雖暖不暖。是以兩者均足釀凍瘡。惟操勞而患凍瘡者。本暖標寒。故其凍瘡。必凍其大血管。安能速愈。

豫防之法。每日當作相當之動作。勿因溫飽而不願操勞。短袖露臂。短褲絲襪。皆爲凍瘡之促成者。一面另以附子皮煎湯。溫洗去年患凍瘡之處。或以生薑時時擦之。或以生薑汁辣椒汁洗塗之。均效。

▣凍瘡之病理及其治法

（紹　庭）

人之體膚。依其本能。有強大抵抗力之天然特性。苟無相當保護。卽罹外創。噫。天下事莫不如斯。人體特其小者也。今試以凍瘡言之。當朔風凜冽。天氣嚴寒之際。苟其時暴露於外之人體各部。設不從事預防。則終日爲寒冷所侵襲。必使體溫消失。其適當保護之能力。初則血管收縮。致血液循環不足。呈蒼白之色。繼乃血管擴張。變爲紫紅色之凍塊。且誘起焮癢腫痛之苦。由是而水泡而潰瘍。終必組織破壞而後已。雖然。死血之原因。固如上所說矣。第發生之程度。亦有輕重不同。輕則名曰凍瘡。重則名曰凍傷。經過時期。大別爲三。特誌之如下。

（一）紅斑時期　當天時寒冷。氣溫下降至攝氏零度時。凡人之體膚暴露於外各部。受寒氣侵襲者。莫不發生紅斑。何以故。蓋此時血管收縮。血液循環因以阻礙。假使此際以「生薑」擦之。或以「樟腦」泡「火酒」擦之。（如無火酒用原罈高粱代之亦可。）或以「碘酒」擦之。均可療治痊愈。因「生薑」「火酒」「燒酒」均能助血液流行也。若此時不用上法療治。迨經過三四日。則此紅斑亦可消散無存。但是不數日仍紅腫焮痛。成紫色之腫瘍。甚則於春日融和時。尚有續發者。其原因殆由於血管擴張所致也。

（二）水泡時期　其原因係小靜脈血脈。爲寒冷之氣侵襲。血管收縮。不能輸入大靜脈中。遂至凝滯浮腫而成水泡性之腫瘍。迨水泡破裂。則潰瘍成矣。至療此腫瘍之法。可用「生薑」「香附」等分爲細末。以熟猪油調勻塗之。或「碘酒」塗擦亦可。潰瘍療治。可用「黃蠟」三分。和「麻油」熬膏塗之。如不能愈。稍加珍珠散亦可。蓋「生薑」「香附」有袪寒散血之功。「蔴油」「黃蠟」有生肌敗毒之能。

(三)凍痂時期　水泡破裂成潰瘍之後。該部之營養全失。感覺毫無。皮內所含之血液。乃轉歸於組織破壞之處。呈暗青色之水泡痂皮。療治之法。須恢復其營養。如擦面之蛤殼油。可時時塗擦。卽可全愈矣。

以上三時期。係凍瘡必經過之程度。用特表而出之。以作患者之指導。至凍瘡之預防法。首宜攝取富於脂肪之物。以營養其體膚。次則勤加洗滌。以去其汚垢。倘有易罹凍瘡之部分者。則於天氣未寒之時。保守其溫。或勤於運動亦可。至洗滌之後。無論冷水熱水。均要用乾布拭乾。萬不可於未拭乾時。卽圍爐烘火。餘如鞋襪手套。咸宜適合。不能過大過小。蓋過大則不能保溫。過小則阻礙血行。果爾如法珍攝。凍瘡之預防療治。其庶幾矣。

◻凍瘡特效藥　(陸一天)

每屆冬天。凍瘡患者頗多。市上雖有治凍瘡之藥。然獲效殊少。鄙人前亦患此。多方塗治。終未見效。後得一方。方用白芝蔴花。須于三伏時採收。(按此花開時。適在伏天）浸於燒酒瓶中。勿令洩氣。迨至冬天。凍瘡將發時。取以塗擦患處。雖已紅腫有塊。亦能消散。且能斷根。誠治凍瘡之聖藥也。

□凍瘡簡治法

（毛志伊）

時値冬令。寒氣襲入肌膚。血液凝澁。易成凍瘡。時髦女子。短袖寬裳，尤多其患。初起漫腫高突。間以紅暈紫塊。及至潰爛。血水淋漓。碍動拘趾。痛痒交加。雖曰小恙。實勝常病。余製一方。最爲靈驗。只用生鷄肫皮。（鴨肫皮無效）曝乾。每一具和入白蠟五分。先將鷄肫皮碾至無聲。入白蠟再碾。以凡士林調塗患處。裹以油紙。不數日便成完膚。且無瘡痕。非尋常之藥品所可比擬也。

□凍瘡經驗方

（李如璋）

光陰過得眞快。沒有多少時候。冬天又到了。回想到去年冬天。我在慕爾堂讀書的時候。有很多同學。都因爲愛好時髦而生凍瘡。她們知道我是一個曾經生過凍瘡而已經治愈的人。要求我將這驗方公開宣佈。後來她們照方施治。都收到良好的結果。現在將這驗方的配合法述之如下。想世之患凍瘡的人。一定很樂聞的。方將蟹壳洗淨。放炭火上煅存性。不可太枯。枯則無效。研為細末。不論已潰未潰。用蜂蜜調勻。敷於瘡上。止痛去腐生肌收口。均有特效。

膏滋藥方

膏滋藥之作用

（石蘊華）

中醫治病擅長以慢性之藥性複方配合面面顧全培植其本能而後除其病之根蒂即所謂『治本』不『治標』之理冬令爲病家訂立『膏方』即其一例也膏方之目的在調治病者全身之缺點必須窮本探源追查病根之所處立方不厭其複用藥不厭其繁通常用藥約二十餘味煎熬成膏開水沖服不僅取效週全且常服一二月之久可口適味絕不若別種藥劑常服即易倒胃膏方之特長在此慢性之病症在事實上實非長時期服藥不能奏效故宜在冬令訂立對症之膏方以調治之膏滋之藥汁以冰糖阿膠等收熬而成味甘馴絕無藥氣藥味令人久服不厭一膏方約能服至二月之久經此常時期之調治自能根治而收效悠久矣以通常經驗論慢性病症如本元虛弱血虛肝旺腎部虧弱久咳痰飲子宮寒冷白帶便血頭暈虛痛遺精早洩痔漏陰疽陽虛衰萎及癆損虛羸等症較易收效蓋此類病

症本非短時服藥所克根治。膏滋藥劑。補益本元。苟能對症發藥。寓治療該病之相當藥物於膏方之中。成效自宏。故膏滋藥方在冬日治療上。恆須施用。

膏方之配合

（陳大可）

膏方乃以藥汁熬煎而成脂液。滋澤五臟六腑之枯燥虛弱。非局部之補益劑。然人之身體各各不同。或氣虛。或血虛。或陰津不充。或某一臟衰損不足。症情不同。如人之面。若但知膏方爲唯一補劑。抄得成方。貿然進服。不特收效難期。或且反滋流弊。是以不服膏方則已。欲服膏方。則須自檢己呈之虛象。就診於有經驗之醫家。研求症狀。詳考虛實。細察脉症。訂立對症之膏方。面面俱顧。藥藥對症。庶乎可。

普通藥方服之不合。尚可加減更易。膏方一經熬就。須二閱月而服畢。設有不合。頗難更改。當此藥價高昂之時。通常之膏方。恆須十元左右。故在訂方之初。必須就醫訂立。然後無負所望。苟抄錄成方。或由粗知醫理者濫訂藥方。雖滿紙參朮。皆表面有益之品。與實際何益。

最可笑者。常人略知黨參。黃蓍。龜板阿膠之名。但問其藥力之補不補。不問自己身體之宜不宜。熬爲膏滋。濫行進服。於是頗有因是而流弊叢生。幸而無弊者。亦不自知其成效安在。僥倖而服之。大受補益者。猶博而倖勝。究在少數。甚矣。藥物之功。雖能治病。亦能成病。補藥亦然。常人豈能妄用。

膏方之用藥。不僅以溫補。滋補。清補。膩補。濇補。補氣。補血。補陰。補陽諸法。即爲盡其能事。尤須注意其體內之所過濕重者。痰多者。內熱者。有寒者。伏熱者。以及氣鬱者。均須顧及。毋使留邪。庶幾能受滋補之益。故在未服膏方之前。須先服『開導劑』二三劑。即俗中所稱之開路藥是也。

人之氣壯體實者。本無所用其補也。今人則不然。縱酒滋慾。過勞多慮。在在足以傷身。就醫訂膏方。此其時矣。

□膏滋藥之研究

（陳存仁）

（一）膏滋藥爲混合物

富貴之家。常服參朮。次焉者。黃耆黨參。至貧賤之家。亦必備棗子數斤。信乎滋補之品。有同嗜焉。世之人自信其身體必有虧損之點。投機之醫。卽以補之一字。迎合其心理。於是滋補之物。成爲人生必須之食品。富貴之家。以逸則思淫而虧損。貧賤之家。以勞則耗力而虧損。人參棗子價値之高廉雖遠差。其取爲滋補則一也。然此種補品。初服或稍有效。常服之。身體上亦不見有若何影響。其有虧損之點。非人參棗子之力所能及者。則徒有滋補之名。亦無滋補之實。欲求滋補之品。舍膏滋藥莫屬。以膏滋藥爲多種藥品所混合。其滋補之點。不僅限於一部。如人參僅補氣。棗類僅補脾而已。面面俱到。一齊着力。無偏勝之弊也。

(二)膏方宜求之於醫生

膏滋藥之爲補品。誠如上所述矣。世有取成方用以自服者。其害甚大。蓋藥性不同。因病而施。同一方藥。宜於彼者。或不宜於此。宜於此者。或不宜於彼。卽同一之病。亦有體質之不同。秉性之各異。不能等量齊觀焉。吾人不欲服膏滋藥則已。如欲服膏滋藥。必須請示於所欽佩之醫生。切脈觀色。得其虧損之所在。及其虧損之由來。然後處方用藥。庶可以免其弊。而收十全之效。此最宜注意之點也。

(三)購藥問題

大凡補益之品。以銷路之暢。價格較常藥爲貴。一料膏滋藥。最低限度。須七八元。高者須五六十元。可抵貧賤人家一年之粮。富者際此。原不以爲奇。中產之家。將覺爲難。中產以下者。更無論矣。今有一法。於經濟上可以減輕不少。其法卽聯合數人。向藥行批發藥料。並不見劣。而價値方面。較諸購自藥店。可以減低大半。購藥時最重要者。卽爲選擇。此非一言所能盡。讀者可參閱幸福書局所代售之僞藥條辨。卽可明白。

(四)煎藥時之注意

普通病家。對於藥之先入後入者。每多不加注意。如羚羊犀角石决明代赭石等。須先煎。因其性不易煎出。故必較他藥須多煎。如薄荷蔻仁之類。須後入。因其味易出。多煎則失其味。故必待他藥煎就時入之。一滾卽可傾藥。其餘如貴重藥之須另煎沖服。亦有絕大關係。煎膏滋藥。此等手續。亦不可廢。然煎膏滋藥者。多委託藥肆夥友。先入後入。彼輩甚爲明晰。原不成爲問題。余之所謂注意之點。不在此而在彼也。吾人以貴重藥品付託藥肆夥友。代爲煎膏。似覺不甚放心。此輩不失小節者固屬不少。而貪利圖倖者。所在皆是。設彼以假代眞。或以次貨代之。及煎成膏。各藥混合。誰得而知之。又誰得而辨之。此種膏滋藥。試思更有補益之效乎。故於煎藥時。非破半日之工。從事監製不可。如有相識之夥友委託代製。或不致有以僞亂眞之弊。服膏滋藥者。其注意之。

膏方之一例

（尤學周）

證狀

頭暈。腰痠。健忘。遺精。陽痿。四肢無力。作事易倦。肌肉瘦削。稍帶咳嗽。脉弦細。

按語

精氣神爲人身三寶。而精尤爲生生之源。非特關係於個人之康健。且影響於生殖問題。青年發育之初。缺乏性知識。爲惡環境所誘。往往發生惡習。造成遺精陽痿之症。蓋精液之主要功用。雖在生殖一端。而兼能使神經興奮。精神健旺。若斲傷過甚。勢必造成神經衰弱之現象。於是頭暈健忘等相繼作矣。精爲血液所化。精虧則血亦虧。不能灌溉百骸。營養失宜。於是腰痠肌瘦四肢無力等現象發生矣。腎水虧耗。不能涵養肺金。咳嗽時作。法當補腎生水爲主。參人安神甯金之品。

生熟地各三兩　龜版膠三兩　炙潞黨三兩　金狗脊三兩
淮山藥三兩　菟絲子三兩　川杜仲三兩　五味子六錢
川斷肉三兩　炙百部一兩五錢　補骨脂一兩五錢　炙紫苑一兩
肉蓯蓉三兩　硃茯神三兩　酸棗仁三兩

膏方之又一例

（朱振聲）

痰紅遺泄之膏方

張左　向有脘痛。經治雖止。根株未除。痰紅屢發。且有遺泄。舌質紅。苔根膩。脉象弦數。水虧不能涵木。木火易於升騰。擾犯陽絡。則血上溢。腎虛封藏失司。精關不固。君相火動。必搖其精。當宜益腎養肺。而固精關。佐以健脾和胃。以脾胃能生化精微。灌溉于五臟。洒陳于六腑者也。

吉林參一兩　（另煎汁收膏）　抱茯神三兩　厚杜仲三兩

懷牛膝二兩　米炒西洋參一兩五錢　（另煎汁收膏）　淮山藥三兩

川斷肉三兩　甜光杏三兩　大生熟地三兩　（砂仁末四錢同拌）

米炒於朮一兩五錢　血燕根三兩　茜草根一兩五錢　明天冬二兩

清炙草五錢　製首烏三兩　生苡仁四兩　肥玉竹三兩

潼夕利三兩　剪芡實三兩　冬瓜子四兩　枸杞子三兩

熟女貞二兩　金櫻子三兩　海蛤壳四兩　白歸身一兩五錢

大白芍一兩五錢　陳廣皮一兩　珍珠母四兩　仙半夏一兩五錢

陳木瓜一兩五錢　川象貝一兩五錢　白蓮鬚一兩五錢　鮮枇杷叶四十張

藕　節三十枚　紅棗四兩

右藥加陳阿膠三兩　龜板膠三兩　白冰糖半斤烊化收膏

五淋白濁

（仁 愛）

口勞淋

原因　此症由於本能衰弱元氣不足。膀胱不能輸送水道故也。凡宗氣虛者。一遇勞事。氣即下陷。下陷則氣墜於下而不能排洩水濕。苟一遇勞事。溺竅即因此而復爲之淤塞不通。故爲勞淋也。

證狀　遇勞則發。不勞則不發。勞之微者。其淋亦微。勞之甚者。其淋亦甚。

治法　勞有數種。大別曰思慮勞。曰多事行動勞。曰房室勞。三者之分。當分別治之如後。

（一）思慮勞者。當蠲棄思慮。酌用歸脾丸。臨臥服三錢。（歸脾丸。藥肆有零買。）此丸耑治思慮過度。勞傷心脾。怔忡健忘。驚悸盜汗。發熱體倦。食少不眠等證。

（二）多事勞者。當調節勞倦。酌用補中益氣丸。空心服三錢（補中益氣丸。藥肆有零買。）此丸耑治清陽不升。心煩不安。四肢倦怠。動則氣喘。便秘腹膨等證。

（三）房室勞者。此證最爲可危。當力戒色慾。或可有效。酌用六味地黃丸。以補腎添精。解虛熱。每晨空心淡鹽湯調送三錢。（六味地黃丸。藥肆中有買）此丸專治腎虛不足。發熱作渴。小便淋閉。氣壅痰嗽。頭目暈眩。眼花耳鳴。咽燥舌痛。齒牙不固。腰腿委軟。盜汗便血。足跟熱痛等證。

□石淋

（仁　愛）

原因　小溲之成分。含蓄鹵質甚富。故其味略帶鹹澀。小溲貯於膀胱。宣化得宜。則其質純潔。絕無雜質混淆。反之。苟其人素體陰陽兩虛。命火大衰。虛火甚熾。則命火無以宣化小溲之鹵質。而虛火反煎熬炙爍不已。於是鹵質凝結不化。如鹽如沙。溺時與小溲同出。甚則凝結堅硬。如砂如石。惟此證非陰陽大虛而曾患生殖器病者不易得此。故五淋證中當以石淋爲最少。然一經患此。頗難立時治愈。恆非經三十餘日之調治不可。是以宜於石淋初起小溲中含有砂粒時。卽行醫治。庶幾稍免痛苦。且易於治療焉。

證狀　本證患者。都爲素體陰陽兩虧。而且虛火甚熾者。又多患其他生殖病者。或久有『遺精』『勞淋』之患。初起口渴引飲。胸悶神疲。或頭暈力乏。小溲中有細沙。混淆不清。沙色灰濁。亦有透明如鹽結晶者。溺時同出。初無阻梗。蓋其砂粒細小。尚不致淤塞溺管。故初起時患者每不自覺。固不若其他淋症。初起卽有小便淋瀝溺管刺痛之苦。是以易於令人忽視。進致病勢日漸增加。於不自覺矣。既而砂粒漸大。阻梗溺管。漸覺小便不利。溺管淤塞。運氣下逼。而小便始通。久則溺管梗痛。刺疼徹於心肺。加之生殖器之神經密布敏捷逾恆。故其痛時更不可耐。必砂石溺出而後稱快。不則小溲阻塞。滿貯膀胱。勢不得通。尤膨脹不可略忍。脹痛交併。哭笑俱非。幾有令人與自絕之念。

治法　初起如覺小便混濁。溺時有砂。卽宜常服六一散。此散係滑石六錢。甘草一錢所合。各藥肆均有出售。服時用布袋貯藥。滾水泡湯代茶。常飲。尤宜一面就醫。培其命門之火。瀉其陰虛之火。庶幾絕其致病之源。石淋無憂矣。苟其證已成。宜二神散煎湯。服三五劑。（二神散爲海金沙五錢。滑石四錢。木通一錢車前子包三錢。）又有魚石散一方。用黃魚頭中小骨雪白如齒者十枚。火煅為末。滑石五錢。以木通一錢煎湯調服。砂出盡乃愈。此二方均極有效。惟尤宜隨症用藥。培其命門之火。瀉其陰虛之火。始為治本之策也。

□我之治淋濁經驗

（潘蘭坪）

淋有五淋之分。濁有精濁便濁之別。總屬腎病。腎有二竅。一出溺。一出精。淋出溺竅。而屬肝膽。濁出精竅。而屬心腎。不得混治。

治淋症方（可統治五淋。宜辨症加引）

赤茯苓四錢。當歸梢一錢。山梔仁一錢。川萆薢四錢。甘草梢一錢。石菖蒲三分。石淋下如沙石。用銀硝。硃砂。滑石等分研勻。朴硝一味宜隔紙炒。炒至紙變黃色為度。每服三錢。（或加髮灰石首魚頭內石灰）即將此湯送下。甚則日服二三次。（另用海金沙木通煎湯送）膏淋下如膏脂。加烏藥。益智仁。（沖鹽些少）氣淋氣滯不通。臍下悶痛。加荊芥。製香附。麥芽。勞淋從勞力而得。加人參。黃耆。白朮。少佐升

麻柴胡（歸改用全歸）（草改用炙草）血淋瘀血停蓄莖中作痛加牛膝鬱金桃仁或冲韭白汁小杯同服

附案二（石淋）

黃閣鄉張某年七十餘患石淋小便點滴而出痛甚少腹脹氣微喘能食醫用清利法無效求余治左尺弦大直上左關余用大補陰丸合滋腎丸治龜版一兩地黃五錢知母黃柏各三錢肉桂六分張畏桂性熱減其半服後小便稍通腹脹略減而痛不除再求治余謂必須佐桂六分乃效信服之小便大利出石數粒如橘核大遂愈明經鄉周詔石叔令昆年將三十石淋阻塞溺竅點滴不通以至腹脹如鼓痛楚不堪臥床不起危急之際延余治脈呆鈍不甚應指（氣不升降轉旋失職故也）余用京柿炭一個（連霜蒂煆）硃砂三錢（二味方得自楊溶馬虞階孝廉）謂凡小便不通皆合用粥米送下（余用血淋屢效今又倣之以治石淋）芒硝三錢同研末用杜牛膝五錢（時藥店無以鮮上牛膝一兩代）懷牛膝川滑石黃柏桃仁韭白各三錢甘草梢石菖蒲各七分煎湯送下服後出石一條長約一寸大如粗箸

小便遂頻出牀地俱濕腹脹頓消而愈。

治濁症方

建蓮米四錢（連心）麥冬一錢（連心。）石菖蒲五分（鹽水炒。）雲茯苓三錢。益智八分。遠志肉八分。（青黛拌水煮乾）川萆薢三錢。烏藥八分。甘草梢八分。（鹽水炒）

濕盛加蒼朮。白朮。去麥冬。遠志。蓮米。便濁加猪苓。澤瀉。或海金沙。滑石。亦去麥冬。遠志。蓮米。精濁加兎絲子。桑螵蛸。生龍骨。或關沙苑。山藥。五味。（去草梢萆薢烏藥。益智。）赤濁加生地。當歸。天冬。（去萆薢烏藥。益智。）白濁加人參。黃耆。白朮。或蒼朮。猪苓。（去萆薢。麥冬。烏藥。或再去遠志蓮米。）凡莖中痛。必須加鹽水炒黃柏爲引。

男子濁症

（馬千里）

病名　下部時流穢濁之物。是不潔之病。故名之白濁。色赤者爲赤濁。

原因　內經云。思想無窮。所願不得。意淫於外。入房太甚。宗筋弛縱。發爲筋痿。及爲白淫（白淫。即白濁也。）又一云。脾遺熱於腎。則赤白從溲而下。蓋濁之發生。由於相火太甚。房事過度。以致精竅不固。或瘀精內阻。溼熱下注。蘊釀日久。變而爲濁。濁病成矣。其受染傳而得者。乃淫毒襲於精道也。

象症　男子竅端。時流穢物。如瘡之膿。如眼之眵。淋瀝不斷。其色有赤有白。不與溲溺相混。惟莖中熱痒難忍。有時或痛。脈象大而按之無力。或微細。或沉緩而濇者。爲虛。若反平是。脈動而滑數者。爲實也。

變症　濁症初起。誤服止濇之品。以致溼熱毒瘀。無外出之路。凝結於裏。變生橫痃陰疽等症。或竄入絡道。發生骨節之痛諸病。若濁久不愈者。必致精滑不固。腎陰虧耗。變生虛候。如陽事不舉。無以生育。或足膝痿軟。頭眩耳鳴。又如意外之變。即以手染穢濁而拭目。致毒入於內。輕則紅痛。重則成盲。此亦不可不愼。

統計　世人患此病者。十有七八。多得於壯年。其間輕重。須視體質之强弱而別。如相火素旺者。及溼熱素甚者。均易病濁。其接近妓女之流。更所難免。

預防

（一）宜靜心寡慾。少近婦女。

（二）房事有節。不可過度。

（三）如遇遺精洩精時。不可强止。止則敗精內瘀。後患無窮。

（四）不可思慮及操勞。思慮則傷脾。操勞則傷腎。此濁病之所由生。

（五）膏粱肥肉。及一切易生溼熱之物。均宜禁忌。

（六）應用物件。務須清潔。以防傳染。如公共廁所。不可大便。

治療法

此症治法。當分赤白虛實。赤濁乃心肝火旺。宜主重涼血。白濁屬溼熱下注。宜主重清化。初起之濁。先宜清利。後期之濁。宜與補濇。此治濁之大綱也。茲特立方于左。

（一）赤濁初起屬實者。龍胆瀉肝湯主之。方中用龍胆草。生地。黑山梔。黃芩。柴胡。甘草。當歸。車前子。澤瀉等藥。均爲涼血清火化溼之品也。餘如導赤散。豬苓湯。清心蓮子飲。小薊飲子。諸方。皆可擇而治之。

（二）白濁初起屬實者。可服萆薢分清飲。方中用萆薢、烏藥。菖蒲。益智仁。茯苓。甘草等。均爲化溼熱而分清濁之品也。至於加減珍珠粉丸。及治濁固本丸。亦可服也。

（三）濁久不止。精關不固者。宜服大補陰丸。及封髓丹等。以固濇腎精。

月經不調

月經不調症之研究

（邱治中）

女子月經不調。大抵在成年期前。及姙娠時爲多。而在哺乳期內者更多。此乃生理作用耳。關於病理的月經不調。則有局部普通兩種。局部者。如卵巢病。子宮病。及除去生殖器而起的月經不調。皆是。普通者。如發育期內的營養障碍。萎黃病等。而使月經不調。初則尚有規則。纔乃經行不正。終至數年數月經停不行。

身體肥胖。慢性嗎啡中毒。酒精中毒。亦感月經不調。尚有因月經中受驚懼憂愁而起者。精神過勞。亦能使月經停止。

本病的特徵。則爲心悸。神倦。食慾不振。頭痛。腰痠。等是也。

▣血虧與經閉

（朱叔屏）

人之有血。猶機器之有電與汽。機器無電無汽。則不能運動。不能表現其偉大之功能。人而無血。則全體官能將失其作用。一切思想動作。亦無從表現矣。血液充足。則容光煥發。體力健旺。血液虧耗。則肌膚不澤。精神萎靡。不特無健美之徵象。抑且因抵抗力之不足。病魔亦乘機而入。成爲多病之身。其在婦女。往往影響於月經。發生經閉之證。

月經不調之證候。以經閉爲最重要。月經之作用。原爲卵子成熟之表徵。爲成孕嗣育之要素。經閉不行。其生殖器官。顯已受病理之影響。爲卵子發育停止。胎孕無能之表示。調治之法。當先診察其病根所在。蓋經閉之原因不一。而足血液虧耗。亦其一也。

身體健旺。血液充盛之婦女。月經正常。其不足。如溝澮之水。行將就涸。常能外溢耶。因血虧而經閉者。除月經停止之外。兼見頭暈。記憶退減。心悸怔忡。不寐。納減。面色萎黃。肌膚枯悴。精神頽敗。肢體懈怠等種種衰弱現象。蓋血液不足。榮養失宜。各器官之機能減退。以致影響於體力。同時卵子亦不能發育。月經因之不來。血虧經閉。內經謂得之年少時有所大脫血。及醉後入房。以致氣竭傷肝。月事衰少不來。夫女子以肝爲先天。肝爲藏血之臟。年少時有所大脫血。胎產崩淋。以及吐衂。失血過多。肝臟空虛。化生不及。來源虧竭。於是月經不行。而醉後入房。血熱盛炙酒性慓悍。動陽爍陰。因而縱肆。則陰精竭。血爲精氣之所化。精虧則血亦虧矣。治法以培補爲最要。四物湯八珍湯等。宜大量用之。譬諸燈暗。不資以膏油。不能大放光明也。

□經當行不行（越銘）

（略論）女子二七而天癸當通。卽發育較遲。至十五六歲。亦當自至。若至十七歲而不至。此必先天稟薄。非但難於生育。恐其人亦不能永年。若見吐衂等症。從倒經治。

（方劑）降香末。鬱金。鈎籐。丹皮。蘇子。炒山查。黑山梔。澤蘭。

□經當止不止

（越銘）

（略論）婦人四十九。歲天癸當斷。其逾期不斷者。此必稟質獨厚。故年雖老而不衰。然亦有因思慮勞役。鬱火停留子宮而致然者。宜清之

（方劑）條芩。　米醋浸七日。炙乾。再浸再炙。七次爲末。酒糊丸。空腹酒下七十丸。

□月經落後

（郭柏良）

婦女之患月經不調者。以余經驗之所得。最多者爲後期而至。普通之人。以落後爲虛弱現象。譬諸賽跑。體力充實者。皆捷足爭先。不甘落後。惟虛弱之人。無力爭先。往往落於人後。此種見解。不可謂全無理由。若以月經落後。皆由虛弱所致。則未免混糊。

月經落後。以經色而言。有鮮紅者。有紫暗者。有黃淡如水者。以質量而言。有漸後漸

少者。有忽多忽少者。有多而成小塊者。以感覺而言。有但覺脹滿者。有按之作痛而有塊壘者。有痛而喜按者。且名謂落後。有漸漸落後者。有忽然落後者。落後之時日。有多有少。差一二日爲落後。差一二十日亦爲落後。安可一概而論。

月經來潮。率以爲每月一至。實際上每次相差之時期。爲二十八日有餘。通常計算。皆以廢歷一月爲準。則月既有大小。每次又不足一月而至。如落後一二日。原非病象。惟落後之日期過多。則當加以注意。服藥調理。

月經漸次落後。以至涓滴漸無。同時兼見潮熱盜汗等象。身體日漸消瘦。而面色則又鮮艷紅潤。如泛桃花。卽癆瘵之的確。俗名乾血癆是也。此證初起。亦月經落後。或減少。證情尚未波及全身。無顯著之癆瘵徵象。誤認爲普通之月經落後。投以培補氣血。或溫經通絡。難於收效。

婦女隱病

□下部不潔之害

(劉仁達)

女陰之分泌腺較男子爲多。故恆潤濕不燥。又且形體顯露。少所障蔽。不潔之物每易侵入。而交合經水二端。又復接續不斷。若論清潔一節。殆難言之。世俗女子恆以陰部爲猥鄙不堪之物。悉多任意不重。每以惹起陰門癢。陰道炎。毛虱惡臭等患。不知造物所以賦與女子以生殖之本意。無非欲使之有負生育兒女之要職耳。安可漫不經意。而荒穢置之耶。西婦莫不有洗滌之器。以備洗滌之用。購之市肆。安之閨房。固不知有羞恥也。即彼日婦亦恆有微溫水滌陰之全部及陰阜會陰肛門之處。於陰唇之皺襞處尤慎重小心。不肯粗忽。此可知衛生之事。不以風俗區域而有差別。吾中國婦人獨鄙之忽之者何也。

陰戶生蝨之自療

（宋愛人）

原因　此證完全係於不潔而來。如月事後不加洗滌。至瘀血惡物。膠粘於陰唇夾縫中。日積久之。腐穢生蝨。又有慾後不洗。又有帶濁不淨。然總不越於不潔中來也。

證狀　陰阜叢毛之間。發現含有生活狀態之寄生小蝨。形如花蜘蛛而極小。叮啄於陰毛之上。蝨起疙瘩。或紅或白。搔癢難堪。抓破色紅中含黑點。

治法　先宜從事清潔。時時勤洗。再以各種驗方治之。

（一）百部。浸入燒酒內。頻頻擦拭。卽瘉。或以生白果。搗爛。塗敷。亦有特效。或取古代銅鏡。水摩取汁。塗拭患處。更有效也。

（二）又有薰取陰蝨一法。頗佳。法取銀硃紙。燒烟薰之。日三四次。可瘉。製銀硃紙法。銀砂一錢。火紙捲作七條。燒烟薰之。燻法。燃着紙條。不使起燄。微將烟頭吹向陰戶。蝨受薰。可以盡死。若毛際肉內。如豆如餅而發奇痒。結痂如臘皮者。此爲陽梅毒治法另詳。

■女子之遺精

（商　智）

遺精一症。自古以來。多以爲男子之專病。而予以多年之研究。覺女子亦有患遺精者。或曰女子之白帶粘膩腥臭。卽女子之遺精。夫帶下綿綿。以形色推之。似與男子遺精。無甚區別。然而帶之與精。所出之路不同。所見之色各異。以帶由腎中排洩精由子宮滲出。帶則含有濁質。精則純粹清液故也。第女子帶病。十患八九。人易知之。而遺精之事。素所罕聞。且隱情曲意。婦女含羞。多不肯言。人多忽略而不講耳。殊不思男子之精。出於睪丸。女子之精。貯於子宮。子宮之精。構造人體之基礎也。但正而用之。則爲胎。泛而用之。則爲樂。濫而用之。則爲病。其與男子交合而成胎者。正而用之者也。愛情達於沸點。取快於一時者。泛而用之者也。若夫陌頭楊柳。觸景生情。山斷望夫。孤衾不暖。相思成勞。夢魂來擾。則濫而用之者也。而娼妓之輩。好淫之婦。性情浪漫。盡人而夫。則濫中之濫。更不必論。及其成病。不過輕重之間耳。女子無知。往往以爲帶下竆年累月。滑洩不已。馴至夜熱盜汗。面泛桃紅。死期將至而猶斷斷然語於人曰。我帶下也。帶下也。豈不寃哉。

□女陰寬大治法

（得心）

女陰寬大。雖無關於康健。然夫婦之間。往往因此而失牀第之歡。今有驗方。用肥皂子。浸去黑皮。用其白肉。加白芨。五倍子。蛇床子。石榴皮。甘松。山奈。龍骨。煎成濃湯。日日薰洗。寬而冷者。再加矮硫黃同煎。方出王孟英潛齋叢書中。殊有奇驗。

小兒疾病

小兒慢驚

（尤學周）

俗之所謂『驚』乃『痙』字之轉音。『說文云。痙强急也。顏注。體强急難用屈伸也。頭項强直。其證最顯然。今之所謂驚者。不特有『痙』之現象。且有『攣』之現象。攣者。狀手足之抽搐也。故痙攣二字相連用。以此症既痙且攣也。驚有急慢之別。急驚狂風暴雨。飆然速舉。慢驚之來甚緩。大多由其他疾病轉變而成。

小兒慢驚。以吐瀉得之爲最多。或久痢或瀉後。或痧後失於調理。或風寒飲食積滯。過用尅伐戕脾。或賦稟本虛。或誤服寒凉之藥。以致吐瀉無度。肢冷抽搐。角弓反張。昏口瘻白。面黃或青。目光昏暗。啼聲如鴉。前人多以爲虛寒危症。其識見之勝人一籌者。知此症之運化失常。心臟衰弱。用理中湯。四逆湯等。以恢復其機能。粗工於此。不辯久暫。不問急慢。不明原委。概以回春丹。清心丸。抱龍丸等套藥投之。往往誤事。余於慢驚。有治愈。亦有不能治愈者。進而研究其理。如慢驚之原委。其端不一。如得之於吐瀉者。因血中水分傾瀉過多。血液枯燥。筋肉失其榮養。則現抽搐之象。與霍亂之吊筋。同一理由。其賦稟本虛。或攻伐太過。或痘後痧後痢後得之者。因體內抵抗力薄弱。癆菌乘之。侵入腦部。即所謂結核性腦膜炎也。或爲一種病毒。刺激腦部所致。病之侵入腦部者。證重而不易療治。結核性腦膜炎大多不治。惟得之於一吐瀉。或病後因榮養失常而致者。投溫補之品。以振起其循環與運化之功能。往往得效。

治慢驚最流行之方。一爲逐寒蕩驚湯。伏龍肝三兩。（研）丁香十粒。（研）炮姜一錢。胡椒一錢。（研）肉桂一錢。（研）先將伏龍肝煎水澄淸。即用此水煎藥。一爲加味理中地黃湯。熟地五錢。萸肉錢半。枸杞三錢。炮姜錢半。黨參二錢。肉桂一錢。補骨脂二錢。胡桃肉二個。棗仁三錢。白朮四錢。炙芪三錢。炙草一錢。生姜三片。仍用伏龍肝煎湯代水。然此二方。偏於溫補。祇可暫時用之。如藥力得效。神情大轉。即當從病原上着想。以去其根源。病可漸退。若一味溫補。雖見效於一時。必有反復之虞。

□小兒水痘與天花

（丁仲英）

天痘俗稱天花。乃最猛烈之傳染病。水痘雖亦爲傳染病之一。較爲輕淺。非若天痘之危險百出也。水痘多發生於十歲以下之小兒。天痘則不論嬰孩成人。凡未佈種牛痘者。或僅種一二次者。皆有發生之可能。

天痘成爲顆粒。其形如豆。故名曰痘。水痘亦成顆粒而如豆。故亦以痘名之。二痘雖各有別。然平常之人。無醫學常識者。又烏乎知之。若以水痘而誤認天痘。則小題大做。不特庸人自擾。或將弄假成眞。引起他變。若以天痘而誤認水痘。則粗魯僨事。其害尤不堪設想。

天痘初起。惡寒發熱。腰背痠疼。頭痛嘔吐。甚則發生痙厥。無論何種病症。其初起未有如是之劇烈者。熱度驟升。二三日後。熱度降低。額部腕前發現紅疹。面部胸腹及四肢。亦漸次有紅斑發現。經二三日成爲小膿泡。身熱復起。膿泡漸大如豆。其後熱度漸降。痘疹則顆顆結痂。水痘初起。亦發熱惡寒。然熱度不若天痘之高。翌日身發紅疹。不久變爲水泡如豌豆大。二三日後卽解熱。以上爲二症經過情形不同之點。而其顆粒狀之痘疹。亦各不同天痘根脚紅潤不散。顆粒雖光亮。而內液渾厚。微泛黃色。水痘如小珠之狀。根盤紅而散。詳爲審視。卽可辨別。天痘變化甚多。其治當隨機應變。水痘旣順且穩。苟不夾雜他症。亦不必服藥。卽服藥不可表散。宜用清涼解肌法。生地赤芍黃芩連翹丹皮知母銀花花粉元參竹葉貝母等。出入用之。魚腥麵食及鹹物。並宜禁食。防其發生變化也。同居小孩。宜與病者隔離。以免傳染之虞。

▣痧子　（佚名）

病源　外感風熱而化。

狀態　紅如猩紅點粒。

病狀　發熱。咳嗽。噴嚏。目赤含有淚珠。四肢發冷。腹中時痛。神煩不安。大便溏黃。

（一）初出之時。宜辛涼解肌。用荆芥薄荷牛子。蟬衣。山查。桔梗連翹。杏仁。甘草。乾葛。

燈心等。

（二）痧出爲多。熱亦甚熾。宜清涼解肌。用薄荷。桑葉。銀花。連翹。杏仁。大貝。赤芍。黃芩。蔞仁。山查。竹葉。蘆根等。

（三）痧已齊達。熱勢較和緩。宜清涼解毒爲法。用銀花。連翹。赤芍。甘草。黃芩。大貝。丹皮。蔞仁。細生地。知母。花粉。燈心。竹葉。蘆根等。

注意　如大便結。則大黃亦可增入。大便一行。則熱可漸漸退。凡出痧大便溏黃者爲多。大便溏乃肺熱遺於大腸故也。此亦不妨事。不可當作痧痢治之。尚有爛痧。宜用清涼爲法。兼佐苦降通行爲法。其法另有專書。如陳耕道先生所著疫痧草等是也。

□小兒最普遍之三種病

（秦丙乙）

一曰泄瀉　小兒饑飽不知。父母溺愛不明。小兒之多泄瀉。盡在此二語中。小兒脾胃薄弱。而飲食偏極雜妄。或隔食隔乳。或過飢過飽。或飲乳怒後。或飲乳房後。或多食油膩。或多飲茶水。卒之消化不及。積滯於中。腸胃不能合作。寖成泄瀉之症。初起病輕失治。遷延日久。輕車熟路。重門洞開。關隘不固。甚至粒米不化。清穀下利。則形勢危重。調治爲難。小兒之纏綿於此者。比比然也。要知泄瀉最傷元氣。日久不痊。即爲慢驚之漸。病家聞慢脾驚風。咸知戒懼。而於泄瀉則淡然漠然。眞所謂不知本末者矣。

二曰咳嗽　咳嗽關係於肺。夫人而知之。小兒肺藏嬌嫩。尤甚於常人。一有感冒。咳嗽隨之。如響斯應。其速無比。乍愈乍作。習以爲常。乃欬愈頻則肺愈弱。肺愈弱而欬愈易。醫或失治。即纏綿無愈期矣。於是乎面黃肌瘦焉。聲嗄咽乾焉。爲父母者不問其原委。但見其現象。而曰是童子癆也。親戚友好。更隨聲附和。以盡其敷衍之應酬功夫。而曰是某期肺病也。不幸而遇庸醫。又不屑探微索隱。從而附之曰癆病也。肺病也。川貝母。潤肺膏。不一而足。白松漿。魚肝油。紛至沓來。病者至此。果一一實踐前言。而至不可救藥矣。此非作者言之偏激。讀者試一推想。然耶否耶。

三曰疳積　小兒篤嗜糖食。味甘足以釀濕熱。溼熱蘊久生蟲。侵蝕臟腑。亦有父母溺愛。百依百從。飲食乖度。腸胃受傷。遂致血不華色。肌瘦體瘠。大腹膨脹。或堅或痛。日久則骨蒸發熱。欬嗽盜汗。泄瀉不食。髮豎毛焦。小兒之夭札於此者。何可勝道。有心人輒爲之扼腕不置焉。

以上三項病證。小兒至易感患。大抵小兒死亡。獨多以此。世俗徒患小兒之難養。其實小兒質穉性純。天眞爛熳。初無七情六欲之侵。負撫育之責者。果能於食飲衣著方面加之意焉。則亦庶乎其可也。

朱振聲編

長壽彙選

特價六角　外埠寄費九分

本書由長壽報彙選而成。內容所載。篇篇切合實用。撰述者皆全國有名醫家。全書共分內科醫藥常識。婦科醫藥常識。兒科醫藥常識。時症醫藥常識。性病醫藥常識。痛症醫藥常識。普通醫藥常識。藥物研究。診餘隨筆。實用驗方。醫藥顧問等十一欄。茲將性病醫藥常識之目錄。披露如下。其他目錄。限於篇幅。不克備載。

▲性病醫藥常識▼

▲祕尿器病簡治法
（一）小使不通之治法
（二）尿急之治法
（三）小便過多之治法
（四）溺白之治法
（五）糖尿病之治法
（六）尿血之治法
（七）遺尿之治法
（八）血淋之治法
（九）熱淋之治法
（十）砂淋之治法

▲生殖器病簡治法
（一）陽物易舉之治法
（二）陽痿之治法
（三）陽物短小之治法
（四）陰挺之治法
（五）陰瘡之治法

▲陽痿自療法
（一）先天不足而痿之治法
（二）淫慾過甚而痿之治法
（三）飲食失調而痿之治法
（四）飲酒過度而痿之治法
（五）痰濕下注而痿之治法
（六）寒氣內襲而痿之治法
（七）肥人陽痿之治法
（八）瘦人陽痿之治法
（九）老人陽痿之治法
（十）驚恐而痿之治法
（十一）悲哀而痿之治法
（十二）憤怒而痿之治法
（十三）陽物下垂而痿治法
（十四）陽物雖舉如痿治法
（十五）陽痿而短小之治法
（十六）陽痿囊大之治法
（十七）陽痿遺精之治法
（十八）陽痿不育之治法
（十九）精脫陽痿之治法
（二十）夾陰陽痿之治法

▲陽痿病治療筆記
（一）手淫過度之陽痿
（二）陽虛中冷之陽痿

▲陽痿醫案選粹
（一）體肥腿酸背痛陽痿
（二）濕痰鬱遏陽道痿頓
（三）焦思憂慮精滑陽痿
（四）先天稟弱陽事不舉
（五）陽痿頭眩胸背隱痛

▲陽痿單方廿三則
▲答八徵求遺精與陽痿治法
▲陽痿與早洩
▲治老白濁最有效力
▲橫痃効方
▲夾陰傷寒方

針灸入門

□鍼科之神妙

（劉富槐）

古聖之生理解剖學。豈但如今之西醫。僅識其骨骼藏府而已。於經脈氣化之徵驗。其出入之途。則別之曰井滎俞原經合。審其通泄之機。則分之爲六百四十九穴。而十二經。分別部居。各有界限。以分轄各穴。穴有定名。因名而識。其用若千金翼。更有刺百邪所病十三穴。治專而效神。蓋出於六百四十九穴之外者。不知當時何以能體驗及此。意者由數千年之經驗。洞徵極玄而入於不可知之域歟。若僅剖解死尸。則何由識氣液之流注。與病邪之所結哉。此種發明。全在用鍼時代。至湯液大行時。則分別十二經部位已足。而穴道非所問矣。夫經氣流行。其間有空隙處。名之曰兪。即穴道也。經氣內通於藏氣。邪有所結。迎而速之。可以應手愈。試徵諸書。周草窗齊東野語。引脞說。李行簡外甥女適葛氏而寡。次嫁朱訓。忽得疾如中風狀。山人曹居白視之。曰此邪疾也。乃出鍼刺其足上踝二寸許。至一茶久。婦人醒。曰疾平矣。始言每疾作時。夢其故夫引行山林中。今早夢如前。而故夫爲荆刺刺足脛間不可脫。惶懼宛轉。乘間乃得歸。曹笑曰。適所刺者。入邪穴也。（入邪穴者。謂鬼邪所入之穴也。千金翼引扁鵲治邪鬼十三穴。有鬼市。鬼路。鬼信等諸名目）鍼能治邪病而制鬼神。奇矣。又趙信公在維揚制閫日。有張老總管者。北人也。精於用鍼。其徒某。得其粗焉。一日。信公侍姬苦脾血疾。垂殆時。張老留旁郡。亟呼其徒治之。某曰。此疾已殆。僅有一穴。或可療。於是刺足外踝二寸餘。而針爲血氣所留。竟不可出。於是急召其師至。笑曰。穴良是。但未得吾出鍼法耳。遂別於手腕之交鍼之。鍼甫入而外踝之鍼躍而出焉。卽日疾愈。唐狄梁公未達時。洛陽有一富人。鼻端生一疣。重數斤。痛楚難忍。榜金求醫。狄公爲之腦後下鍼。而疣應手落。蓋經脈流通。本末相貫。此動則彼應。如常山之蛇。擊首則尾應。擊尾則首應。理本非奇。蓋難得其人。心靈而手敏耳。今人學尙懷疑。而又昧於氣血經脈之機。觀於古人用鍼之奇。或反謂欺人之談。抑何所見之不廣也。

□針灸須通內外功

（陳益生）

針灸學。最上乘爲內功守子。明白眞正氣穴。不但利民。並可成道。守子云者。子卽胚胎精虫。守乃內觀循游。針經尻神人禁忌卽此。經云兩精相搏謂神。曰神曰子。名別原同。第人體强弱不同。不能執一。故欲施計。必竭力循按穴上。推開其子。以非返觀家。難以意知。人後世沿習。僅知循推血氣。不明避子玄理也。針灸治症。每非恆見。比類奇恆。須諳人脈。脈經所載。與內觀異。如沖脈在風府穴下。督脈臍後。任脈臍前。陰蹻尖尾閭前。陰囊下。陽蹻尾閭後二節。陰維頂前一寸三分。陽維頂後一寸三分。欲明此理。非內觀不爲功。次爲外功拳術。專講六輪貫通。不論五藏生尅。預先揑閉神經。使受針不感痛苦。不習拳術。卽悟其理。仍苦肘腕力弱。難顯功效。再次則爲闡發經義。醫藉代有其人。故除內外功之最捷徑。莫如熟諳相神相藏。及相三十三種人法。以知先天精神厚薄。五藏小大高下堅脆。權衡可刺與否。近世不習內外功。不究經旨。但憑口受。往往僨事。例如痛風一症。針有宜不宜。經謂八風中人。徽故莫知情莫見其形。蓋微風本不病人。身虛不敵則謂之邪。積久始發。如豆腐鋪澆百頁。層疊交搏。肌腠絡脈間。風寒濕暑燥火。皆有行針溫涼層次深淺難悉。合拍即配方劑溫清燥潤。尚有氣味厚薄輕重。走肌絡先後淺深難。當嘗見動輒施針。輕者轉重。重者轉劇。而致執持不愈。又如霍亂不治症。尚為行針。氣血離散。針孔不合。注射鹽水從孔流出。委為針壞。演出示禁江湖針灸笑話。失社會信仰。甚矣針術失傳。徐靈胎曾詳論之。降及近世。更不如前。為民疾苦計。為保國粹計。應急謀改進。改進之道。針灸家必明製方方脈。家必知針理。庶免治法分道揚鑣。貽人口實。

用針治病之十種手法

（高一志）

針術者。乃用金屬製為細針。以刺入身體組織中。刺戟各部神經系統。以治療疾病是也。上古之時。僅以石或竹製成。迨後智識日啓。乃以鐵製。較之石竹進步已多。但尚有因酸化而生鏽。刺入身體易於曲折。故又改以金銀質製者為多。而考其式樣。古者有九種之列。一曰鑱針。二曰圓針。三曰提針。四曰鋒針。五曰錍針。六曰毫針。七曰長針。八曰員利針。九曰大針。以上九針。乃不用於內科之病。專用於攻破腫瘍外科的手術。然今外科學術已進步。刀針之用各有變化。世之所稱針科。皆以針術治於內科之適應症。然就針而言。其方式目今計有三種。曰撚針。曰管針。曰打針。撚針者。係以大指食指中指互相搓撚而刺入應針之孔穴。發揮刺戟之作用。但針治須以適應之疾病。方可定適用之刺戟。此乃治療經過上最佔重大之關鍵。其刺戟法甚夥。茲捨古定者外。亦有十種手術。(1)單刺法。以針尖之達於目的部位時。即行出針。此法主於輕微的刺戟時用之。(2)旋撚法。乃針之刺入中。或針達目的部位時或出針之際。行左右旋撚之手技。此法在單撚法欲稍强的刺戟時用之。(3)雀啄法。在此法恰如雀之啄餌。先入針目的部時。於組織中將針上下動搖。加以强的刺戟。此法於强弱之制止。或欲達興奮時用之。(4)皮針法。係在皮膚淺處行刺戟手術。此專用於小兒身體。(5)置針法。乃於應針部位。行一針或數針刺入目的組織中。停留該針二分或數分鐘之長時間放置。而後出針。此專應用於制止興奮神經。或達鎮靜之目的也。(6)亂刺法。將針刺入應針孔穴而即拔針。再就原處覆刺。

如此頻頻反覆刺。（7）間歇法。乃針刺入後。或在中途卽行拔出（古法所謂地部）逾相當時間。從復刺入。此法欲血管擴漲。筋肉弛緩時應用之。（8）迴旋法。針刺入時。向左右迴旋。刺進出針時。向反對面迴旋拔出。此法在稍稍與以緩刺戟時應用之。（9）細振法。針刺入時。將針行極微振動。此法在收縮血管筋肉時用之。（10）歇啄法。乃針體刺入達三分之一時。行雀啄法。更刺入三分之二時。行第二次雀啄法。更於刺入全部針體時。行第三次雀啄法。（古所謂天地人三部）而後出針。此法指身體深部疾患。須强刺戟時應用之。以上十種法術。須視患者之年齡體質。如何病症而適宜定之。猶內科擬方決定藥物之量。不可稍有疏忽也。又針之對於生理作用。以及針治之適應症。消毒法等。皆關重要。容後述之。

長篇新著

血症概論（二）

（朱振聲）

如何發生吐血

前人論吐血之證。皆責諸血之妄行。以爲血之循行週身。有一定之速律。若失其常律。妄動妄行。必致溢出於外。發生吐血。妄動妄行。多由於火。如因七情而動。火因勞倦色慾而動。火因外邪不解。鬱熱生火。因縱飲不節。火動於胃等是。此種見解。偶聞之。似覺甚是。然再一思之。卽知其誤矣。

試以江河爲喩。江河之水。滚滚流行。晝夜不息。可以通利舟楫。可以灌溉田畝。實大有惠於民生。如洪水渾流。波濤洶涌。沛然莫之能禦。於是决堤四潰。泛濫成災。然其决口之處。堤必不固。茍能於事前堅築堤岸。修葺其缺陷。增厚其單薄之處。其勢雖汹。亦無隙可乘。安能向外四潰耶。吐血之發生。亦猶是耳。

血管猶堤岸也。血液猶江河之水。江河水盛。尙能從堤上溢出。而血管則圍以圓壁。

苟非有破損之處。決無外出之理。故吐血之發生。皆因血管破裂之故。如因震動而受損。或熱壅潰腐。皆足以致出血。食管氣管。肺胃等處之血管有損。卽成出血之症。

痰中帶血之研究

痰中帶血。其血多出於呼吸器官。蓋痰出於喉頭。氣管。肺部等處。則其中所夾雜之血。同出一源。無容疑異矣。大凡呼吸氣管之出血。多由潰腐後破損其微血管所致。或因多咳之故。損其微血管。故出血之量不多。僅點滴而已。咯痰時乃隨痰而出。與痰混合者則成血絲。不與痰混合者。則爲血滴。

痰中帶血。常人以爲肺癆之現象。故當咳痰之時。帶有血點或血絲在內。必惶惶然驚恐不已。以爲發生癆證無疑。虛癆之症。在某一時期。往往痰中帶血。甚至有咯血現象。血液隨口而出者。然不能一見痰血。遂疑爲傳染癆症也。

痰中帶血。其血有從牙間出者。有從鼻中混入者。故一見此象。當辨其有無牙宣。有無鼻衄。所咯之痰。是否從肺中咯出。抑由鼻中哼出。其確由肺部而來者。又當問明初發抑續發。身體之强弱如何。有無其他虛弱現象。若不加審愼。率爾認爲虛癆。則患者必心餒氣怯。證情因之加增。

如其人素患乾咳。或咳久不愈。身體日漸消瘦。忽然痰中帶血。則當加以注意。又有痰中帶血。而兼見發生潮熱。手足心發熱。或夜臥盜汗者。皆爲癆證無疑。不可忽視。

吐血之診斷法

同一吐血。有種種不同之徵象。以色澤而言。有鮮紅紫暗之別。以分量而言。有多有少。少者一滴一點。多者盈碗盈盆。以其吐時之狀而言。有吐。嘔。咯。咳。唾等之不同。治法各異。苟不詳爲診察。率爾下藥。以普通止血法治之。必致貽誤生變。

吐出之血顏色鮮紅者。大多屬熱。血管破裂後。血卽溢出。上逆而吐。與溢出之時間。相去頃刻。故其色尚未變化。如色紫暗而成塊者。血瘀於內。受生理之自然作用。排出體外。鮮紅者恐其多出。宜早止之。瘀血惟恐其不外出。留於體中。反足爲害。

吐血有吐。嘔。咯。咳。唾之不同。血出無聲。謂之吐。從胃而出。血有先有嘔逆聲者。謂之嘔。多紫暗色之瘀血。乃肝經之火。或盛怒不和所致。咯血者。喉中先癢。則所咯皆血。其血或紫或鮮。乃心火太盛。或暑日熱盛所致。咳血者。其證必先病咳。嗽咳之不已。

復有鮮血。卽虛癆之證。唾血者。每有鮮血。必隨唾而出。骨蒸內熱。乾咳肌瘦。較諸咳血。又進一步矣。

痰中帶血。吐膿味腥臭不可聞。胸膈間隱隱作痛者。爲肺癰。血色紫黯。心下痞滿。大便黑。肝脈獨大。尙有瘀血未淨。吐血後氣從下逆上。足冷頭熱者。病在下焦。眞氣不納。血後面色㿠白。額汗涔涔。心悸畏明。脈浮。重按則無者。乃將脫之兆。

幸福雜誌

第四期

價目表

零售	每册實售大洋二角		
時期	册數	連郵費 國內	連郵費 國外
半年	六册	一元	二元
全年	十二册	二元	四元

廣告價目

等第	地位	全面	半面	四分之一
特別位	封面		四十元	
特等	底面之內外 封面之內	四十元		
優等	封面內面之對	三十元	十六元	
普通	正文之前	二十元	十元	五元

彩色另議

中華民國二十三年一月一日出版

編輯者 朱振聲

撰述者 全國醫家

發行者 幸福書局 上海三馬路雲南路轉角

印刷者 洪興印刷所 上海山海關路瑞壽里二二二號 電話三二三三八號

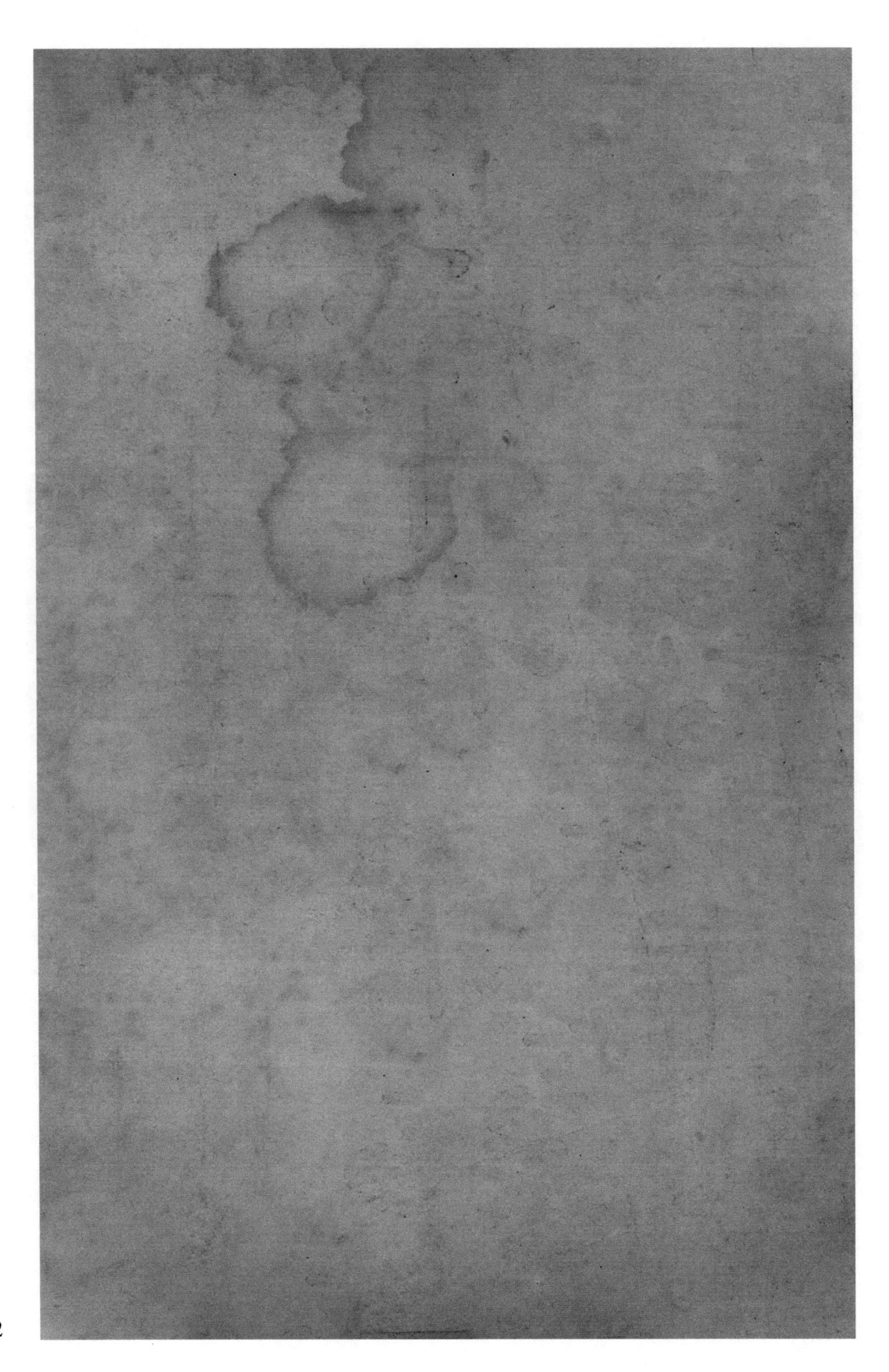

本雜誌已於廿二年十月廿四日呈請內政部登記
國醫朱振聲編
第五期
幸福雜誌
唐紹儀

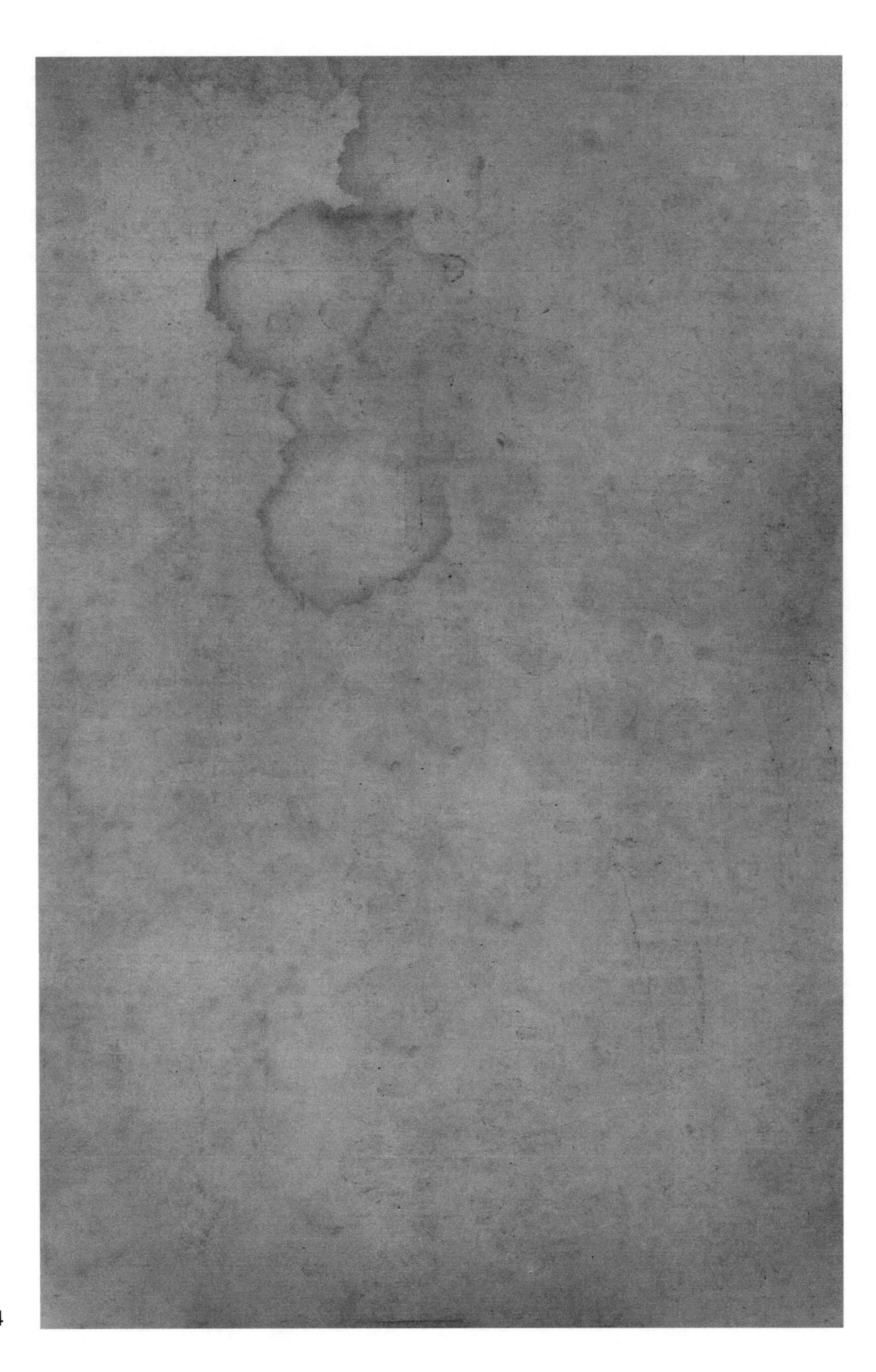

幸福雜誌第五期目錄

冬令補品

冬令進補之意義……丁仲英
資產階級所進之補品……石天趣
幾件大衆化的冬令補品……山　秀
冬令的鄉村補品……偉　中

肺癆之敵

外感咳嗽誤補可致虛癆……嚴蒼山
肺癆與吐血……鄒德民
初中末三期肺癆之療法……陳存仁
肺癆與空氣療法……陳存仁

痰飲氣喘

逢冬必發之哮喘……丁仲英
痰喘與氣促……郭柏良
高年哮喘……養　生
哮喘單方……錢雙呆
哮喘下氣丸……沈亦蘇

胃病研究

飲食與胃病……柏　良

簡便健胃法……劉竹林
胃酸過多與過少……時逸人
胃癌胃癰之鑑别診斷……程家聲
胃癰治法……健

臌腫指南

水腫概論……時逸人
水腫之病理及治療……尤學周
治水腫之良藥……沈仲圭

大便出血

便血之研究……嚴蒼山
便血瑣談……仲英
便血經驗治法……潘蘭坪

痔瘡證治

便祕與痔瘡……丁仲英
痔瘡論治……謝也農
治痔經驗……聶雲台
痔疾外治法……石蘊華

消滅凍瘡

愛美女子與凍瘡……國　肆
凍瘡一夕談……王道濟
凍瘡之預防與治療……尤學周
治凍瘡效方二則……佚名

婦女白帶

帶下概論……朱叔屏
帶下之我見……丁仲英
婦女帶下之病理及療法……葉橘泉

小兒疾病

小兒衛生……鮑東藩
割小兒螳螂子之經驗談……顧惠民
診治小兒病之要訣……何伯賢

跌打損傷

爲少年好鬥者設法……素恬
傷科祕方六則……承淡安
金刃傷療法……亦蘇
接骨法……姚夢石

長篇專著

血症概論(三)……朱振聲
吐血何以不易斷根
治吐血之祕訣
胃出血之治法

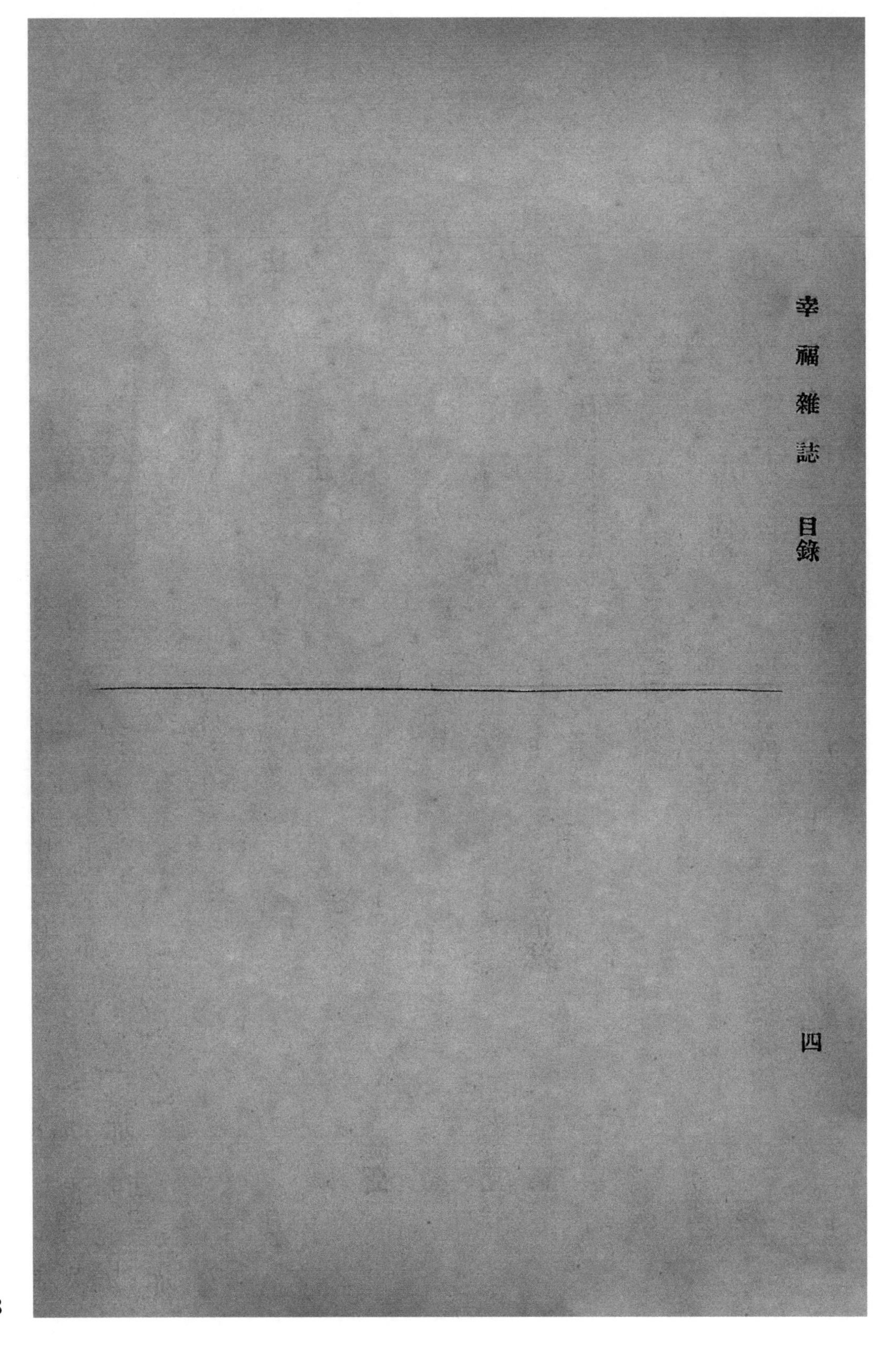

冬令補品

□冬令進補之意義

（丁仲英）

（一）逢冬檢查身體之虧損。吾人處於今日之社會環境中。莫不受經濟之壓迫。苟非勤於操業。安能生活。爲商者。必終日勞於籌算。忙於應付。或終日操憂於市價之高下。或終日奔波於盛暑暴寒之中。爲工者。則終日流汗。以求一飽。爲文者。日夜伏案作書。嘔盡心血。尙處凍餒。更以家室之累。生活之艱。於是一身數職者。所在皆是。人身之精力。能有幾何。勞動太過。內傷臟腑。積勞成疾。孰能免之。平日孜孜操業。不暇調治。故醫學業務上有一習慣。卽冬時爲人檢查身體之所虛。投以相當之補劑是也。

（二）上海社會環境不良。上海之社會環境不良已極。城開不夜。四面笙歌。縱酒滋慾。目爲常事。偶一失足。卽使其人不能自拔。人非鐵石之軀。安能受此斲伐。於是未老先衰。虛象紛呈。甚至本元受損。生機減折。然此乃本元虛弱。非長時間調理不能取效。延至冬令進補之時也。

（三）補救過去。預防將來。一年之中。寒來暑往。在此時間。偶一不愼。卽易罹疾患。如春之溫病。夏之霍亂。秋之瘧疾。患者甚多。當其患病之際。但求速愈。旣愈之後。但求恢復日常工作。大多無暇調治。然而因病太虛。元氣未復。待至冬令。亟宜調補。恢復康健。始無所虞。且瞬息又易寒暑。逢冬不補。奚能抵抗明年之病疫。故爲預防計。冬宜進補。

（四）冬日宜於進補。腸胃之消導能力。以冬時最强。補品多膩。凡平時所不能受者。惟冬時能消導之。而生其功效。且冬時進補。瞬息卽爲春季。春時乃生發之季。冬時進補者。一至春時。受此補力之助。長人身各部。皆特別發達。故冬日乃進補之時機。亦可以名之曰『進補季』

四資產階級所進之補品

（石天趣）

（一）人參

人參爲補益品中。功效最大而價値最高者。功能助長元氣之充旺。恢復神經之衰弱治一切虛症。其功效確爲特異。當患病最危之際。服此可以延長其生命至一二日之間。若以滋補虛體。呈效至高。然其價値昂貴。少服實無甚效驗。是以非常人能力所及。僅供資產階級之服用而已。

(二)高麗參

高麗參爲日貨之一。目下各參行均無出售。有私行出售者。實非眞高麗參。乃『石柱參』而已。全無功效。幸勿服之。

(三)潞黨參

潞黨參乃產於山西潞安之參。補力稍次於人參。功效亦宏。補一切元氣虛弱之症。能增進新陳代謝之功用。助長腸胃消化之機能。用於氣虛糖尿病及外科久潰不收口之症有特效。無力服人參者服此。

(四)燕窩

燕窩係海中『金絲燕』在海中覓食海物所得唾液吐出營造而成之『窩』。故名燕窩金絲燕有特具之唾腺。善於分泌黏液。如樹膠易成此物。功能養陰潤肺。爲清補之品。凡久咳痰多。服此頗宜。惟爲效甚緩耳。燕窩有毛燕白燕二種。白燕多僞。毛燕則難於揀選。可將毛燕磨細。浸於水中。其毛皆浮。燕窩則淨沉於底。服之甚宜。

（五）銀耳

銀耳一名白木耳。乃緣木而生之胞菌物。亦爲清補之品。肺部最受其益。味甘淡。滋陰養肺。以蜜煑之。治肺燥乾咳。常日服之。補肺益氣。

（六）鹿茸

鹿茸乃鹿解角後新出之芽角。乃骨血之精華。其小者名曰血包。稍大名曰扈子。能强腎補血。塡精益髓。爲高年腎陽衰微及婦人子宮寒冷者之要藥也。然非經醫士指導。不宜妄服。蓋流弊甚多也。

（七）西洋參

西洋參爲參類中較爲清涼者。生津補陰。清理滋補。凡舌乾紅虛火重者。頗宜服此。

□幾件大衆化的冬令補品

（山　秀）

膠滋藥。燕參銀耳。這許多布爾喬亞的食品。或是只聞其名。不要說沒有吃過。就是看也沒有看見過。所以我不敢貿貿然的評論牠的滋補的程度。不過。我却曾聽見老人家說過。這些東西。窮漢固不能吃。而有些人的體質也是不能吃的。由此。牠的滋補力再強些也只好讓少數中的少數人去領味了。這裏。我將介紹幾件大衆化的食品。而且是切合現在的時令的。

荳腐漿　不論城市鄉村。我們都可以看到鱗列的荳腐店。在每天的早上。費五六個銅子。可很便的得着一大杯熱騰騰的荳腐漿。這東西下肚。既驅寒氣於盡淨。而且誰都知道牠是富有蛋白質和維他命的。於身體之滋補。不言而喻。假使自做的話。也很便捷。

雞蛋　農家的副業。最普遍的。要算養雞了。所以雞蛋的生產。確是農家一注可觀的收入。牠的功效。我敢說與燕窩人參實不相仲伯。價錢亦極便宜。一塊錢可以買到五六十個。何以我說切合現在的時令呢。因爲冬令所生產的雞蛋最爲清潔的原故。

蘿蔔　在氣候異常乾燥的現在。水果是屬於少數人的。大衆化的。就是蘿蔔了。說起蘿蔔。誰都知道牠不但能解渴在醫藥上也很有價値。旣能退熱。又能預防白喉菌之侵入。而醫藥中之價廉者。亦推此爲獨步了。

冬。是相傳的吃補藥時期。然而補藥不是我們一般平民階級所能享受的。我們祇好照着古話。「醫補不如食補」吃些荳腐漿。雞蛋和蘿蔔了。

冬令的鄉村補品

（偉中）

朔風緊緊地吹到冬天。一般人認爲服補劑的季節到了。在都市的人。通常服用着紅色補丸。維太露。散拿吐瑾。自來血以及解百勒魚肝油。奧斯麥牛肉汁等舶來的補品。其實要講補的話。那又何必用這些舶來的補品呢。又何必把我們汗血的金錢。鉅萬鉅萬的輸送到外國去呢。

我們鄉下流行着一句話。叫做「藥補不如食補」誠是在食品中含有天然的滋補成分適合於吾人身體的營養。確有意想不到之效力。同時爲了取給方面的便利。價格方面的低廉。而且味美果腹一舉數得。因此「食補」的方法在我們鄉下就流行得很廣。種類也繁衍得很多了。

（一）子花蛋　早起敲一個雞子在碗裏。稍加鹽。用沸水沖化。即成。這個是鄉下最通行的冬令補品。本來在農業社會裏。雞這種家禽。是每家都飼養着的。當然雞蛋也就大量的生產了。既不要化錢出去購買。服用方法又很簡單。因此一般鄉下人家樂於服用。可是爲了農村經濟的窘迫。和都市需要蛋產的高度發展。而蛋價飛漲。到近來農民們也多節省下來。去換取必需的生活費了。

（二）荳腐漿　荳腐漿就是用荳攙水磨爛。榨去荳渣。入鍋煮沸。即成。如再在腐漿內加石膏或鹽滷。乾壓成塊。就成荳腐或腐干。爲佐食最普通的菜蔬。荳是我們農業國家的主要產品。因此荳的應用也很廣。荳腐店不論在城市或任何小鄉村鎮上。是隨處都有。鄉下人每每在清早。走上荳腐店。只消化上四五個銅板。就好買一碗腐漿。或者帶回家庭裏。浸着油條。荳腐衣。或加些白糖。當做早晨的餐點。腐漿含有很多的蛋白質和澱粉。確實是滋補的佳品。

以上兩樣食補品。在鄉村裏是最廣泛地爲龐大的農民羣所服用的。價廉物美。眞値得介紹給冬令服補劑的朋友們之前。其實仔細想來。我們的金錢眞是千辛萬苦的汗血的代價。在這國難方殷的年頭兒。在這個個人國家經濟一般的恐慌的現象之下。我們又何苦去購用高了十倍或至白倍的舶來藥品呢。

至於比較精緻考究的食補品。也有下列幾種在鄉間流行着。祇是他的價値比較的昂貴了些。然而和舶來品藥物相較。那也賤得天差地遠了。

（三）牛筋　一到冬天。鄕下各地就設立了屠牛場。他們將每只牛身上的筋。分別剔出。或爲一付一付的風乾出售。大約每付値價四五元。買來洗淨。用糖酒醬油和其他調味的東西。配合煑爛。傾入磁盆內凝凍成膏。食時用刀切成塊。其味醇美。功能强筋健骨。益氣補精。的爲食補品中之珍饌。老壯的人服之。殊爲有益。

（四）童子雞　把六七個月的童子雞。去毛。入鍋。隔水蒸爛。稍加食鹽。連湯飲之。

雞肉鬆嫩。湯味鮮美。亦爲食補品中上饌。在我們鄉下。一個孩子。到了發育時期。他的家庭方面就替他拿這麽一件補品給他吃。吃的時候。絕對不准旁人一嘗禁臠。卽使是一根骨頭一撮毛。也都得用布包好。深深埋進泥裏。據說假使要給旁人或別的東西吃了。就會分了補去。這又未免是鄉下人的穿鑿附會了。

（五）羊湯　羊是熱性動物。因此吃羊肉在冬天是最爲相宜的。羊湯就是把羊肉入鍋煮爛後的湯。把羊肉裏含的滋補成分給提煉出來。自然羊湯也就是很好的食補之一了。羊湯裏含有很多的燐質和脂肪質。可以滋補腦系。營養細胞。鄉下有「有病發病。無病發身」之謠。體質虛弱的人。不大敢吃。還有羊臊味。胃口不好的也難下咽。唯有體質本來好的人吃了。是很得益的。

「藥補不如食補。」「紅色補丸。維太露。散拿吐瑾。……這一類的西藥補品。不過就動植物中加以一次的提煉的手續而已。在我們又何必近乎迷信似的去信任他果眞有什麽特殊功能的滋補成分在內。其實他的效力還趕不上服用原始的動植物。讓我們身體內各部分器官。自由運用他的機能。去吸收他需要的營養呢。

服用補劑的朋友們。我們何必去購用舶來的藥品。何必把自己血汗的金錢鉅萬鉅萬的送到國外去呢。我們何不採用價廉物美的「食補」。

肺癆之敵

外感咳嗽誤補可致虛癆

（嚴蒼山）

咳嗽爲最輕淺之病。人多忽之。而醫者亦每等閒視之。誰知或一不愼。或纏綿日久。必致肺損。成爲虛勞重病。往往不治。此誰之故歟。醫者所不能辭其咎也。夫六淫之邪。其傷于人。莫不先由皮毛而入。皮毛者。肺之合也。故外邪不直傳內臟。必先從其合。入于肺而爲咳嗽。是以凡外邪有咳嗽爲輕。無咳嗽爲重。以重者竟傷臟腑。不留于皮毛矣。醫者苟能于其咳嗽初起之時。察其因于火者淸之。因于濕者燥之。因于風寒者疏解之。因痰者降其痰。因氣者理其氣。隨其所見之症。而兼以調之。知此以治嗽。嗽病當無不愈。孰知今之醫生。或有一見咳嗽。便云陰虛肺中有火之故。夫陰虛咳嗽與外感咳嗽。有天淵之別。陰虛咳嗽。脈弦而數。或細或濇。證兼盜汗。下午寒熱。面色皖白。兩頰赤色。咳時聲怯而槁。先急後緩。或早甚。或暮甚。淸痰少氣而喘乏。非若外感咳嗽。聲盛而濁。先緩後急。日夜無度。痰涎稠粘而喘急。脈浮而堅。或浮而滑。醫者辨別不清將外感而作肺火。亂投熟地麥冬萸肉五味等滋膩酸歛之品。補住外邪。邪留肺胃。以致久嗽不已。咳久則肺金傷。金傷則不能生水。以致腎水日熾。上灼于肺。肺被火刑。必至咯血失音。肺痿內熱。此時尙可以淸泄肺火。透邪外達。或可挽救。而醫者不信。猶以爲陰虛內火盛極。仍用前項滋膩之品。以致形銷骨瘦。喘促脹滿而死也。

嗚呼。病非勞嗽。而醫者作勞嗽治而成勞嗽。可慨也夫。

▣肺癆與吐血

（鄒德民）

患肺癆者。其初期見證。人皆知爲發輕微之寒熱。及咳嗽頻作。以余之所知。亦有先見吐血者。此非余之故作危詞。以悚動吐血家之聽聞。事實昭然。

肺癆之傳染。多由呼吸器官而入肺。爲嬌藏。最利於癆菌之潛伏。然肺部除氣體而外。不能容納他物。苟有他物潛入。必驅而出之。咳嗆之發作。乃肺部驅逐雜質之一種抵抗作用。肺癆初期之作咳嗽。其以此故。同時因抵抗之作用。遂發生輕微之寒熱。如癆菌伏於肺葉深處。或因他部傳入者。往往不生咳嗽。間有微熱發生。每不加以注意。蓋此種微熱。不易察覺。故多忽之。若間見咳嗽。始能引人注意。單獨發生微熱。無有不以普通之勞倦現象視之者。迨癆菌之勢力膨脹。侵蝕肺葉。潰處擴大。損及肺絡。忽然咯血。體力驟衰。癆症之現象。始行顯著。

吐血爲易於引人注意之一證。因心理之影響。易於變生他症。初見吐血。固不能遽執爲肺癆之徵。然患者因恐慌惶惑。多方疑慮。不能安心靜養。弄假成眞。陷入虛癆之途者。或因吐血之後。抵抗力不足。貽癆菌以侵襲之機。而後發生癆症。又爲常見習知之事。肺癆吐血。宜養陰甯肺爲主。如女貞子。墨旱蓮。天冬。麥冬。紫苑。百部。百合。西洋參。冬蟲夏草。阿膠。鮮生地。丹皮。黛蛤散。沙參等。皆可選用。

至於痰中帶血。雖不一定爲肺癆之徵。然患此者什之九有肺癆之傾向。不容忽視。其說容當續論之。

◻初中末三期肺癆之療法

（陳存仁）

初期肺癆——初期肺癆最普通者爲微熱或兼見微咳若病者能得休養之機會注意其營養亦能漸次轉機服藥以青蒿白薇丹皮地骨皮川貝杏仁功勞葉等爲主品

余於初期肺癆常用養血調脾甯肺之法獲效甚多方用大生地三錢南沙參三錢京元參三錢炒青蒿錢半湖丹皮錢半川貝母三錢白杏仁三錢炙百部二錢懷牛膝三錢功勞葉二錢陳橘絡八分香穀芽三錢

中期肺癆——此時癆象已漸顯著潮熱盜汗神形憔悴吐痰色白而黏或帶血絲患者能安心靜養一面服藥尚易爲力余遇此症常勸其忍耐不可焦急蓋本症雖凶非必死之病而患者之所以不治皆性急而不耐調治之過也

中期肺癆以養陰甯肺爲主如石斛麥冬沙參銀柴胡西洋參地骨皮川貝五味子皆可採用余常以下列數味爲主而隨症加減用之沙參三錢天麥冬各二錢炙百

部二錢。銀柴胡八分。地骨皮錢半。川貝母三錢。炙桑皮錢半。百合片三錢。

末期肺癆——所謂末期者。如强努之末。成有力無用之局勢。病情至此。已現十分重篤。在病勢方面。深入膏盲。在體力方面。難於支持。一病至此。已無生望。雖有治法。甚難收效。譬諸破舟之行於急湍。東破西漏。不可收拾矣。

肺癆證狀。逐漸進步之時。如胃納尙佳。或有一線希望。蓋肺臟之滋養。悉惟胃氣是賴。若脾敗胃弱。則後天之本搖動。水穀不能消化。氣血無從化生。肺臟滋養告竭。縱盧扁復生。亦惟有束手旁觀。謹謝不敏耳。

◻肺癆與空氣療法

（陳存仁）

空氣與肺部之關係最大。空氣新鮮。則肺受其益。活力加增。可以抵禦癆菌。故調養肺病。以多吸新鮮空氣爲最要。病房內之空氣。宜使日夜流通。開窗之多少。宜隨風力之大小。斟酌行之。如遇大風。不能多開。亦不可完全緊閉。若緊閉其窗。病人日夜處於濁之空氣中。則肺不健旺。癆菌之勢愈甚矣。收吸新鮮空氣。有下列數法。

（一）野外生活　所謂野外。不論高山。平地。海濱。以遠離城市而空氣清新。無灰塵惡氣及一切作膿細菌等有害之物者爲佳。蓋遠離城市人蹤稀少。濁氣亦隨之而少。且受風日天然消毒之結果。空氣自然清新矣。惟宜注意霧露溼氣及驟寒暴風等。以免受涼。

野外生活之最佳者。莫如擇風和日暖時。在巳午未申等時間中。就避風之地。靜臥以受野空氣。身體各部。須安置妥適。各處肌肉。皆令弛放。無絲毫用力。如天冷並須覆蓋四肢。使常溫暖。至於夜晚。則仍宿房中。當履行此法時。切宜嚴守規則。純然靜臥。不得於其時行走坐立。不許側臥覆臥。尤禁傴僂其身。捲曲其腰。

靜臥時間之長短。各按病情輕重而異。在第一二期病者。此時尚無寒熱。可每日臥郊外五六小時。至於羸弱之人。貧血。劇咳。及有寒熱。可令其全日靜臥。

靜臥野外。爲調理肺癆之良法。減少體中消耗。使身中生活之力復蘇。俾抵抗一切病毒。行之既久。一切證象。皆可因之減少。

（二）呼吸運動　呼吸運動。所以吐故納新。吸取新鮮空氣。且可以藉此鍛鍊肺臟。肺癆初期。行此法最宜。一入第三期。而肺部已壞者。則宜注意。對於深呼吸。切不可貿然嘗試。若壞肺已漸痊愈時。則幸存之好肺。極宜用呼吸運動以鍛鍊之使日臻强固。

凡病人於初見癆象。或寒熱已退。既無痰。又不咳者。此時皆可採行呼吸。能佇立則佇立。不能者不可勉强。可臥於睡椅上。行之。吸氣時。須用鼻孔吸。緩緩均勻。使新鮮空氣。深入肺部。惟不可使肺部過於膨脹。因恐肺之壞部。益受創傷也。氣吸足後。略加停留。隨卽一氣呼出。並用兩臂微擠胸脇以助之。如此行之既久。自能收效。

（三）入山靜養　山地空氣淸潔。最合於肺癆者居住。故癆病療養院亦多擇相當之山地建築之。然山地氣候。因高低之關係。其情形亦不同。高山空氣乾燥。少有塵埃及微生物等混入。冬時較平地穩定。不甚流動。而其特異之點。對於心臟血管。呼吸器。血液製造力。新陳代謝作用。神經系統之影響。較平地空氣爲大。能使脈搏加速。呼吸深長。流入肺部及皮膚之血液加多。體溫放散及水分之蒸發亦加增。食慾亦旺。甚又因呼吸之加深加長。吸收之養氣。及排泄炭酸之作用。爲之大增。易言之。卽體內之燃燒作用。大爲亢進。故肌肉漸豐。體量亦因而加增。紅血球及血色素。在高山上亦能增加。紅血球在三星期內。可以加至最高度。惟囘至平地。卽能立時減少。囘復原狀。在高山上血液變化之原因。皆由於空氣壓力之減少。以及人體生理上天然一種反應。患肺病者。於此反應之作用。其收效不及康健之人爲大。蓋有能受與不能受之故。大凡在初期患肺癆者。居於高山。甚能得益。若由第二期而轉入第三期。則無益而反有害焉。

中等山地之氣候。與病人之生理作用。較諸高山之上。不甚差異。惟稍覺和緩。其特點爲林木茂盛。芬芳而新鮮之空氣。大有裨於肺病之患者。且溫度之高低。亦無如高山之倏忽突變。故除重篤之病症而外。大都有百利而無一弊。

低山氣候。因所在緯度之不同。故亦隨之而各異。有宜於夏季者。有宜於冬季者。不能執一而論。在低山療養肺病。須先考定空氣。溫度。風勢。及雲霧之情狀。然其空氣之新鮮。固較平地爲優也。

（四）航輪生活　空氣之最潔淨者。莫如海洋之中。既無濁氣之薰蒸。又無塵垢之飛揚。有患肺病者。百計調治。絕少效果。乃作航海生活。數月而見大效。無他。空氣之清潔耳。然海風絕大。波浪顛蹶。不慣此種生活者。反易引起他變。無益而反有害。又宜謹慎從事。

痰飲氣喘

□逢冬必發之哮喘

（丁仲英）

（一）哮喘之發生

哮喘爲呼吸器病之一種。患者多爲中年以上之男子。嗜酒及勞力者。又佔多數。嗜酒之人。必多內溼。濕熱鬱於肺部。蘊化成痰。因以發生本病。勞力之人。多由呼吸混濁之空氣。或冒寒不解。積漸而發炎化痰。變生此症。一至冬令。重感於寒。觸動病機。發而莫遏。肺部產生多量之痰濁。阻塞喉管。以致呼吸不利。故喉間痰聲如曳鋸。而成哮喘之象。

（二）哮喘之症候

哮喘之潑作也。先覺心中異常煩亂。肝火旺極。而不可遏。乃大發咳嗽。及咳停止。即動氣喘。呼吸漸見困難。喉間有類鼾聲。或放高調之笛音。不能平臥。痰漉漉。不能動顫。動則劇喘。甚則目漲欲脫。大汗如雨。如在背搥摩。稍覺舒鬆。昏昏昧昧。一二日後。

咳嗽活輭。後有黃色稠黏膿樣之痰略出。喘方漸平。咳又轉甚。痰漸多發作漸次告終。

（三）哮喘之難治者

哮喘以服藥後氣平脈緩。可以平臥者爲佳。若不應。當急圖他法。初起用藥。亦當注意。如遇不治之症。莫恃聰明强作解人。自貽伊戚。大凡脈浮大按之空虛者元氣大虛也。通身振振。慌張不甯。小便不禁者亦難治。病發一二日以上。猶昏昧不醒。脈息糢糊。乃危險之候。恐屬不治。

（四）哮喘之調治

國人於衛生方面。素不注意。而於肺部。尤不知保護。故患肺病者八九。及既患病。又失於調養。症益加甚。患本病者。平時多服滋補之品。寡慾清心。節勞養神。慎寒冒。以去其害。因發作時。切不可慌張。雖至危篤。毫無畏懼。可以使病勢反覺減輕。至於服藥。以麻黃及桔梗爲主。利氣平喘。泄肺達痰。捨此莫屬。更佐以寬胸化痰之品。如姜皮。枳殼。萊菔子。蘇子。貝母。款冬。陳皮。杏仁。海石之類。症象可以輕減。惟本症性甚頑固。欲其斷根。頗非易也。

痰喘與氣促

（郭柏良）

喘促者。氣難接續。呼吸不利之象也。痰喘與氣促。雖同屬呼吸不利。而其原因與症候。則大不相同。如分別不明。遽爾投藥。必致僨事。

痰喘之原因。乃肺部蘊痰太多。壅於氣管。阻其呼吸之道。吸氣不足。呼出亦難。故短而頻數。於是成爲喘象。氣與痰濁相摩衝。故同時發爲小鷄聲。或如曳鋸聲。此種現象。多見於肺炎及氣管枝炎者。卽痰飲喘咳是也。其慢性者。淹纏留戀。久而不愈。遇天時劇變。最易發動。卽老痰風喘之症也。

氣促之原因。有由於循環加速。呼吸太過。不及吸入。成爲迫促之象。或由悲哀之情緒緊張。神經之刺激過甚。呼吸失其常態。短促急收。斯二者。偶然發生。非病象也。其見於病中及虛弱之人。以致爲呼吸機能減退。肺部之擴張與收縮。失其自然。吸入之氣。供不應求。遂成氣促之象。

以命名而言痰喘者。喘之由於痰壅者也。祛疾則喘可平矣。氣促者。促之由於氣迫者也。補氣則促自止矣。然祛痰可以見效於一時。而補氣則功力遲緩。往往卒然生變。不及救治。以症情而言。痰喘屬於實症。宜用化痰平喘之法。病之初發者。其來勢似較慢性者爲甚。用藥宜取其峻急。譬諸用兵。迎頭痛擊。貴在速戰。一舉而定之。大患自此消滅。膽怯則誤事。往往生變。否則亦延爲慢性症候。貽害於將來。氣促屬於虛症。宜用補中益氣之法。然一病至此。危險萬分。非用大量之補劑投之。恐難圖效也。

□高年喘咳

（養　生）

高年之輩。氣血較爲衰弱。陽氣薄弱。所謂『命門之火』漸漸不濟。猶之機器中之『發火』部份力量較少。全身皆感陽氣不足。溫運之能力減少。推行之能力較微。所進飲食水穀。往往因不能溫運而致水分停聚。皆蘊爲『痰』。此種『痰』其性皆屬冷。吐出時爲蟹沫狀白色有泡。不吐出時則聚於肺胃。黏連不化。久而久之。愈積愈多。痰質愈積愈堅。竟成塊壘。在醫學上卽名之爲『痰飲』伏於肺胃。經年不消。肺部吐納。失其健全。終日痰聲漉漉。吐之綿綿不絕。一至冬令北風一起。外界之寒冷感之。水分更無溫運之能。生痰更多。略感風邪。卽起欬嗽。更以痰飲中阻氣機阻逆。故而作喘作哮。喉間痰聲漉漉。如拉鋸聲然。日中痰塊猶下垂在胃或肺之下部。如於夜間臥下。則痰飲平游肺胃。氣機更見逼塞。氣喘更甚。哮吼令人不能合目竟至不可平臥。又因高年陽氣衰微。若其人腎部素虧者。則有腎不納氣之狀。氣喘時急促不可名狀。丹田之氣。全無攝納之能力。若能使人上氣不接下氣之形勢。其痛苦誠不堪言。凡年達四十以上。一至冬日。多有是症。名曰『痰飲』其病之狀皆類上述。其病之原。皆陰氣衰微。溫運無能。身中無火。故耳。

治此病症。全在『壯火溫陽』之法。止喘潤肺化痰。平咳。皆非治療此症之根本方法。平日宜常服『附子炒米粉』以附子二兩。炒米粉(卽平常之米炒焦研粉)八兩。和勻。病輕者分三十天服完。病重者分十日服完。均每日服一次。或乾服。或以開水調服。皆收非常效驗。除少年痰火喘咳向有吐血者以外。老年痰飲常服此粉效驗如神。同時宜進服『壯火溫陽』之藥劑。就醫診治。求其訂立此類藥方。大胆服附子肉桂泡薑之屬。始能根本治此。否則逐年病根深種。愈發愈重。甚非所宜。惟如無力就醫服藥者。則藥肆中有『金匱腎氣丸』一味。每日服三錢。亦略效驗。當冬令方屆之際。卽調治之時機。一待蜷縮床頭。藥力較遲矣。又有一方。以羊胃一隻。納入生薑半斤『切碎』赤糖四兩小茴香四兩。木香二兩。（研末）納入胃中。燒煑每日隨量食少許。約食一月食完。此係經驗傳方。附刊於此。

■哮喘單方

（錢雙呆）

法用鮮鮮小絲瓜一二根。（若同時患此者多人可多採備用）不可去蒂。不可剝皮。不可切斷。投有蓋砂鍋內煨之。（鍋內宜盛清水三分之一）煨至爛熟。撫之中如敗絮柔者爲度。乘熱摘去蒂。以碗承之。卽水汁自蒂孔中源源流出。以此流出之汁。使患者頓飲之。立能見效。惟此爲暫時的。不可據以常服。而常服亦轉恐無甚特效也。

（按）此方專治喘哮而肺有痰熱者。蓋絲瓜湯寒涼解熱。故因熱哮喘者宜服。寒哮宜忌。以性太寒涼。

哮喘下氣丸

（亦蘇）

川附二錢。雲連一錢六分。紫苑二錢。鬱金三錢。香附一錢。木香六分。枯礬二錢。百合二錢。蘇子三錢。杏仁一錢。沉香六分。人中白三錢。共爲細末。每用二錢。藥散加冰片一分。飯爲丸。如綠豆大。每服八九粒。即刻定喘下氣。功效神速。

胃病研究

□飲食與胃病

（柏　良）

飲食與胃病關係最爲密切。蓋飲食直接入胃。偶一不愼。卽傷胃腸。發生疾病。而患胃病者。亦有見食作嘔。或欲食而不得下咽之苦。

飲食傷胃之原因。或由自恃胃健。或貪食無節。飲食過度。以致消化不及。胃力受傷。或則飲食不愼。腐敗之物。不加剔擇。饐飯敗肉。隨口亂食。損傷胃腸。或則飲酒過度。胃爲酒所困。消化機能衰弱。馴至食慾消失。或則食物不時。有時過飽。有時不足。漫無定律。消化力亦無一定準則。以致形成胃病。或則運動後卽食。或食後卽運動。消化上發生不良影響。

及既形成胃病。胃液之分泌太過或不足。消化上大受其影響。或全不思食。或欲食而不能食。或食入卽吐。或食入卽發疼痛。種種情狀。不一而足。

飲食既與胃病有關。欲免胃病之發生。及已發生胃病者。對於飲食一項。不可不再三注意。

吾人食物。其選擇之標準。須作下列四項。（一）胃液易於浸潤。且易溶解。（二）無害於胃之運動機能。（三）不使消化機能刺戟過度。（四）胃腸容易吸收。食物與烹飪。最有關係。不消化者。使爲易消化之物。纖維多而硬固者。使爲柔軟。不溶解者。使易溶解。無味者。使有美味。及其他增加食物之吸收。撲滅肉類之寄生蟲。殺除細菌。亢進食慾。皆烹飪之功也。論語鄉黨篇云『失飪不食』孔子亦深知衞生者。不可不求烹飪之得法。此亦患胃病者所當知者也

□簡便健胃法

（劉竹林）

胃爲五臟六腑之海。脾胃一弱。氣血生化之源少。百病由之蠭起。此方價廉而易辦。胃弱者盍一試之。

鷄內金二錢（藥舖席店均有賣）米糠二錢（有石粉者不用）水煎服。竹按。內金鷄之脾也。能消水穀。有助胃酸。補胃液。健脾化食之功。米糠含滋養料甚豐。具助

脾消化作用。凡胃弱者。若能常煎服之。更兼節飲食。勤運動。定能飯量加增。不致着筷蹙眉也。

□胃酸過多與過少

（時逸人）

食糖太多則酸多。食肥甘太過則酸多。食物太飽則酸多。胃酸過多。則發胃病。或胸脘脹痛。或消化不良。或呑酸噯腐。或發胃部痙攣作痛。西藥治以雙灰鎂養有捷效。或健胃片亦佳。中藥古用平胃散。余意宜加入滑石。因滑石内含鎂質最多。酸鎂合化。即能發生排泄作用。得一二次之瀉利後。其病即愈。功效甚確。他若牡蠣瓦楞子文蛤等類。皆有反酸性質。治必有效。若胃酸太少之病。多發於貧寒之輩。因營養不足。故胃液衰弱。酸化不及。古人治不思食症。有用歸脾養榮治之而愈者。有用鹿角膠阿膠治之而愈者。是助胃液。即所以增其酸也。姙娠之婦。多喜食酸者。因胎兒缺乏組織全體之材料。吸收母體之質液以補之。故姙娠嗜食無有常性。或好或否。非肝嗜酸爲然也。中醫見酸責之肝。西醫見酸責之胃。非不各有見地。然不足以盡其變。特贅言之。

胃癌胃癰之鑑別診斷

（程家聲）

余習岐黃有年。覺內經一書。較爲難解。而胃癌胃癰。尤爲難辨。世人不幸患此二症者日多。雖徧求醫治。卒愈者少。而亡者多。除幾何不治之症外。其誤投藥石而致命者。比比然矣。念醫士有割股之心。豈忍亂投藥石。以玩弄病家之生命耶。實因診察之誤耳。診察旣錯。則投藥亦錯。使輕症加劇。重症死亡。竟成可治之病爲不治。良可慨也。

今余爲病家計。不得不將區區之心得。錄之以供諸同志之採納焉。

患胃癌者。以老年爲多。經過甚爲迅速。至多不越二載。營養障害。身體羸瘦而兼衰憊。患部時發疼痛。勢頗劇。如針刺。常有少量咖啡色之血液。混於痰內吐出。觸患處有凹凸不平之塊磊。左側頭窩之水脈腺。常常腫脹。但胃癰則多發於青年或中年。可延至三五年之久。吐血過多時。方現營養障害。發則胃神經痛。不發則痛卽除。發時吐血極多。大都鮮紅純血。觸患部雖偶有腫硬。然亦多平滑而無凹凸者。左側頭窩之水脈腺則決不腫大。

□胃癰治法 （健）

定義　胃中生癰也。

原因　好飲醋醪。喜食煎熯。熱毒之氣。積於胃中。

病理　熱毒積於胃中。遂生一種黴菌。菌毒橫暴。熱氣熾盛。且胃爲水穀之海。其經多氣多血。氣鬱則逆。血滯則熱。薰薰爍爍。胃壁發炎。乃生癰腫。然因其熱在胃。故胃脉緊盛。胃脈循喉嚨而入缺盆。故人迎脈搏動之盛也。素問病能論曰「人病胃脘癰。診當何如。曰。診此者。當候胃脉。其脉當沉細。沉細者氣逆。逆者人迎甚盛。甚盛則熱。人迎者胃脈也。逆而盛則熱。聚於胃口而不行。故胃脘爲癰也。

症象　寒熱如瘧。身皮甲錯。或咳嗽。或嘔膿。脈沉細。而迎人緊盛。舌苔糙黃。中有蝕點。

診斷　右關沉細。胃氣逆下。以不上通於手太陰也。迎人脈緊盛。胃熱盛也。舌爲心苗。舌蝕爲血液不清。胃痛不解。爲胃癰阻礙也。

療法　宜清胃湯（卽生赤芍白芷天花粉粉葛根乳香沒藥甘草生地黃忍冬花浙貝槐蕊生黃耆歸尾皂角鍼）爲主。如風熱內結者。加薏米丹皮石龍藤。小便短澁。腹滿不食者。加三仁湯。痰氣上湧者。加甘桔湯。

臌腫指南

□水腫概論

（時逸人）

液體蓄積於組織或體腔內。通稱爲水腫。滲潤於皮下結締織者。則又呼爲浮腫。從其所在部位有種種名稱。如心囊水腫。腦水腫。胸水腫。腹水腫等類。

「水腫之概論」據現代醫學之考察。於水腫病分五種討論（一）充血性水腫——卽局部性水腫（二）鬱血性水腫——卽心藏性水腫（三）因還流障碍之水腫——身體中之淋巴管有多數連合枝。故雖一部份障碍。決不發生變化。惟胸部之大淋巴幹苟有病變時。凝結在上。則爲傷寒論中之結胸病。凝結在下。則爲腹水。（西名乳糜性腹水。我國通稱爲單腹脹。）又淋巴液滲透於膀胱之內。則發現乳糜尿。（四）毛細管分泌亢進之水腫。此項又分三種。（甲）血管神經性水腫（乙）炎症性水腫。（丙）惡液性水腫及腎藏性之水腫。（五）塡充性水腫——由組織缺損壓迫消失而生。其主要症。見於頭蓋腔及脊柱管內。如腦髓或脊髓之一部萎縮消耗其腦汁。髓液增加而塡充其萎縮消耗之處。故名。凡水腫之部。乃疏鬆而多裂隙之組織。假令堅密之部。液體不能浸潤而蓄積。故不發生腫患。組織之水腫者。其彈力全無。以指按之。遺留指痕頗少。乃因水液浸淫之故。其有彈力極盛。按之指不能入者。乃水液壅滯脹滿之故。舊說於此。分別風水氣水之症。實屬誤會。又腫處多貧血。現蒼白色狀。乃因血管爲水液壓迫之故。至於體腔水腫。往往壓迫鄰近藏器。而發生危險。仍如心囊水腫之壓迫心藏。致循環障碍。胸水之壓迫肺藏。而障碍呼吸是也。

「水腫之原因」以生理上白毛細管內皮細胞。分泌液狀成分。名淋巴液。滲潤組織。以供給組織之榮養物。更能吸收組織代謝產物之老廢成分。自組織腔輸入淋巴管。復經淋巴幹。而入大靜脈。設淋巴液分液太多。淋巴液管不能盡量吸收者。則停滯於組織內。而成水腫。此普通水腫病生成之原理也。此外各症。炎性水腫。神經性水腫。惡液性水腫。充血性水腫。其所以發生之原理。皆由淋巴液分泌太多之故。其內因爲迴血管。先有阻塞。然後水溢胞膜而爲腫。如心以上大迴管。有一處阻塞。

腦頭手之血。難返心房。上半身卽見腫症。心以下大迴管。有一處阻塞。肝腎足之血。難返心房。下半身卽見腫症。若水但聚於週身皮膜間。則手足腫。或全身腫。若水聚於腹。則爲腹脹。其外因在勞倦時。汗液被冷風雨忽止。不得外泄於汗孔。勢必由呼吸管內泄。泄於腸中則瀉。泄於皮膜則爲腫。此與陳無擇所謂。腎虛則火虧。致陰水凝滯。肺滿則泛溢。使陽水沉潛。沉潛則氣閉。凝滯則血澀。經絡不通。板機不轉。水乃不行。滲透皮膚。乃爲浮腫。足脛尤甚。兩目下腫。腿股間冷。胸腹堅脹。不得正偃。偃則咳嗽。上爲喘急。下爲腹滿。其說與最新學理。大致相同。

「水腫之病理」（一）炎症性水腫者。乃由於高熱。劇冷。外傷。中毒。傳染病等。致血管壁起變化。而分液增加。富於蛋白質。又多白血球。且有凝固性。其症狀爲寒戰發熱。頭痛。嘔心。皮色赤濁。溺短赤澀。（二）惡性液水腫。一名淡血性水腫。乃因血液之水分太多。或蛋白質減少。而爲淡薄之血。同時其血管壁。亦起變化。血液之水分乃滲出血管。而爲水腫。其證狀先腫於眼瞼。脣。鼻。頰。頸。後及於腰腹四肢。用手壓之。皮不凹陷。（三）局部性水腫。乃身體某部份。如皮膚。鼻粘膜。喉頭。氣管。左側右側。上肢。下肢。顏面。腎囊。等局部之水腫。實亦含有神經性水腫之性質。蓋其原因。亦爲血管運動神經之障碍。故或偏腫在左。或偏腫在右。或但頭面腫。或但腎囊腫。例如麻疹。結節性紅班。匐行疹等。皆屬之。新說以爲多起於水血病。乃惡液質之人。爲充血性之水腫。以上三種。在中國醫書。統共謂之陽水腫。多因六淫外客。飲食內傷症雖屬實。而有風熱。溼熱。積熱。瘀熱之不同。（四）心藏性水腫。又名鬱血性水腫。因心藏瓣膜病。或代償機能障碍。而起之全身鬱血。血壓停滯。其液狀成分。自小靜脈毛細管壁。漏出於體外諸組織。而生水腫。因鬱血故。所以皮現青色。而呼吸困難。（五）腎藏性水腫。亦稱腎炎性水腫。即因心藏衰弱。全身發鬱血性。致腎孟生局部炎。症不能盡其輸尿之功用。血中水分。因鬱滯而增加。同時排出蛋白質。故血中蛋白質減少。其證狀。顏面先腫。週身之腫繼之。其辨別。則以心藏病先腫足踝。腎藏炎。則先腫於顏面四肢。中國醫書。統謂之爲陰水腫。多因情志操勞。酒色過度而發。症雖屬虛。而有虛寒。虛熱之各異。及腹水。石水之辨別。（六）血管神經性水腫。乃血管運動神經麻痺。或興奮。致毛細管。分泌增多。而成之水腫。吾國通稱爲氣腫。即內經所論膚脹是也。（七）痲痺性水腫。生於組織液缺乏。運動不良。神經起救濟作用。筋肉援助太過或半側痲痺。或四肢全痲。我國所謂痛瘋身腫是也

「水腫之證候」陰水腫。先腫下肢腰腹脛。跗後遍身腫皮色青白。口不渴大便溏。小便少。陽水腫先腫上體頭面手背。後腫遍身。皮色黃赤。口煩渴大便閉溺赤澀氣腫。皮厚色蒼。一身盡腫自上至下。按之不成凹而即起。四肢削瘦。胸腹痞滿。溼腫皮薄色澤。腫有分界自下而上。按之成凹不腫起。小便不利。上氣喘咳。痛風腫頭痛惡風。面浮身腫。皮粗痲木。流走注痛。黃疸腫。身目俱黃。面浮肢腫。便溏腹滿溺短赤熱。婦人水分腫病發於上。先水腫而後經斷。便溏。皮無赤痕。心下堅大。腹脹。溺少。血分腫病發于下。先經斷而後水腫。皮現赤縷。少腹硬痛。便黑溺清。更有溼漬於脾。水氣橫泄。四肢浮腫。喘不得臥。心腹脹滿。飲食難進。溼流於下。脚氣支滿。上攻心胸脘中脹悶。脹甚則嘔逆。二便不利等症。

「水腫之治法」昔人於水腫病首分虛實寒熱。明其原因。用藥乃當。「如因寒客皮膚而成氣腫者。」林氏所謂膚脹屬肺是也。用五皮飲。加香附蘇梗。「寒鬱下焦

而成水腫者。」金匱所謂石水正水是也。用麻附五皮飲最效。「寒飲侵肺。肺氣不化而先喘後腫者。」金匱所謂溢飲支腫支飲咳逆其人形腫是也。麻杏石甘湯以石羔易滑石或小青龍加茯苓湯「寒濕鬱脾。脾氣失運而先腫後喘者。」內經所謂諸溼腫滿皆屬於脾是也。大橘皮湯香砂胃苓湯皆可用。「風熱或溼熱入肺。肺氣腫盛。不能通調水道。致上身腫而喘息者。」此中醫所謂肺痺肺脹。西醫所謂肺積水與氣而爲炎症性水腫是也。越婢加半夏湯或葶莖湯送下葶藶大棗丸「積熱停溼。壅滯成腫。或上肢腫而面金目黃。或下肢腫而脘腹痞滿。」此中醫所謂黃腫及脚氣腫。西醫所謂充血性局部性水腫是也。面黃者用加味二金湯（鷄內金海金砂茵陳通草川朴猪苓山梔腹皮）脚腫腹滿者加味小承氣湯（川朴枳實大黃木瓜川楝檳榔廣皮苡米等）瘀熱停積。經絡鬱滯。或先水腫而後經斷。或先經斷而後水腫。中醫所謂血分腫及水分腫。西醫所謂惡腋質性水腫是也。或經停而後水腫者。宜用加味絳覆湯（茜草烏賊骨桃仁歸尾澤蘭葱管等）先水腫而後經停者。宜用千金鯉魚湯（歸尾澤蘭赤芍新絳通草與活鯉魚同煎。送下沉香玻珀丸。）「至若虛腫。或外感病後。失於調養。或內傷情志。不能解說。或平素傷於酒色。正氣內虛。皆足以讓成腫病。」此西醫所謂心藏性腎藏性及鬱血性水腫是也。氣虛者用黃芪秫米煎。陽氣衰弱者用苓桂朮姜加附片威靈仙等「腎氣虛弱。尿道爲之不利。致水積于腎而爲水腫者。」此西醫所謂腎盂炎是也。宜滋腎丸。若夫實腫。或由胸膈停痰。或由腹膜積水。或由腸胃積滯。致暴發急性鬱血而爲水腫者。惟腫必兼脹。停飲以蠲飲萬靈爲主。積滯以枳實導滯爲主。皆有捷效。以上統論水腫之大法也。

□水腫之病理及治療

（尤學周）

水腫原因。關於心腎二臟。如心臟衰弱。心力不足之時。全身血液之循環。爲之遲緩。微血管內之血液。因停滯既久。血中水分。卽由血管滲入皮膚之內。於是皮膚浮腫。成爲水脹。手足末稍。距離心臟最遠。血行愈緩。故先見浮腫。至於腎原爲泌尿之重要器官。血液之廢質。由腎漏去。此廢質名曰尿。爲澄清琥珀色之液體。氣味臭惡。出於腎。經輸尿管以滲入膀胱。由尿道而排出。即爲尿。尿內有一種鹹味之鹽質。過多則瘀積細血管。而阻塞不通。失其功用。水不能出。則四面妄行。水腫成矣。水腫之必須忌鹽而淡食者。亦因體內鹽質一增。瘀積不行。腫勢愈增也。

治水腫之大法。皆先導其水。以殺其勢。後用溫化以壯其腎。清肺以理其氣。和腸胃以暢消化。通膀胱以行水道。至於身有熱。肌膚痛者。皆汗之。身無熱者。尿赤澀者。下腫者。皆利之。此種治法。確有見地。所謂導水下行。發汗外泄。即暢其機能。使瘀積於細血管之鹽質。從汗中及小便中排出。所謂溫化壯腎者。實則用興奮之劑。刺激心臟。以增加其功效。俾得血流速。水液不致外滲。

治水腫之方。大率以金匱腎氣丸爲準例而加減用之。腎氣丸者。由熟地。山藥。山萸。茯苓。丹皮。澤瀉。附子。肉桂。八味配合而成。附子肉桂。即用以興奮心臟機能。茯苓澤瀉。即用以通調水道。標本同治。允爲良方。

治水腫之良藥

（沈仲圭）

清醫吳儀洛曰。斗門方治水氣腫脹。用千金子一兩。去殼研壓去油。重研。分作七服。每治一人。用一服。五更酒服。當下利。至曉腫脹頓消。忌鹽醋一百日。今走方者俱用此加百草霜等在內。使人不能認識。誑言秘傳。庸俗信而服之。一瀉而腫脹立消。索謝而去。未幾再作。無藥可救。間有氣體壯者。愈後竟不復發。然暗損眞氣。不過數年之內。患他病不起。數十年來。洛之目擊心傷者。不可枚舉。願衞生者。勿蹈其術以促生也。

圭按。聖惠摘元。本品合大黃。治陽水。所謂陽水者。腎藏發炎。小便不利之腫脹也。故以大黃續隨。利水。若脾虛土不制水之症。固不得妄投。吳氏目擊鈴醫以本品治腫貽禍。乃診斷不確。誤將陽水之藥。用於虛腫之故。其咎在人。不在藥。而續隨爲利水良品。轉因吳氏之紀載。而獲一鐵證。詎可因性猛而置之不用耶。至吾人治醫。遇有經驗方劑。尤應起爲丸散。以佐湯液之不逮。而免病家之疑懼。如疔瘡丸之治疔癰。菩提丹之治痢疾。半貝散之治瘧疾。（半夏須生研。臨服以姜汁調勻。其效與藥肆製成之半貝丸不可同日而語）耆歸艾之治不孕。芫花硃砂之治瘧母。設不製爲丸劑。粗知醫理之病家。非嫌藥力過猛。卽病藥品簡單。決不肯照服也。

大便出血

□便血之研究

（嚴蒼山）

【大便血總論】大便血卽下血。言血從後陰下也。後陰大腸主之。大腸者傳導之官。化物出焉。其經與肺一藏一府。相爲表裏。皆稱爲金。在五行本屬一家。故大腸之傳導。亦端賴肺氣之下送。所以治腸者多治肺也。猶之肺有痰飲。亦可用十棗湯以下之也。又大腸位居下部。係腎所司。經云腎開竅於二陰。又曰腎爲胃關。胃爲足陽明。故必腎陰充足。則大腸濡潤。厥陰肝脈。又繞後陰。腸與胞室。又並域而居。故腸與肝經。亦相干涉。所以下血之症。有由中氣虛陷。濕熱下注者。有由肺經遺熱傳於大腸者。有由腎經陰虛不能潤腸者。有由肝經血熱滲漏大腸者。此乃大腸與各經相連屬之義也。然皆由於絡脈損傷之故。經云。陰絡傷則血內溢。血內溢則後血。苟受邪而絡脈不損傷。則肝肺腎三經自病之。亦無由傳大腸而下血也。故治之之道。初則止血以治其標。後則調源以圖其本。方謂善治便血者矣。

【大便血證治分論】陰結便血。經云結陰者便血一升。言厥陰肝血內結。不得腸氣統運。滲入腸間而下。非謂陰寒內結也。其脈必虛澀。治法宜結者散之。四物湯加炒防風。炒荆芥。柴胡。炮薑。臟毒下血。肛門腫硬疼痛。流血與痔漏相似。下血多濁。或腹內略痛。或大腸頭突出。可用拔毒疏利之劑。追出惡血膿水。然後用四物湯以熟地易生地。加地榆。炒荆芥。槐角。丹皮。炒黃芩。忍冬籐等涼血解毒之品。腸風下血。載氏要訣云。藏毒者。蘊積毒氣。久而始見。腸風者。邪氣外入。隨感隨見。二者皆因登廁糞中有血。却與瀉血不同。而與遠近血稍似。惟遠近血不痛爲別耳。攷腸風之成。因太陽風邪傳入陽明。煽動厥陰內風。風爲陽邪。久則變火。火迫絡傷。血清色鮮。四射如濺。治法以清火養血爲主。火清血甯。而風自熄矣。槐角丸主之。卽槐角。地榆。黃連。黃芩。黃柏。生地。當歸。川芎。防風。荆芥。側柏。枳殼。烏梅。生薑。（遠血）先便後血者。主脾虛氣寒。營行失度而下。脾去肛門遠。故名。宜黃土湯主之。（近血）先血後便者。由大腸傳於濕熱。熱傷絡脈。滲漏而下。大腸與肛門近。故名。宜赤小豆當歸散主之。或以治臟毒方加黃柏治之。亦可。勞傷下血。勞力傷脾。脾不攝血。血從大腸以下。歸脾湯主之。陽明燥熱下血。予一友人患消食易飢起因。忽血大吐大下。良由陰虛陽明火熾。故鑠穀易飢。纔則陰陽絡並傷。故上吐下瀉。此等症極易脫營。宜急以童便止之。白虎湯或犀角地黃湯清之。鮮生地。鮮石斛。西洋參。養之。倘脈伏汗多。急以獨參湯挽之。中寒下血。因飲食生冷。兼之陽氣本虛。血爲寒凝而下。必腹痛色淡晦。宜附子理中湯。倍炮薑。加酒連。內痔便血。宜地榆炭。槐花炭。炒當歸。炒荊芥。炒銀花。臟連丸等主之。氣陷下血。血隨氣行。中氣下陷。則血亦循行緩滯。停頓於下。向大腸而泄。須用補中益氣湯舉之。跌撲內損。惡血入腸。下出瘀濁者。用當歸導滯湯主之。即大黃。當歸。丹皮。桃仁。紅花。白芍。乳沒。生地。桂枝。柴胡。黃芩。枳殼。甘草。加麝香少許。腎液虛不能濡潤大腸而下血者。六味湯加驢龜膠主之。肺金遺熱於大腸。追絡而下血者。清金養肺爲主。症必現寸脈浮數洪澀。口乾溺黃。欬逆等象。清燥潤肺湯加銀花炭。地榆炭。丹皮等。清下止血之藥。

□便血瑣談

（丁仲英）

（一）三種失血症

血行脉內周流全體。循其常道。如溢出於外。卽爲失血之症。失血之種類。約分爲三。一則血向上溢如鼻衂吐血等是。一則向肌肉而外溢。如肌衄血箭等是。一則血向下流。如溺血便血等是。三者之中。向肌膚外溢之失血症。較爲少見。上溢及下流之失血症。則屢見不鮮。

（二）便血不能以遠近論

便血之症。有以遠近論治者。法以便前見血。爲近血。屬於腸病。便後見血爲遠血。屬於脾胃病。其說不甚合理。近血之是否爲腸病。遠血之是否爲脾胃病。姑置不談。便血而以遠近爲兩大綱。實足貽誤。蓋大便時見血。必不如此簡單。必不如此清楚。若固執便前便後。將模糊而難分別。

（三）最普通之便血

便血之最普通者。厥爲痔瘡出血。不論內痔外痔。皆有碍於排便。努力掙持。血管易於破裂。患痔瘡者。往往數日一如廁。大便乾燥。既不易出。又復易於擦傷黏膜。且痔瘡多爲靜脉鬱血。發生一種變化而成。其血易出。諺云。十人九痔。卽十人而有九人患便血之可能也。

（四）危險之便血

便血之危險者。一爲狂血。其來勢之暴。與狂吐無異。頃刻盈盆。足致昏厥。當令靜臥。勿反覆轉側。急與全當歸。醋炒白芍。隨病輕重而增減分量。大劑與服。自能漸漸向愈。同時勿食固體之物。須飲流質。以休息腸胃。一爲久血。累年累月。久而不愈。身體消瘦。容光漸斂。往往變生他症。宜以補血活血健脾之劑。如阿膠。生地。熟地。當歸。白朮之類。隨症加減用之。

■便血經驗治法

（潘蘭坪）

此症有風淫腸胃。有濕熱傷脾。始則臟腑受傷。久則陰絡亦損。治法不一。茲卽大腸受熱者。訂一方。可隨症加減。

大生地六錢。黃柏炭七分。槐花一錢半。赤小豆四錢。地榆炭七分。銀花一錢半。

加木賊一錢。烏梅二個。同煎。（梅或煨炭用）熱甚再加黃芩。蓮葉。或桑葉。丹皮。如服二三貼。血仍見。必須用黑芝蔴。（洗淨打破）生首烏各四錢。加入同煎。（去木賊梅）因濕加防風。白朮。（去生地）因風加荊芥。當歸。防風。去銀槐花。若血下色淡者。另用四物湯加龜版。生首烏。製首烏。煎服。便合倘便血流連。止而復發。用生首烏末。米糊丸。每服三四錢。甚效。（用京柹黑豆煎湯送下更佳）金匱分別糞前下血爲近血。用赤小豆散。糞後下血爲遠血。用黃土湯。果於脤症有相合。則於古法自堪師。余嘗治戴姻兄便血。或糞前或糞後無定。用生首烏。製首烏。大生地各四錢。白朮。防風。木瓜。白芍各一錢。當歸。陳皮各七分。一帖血減。三帖全愈。

痔瘡證治

□便秘與痔瘡

（丁仲英）

痔瘡雖爲局部病症。然亦有關於全體。本症發生之原因。可謂大部由於肛門靜脈之鬱血而起。靜脈鬱血血流障碍。遂膨脹而爲痔核。而靜脈鬱血之原因與全體有關。非局部發生之影響。其最普通者。則爲便秘。

便秘之人。其糞便必乾燥硬固。肛門靜脈。受乾燥而硬固之糞便壓迫。因以引起鬱血。且便秘之人。當如廁時。必努力搾持。便始排出。致靜脈血之還流障碍。鬱血尤甚。故便秘者最易患痔瘡也。

痔瘡發作之時。肛門部忽然腫脹疼痛。有灼熱搏動及異物塡嵌之感。因直腸黏膜受其牽引。或受乾燥糞便之壓迫。其已紅腫之部。卽破裂出血。是時患者常覺裏急後重。蓋患部紅腫。知覺過敏。稍加壓迫或刺激。其反感甚爲敏捷。而疼痛增加。便秘之人。其困苦當更甚。

患痔瘡者。在男子大多爲坐業及運動不足者。在女子則多起於姙娠及產後。蓋坐業及運動不足者。腸之運動力亦減退。是以糞便之下行遲緩。易於秘結。姙娠及產後。腹部之肌肉弛鬆。排便爲難。而姙娠期內。胞宮擴大。直腸因以窄狹。便爲之秘。皆足以引起肛門靜脈之鬱血。

痔瘡既與便秘有關。故其治療之法。亦以通便爲最要。初起之時。如能設法使大便通暢。則血流之循環無阻。自能平復。若已成痔核。又當用手術以摘去之。徒恃通便。惟減少其痛苦。無斷根之望矣。

◻痔瘡論治

（謝也農）

南方地卑多濕。人稟羸弱。往往多疾。其於痔瘡一症。較他處尤勝。故諺有之曰『十人九痔』此係南方常聞之語。他處則鮮有也。可見南方病痔之人。比比皆是矣。按痔瘡古分名目甚多。如「翻花痔」「蜆肉痔」「懸珠痔」「盤腸痔」「粟子痔」「桃花痔」「蓮子痔」「脫肛痔」「泊腸痔」「雞心痔」「牛奶痔」

「鼠尾痔」「血攻痔」「擔腸痔」「內痔」「櫻桃痔」「珊瑚痔」「菱角痔」「氣痔」「子母痔」「雌雄痔」「鷄冠痔」「蜂窠痔」「蓮花痔」等等。統計有二十四種。亦都用形態及部位命名。一一可考也。總之不外風燥濕熱。陰虛氣弱。南方之人。腠理疎開。風燥濕熱。本極易浸入。又加之勞形傷氣。或行房瘀精。或醉飽失節。致風燥濕熱併瘀精宿聚。則痔瘡憑糞道排泄處生就。初生時或有寒熱。患處必焮痛如火炙。一至潰後。痛苦便減。然有成漏成管者。膿血滋水頻流。一遇操勞發作。年必數起。久之彷彿瘡癆。結毒於至陰之地。決非一藥可愈矣。今將內治外治及薰洗等法。開列於次。內治初起時。當先袪風燥。兼清濕熱。服秦艽防風湯。及臟連丸。犀黃醒消丸等。潰後當培補氣陰。兼養血分。服補中益氣湯及十全大補湯等。外治初起時用八寶月華丹。麻油調搽。潰後用玉白珍珠散摻之。洗痔法用魚腥草一兩。青葱一兩。煎水薰洗。如潰後已成漏成管。當用七仙條拔管。始能盡根而愈。

□治痔之經驗

（聶雲臺）

痔症極普通。凡多坐少動者多患之。故俗有十男九痔之諺。然鄉間勞動家鮮有患之者。薑椒酒醬及煎炒食物亦爲痔疾之根源。予近年伏案時多。食物亦多煎炒醬腐。大便枯結。遂成痔症。已數年矣。近忽發頗劇。行坐皆苦。友人多舉某專治痔之醫以告予。因往就診焉。據云內痔外痔脫肛同時皆發。須施以注射。則痔自枯落。既免痛苦。復可斷根。索費百元。爲包醫費。予思百元非常人所能措辦。又注射法爲內地所無從致。因決計不用。閱驗方新編有除痔丸。即照配一料服之。同時簡玉堦居士亦患此症。用德國製錫管塗藥名海頓蘇者有效。贈予一管。亦照用之。又八不居士言蘇沈良方中有用冷水洗法。每於大便後以冷水洗之。渠嘗用之亦見效。但須有恆耳。於是數種並用。同時每日以水灌腸通大便使易下。旬日竟痊。外痔大如指。完全消矣。內痔與脫肛亦十餘其八九。茲錄數方如左。

▲除痔丸　當歸五錢。川連五錢。象牙末五錢。槐花五錢。川芎二錢。乳香二錢。露蜂房一個。黃蠟二錢。溶化爲丸。漏蘆湯下。每服三錢。有管者五日後漏管退出。隨出隨剪去之。

此方予服一料未完。亦未用漏蘆湯下。

▲海頓蘇塗藥裝錫管內　蓋有小管插入糞門。擠藥以塗內痔。其法甚佳。每管價一元三角五分。中英及各藥房皆有之。英文名 Hadensa

又海甯路錫金公所東首同仁醫藥局所有治痔丸散。聞確有效驗。予購丸而未服。惟以其散入海頓蘇藥管中。同擠塗之。

▲冷水洗法　蘇沈良方東坡言腸痔下血久不瘥者。於大便後以冷水洗之。久洗爲佳。久患者皆愈。予始得於信州侯使君。云沃之兩次即瘥。予用之果再沃而瘥。併與數人用。皆然。神奇可驚。不類他藥。河水最佳。井水亦可。

急救仙方。宋人所作。刻入四庫全書。當歸草堂醫書十種中亦刻之。坊間有售。內載痔疾良方甚多。茲摘錄其簡便者數方如左。

▲治腸風痔漏等疾　白芷一味。米泔水浸一宿。取出切片。用火煅地令熱。掃去炭。將紙舖在熱地上。以白芷放在紙上。翕乾。爲末。每日酒調下。

▲又方　皂角去子及皮。蜜炙。爲末。米糊丸。用米飲吞下。

▲又方　蒼耳葉或子。焙乾爲末。蜜調服。如要洗。用朴硝井花水調洗。如要塗。用蜜和雞蘇丸幷硝朴末調塗上。

▲灸法　薑切薄片放痔上痛處。以熟艾作炷灸三壯。黃水卽出自消。若肛門上有兩三痔。三五日後逐一灸之。屢試皆效。

▲治驗　許叔微普濟本事方唐峽中王及以郎中充西路安撫使判官。乘驛入駱谷。及有痔疾。因此大作。其狀如胡瓜貫於腸頭。熱如淬炭火。至驛僵仆。主驛吏云。此病某曾患之。須灸卽瘥。用柳枝濃煎湯先洗痔。便以艾炷灸其上。連灸三五壯。忽覺一道熱氣入腸中。因大轉瀉。先血後穢。一時極痛楚。瀉後胡瓜遂消。登驟而馳。

傳信適用方。亦刻入四庫全書及當歸草堂十種者。有治痔數方。幷錄於左。

▲治內痔。枳殼圓。　用好厚枳殼。不拘多少。去瓤細切。麩炒黃色。爲末。每末一兩。入胡桃肉一個。研勻。以蜜圓如彈子大。空心細嚼一圓。米飲或溫酒下。兼用井花水淋洗。

▲白金散治久新痔痛如神（黃鼎臣傳）　海螵蛸去粗皮不拘多少。

研爲細末。每用二三錢。生麻油調成膏。以鵝翎拂上。

▲痔藥方如神（朱周卿傳）　連翹。枳壳。麩炒。等分爲皂末。煎熱薰湿洗。

▣痔疾外治法

（石蘊華）

（一）頂大五倍子十個。鑽孔去子。金頭蜈蚣三條。（碎）兒茶（研）一兩五錢。將二味裝入倍子內。用銀紙封固。瓦上煅以青烟散盡取起研末。配熊胆一錢。冰片五分。再研極細。先用皮硝泡湯洗痔後。用猪胆汁調搽。

（二）寒水石四兩。研極細末。大蜒蝸百個。同搗極爛。陰乾再搗千餘次。如香灰樣。收貯。臨用每末二錢。加冰片一分。和勻。以蚌水調搽。

（三）明礬一兩。白砒三錢。共研細末。入陽城罐內。外圍炭火。煉至烟起。烟即砒毒。人不可聞。俟烟盡礬枯。去炭。次日取研至無聲爲度。四圍搽之。不可使藥流入中孔。致令大痛。

（四）片腦一分。朴硝五分。熊胆二分。蝸牛一兩。螺肉一兩。橄欖五錢。搗爛。敷痔上。

（五）大田螺一個入冰片五厘俟化水搽敷痔上。

（六）番木鼈用水磨濃汁加冰片調搽。

消滅凍瘡

□愛美女子與凍瘡

（國　驊）

近年以來。凡是時髦的女子。雖然到了這樣冷的冬季。爲愛美的心理所驅使。仍舊高其褲管。穿極薄的絲襪。而致腿足受凍。繼而生凍瘡。再至於瘍潰。而她們一點也不知愛惜。但是審美性本是女子的天賦。女子好學時裝。甚於男子。這是一定的道理。但是時裝的是否美觀。已無定論。就算是美觀。但愛美與衛生。亦應該兩方面來注意。若祗徒愛美而不顧衛生。任其生凍瘡。她的害處我想定有許多女同胞們所未知。今我先舉一個例子來作證。但是我本是一個不好管閒事的人。祗不忍見你們個個爲着愛美的心理。而寃枉的白死掉。呵呵。

「從前我父親的友人某君。（姑隱其名）有一女。年已反笄。平素愛美的觀念極深。冬間則短袖短褲。不見易長衣。因取其美觀時髦罷了。及至春間。忽發丹毒。全體壯熱。而腿部紅腫。病勢很爲沉重。乃舁至醫院診治。據醫生說。這種毒菌。係由創口竄入。於是便診察她的足部。果有還未愈的凍瘡。可證醫生的話不錯。乃注射藥針到數十次。最高的熱度有一星期之久。若不是體格素來壯强。已早到閻王那裏報到了。』

試看上面的一回事。祇這區區的凍瘡。竟會連帶到性命上去。眞是出乎意料之外。我願青年的女子們。以此爲鑒。際此嚴寒的天氣。萬勿再穿薄襪或短袖短褲。以免於無形中與自伐己身無異。

若果有不幸的。早已生了凍瘡。那末就有每逢冬季便能復發的遺傳性了。凍瘡一物。很難醫治。凡屆冬令。即起紅核。甚至於潰爛而疼痛異常。行動就很艱難。若思這時趕緊穿上棉鞋絨襪而仿亡羊補牢的方法。這時已經晚了。今有一很便很快的治法貢獻給受着凍瘡痛苦的人。

『每晚臨睡時。將沸水俟涼。用以洗足。嗣用乾布將足拭燥。然後用『煤油』擦之。待乾後再搽之。大約四五次。如是約一星期。其瘡自消。且永不復發。』

總之。最好的避免生凍瘡的方法。就是運動。凍瘡的起源。就是足部血脈不流通所致。而大抵生凍瘡的都是少着衣褲。不喜運動的人。特別容易發生。

凍瘡一夕談

（王道濟）

有一天的夜間。天氣很冷。我想早點睡了。忽地裏進來一位朋友。我抬頭一看。只見那人氣喘呼呼地。好像有緊急的要事。急急跑來的模樣。我便開口問他道「你爲着什麼要事。走得這樣氣喘呢。他便伸着一只手對我說道「你看我這一只手腫得好像不是我的了。多麼怕人啊。這是什麼病。是什麼緣故呢。諒必你是知道的。所以我特地來請教請教。」我說。「這個名叫凍瘡。因爲皮內的脂肪質太多。身內的抵抗力薄弱。忽然遇到了大冷。就將那脂肪凝結。連帶血液也不能流通。體溫亦不能外散。所以紅腫疼痛了。凡離心臟較遠的末稍血管。和常露在寒氣中的部分。像手指手背和耳邊等。就是容易發生凍瘡的部位。所以要預防凍瘡。第一要設法保溫。第二要受冷之後。不可就烘火爐。今天你的手背和手指。生了如許的凍瘡。必定是失却保溫的方法。或是極冷之後。就烘火爐啊。」他聽了我一番言語。便點頭道。

「是的。是的。因爲我在昨日間。從外面進來。覺得兩手很冷。就到火邊去烘了一回。到今天就腫得這個樣子了。但你既然曉得這病的緣故。必定是曉得這病的治法的。所以我還要請教請教。」我說。「這病的治法。不必用藥。祇要在凍瘡上多加揉擦。使他氣血活動。再用涼水洗他。激動身體內的反應熱力。便可覺得凍壞的地位。漸漸地恢復原狀哩。若誤用火烘。水泡使他忽冷忽熱。冷熱頻激。必要弄得肌肉像死灰色的樣子。氣血不能流通。以致變成潰爛。那是更加可怕了。」朋友聽了我的話。便笑嘻嘻地說道。「謝謝你明天會吧。」

□凍瘡之預防與治療

（尤學周）

凡物遇熱則漲。遇冷則縮。人身之血管亦然。冬日天氣寒冷。體膚之露於外面者。如耳顴手指足踝等部。失其抵抗之本能與保護。日受寒氣之侵襲。以致血管收縮。血液之循環不足。呈蒼白之色。繼乃血管擴張。變爲紫色紅色。創斑由是而水泡。而破潰。終必腐爛而後已。

凍瘡初起。必先作癢。繼則以痛。所以然者。血流失常故也。如吾曲膝如廁。或曲肱而枕之。血液因曲膝而流行障碍。血行滯濇而麻木。奇癢不堪言狀。枕肱則血管亦受障碍。兩手亦必麻木。奇癢亦難言狀。若跌打損傷。瘀血凝滯。則必發生腫痛。故癢與痛。皆爲血流失常之表徵。凍瘡既由血流失常而起。故癢中兼痛。痛中作癢。甚爲難熬。

吾人欲防凍瘡之發生。最忌寒暖不調。正在向火取暖。倏然行至戶外。方從冰天雪地中回家。立卽向火取暖。血管之舒縮不節。血流失常。凍瘡最易發生。石室秘籙云『凍瘡乃人不耐寒。而肌膚受冷。驟用火烘。乃成凍瘡。至於耳上凍瘡。必曾用手溫之。反成此累也。』其次在凜寒未至之時。宜保守皮膚清潔。並攝取富於脂肪之物。及多事運動。

治療之法。因其證情而別之。在初起之時。皮膚僅見紅斑。用辛熱之品。摩擦皮膚。以促進局部血液之流行。使消散於無形。生姜樟腦火酒辣茄。皆可用之。及其成爲水泡。未破者用黃柏。朴硝爲末。調和敷之。朴硝之量。較黃柏減輕一半。已破者用黃蠟三分。麻油七分。熬膏塗之。

□治凍瘡效方二則

（佚　名）

凍瘡初起紅腫。可於臨睡時用熱水洗足。以碘酒少許。摩擦患處。必愈。若已皮爛而痛不可忍。則以大黃一錢。研細末。用水調敷。痛卽自止。

潰爛的凍瘡。值此冬令嚴寒的時候。其痛苦更勝。醫治凍瘡的方法很多。今將最便二法。用橄欖核燒灰研末。用香油調塗。或用羊糞焙乾爲末。亦用香油搽塗。很有效驗。

婦女白帶

帶下病概論

（朱叔屏）

婦科中最普遍而最纏綿難愈者。為帶下病。此症由來已久。扁鵲以『帶下醫』名於時。可知非特於今為甚也。帶下醫並非專治帶下病。卽今之婦科。婦科而以『帶下』概之。其病之普遍。可以知矣。江南卑溼之地。婦女幾無一不為此所苦。不特已嫁婦人患之。未嫁之少女。患此者實不可勝計。不特已成年之婦女患之。卽十歲以內。二歲以上之女孩亦能患之。語云『十女九帶』就臨診之所得。信不誣也。

帶下之原因甚多。人所習知者。為體質虛弱。蓋體質虛弱者。不耐運動。少見陽光空氣。肌肉退化。血流呆滯。如陰地之草。不見風日。以致柔弱不堪機能不健。運化遲緩。鬱滯生溼漸成帶下之症。精神愈見衰弱。身體愈形不支。而帶下亦愈甚矣。

婦女經期中。及產月中。每易感冒寒涼及勞傷過度。以致遺患無窮。成為帶下。又因調理不善。變生惡瘡。難產之婦。傷其產道者。尤易變生此症。經年不愈。赤白帶下。夾以腥膿。其苦不可勝言。家庭之中有一患帶下者。卽能於共用之手巾。浴盆。溺器。被褥等而沾染。惟此則爲少數。

男子爲聲色所誘。尋花問柳。往往發生淋濁。蓋花柳中之女子。十九患有惡習。與之接觸者。卽受其傳染。此症沾身之後。非常難愈。可謂永無斷根之日。且傳染於妻子。卽成爲頑固之帶下症。近世婦女之帶下。因男子之不能守身。由淋濁而傳染者。比比是也。

患帶下病之婦女。身體皆衰弱不堪。蓋此症之影響所及。頗非淺小。其關於神經方面者。爲煩躁。爲鬱怒。爲疲倦。爲頭痛。爲昏暈。爲記憶不佳。爲志慮失常等。其關於心臟者。因神經衰弱之故。多患心悸不寧。心跳及心痛等症。關於消化器方面者。往往消化不良。胃納不馨。中院不舒。泛嘔作酸。嘈雜噫氣。並起各種痛症。如肝胃氣痛。小腹痛。腰脊酸痛之類。不一而足。

帶下有多有少。輕者其量極微。於身體上尙無大影響。惟重症乃有上述現狀。帶下淋漓。無有休止。甚則會陰及腿部。浸淫成瘡。體內水素。爲之減少。致皮膚枯槁。多成皺紋。且血之搆造力受傷。血液不足。故患帶下症者。皆有貧血現象。面色蒼白。眼生黑暈。髮枯無澤。睛帶無光。昔日之豐肌美貌。消滅無餘。可寶之青春。於此斷送。

患帶下者。與生育問題。亦有關係。婦女之不能生育。雖未必盡因帶下之故。而患帶下之婦女。往往不能生育。蓋帶下淋漓。足以碍精神之會合。且此黏膩之物。含有毒質。有碍精虫之生存。以致不育。

帶下之由來。多因黏膜發炎。始而陰道黏膜發炎。繼而上行至子宮。至輸卵管。全部生殖器官。往往受其波及。阻碍卵子之發育。同時月經不調。或經來作痛。此亦不能孕育之一原也。

帶下俗稱白帶。因其狀爲白色黏液之故。亦有作黃膿狀。或作灰褐色。或作赤色者。病有深淺。治法各異。

帶下病之治法。第一去其病源。第二對付發炎。而下黏物之源。爲之消炎。行血。排去污穢。方有健全之望。

所謂去其病源者。如因血虧而患帶下者。宜注意下列二點。(一)多食滋養料豐富之食品。以培補其不足。或服各種補血之品。以補其血。(二)有充足之陽光。新鮮之空氣。及適宜之運動。以强固其體質。發展其活力。內修外補。其效甚捷。如因花柳病傳染者。則當先去花柳病毒。

所謂對付發炎而下黏物之源者。爲治標之法。大約不外清利與收澀二端。清利之目的。在去其分泌及腐化之穢物。不使蔓延他處。且其中混合之病毒。亦可隨之而去。收澀之目的。在減少其分泌物。收澀之法。近於霸道。根源未除。遽用此法。暫時雖能見效。日後必生大變。市上發行之治帶藥品。皆爲澀劑。蓋不如此不足以取信於人。患者不知原委。貪圖速效。自蹈於危境而不知。尙推崇其功。爲之傳說。此皆無醫藥常識之故也。

患痳病之婦女。亦有患帶下者。因痳菌傳入生殖器管。發炎化膿。此膿化之物。排於陰道之外。卽爲帶下。此症不特帶下頻頻。而月經之量。亦反較前爲多。迨後病愈深。月經漸少。以至於無。卽成乾血痳。而白帶則仍無已時也。

又有帶下如肉湯。如赤豆湯者。每爲子宮癌之證象。不可不知。宜急速延醫診治。愈早愈妙。

□帶下病之我見

（丁仲英）

帶下之由來

內經云。思想無窮。所願不得。意淫於外。入房太甚。宗筋弛縱。發爲筋痿。及爲白淫。白淫即白帶。此指帶下由於性欲過度而起。緣帶下爲生殖器官內部發生變化所致。性慾過度者。確能種此病根。及帶下發生。而尚不知節慾。證象必逐漸加增。內經此言。可爲時下青年。作一砭針。大約作者鑑於當時之風俗頹靡。桑間濮上之事。時有所聞。有感而言。非謂帶下之症。盡由性慾過度而來也。近時醫家。多指爲肝脾濕熱。所謂肝脾濕熱。即指子宮內部發炎而言。子宮發炎。其原因雖有多端。而習慣上之稱謂。即以肝脾濕熱概括之。不僅指實質上之肝與脾而已也。

帶下與虛弱之關係

普通之人。每以帶下由於虛弱所致。醫家往往迎合病家心理。亦指爲體虛之結果。帶下無休止之時。或分泌過多。或久而不愈。身體必漸虛弱。此乃因帶下而虛弱。非虛弱而致帶下。倒果爲因。當宜糾正之。患帶下者。不宜操勞過度。體力與心力。使用之時。皆有節制。過用則發爲勞疲。病勢得有進行之機會。勞疲之後。帶下愈甚。職是故也。

閨女之帶下

閨女患帶下者。亦屢見不鮮。此症大多由於不潔所致。即洗滌下部。亦多人同器。不免受其傳染。然證象則較諸已嫁之女子爲輕淺。故易於治療。亦易於斷根。若帶下甚者。其原因則不僅如此簡單。內部必發變化。切不可因循延誤。

□婦女帶下的病理及療法

（葉橘泉）

「名稱的解釋」人身有十二經絡。還有奇經八脈。陰。陽。蹻。維。衝。任。督。帶。叫做八脉。諸經脉絡都上下直行。獨有帶脈橫環腰腹。如束一帶。他的功能收束一切經脉。約束脾腎精氣。帶濁的由來。實由帶脈不能約束。而致子宮內膜容易分泌一種粘液。頻頻而下。所以叫做帶下。

「帶下的來源」——俗語說。「十女九帶」。爲什麽女人帶病獨多。這是女人思慮特多。鬱悒傷肝。肝病必及脾。（舊說「木尅土」即是神經不舒。影響消化器官）脾虛則消化無力。一面生濕。濕濁下注。變成滑濁之汁。一面血衰。不能榮其色。所以有帶病的女人。經信往往不調。神色往往呈貧血現象。患這病的初起。都不注意。久而久之。脾病及腎。（影響到內分泌）往往經年累月。纏綿不易愈。腰痠腹滿頭暈眼花。面色晦暗。力乏神疲。轉成虛損不治的也很多。倒也不可不注意的。

『治療的分別』帶下有青帶。白帶。黃帶。赤帶。黑帶等的分別。還有白淫……等。然而究以白帶居多。

白帶—初起宜健脾滲濕。如四君子。加米仁。澤瀉。車前等。日稍久而腰疼足軟。脾腎兩虛者。宜補中益氣湯。或十全大補湯。止帶丸。完帶湯加味。

青帶—帶下色青。或如菉荳之汁。腥臭異常。這是寒症。宜用溫補。因此症每兼畏冷面青。腿足痠痛。或少腹痛。我曾遇到過幾次。每用吳萸。柴。芍。茴香。木香。白朮。歸。芪。羌。草。等得獲良好的效果。然也須兼參佐證。以施治療。不可一概如此的。

黃帶——帶病而濕火熾盛的。其色每帶一些黃。濁他的兼證往往內熱。口渴。脈數。舌黃。小便赤而少。宜側重滲濕導火。稍佐清脾益胃。如川柏。黃芩。猪。赤苓。飛滑。黑梔。茯苓。白朮。生。百藥。車前。等或四苓。二妙。三妙。等方。

赤帶——帶下色赤。似血非血。亦濕熱陷於下焦。任帶失固。血亦滲入其中。大概虛多邪少。宜膠艾四物。加苓朮。或八珍散加減。此症尤須仔細研究的。假如所下之物。粘稠腥臭的是赤帶。或不粘。而色淡紅。點滴而下的。是經漏。

黑帶——有數種。有的如黃帶。而兼晦暗的。宜仿黃帶例。如丹梔逍遙散。……有的如赤帶而兼紫暗的。宜四物湯加桃仁丹參。或解帶散。……等有的色如黑荳之汁。光滑粘稠。大概濕火久鬱。熱極之故。利火湯。或六味地黃湯。加味。

白淫——人家往往誤認爲白帶。其實和白帶大不相同。白帶初起每兼有濕。白淫完全是卵巢內的涎水。這病的原因。由手淫。意淫。而來的。還有幾句經文。可以證明我說的非武斷。素古痿論曰「思想無窮。所願不遂。意淫於外。入房大甚。宗筋弛縱。發爲筋痿。及爲白淫」可見白淫較重於白帶。等於男子的滑精陽痿。大有嗣續之危生命之險。不若白帶的十人九有。儘有不得生育的——宜絕對的淸心寡慾。並用固補。如龍。牡。茯。兔。等。

以上所說的病理。和治療。一半參照舊說。一半推加新理。並證之臨證的經驗而成的。若照古來相傳的女科書籍。往往拿五色配五臟。什麼靑帶屬肝。黑帶屬腎。黃帶屬脾。白帶屬肺。赤帶屬心等。呆板板的歸納法。我想這種論調。到現在時。恐沒怕有成立的價值吧。我們假使求中醫學理的進步。雖然不能離開舊書本。然而也不可墨守前人的舊說。讀古書。也不可死讀書句的。才有逐漸推演向前進展的可能哩。

小兒疾病

□小兒衛生

（鮑東藩）

小兒肌膚薄弱。腸胃柔脆。父母之心。靡不加意愛護。但於飢寒飽煖。通常多失之太過。其因不及而致疾者反少。祇知飢寒足以致病。而不知過於飽煖以致病。十常八九也。

小兒初生開食之先。通俗多喂以黃連甘草湯。不知黃連苦寒而性滯。不若改用大黃。大黃苦味稍減。而帶甘。其性走而不守。實勝於黃連。王孟英法。用生芝蔴。嚼碎軟絹包作團。如乳頭大。納兒口中。俾時吮之。敗毒而不傷胃。實良法也。

小兒最易敎成慣習。啼聲不急時。乃爲小兒一種天然運動。知其非爲飢寒而啼。愼勿一聞啼聲。卽行搖籃。或是擁抱喂乳。如過順其情。慣習就成。卽難改變。敎之成習而復怒之。不如愼之於始也。小兒因慣習不遂而啼。乃爲眞啼。斯時不遂其意。啼終不止也。

小兒衣被。與其失之過煖。毋甯失之過寒。過寒則肌腠緊閉。體內自具一種天然抵抗力。外撫其膚雖若寒極似凍其實體內固不寒也。過煖則皮膚薄弱易於出汗。汗出則肌腠空虛反易感受風寒。明乎此則知小兒之衣。不宜新棉重棉。乃防過煖之爲患。小兒覆被惟臍腹爲最要。即在盛夏通身可一絲不挂。惟臍腹須加圍巾。不可露外。臥時尤須緊覆。

乳兒勿令過飽。過於優逸之人。飽食且非所宜。小兒腸胃柔嫩。消化力不強。且缺少運動。過飽則胃力不能勝任。此食積所由成也。周歲以內。勿食以乾燥堅硬之品。及生冷黏滯油膩之物。五歲以內。只食以飯粥蔬菜爲佳。葷腥切不宜食。小兒骨骼中含膠質最富。故甚柔而不脆。臥時就乳。頭既偏向則一側因久枕而骨下陷。必須改換傾向。令兩側平均而後可。坐不宜早。亦不宜久。早令久坐則脊柱一曲。更不能直。龜背之症。多由於此。

◻割小兒螳螂子之經驗談

（顧惠民）

夫螳螂子一症。亦論之多矣。惟讀其內容。有謂可割。與不可割之爭而已。然究可割。抑不可割歟。則海上之各大醫報。亦未曾見任何人決定。以致社會人仕有子女而患螳螂子者。對于割。莫不驚惶異常。疑信參半。斯者洵引以爲憾者也。余父晉山對于此症。頗多經驗。今特書之。公開不秘。投諸本刊。以決可割與不可割之爭。而定社會人仕驚疑之心。並備愛讀幸福雜誌諸君之參考焉。

△螳螂子之預卜

小兒初生。于沐浴時。卽鼻嚏連連者。或生後。每至清晨。須有鼻嚏者。其十分之七八。可斷必患螳螂子。

△螳螂子之由來

螳螂子之來。多由于娠母。愛食辛辣香燥。腥膩葱蒜之物。或生性暴躁。或體肥多熱。或房事過度。以及男子有梅毒淋濁之傳染。諸如此類。皆能足以生之。

△螳螂子之辨別

螳螂子生于牙根上之腮內。凸出一二分。或四五分。繞有紅絲者。腮外則無紅絲。僅腫硬者卽是。。

△螳螂子之輕重

小兒患螳螂子者其十九必食乳維艱。久則。肌羸瘦。面無潤色。以凸出一二分者輕。四五分者重。

△螳螂子之分別

此症大概有四種。一係凸出一二分者。謂之雄螳螂子。二係凸出四五分者。謂之雌螳螂子。三係小兒有螳螂子。而專迷沉睡眠者。謂之睏螳螂子。四係有螳螂子。而時常哭者。謂之哭螳螂子。

△螳螂子不割時之病狀

小兒初生。或數月後。有螳螂子者。輕者不割。則遇有傷風。寒熱。必發脹。脹時。乳不能食。日夜煩躁不安。重者不割。則小兒不能飲。食日夜煩躁。不數日。必肌肉怯瘦。面現灰白。腹脹如鼓。青筋暴露。聲如鵶叫。牙關咬緊。至此則雖有扁鵲復活華陀再世。亦祇能視之而夭莫能挽救於萬一也。

△螳螂子有割與不可割之決定

重螳螂子之不割病形。既如上述則必須割者。明矣。然割亦須視小兒身體強壯否。有無其他疾病乎。若小兒身體強健。並無疾病。則心必定。不可慌先以割具洗淨置桌上。然後使迅速靈活之手腕割之。無不旗開得勝馬到成功。設小兒身體虛弱或有傷風。咳嗽。痰多。肌熱。赤遊丹毒。瘡癧癩癘。以及口內生鎖口。黃鵝口。雪口。木舌。重舌等症者。則切不可割。割之必有傷。甚而夭折。祇可以銀針。或金針對螳螂子處。略刺數刺。稍出惡血。待身體稍健。或病愈後。再行割去。如輕者。不必割去。亦無須服藥。祇要脹時。以針略刺出惡血。即愈。（並不費分文而愈。此經驗之良法也。）

△螳螂子之簡要割法

此症割時。除割具須洗淨銳利外。其所割之處。以螳螂子凸出中央。割如一粒米之刀洞。若割之太大。則血如湧泉不能止。之久則血盡而傷。

△螳螂子之形狀

割螳螂子。以初生者較嫩。故割時便而且速。數月者難割。蓋其覺痛。必須搖動。甚而以手執刀。所以對於數月後之螳螂子。務須愼重。不可以兒大。而形大意則誤矣。其所割出之物。有連連者。有塊塊者。有零碎而不堪者。其形狀儼如豬肺。又如桑螵蛸。

△螳螂子割後之療法

螳螂子割去後。腮內一空。有傷藥則搽藥。如無傷藥。以陳金墨磨濃。少放行軍散。搽於腮之傷口內。亦佳。

◎診治小兒病之要訣

（何伯賢）

夫小兒之病。古稱之曰啞科。蓋因言語未達也。言語既未達。其病情只憑吾人揣測之。且氣血未定之小兒。脉搏之不準確。於望。聞。問。切。四法。僅用得其半矣。所以願治百男子。莫治一小兒。兒科之難。於此可知矣。歷觀諸哲名著。皆以小兒臟腑清淨。所患諸病。無非六淫之病。并無七情內傷之患。醫治之法。亦祇分其陰陽虛實而已。此法爲最普通者。然尙有一簡捷精確之法。世人多未周知。蓋卽診治小兒。先察其母也。顧當小兒之未離襁褓也。其一飲一食。全賴其母體之乳汁。以資養而生存。故寒燥。濕。熱。小兒直接受其影響。嘗觀婦人感受風寒。其子女同時而病吐者。即其例證也。總言之。小兒當未離乎乳食之一日。實與其母如同一體。病之肇始。可先視其母之寒。暑。虛。壯。平日之飲食。居處。操作。皆與小兒有絕大關係在焉。苟明察其母體。治兒之方法已得其半。誠如斯。再診斷小兒之病。爲如何。分其輕重遲速而治之。可也。

倘小兒食於乳母。則僅察乳母不用察生母。焉愚者之見特錄之以質諸高明者。

跌打損傷

爲少年好鬭者設法

(素恬)

少年尙氣。每有細微之事。一語不合。輒卽動武。跌打損傷。若不善於調治。不免有性命之憂。今有一方。屢試屢驗。神效異常。慈善之家。配置送人。功德無量。如有跌打損傷。金刃他物。骨折骨碎。卽給藥照方醫治。勿臥熱坑。定有奇效。

大梅片三分。當門麝三分。劈辰砂三錢。明乳香三錢。子紅花一兩。上血竭四錢。雄黃精一兩。明山藥錢半。當歸尾二兩半。上兒茶六分。

上藥十味。共爲細末。瓶藏勿令走氣。

一切刀傷并各器械傷。皮破血出者。以藥末摻上。包裹。不可見風。血止卽愈。

跌打損傷。皮肉靑腫未破者。用陳醋調敷患處。腫消卽愈。

內傷骨碎。或骨已折斷。先將骨節湊准。用陳醋調藥末。厚敷患處。以紙裹。外加棉絮包好。再用薄板片夾護。將繩慢慢捆緊。不可移動。藥性一到。骨自接矣。須靜養百日房事尤宜禁忌。

刀傷深重未至透膜者。先將傷口縫合。多摻藥末於上。以活雞皮急急貼護。如前條骨損養護法。卽愈。

跌傷昏迷不醒。急用一錢。同陳酒冲服。自然醒轉。以服調治。此方神奇。雖遇至重之傷。鮮有不起死回生者也。

傷科秘方

（承淡安）

（一）大便傷血方

桃仁二錢。歸尾二錢。地楡三錢。炒槐米三錢。鑽地風三錢。血餘三錢。丹桂三錢。荷米三錢。木香一錢。甘草二錢。滑石二錢。

水煎服。如血不止。加大蒜頭一兩。

（二）背部傷煎方

羌活錢半。防己二錢。五茄皮三錢。獨活二錢。歸尾二錢。綠脂二錢。川芎二錢。桂枝一錢。丹皮二錢。毛姜三錢。桑寄生二錢。延胡二錢。木瓜二錢半。杜仲二錢。大便不通。加生軍錢半。火麻仁錢半。小便不通。加木通三錢。車前子二錢。

（三）大腿環跳傷煎方

川牛膝三錢。鑽地風二錢。五茄皮二錢。劉寄奴三錢。秦艽二錢。紫荆皮二錢。川玉金錢半。骨碎補四錢。川山甲三錢。歸尾一錢。紅花一錢。木瓜三錢。加松節一兩。

（四）腰傷煎方

杜仲三錢。沒藥二錢。紅花一錢。補骨脂二錢。全當歸二錢。甘杞子二錢。劉寄奴三錢。金毛狗脊三錢。大生地三錢。骨碎補三錢。木耳灰四分。

（五）止血祛瘀方

歸尾一錢。乳香一錢。沒藥一錢。木香一錢。續斷一錢。澤蘭一錢。烏藥六分。川芎八分。蘇木八分。甘草七分。桃仁二錢。生地一錢。木通七分。茶葉二錢。側柏叶二錢。川連二錢。姜三片。煎湯冲童便一盃。陳酒一杯服。

（六）跌打損傷發熱方

防風一錢。蘇梗錢半。乾葛一錢。前胡錢半。茅朮八分。桔梗八分。羌活一錢。陳皮四分。川芎四分。香附二錢。細辛二分。甘草五分。水煎服。出汗妙

金刃傷療法

（亦蘇）

龍眼核剝去光皮。其仁研極細。摻瘡口。卽定痛止血。西平氏云。此藥在西秦巴里坤營中救愈多人。按龍眼核治金刃傷之功效甚驗。查本草綱目及別集俱未紀載。可知世間有用之材。自古迄今。湮沒不可勝計矣。惜哉惜哉

接骨法

（姚夢石）

（說明）無論跌仆毆傷。以及刀斧誤損。其骨者。不拘何處。用之皆効。

（藥物）雄地鱉蟲（米堆旁邊居多。將篾片刺破其腹。放於潮濕地上。以盌蓋之。次日啓視。接而活者。是取之。置瓦上炙研）開元銅泉（須背面有一文字。用童便浸。連煅七次。以鬆脆能研爲度）各等分

（用法）傷勢重者。外敷玉眞散。或七厘散。（藥店中有售。故方不錄。）用桑樹白皮。貼肉扎緊。再上竹夾版綁好。取上藥一二錢。以生虎骨三錢。爲引。陳酒煎服。一劑卽愈。輕則弗綁紮。藥量亦可減少。

（試驗）予用鷄一隻。將腿骨折斷。拗以是藥少許。一二日果愈。開步如恆。隔數月。拙荆欲殺而食之。細驗此骨。并無損傷。略露微痕。以舌味之。含有銅質氣味。於是益信其效著。未敢自祕。今錄出公開。以告患者。使免西法鋸割殘廢之苦。幸勿平淡而棄之。

朱振聲編

長壽彙選

特價六角　外埠寄費九分

本書由長壽報彙選而成。內容所載。篇篇切合實用。撰述者皆全國有名醫家。全書共分內科醫藥常識。婦科醫藥常識。兒科醫藥常識。時症醫藥常識。痛症醫藥常識。性病醫藥常識。普通醫藥常識。藥物研究。診餘隨筆。實用驗方。醫藥顧問等十一欄。茲將性病醫藥常識之目錄。披露如下。其他目錄。限於篇幅。不克備載。

▲性病醫藥常識▼

▲祕尿器病簡治法……

（一）小便不通之治法
（二）尿急之治法
（三）小便過多之治法
（四）溺白之治法
（五）糖尿病之治法
（六）尿血之治法
（七）遺尿之治法
（八）血淋之治法
（九）熱淋之治法
（十）砂淋之治法

▲生殖器病簡治法……

（一）陽物易舉之治法
（二）陽痿之治法
（三）陽物短小之治法
（四）陰挺之治法
（五）陰癢之治法

▲陽痿自療法……

（一）先天不足而痿之治法
（二）淫慾過甚而痿之治法
（三）飲食失調而痿之治法
（四）飲酒過度而痿之治法
（五）痰濕下注而痿之治法
（六）寒氣內襲而痿之治法
（七）肥人陽痿之治法
（八）瘦人陽痿之治法
（九）老人陽痿之治法
（十）驚恐而痿之治法
（十一）悲哀而痿之治法
（十二）憤怒而痿之治法
（十三）陽物下垂而痿治法
（十四）陽物雖舉如痿治法
（十五）陽痿而短小之治法
（十六）陽痿囊大之治法
（十七）陽痿遺精之治法
（十八）陽痿不育之治法
（十九）精脫陽痿之治法
（二十）夾陰陽痿之治法

▲陽痿病治療筆記……

（一）手淫過度之陽痿
（二）陽虛中冷之陽痿

▲陽痿醫案選粹……

（一）體肥腿酸背痛陽痿
（二）濕痰鬱遏陽道痿頓
（三）焦思憂慮精滑陽痿
（四）先天稟弱陽事不舉
（五）陽痿頭眩胸背隱痛

▲陽痿單方廿三則……

▲答人徵求遺精與陽痿治法……

▲陽痿與早洩……

▲治老白濁最有效力……

▲橫痃効方……

▲夾陰傷寒方……

長篇新著

血症概論（二）

（朱振聲）

吐血何以不易斷根

患吐血之人。或延醫服藥。或訪求單方。無不急於調治。以求速效。然血雖暫止。過後往往復發。不易斷根。此何故耶。蓋吐血之人。貴在乎靜。不特吐血之時。不可妄動。即血止以後。亦當有長期之休養。方可不發。

血液在血管之內。爲流體。一出管外。即易凝固。此乃一種天然之治療作用。能使破傷之血管。藉其凝固之性。可以乘間生合。故小出血不加治療。亦能自止。若大出血所用之藥。其作用亦不過使血管凝合而已。於斯時也。若偶生震蕩。血之凝塊。必生搖動。不能密着創口。則封鎖不嚴。其血必將復出。不特此也。凝血之封鎖傷口。爲力極微。黏性極弱。若因七情之不節。神經刺激太過。以致血壓增高。則來勢必猛。封塊亦必被掀而去。故吐血以後。不特宜靜其身。且宜靜其心。

一般之患吐血者。血止以後。以爲全愈矣。不復再加注意。或勞其心。或勞其力。一如平日。以致暫合之傷口。復見迸裂。如已止之水。又起波瀾。吐血再見。一再而三。安能斷根。且患吐血者。多非有閒階級之人。爲環境所壓迫。爲生活所驅使。在事勢上。又不作長期之休養。故尤難有斷根之望。

治吐血之祕訣

吐血爲急症。其原因雖不同。然以救急爲先。以止血爲要務。前人治吐血。有三祕訣。一曰宜降氣。不宜降火。二曰宜行血。不宜止血。三曰宜補肝。不宜伐肝。此意甚晦。驟難明瞭。余另有三義。一曰降低血壓。二曰收縮血管。三曰彌合創口。血壓增高。猶黃河水漲。勢雄力厚。往往有決隄潰防之慮。吐血者如偶用氣力。或行運動。血壓必增高。又或精神激動。盛怒劇驚。血壓亦驟增。皆非所宜。故降低血壓。實爲最要。如犀角。地黃。大黃。川連。丹皮。黃芩之類。皆具此作用者也。收縮血管。則創口可以緊湊。使血液易於凝固。益彰其封鎖之作用。此理之易知者。此類藥物。多含澀性。如側柏葉。藕汁。訶子肉。龍骨。椿皮。五味子。烏梅之類是也。

彌合創口之品。卽各種炭類。如丹皮炭。蒲黃炭。地榆炭。棕櫚炭。血餘炭之類。蓋炭類入胃。在胃中化開之後。將全胃黏膜密密蓋滿。而保護之。出血之處。亦受其蓋滿。該處之血纖維素。因之凝結。出血遂止。此法用於胃出血。能收效。若肺出血則不生效力。

胃出血之治法

胃出血之原因亦不一。通常以其吐血之狀態而分爲吐與嘔二種。血出時稍作噦聲。亦有無聲者。卽謂之吐。吐時血甚多。切忌驚慌。安心靜臥。此乃胃中火盛。證雖險而易治。蓋其病根尚淺。投以清熱（降低血壓）止血（彌合創口）之品。必能奏效。嘔者。血出時先有嘔逆之聲。其血必紫黑成塊。脅痛內熱。氣塞煩悶。前人謂爲大怒所致。實則此證胃內必有潰瘍。如胃癰胃癌之類。故血成紫黑。大怒祇其引誘耳。非主因也。在嘔血不止之時。以治標爲先。先止其血。法當降氣清火。降氣如降香。鬱金。蘇子。瓜蔞。代赭石等。清火如川連。黃芩。丹皮。犀角。三七。大黃等。血止則又當治其本。審其原因而治之。

朱振聲醫士診例

科目	內外婦幼各科
時間	門診上午九時至下午四時出診四時以後
診金	門診一元出診四元
膏丸方	每張四元隔日取件
診所	上海三馬路雲南路老會樂里第一弄第一家
通函論症	外埠通函論症第一次納費二元覆診減半先惠後覆惟來函須詳述現在病狀及經過情形掛號寄下原班還件

掛號處啓

幸福雜誌

第五期

價目表

時期	冊數	連郵費 國內	連郵費 國外
半年	六冊	一元	二元
全年	十二冊	二元	四元

零售 每冊實售大洋二角

廣告價目

等第	地位	全面	半面	四分之一
特別位	封面		四十元	
特等	底面之內外 封面之內	四十元		
優等	封面內面之對面	三十元	十六元	
普通	正文之前	二十元	十元	五元

彩色另議

◀中華民國二十三年二月一日出版▶

編輯者 朱振聲

撰述者 全國醫家

發行者 幸福書局 上海三馬路雲南路轉角

印刷者 洪興印刷所 上海山海關路瑞靄里二三二號 電話三二三三八號

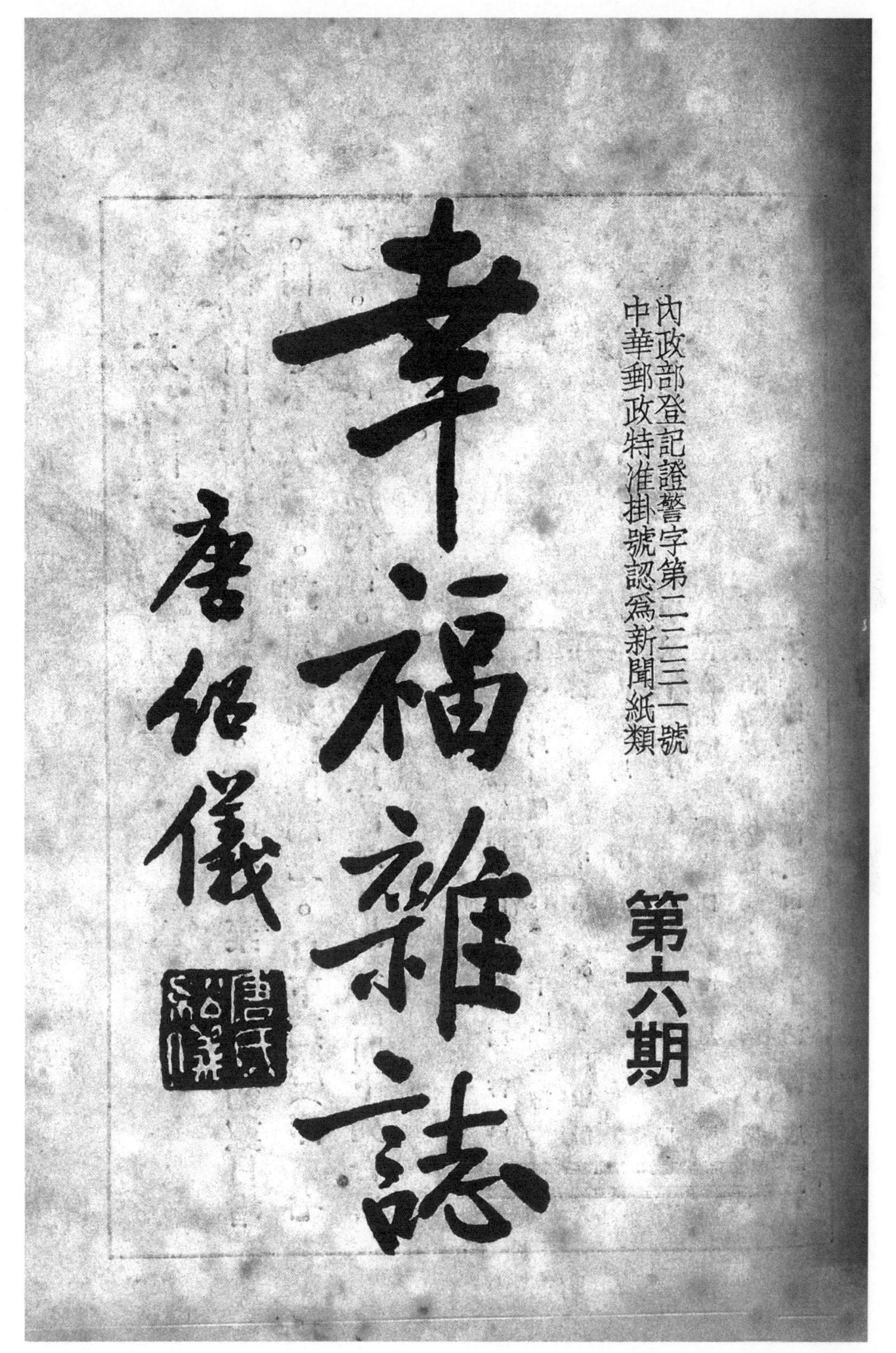
內政部登記證警字第二二三一號
中華郵政特准掛號認爲新聞紙類
幸福雜誌
第十六期
唐紹儀

本埠讀者諸君公鑒

本雜誌自出版以來。倏已半載。蒙讀者不棄。以致銷數日增。同人等不勝感謝。茲因擴充銷路起見。自下期起(即第七期)。一律由書局代售。凡屬本埠讀者。以後請向下列各書局購閱可也。

幸福雜誌代售處

上海三馬路雲南路口 幸福書局
上海三馬路望平街口 千頃堂書局
上海四馬路中市 世界出版社
上海四馬路中市 大衆書局
上海四馬路中市 現代書局
上海四馬路麥家圈 南星書局
上海五馬路棋盤街 百新書局
上海霞飛路華龍路西 生活書店

幸福雜誌第六期目錄

吐血概論

吐血與心理……鄒德民
肺癆咯血……陳存仁
吐血特效藥……沈仲圭

痰飲咳嗽

痰飲咳嗽小談……鄒德民
老年人咳嗽……曾養吾
咳嗽與臟腑之關係……李健頤
咳嗽治法大要……龐九功

胃病指南

胃酸過多……尤學周
胃病與睡眠……郭柏良
胃病之治法……易上達

神經疾患

神志病原理……折背叟
青年之神經衰弱……尤學周
性神經衰弱……尤學周

五淋白濁

談白濁菌……朱仰高
關於淋病的常識……陸百奇
赤白濁不一定爲花柳病……王鏡泉
五淋治法……劉文若

橫痃下疳

下疳與橫痃……葉勁秋
橫痃的因果……林小川
談談橫痃……佚　名
軟性下疳……丁仲祜

肥瘦問題

肥胖與婦女的美感……冰　玉
肥胖病調治法……尤學周
過瘦婦女肥胖法……楚　玉
瘦羸調治法……尤學周

冬令補品

我與補藥……時　還
冬令進補談……湯士彦
冬令補品……史濟宏
補腦汁……漱　碧

婦人產後

產褥中的衞生……………………鼎　臣
小產以後……………………朱叔屏
產後發熱……………………朱叔屏
產後不宜妄用攻藥……………………林鴻藻

保幼之道

小兒科所不經意之小兒病……尤學周
冬令兒童之衞生……………………周君常
兒童睡眠之衞生……………………瘦　凫
小兒痧子……………………金長康

長篇新著

血症概論(四)……………………朱振聲
肺出血之治法
吐粉紅血之治法
吐血後之調理

上海幸福書局出版各種醫藥新書

朱振聲編	腎病研究	每部二册實售一元
朱振聲編	婦女病	每部二册實售一元
朱振聲編	保腦新書	每部一册實售四角
朱振聲編	百病秘方	每部一册實售四角
朱振聲編	求孕與避孕	每部二册實售一元
朱振聲編	肺病指南	每部一册實售四角
朱振聲編	痛症大全	每部一册實售四角
朱振聲編	肝胃病	每部一册實售四角
朱振聲編	家庭醫藥常識	每部一册實售八角
朱振聲編	百病自療叢書	每部十二册實售一元六角
尤學周編	虛勞五種	每部一册實售五角
李如珪編	胎產問題	每部一册實售四角
葉勁秋編	花柳病治療學	每部一册實售三角

外埠函購寄費加一　地址三馬路雲南路口

吐血概論

□吐血與心理

（鄒德民）

吐血之來。傾碗傾盆。不加制止。頃刻卽能生變。因吐血不止。虛脫而亡者。數亦不少。此種大吐血之症。不特病者及其家屬發生無限之恐慌。醫家遇此。亦往往有措手不及之憾。因其易於生變。故一見吐血。遂覺惶惶莫名。

在實際方面。患吐血者。不可存恐懼之心。當吐血之際。其心宜鎮定。聲色不變。處之泰然。則雖大吐血。亦不致頃刻生變。最忌者恐慌萬分。心境不定。則雖小出血。亦能轉成大吐血。

吾人之心理。足以支配血液之流行與停止。有一維也納科學家。在奧地利心靈研究會。目擊一西利西亞礦工名保羅第倍爾。能以刃刺入上臂。成一窟窿。毫不畏縮。亦不流血。後復集中其意志。使血從胃壁點點滴出。又自膝部迸出。又能使血集於背部皮膚之下。顯一十字之血痕。此血之爲意志之驅使。可以無疑。彼又令觀者以金屬之光端。直貫其胸。不變其色。拔而出之。以創口示人。略不見血。於此觀之。足證血液之受心理支配矣。

心理既能以支配血液。吐血之際。若存恐慌之心。則心事紛亂。失其節制之力。於是血流失常。不能循經絡而行。皆從創處湧出。小吐血成爲大吐血。大吐血者。益難制止。虛脫之變。卽在俄頃。故吐血者。心境宜放寬。切不可亘於心。橫於慮。推波助瀾。增進其病勢。杞人憂天。寢食俱廢。杯弓蛇影。以疑成疾。無病之人。因心理而造成疾病。矧有病之人。吐血以安靜爲要義。不特身體宜靜。心境亦宜靜。慌張急遽。大非所宜。

□肺癆咯血

（陳存仁）

肺癆之咯血。有從內而出者。有從外而入者。從內而出者。癆菌盤踞於肺臟深處。侵蝕爲患。久則潰爲大竇。且傷及肺之大絡。於是血逆而出。患此者初有微熱。或併微熱而無之。故每不自覺。及見咯血。猶以爲胃出血者。往往有之。咯血以後。徵象始顯著。證情亦加增。從外而入者。癆菌由肺管等處。逐漸侵及肺葉。初損微血管。成爲痰血。後則損及大絡而成咯血。前者不發生咳嗽。後者必兼見咳嗽。痰中帶血。宜注意調養。咯血尤當注意。宜絕對安靜。蓋血液一出管外。即能凝固以封塞破損之口。以杜後來者之繼出。而破損之血管。乃得乘間生合。斯時若偶生震動。凝塊之血。基礎搖動。以致不能密着傷口。則封鎖不嚴。已止之血。必復出無疑。不但此也。凝固血塊之封塞傷口。爲力極微。粘性極弱。若內部血液之壓力增强。則來勢必猛。而封塊必被掀而去。故患咯血者。不特宜靜其身。且宜靜其心。

咯血而無寒熱者。以固澀爲尚。可用十灰丸法治之。如有熱度。石斛。生地。麥冬。仙鶴草。阿膠。黛蛤散。百合。側柏炭。川連炭。蒲黃炭。藕節。地骨皮。墨旱蓮等。可以採用。如有咳嗽。可加入川貝。欵冬。杏仁。紫菀。遠志。陳皮等品。

古人療血之法。車載斗量。不可勝數。其合於肺癆咯血者。葛可久十法。較爲切要。錄之於下。

（一）十灰散——治一切血證。先用此藥止之。

大薊　小薊　荷葉　扁柏葉　茅根　茜根　山梔　大黃　丹皮　棕櫚

皮

上藥各等分燒灰存性。研極細末。用紙包碗盛。蓋於地上。一夕。出火毒。用時先將白藕搗汁。或蘿菔汁。磨京墨半碗。調服五錢。食後服下。如病勢輕用此立止。如血出成升斗者。用後藥止之。

(二)花蕊石散——治五臟崩損。湧潰血成升斗。並治婦人暴崩倒經。

眞花蕊石(火煆存性。研末。)

右藥用童便一盅。燉溫。調末三錢。甚者五錢。食後服下。男子用酒一半。女子用醋一半。與童便和服。使瘀血化爲黃水。服此以後藥補之。

(三)獨參湯——止血後。以此藥補之。

大人參二兩(去蘆)

右藥每服水一盞。棗五枚。煎一盅。細嚼之。服後熟睡一覺。再因症而分服下藥以除根。

(四)保和湯——久嗽肺萎

知母　貝母　天門冬　款冬花各三錢　杏仁　天花粉　苡仁　五味子各二錢　甘草　兜鈴　紫苑　百合　桔梗　阿膠　當歸　地黃　紫蘇薄荷　百部各一錢五分

右藥以水二盞。生姜三片煎一盞。入餌一。調服日三服。食後各進一盞。與下方保眞湯相間服。

(五)保眞湯——治虛熱。骨蒸。體虛。

當歸　生地　白朮　黃芪　人參各三錢　陳皮　赤苓　赤芍　甘草白苓　厚朴各錢半　天冬　麥冬　白芍　知母　黃柏　柴胡　五味子地骨皮　熟地各一錢。　每服水二錢。姜三片。棗五枚。煎與保眞湯間服。每日一服。

(六)太平丸——治久嗽。肺痿。肺癰。

天冬　麥冬　知母　貝母　款冬花各二兩　杏仁　當歸　熟地　生地黃連　阿膠各一兩五錢　蒲黃　京墨　桔梗　薄荷各一兩　白蜜四兩

麝香少許。共爲細末。用銀石器先下白蜜煉熟。後下諸藥末攪勻。再上火。入麝香。略熱二三沸。丸如彈子大。每日三食後。細嚼一丸。薄荷煎湯。緩緩化下。臨臥時如疾盛。先用飴糖拌消化丸吞下。再噙化此丸。仰臥服七日病痊。凡咳嗽吐唾咯血。只服此煎。立愈。

(七)沉香消化丸—治熱嗽壅盛。

青蒙石 明礬(水飛細研)猪牙皂角 生南星 白茯苓 陳皮各二錢 枳殼。枳實各一兩五錢 黄芩 薄荷各一兩 沉香五錢 上藥爲細末和勻。薑汁浸神麯爲丸。梧子大。每服一百丸。每夜臨臥。飴糖拌吞。嚼噙太平丸。二藥相攻。痰嗽除根。

(八)潤肺膏—治久嗽。肺燥。肺痿。

羊肺一具 杏仁(淨研) 柿霜 眞酥 眞粉各一兩 白蜜二兩 上藥先將羊肺洗淨。次將五藥入水攪黏。灌入肺中。白水煮熟。如常服食。前七藥相間服之。亦佳。

(九)白鳳膏——治一切久虛。咳嗽。唾痰。咯血。發熱。黑嘴白鴨一隻。大京棗二升。參苓平胃散一升（參苓平胃散爲厚樸陳皮各五兩蒼朮八兩炙甘草三兩人參二兩。白茯苓二兩。同研末。）陳酒一瓶。

右將鴨縛定脚。量病人飲酒多少。隨量以酒燙溫。將鴨頸割開。滴血入酒攪勻飲之。即將鴨乾去其毛。於脇間開一孔。取去腸雜。拭乾。次將棗子去核。每個中塞入參苓平胃散末。填滿鴨肚中。用麻紥定。以砂瓶一個。置鴨在內。四圍用火慢煨。將陳酒煮作三次添入。煮乾爲度。然後食棗子。陰乾。隨意用參湯化下。後服補髓丹。補髓生精。和血順氣。

(十)補髓丹——久勞虛憊。髓枯精竭。血乾氣少。猪脊髓一條。羊脊髓一條。團魚一枚。烏鷄一隻。四味製淨。去骨存肉。用酒一大碗。於砂瓶內煮熟。擂細。再用下藥。

大山藥五條（去皮）蓮肉十斤。京棗一百枚。霜柿十枚。

四味修製淨。用井花水一大瓶。於砂瓮內煮熟。細擂。與前四味置一處。用慢火熬之。再用明膠四兩。黃蠟三兩。

二味逐漸下。與前八味和一處。研成膏子。和平胃散末。四君子湯末。幷知母黃柏末各一兩。共十兩。搜和成劑。如十分堅硬。入白蜜同熬。取起。放靑石上。用水搥打如泥丸。如梧桐子大。每服一百丸。不拘時候。棗湯下。

咯血雖出於肺。而肺病之患咯血者。不僅肺癆而已。葛氏十方。其功在於治咯血。不專指肺癆而言。如保和湯主久嗽肺萎。太平丸主肺痿及肺癰。潤肺膏主肺燥肺萎。各有專長。用之得當。頗能建立奇效。

口吐血特效藥

（沈仲圭）

椶櫚乃喬木。其皮中絲毛錯縱。恍若馬之駿鬣。故名椶櫚。蓋駿櫚之諧音也。川廣最多。江南亦產。樹高一二丈。無枝條。葉大而圓。皮中之絲。可作衣帽褥墊。其於醫藥上之功用。厥爲止吐衄崩帶赤痢腸風（卽大便下血。惟血色淸鮮。係大腸血熱生風所致）之血。故血症延久。瘀滯已淨。用此治之。最爲合拍。茲將特效單方。開列於左。以供病血症者採用也。

(一)痰中夾血　本品半斤。括樓一個。燒存性。(燒者。燒至黑色也。存性者。言不可燒至太過。致失藥物之功用也。)每服二錢。米飲送下。(按)括樓清肺火。降痰氣。爲因熱而嗽之妙品。炒香末服。亦能止血。合椶櫚皮之苦平固濇。則痰血兼顧。清止並施。推爲咳血良方。洵無愧色。

(二)吐血衄血　胎髮椶櫚等分。(等分者同等之分量也。)燒灰。溫湯調服二三錢。(按)胎髮止血補陰。椶櫚瀉火止血。二味並用。則止血無留瘀之弊。不論新病久恙。均可照服收效。

朱振聲編

長壽彙選第一集

特價六角　外埠寄費九分

本書由長壽報彙選而成。內容所載。篇篇切合實用。撰述者皆全國有名醫家。全書共分內科醫藥常識。婦科醫藥常識。兒科醫藥常識。時症醫藥常識。性病醫藥常識。痛症醫藥常識。普通醫藥常識。藥物研究。診餘隨筆。實用驗方。醫藥顧問等十一欄。茲將性病醫藥常識之目錄。披露如下。其他目錄。限於篇幅。不克備載。

▲性病醫藥常識▼

▲祕尿器病簡治法……
(一)小使不通之治法
(二)尿急之治法
(三)小便過多之治法
(四)溺自之治法
(五)糖尿病之治法
(六)尿血之治法
(七)遺尿之治法
(八)血淋之治法
(九)熱淋之治法
(十)砂淋之治法

▲生殖器病簡治法……
(一)陽物易舉之治法
(二)陽痿之治法
(三)陽物短小之治法
(四)陰挺之治法
(五)陰癢之治法

▲陽痿自療法……
(一)先天不足而痿之治法
(二)淫慾過甚而痿之治法
(三)飲食失調而痿之治法
(四)飲酒過度而痿之治法
(五)痰濕下注而痿之治法
(六)寒氣內襲而痿之治法
(七)肥人陽痿之治法
(八)瘦人陽痿之治法
(九)老人陽痿之治法
(十)驚恐而痿之治法
(十一)悲哀而痿之治法
(十二)憤怒而痿之治法
(十三)陽物下垂而痿治法
(十四)陽物雖舉如痿治法
(十五)陽痿而短小之治法
(十六)陽痿囊大之治法
(十七)陽痿遺精之治法
(十八)陽痿不育之治法
(十九)精脫陽痿之治法
(二十)夾陰陽痿之治法

▲陽痿病治療筆記……
(一)手淫過度之陽痿
(二)陽虛中冷之陽痿

▲陽痿醫案選粹……
(一)體肥腿酸背痛陽痿
(二)濕痰鬱遏陽道痿頓
(三)焦思憂慮精滑陽痿
(四)先天稟弱陽事不舉
(五)陽痿頭眩胸背隱痛

▲陽痿單方廿三則……
▲答人徵求遺精與陽痿治法……
▲陽痿與早洩……
▲治老白濁最有效力……
▲橫痃効方……
▲夾陰傷寒方……

痰飲咳嗽

□痰飲咳嗽小譚

（鄒德民）

飲證金匱分類有四。厥分痰飲支飲懸飲溢飲是也。茲先就痰飲述之。吾人進水穀。必賴脾氣之運行。變化津液。上輸於肺。再藉肺藏之呼吸力。得以水精四佈。五經並行。循環不息。所以充養肌膚皮毛五臟六腑。人之生活是所繫焉。苟脾一衰。健運失常。不能使津液全化正用。轉變濕濁。得寒凝結。釀成白沫蕩痰。蘊藏胸膈之間。上潰於肺。偶得風寒之襲。或略事勞頓。或傷酒傷食。或動怒房勞。皆能擾動伏飲。舉發此症。此卽所謂痰飲是也。發時必見咳嗆頻頻。喘促連連。大有上氣不接下氣之勢。胸滿肺脹。吐出之痰盡如蟹之白沫。或帶有黏絲狀者。喉中痰聲漉漉。如拉鋸聲然。甚至不能平臥。自汗涔涔。其苦不堪設想。絕非筆墨所能形容。以其痰濕居留肺部。氣機阻塞。於是肺氣不能肅降。衝氣反至上逆。呼吸因之不利也。凡患此症者。大多年老氣血衰弱。及體肥中虛之輩。或陽氣式微。命門火衰之流。譬諸釜底無薪。安能熟物。機之無火。何能發動。故此症每逢冬令嚴寒。發之最多。早晚咳喘最甚。粗視之病雖在肺。而實須責諸脾腎之失職也。經云。脾爲生痰之源。肺爲貯痰之器。洵哉斯言。古治療之法。務求調益脾腎。溫陰扶陽。按王太僕所謂益火之源。以消陰翳之意。如附子。炮姜。厚朴。桂枝。補骨脂。蔻仁。巴戟。旋覆花。赭石。五味。茯苓。甘草。半夏。陳皮。蘇子。杏仁。蛤尾等品。均可因證投服。或用金匱苓桂朮甘湯（桂枝。茯苓。白朮。甘草。）亦佳。設氣喘咳甚者。非小青龍（麻黃。細辛。干姜。半夏。五味。桂枝。芍藥。甘草。）不可以其有麻黃等辛溫之輩。故有特效也。夫西醫亦取麻黃提精。以治喘咳。良有以也。惜現代時醫。以其性猛。不多施用耳。（余近治南京路華明火柴公司黃麗生君之痰飲。投以小青龍。重用麻黃而愈。若氣不得息。肺滿而氣閉者。須用葶藶大棗湯以瀉肺爲主。或因於虛者。證象當有不同。須進參耆。或補中益氣湯等方效。尙有喘咳過甚而損傷肺絡吐血者。尤當另擬治法。但不多見。且飲症頗屬纏綿。非具恆心醫治。不克奏斷根之效。況患之日久。元氣必虛。脾腎皆虧。故治療此症。務須從本根治。徒以化痰止咳之套藥。豈能愈此頑疾乎。爰不揣譾陋。略述其大概。如欲詳論。更非數千言不能盡也。

老年人咳嗽

（曾養吾）

傷風咳嗽。固屬習見不奇之病。通常治法。皆用宣肺蠲痰之品。兼見他證者。隨證加減而治之。無不應手可愈。

惟年老之人。每值冬令。咳必增劇。所見症狀。如鼻塞涕多喉痒等。亦與時行傷風無甚懸殊。如用杏仁象貝之類。及其他治痰之藥。效果皆不過爾爾。或取效暫時。終必如故。患此者類多面白腠疎。易招外感之人。或早年斲喪太甚。腎陽衰弱。所見尋常傷風。外兼見上實下虛痰多氣逆之證。隨嗽隨吐。傾盂盈碗。誠有潰潰乎若壞都。汩汩乎不可止之概。用製半夏滾痰丸及現社會之治痰藥。均無甚效果。講到此種治法。嚴格的說起來。簡直是背謬的。如遇此種病證。用藥再要與痰為敵。以為把痰驅逐乾淨。咳就好了。病也好了。豈知用藥與生理之關係。並不如是簡單。所以生出痰來的緣故。就是為著驅逐外寒而設。易招外感的。就是為著陽虛。陽虛抵抗無權。於是肺管中生出痰來而起咳的作用。我們要想把寒邪驅逐到外面去。如果用宣肺化痰之品。委實沒有袪病的可能。假使僅僅把寒邪驅除乾淨可是正氣不足。亦不能永久持續。同時必須扶起腎藏之陽。方是根本解決之道。務使抵抗力強盛。外界之寒。無隙可乘。至於驅除寒邪的方法。也只消普通發表之藥。因爲肺藏受寒。只從肌腠外達。肺與肌膚是息息相關。然後用桂附遠志等鼓舞腎陽。使外寒不致襲肺。那末痰就不生了。咳也不咳了。

咳嗽與臟腑之關係

（李健頤）

俗云。咳者皆爲肺病。余曰。肺病固是然。心肝脾腎亦皆能致咳。非獨肺也。靈素咳論曰。五臟六腑。皆能令人咳。可見咳之來源。是因他臟有病。移之於肺也。然五臟之咳。惟肺爲本病。而四臟之病。即爲肺之誘因。如心熱甚。則血亦熱。肺與心連近。熱氣相灼。肺受刺戟。肺氣不暢。即爲咳嗽。脾濕太盛。濕爲水分過多。水甚轉變爲飲。復加體溫度之升熬。由飲煑變爲痰。痰湧以上。壅塞氣道。呼吸阻碍。遂爲咳嗽。腎水內竭。火氣必炎。子不能爲母復仇。其母必損。淸肅失職。咳嗽頓生。肝爲將軍。相火內寄。火甚則肝中之血張。傳流肺臟。釀爲痰飲。以作咳嗽。此皆四臟之病。干之於肺也。若外感風寒。肺之機關障碍。而咳嗽者。卽純屬肺病。西醫所謂肺傷風咳嗽是也。夫五臟之咳不已。卽傳於六腑。六腑有病。故咳而兼見六腑之證狀。如肺咳不已。則傳大腸。大腸失傳道之力。故咳病兼見大腸之病。心咳不已。則傳小腸。小腸失收盛之能。故咳而兼見小腸之病。肝脾腎之咳不已。則傳於膽胃三焦膀胱諸病。乃作焉。此卽西醫所謂合併證者是也。由此觀之。人之病咳。非獨專屬於肺。至於治法。亦不可專治其肺。如五臟之咳。未傳六腑者。宜用根本之治。以療其臟。若旣傳於六腑者。卽宜治其臟。兼療其腑。脈證相參。自獲有效。不然。不察其奧。遽用燥痰降氣之藥。刦奪其氣。氣耗病危。而咳仍不止矣。吁。世之醫者。不知治本。但圖療末。故欬症無一日之除根。嗚呼。滋蔓之害。爲禍之烈。豈可不懼哉。際此公開研究之時。海內之明哲者。當有所發表以貢獻也。

咳嗽治法大要

（龐九功）

邇來草率之輩。一遇咳嗽。不問內傷外感。雜藥亂投。以致輕者轉重。重者轉危。余嘗數數見之矣。譬如初起頭痛鼻塞發熱惡寒而咳者。外感也。用荊芥防風蘇葉黑山梔生姜等。祛邪外出。其咳卽止。而又不可以過散。過散則肺氣必虛。致爲纏綿難愈。若寒入裏而咳者。將前意畧加溫中。而咳自止。若暑邪傷肺。口渴心煩溺赤者。其症最重。用黃連黃芩花粉等。直折其火。火平咳嗽自寧。若濕氣生痰。痰涎稠粘者。用半夏茯苓桑白皮等。以祛其濕。若燥氣焚金。乾咳無痰者。用瓜蔞貝母知母柏子仁。以潤其燥。若以內傷而論。氣結鬱火上衝者。用蘇子香附貝母柴胡山梔。以降其氣。清其火。則咳平矣。至於勞心好色。腎陰虛損。水不涵木。肝火閃爍。治者就其眞陰未槁之前。用六味湯加黃柏知母。以補其陰。降其火。一俟嗽寧平止。再扶脾土。以生肺金。此誠不刊之論也。大凡治咳治嗽者。咸宜細加詳審。不可徒執古方。以治活病也。

胃病指南

胃酸過多

（尤學周）

胃酸過多。乃新立之病名。前未之聞。古書中亦未之見也。按胃酸卽胃液由胃黏膜中多數之腺分泌而出。其狀與泉水自地中湧出同。因其中含有多量之鹽酸。故作酸味。

胃液中所含之鹽酸。有一定之分量。其量適度。則胃能保持康健。消化亦佳。若其量有變動。或過多。或過少。失生理上之平均。則消化食物之力減。而陷於消化不良。胃酸過多症。卽胃液中之鹽酸過多也。胃液所以司消化食物。入胃。爲胃液所化。成爲粥糜狀之物質。然胃之本體。則不爲胃液所化。因其組織爲鹼性。與局部有抗發酵素。而中和消化發酵素。使其不起消化作用。如胃酸過多。則失其平勻。不能中和胃之本體。遂遭其恙。故患胃酸過多者。胃部有重壓及灼熱之感。俗稱爲心糟者是也。吾人如常覺心糟。稍食卽減者。大多爲胃酸過多之症。甚者往往發劇烈之胃痛。

蓋本症往往與胃癰等症併發。酸液侵及潰瘍之處。故發爲劇痛。

本症證狀。除心嘈胃痛而外。噯氣吞酸。亦屢屢見之。治法用平胃散（蒼朮。厚朴。陳皮。甘草）加滑石。因滑石內含鎂質最多。酸鎂合化。即能發生排泄作用。得一二次之輕利。其病即可減退。他若牡蠣。瓦楞子。文蛤等類。皆有反酸性質。川連吳萸。功效尤著。皆可採用。

胃病與睡眠

（郭柏良）

睡眠爲恢復吾人精神之唯一方法。吾人工作終朝。心身俱疲。端賴睡眠以休息。以一般人而論。一晝夜廿四小時內。八時工作。八時休息。八時睡眠。最爲適度。雖或因年齡職業之關係。不妨稍有差異。然欲維持康健。不能不有充分之睡眠。

睡眠不足。精神疲乏。與味索然。而食慾亦爲之不振。胃不思食。舌之味覺亦不靈。蓋食慾之發生。雖出生理上之需要。而其機樞亦由神經爲之主動。睡眠不足。腦部未得充量之安息。呈疲勞之態。於是舌之味神經及胃神經常失常態。食而不知其味

中国近现代中医药期刊续编・第三辑

矣。偶一發生。固不必調理。能補償其睡眠時間足矣。如頻頻如此。必致胃力不振。消失其消化作用。發生種種之胃病。

反之。胃有不快。亦不能安睡。經所謂『胃不和則臥不安』也。如胃有濁痰者。嘔吐泛噁。胸膈不利。而不得眠。卽爲胃炎。古用半夏秫米湯。余常用川連。黃芩。半夏。陳皮。苡仁。廣玉金等品。多能獲中。胃有食滯者。可用通導之品。如神曲。瓜蔞。枳實。山查。萊菔子等。甚則用大黃。元明粉。胃病去。睡眠自安。

胃不得飽。亦不能成眠。蓋中無物消化。胃液空閒。遂由神經報告於腦。因而睡者醒寤。不能再眠。此時稍稍進食。如餅乾。乾果之類。細嚼而使易消化。則遂可復睡矣。

□胃病之治法

（易上達）

胃者肚也。脾者膁貼也。脾胃爲人一身之消化總機關。脾附脊骨而生。胃附脾而長。胃在前。脾在後。凡水穀下喉。卽入肚內。膁貼在肚之後。排擠使水穀變爲糟粕。一呼一吸。只排擠一下。禽獸之所以不積食者。因不仰臥。不昂坐。不使胃壓於脾。故脾之排擠力愈能發展。自無宿食之患也。人之一生强弱。亦由消化機關而定。凡小孩好扒者。或常覆臥者長大必强亦因其脾未受壓於胃也。故體弱之人。切忌仰臥昂坐。

神經疾患

□神志病原理

（折背叟）

神志病。卽神經病。亦名精神病。素問載怒傷肝。憂勝怒。憂傷肺。喜勝憂。喜傷心。恐勝喜。恐傷腎。思勝恐。思傷脾。怒勝思。五臟神志自用過極。遂致於病。仍以五臟神志調之。而抵於平。彼泥古派者。拘囿於五行生剋之談。若新學家。則貲爲詬病。主奴之見。執一不通。此逸所以不辭杜撰。喋喋然而爲神志病以論理也。肝性喜平喜潤喜靜。經曰怒則氣逆。又曰大怒則血菀於上。氣血既因怒而上逆。則不平不靜甚矣。既不平靜。獨能潤乎。反乎肝之性。故曰傷肝。勝以憂者。憂與悲類。經曰悲則氣消。又曰憂愁者氣閉塞而不行。怒氣既發。暴逆上衝。悲憂忽作。消弭無形矣。謂之曰勝。誰云不宜。然諸氣膹鬱。肺病所由。憂愁固可平怒。而憂愁太過。反足傷肺。蓋氣道膹鬱使然也。必也得喜以解之。岐伯曰。喜則營衛通利。氣和志達。是以閉塞者。而通利之。豈不得謂之勝乎。但通利太過。則血流薄急。易爲心悸亢進之誘因。（卽怔忡）其結果必致脈管充血。釀成咯血而後已。蓋喜太過則笑不休。笑不休。乃樂之過。而失其正也。當樂以忘憂之際。有放心而不知求之慨。不反照而內顧之。心神必渙散矣。勝以恐者。經曰。恐勝喜。又曰。恐則氣下。又曰。恐則精却。却則上焦閉。閉則氣還。還則下焦脹。故氣不行矣。氣下行。則血流薄急自止。太過之喜氣除矣。然下焦腎主之。腎性靜而惡動。恐則氣下而下焦脹。勢難靜矣。故張戴人云。恐氣所致。爲首瘦痿厥。爲暴下清水。爲陰痿。爲脫頤。夫恐所以勝喜者也。若用之過極。則反爲恐傷矣。故必任思以禦之。經曰。思則氣結。又曰。思則心有所存。神有所歸。正氣有所留而不行。是以下行之氣。思之而仍提於上也。思氣作。則恐氣化矣。但思爲勝恐之用。若思之過甚。則氣病結鬱。致脾不散精。而脾傷矣。此宜怒以鼓之。則氣自流行。而恢復其本來狀態。故曰怒勝思。諺曰。怒則不思。思則不恐。恐則不喜。喜則不憂。憂則不怒。誠哉是言。乃人情之常也。竊怪泥古派之侈談五行生剋。致趨時派之侈言病理解剖。見仁見知。誤謬偏多。是故非融會中西。有不足與言者。喜怒憂思恐爲人情所不能除。用之過極。遂致於病。乃人事之所必至。無足怪也。中醫惟泥五行生剋。致病理症治上轉多葛籐。西醫拘於實迹。必行解剖。神志無形可見。遂籠統於神經衰弱之中。不求其本而齊其末。樹活人術者。果如是耶。必也洞鑒夫神志之本源。透徹於心理之療法。斯所謂視無形而通神明。可與共適道矣。

▣青年之神經衰弱

（尤學周）

一般青年。常有因多讀書報。或稍稍運籌。卽覺頭暈目花。心煩不堪者。亦有記憶銳減。易於遺忘者。有反覆床笫不能熟寐者。此皆神經衰弱之症也。

神經衰弱爲慢性疾病之一。雖一時無生命危險。然一患此症。則惰氣叢生。頭腦不靈。其所受影響亦甚大。如減少工作效率。或竟無心工作。如身體因之日漸衰弱。而引起其他危險病症。甚則減少壽命。且能遺傳於子孫。不可漠然視之。

本症之發生原因甚多。其屬於身體方面者。大多由不知衞生所致。常人於普通知識。甚爲缺乏。於個人衞生。尤不經意。富者晏安樂居。不知運動。貧者操作不息。不知休養。且無正當之娛樂場所。所謂遊藝之場者。非銷金之窟。卽伐性之所。故一切傷身之嗜好。如烟酒嫖賭。爲之風行猖狂。日夜流連。此神經衰弱之主要原因也。青年之苦無性慾發泄機會者。耽於手淫。亦能誘起本症。其餘如急慢性傳染病。五官疾病。生殖器疾病之類。皆能造成本症。

其屬於精神方面者。精神過勞。爲其主因。凡爲勞心之職業者。如日夜相繼。不稍慰藉。神經必由過敏而陷於衰弱。而社會環境。響影及於精神方面者尤大。吾人在社會上所受種種遭際。皆可精神感受痛苦。以戕賊神經。國人有一特性。即好妄想。非愁苦。卽疑慮。青年又爲性慾所驅使。春情縷縷。幻想無際。故多春夢而促起遺精之症。同時神經亦陷於衰弱。且青年於此新舊過渡之社會中。以運途境遇與一己之理想相矛盾。發生無聊之悲哀。作繭自縛。亦其一因。此外如情慾之抑制。生活之狂蕩。感情之緊張。環境之紛擾。以及貧窮之困阻。皆能誘發本症。神經衰弱之症。隨文化之高潮而加增。文化愈盛。神經衰弱之症亦愈盛。地方愈文明。患此症者亦愈多。上海一隅。爲全國文化最盛之處。故青年患者尤多。夫青年爲國家之主幹。德國鐵血宰相俾斯麥之言曰。『看汝等青年何若。卽可知汝國家之前途。』及患此症。則精神不甯。身體亦不振。不能任當大事。以致感情反常。態度消極。人生樂趣。至是殆盡。苦悶抑鬱。悲觀厭世。相繼而生。夫精研科學。努力勞作。服務社會。保衞國家。是皆全國人民所厚望於今日之青年者。而大多數之青年。不幸而患此症。於己。於家。於國。均蒙不利。實深可痛。

神經衰弱之症。其來也漸。其去亦不易。一面自己注意於攝生。一面服藥調理。潛移默化。久則自能於不知不覺中恢復其康健之軀。不可操切從事。以求速愈。蓋愈操切愈難收效。所謂『欲速則不達』也。

青年既患是症。不可起謬誤觀念。或抱幻想杞憂。致益增其病勢。本症雖不易愈。然亦非不能愈者。惟在有決心調治耳。故對於此症。不可緊張惶恐。過於重視。宜坦然處之。若無其事。一面利用快愉之感情。事事求其樂觀。則舉動活潑。全體之機能健旺。神經方面自獲相當之成效。飲食方面宜取適當之滋養物。以强其體。如牛肉。羊肉。雞蛋。牛骨髓。甲魚。胡桃肉等。不特富於滋養。且有益於腦。爲補腦之上品。神經衰弱者服之最宜。藥物如人參。黃芪。當歸。熟地。桂圓肉。白朮。鹿角霜。棗仁。柏子仁。阿膠。

龜版。枸杞子。遠志。茯神。龍齒。等可以隨證選用。

□性神經衰弱

（尤學周）

性神經衰弱。有三種現象。其一爲腦神經症狀。此因手淫過度。或房事不節。斲喪其精神。影響及於腦部。發爲頭眩。不眠。憂鬱。憤怒。精神疲勞等徵象。卽前述神經衰弱中之一種。其二爲脊髓神經症狀。蓋脊屬督脈。督脈下循陰器。性慾過度。腎虛而督脈亦空。遂見步履艱難。腰痛。背脊痠痛。四肢疼痛。手足寒冷等證狀。其三爲局部症狀。屬於泌尿器者。如小便時膀胱疼痛。尿意頻數。溺後餘瀝。屬於生殖器者。如睪丸作痛。陰萎。遺精。早泄。見色流精。茲分述其治法如下。

腦神經衰弱之治法。可參閱神經衰弱篇內。脊髓神經衰弱之治法。以青娥丸（補骨脂。杜仲。胡桃肉。靑鹽。）爲主。如背脊痠痛者。可加金狗脊。鹿角霜。鹿茸之類。步履艱難者。可加牛膝。菟絲子之類。四肢痠痛。手足寒冷者。可加桂枝。桑枝。附片之類。屬於泌尿器者。可用八味丸。（熟地。山藥。萸肉。丹皮。澤瀉。茯苓。附子。肉桂。）爲主。如膀胱疼痛者加茴香台烏橘核川楝子之類尿意頻數溺有餘瀝者倍山藥吳萸加烏藥益智仁補骨脂人參之類屬於生殖器者以六味丸（八味丸加附子肉桂）爲主睪丸作痛加烏藥茴香橘核荔枝核紅花之類陰萎加肉蓯蓉巴戟天海狗腎鹿角膠鹿茸之類遺精加牡蠣龍骨訶子肉御米殼芡實金櫻子之類以上不過示以大法蓋病有深淺體有強弱非一言可以概盡又當隨證施治相機應變

五淋白濁

談白濁菌

(朱仰高)

白濁菌是屬於球菌的一種雙球球菌。因爲吾們的細菌可以大別爲三類。即球菌。桿菌。及螺旋菌是也。這三類的區別。全然是依着牠的像形而來的。白濁菌是球菌。又因牠的排列是一對一對的連着。故又稱之爲雙球菌。牠雖是球菌但是牠的眞形並不是正圓而反呈扁狀。故其實在形狀。好像一粒『加非荳』二粒『加非荳』連在一起。是吾們在顯微鏡下看得牠的形狀。

這白濁菌是一種所謂黏膜的寄生病菌。因爲牠的侵入人體。終由黏膜處侵入。人的黏膜如有破傷。那麽這白濁菌就得到好機會了。侵入之後。牠就顯牠的作用。牠把菌體內之害素滲入人的細胞之內。細胞受了牠的毒害。身體中的常備抵抗的白血球。就好像得到了動員令一般的直向那毒聚之處前進。把傷害之地位處。四面八方的圍起來。在細菌所在之中局。那些白血球直接的與牠們角鬬。其結果即各有死傷。用肉眼可見的就是流出來白濁。亦卽是膿。所謂膿者卽角鬭之產物耳。這首先由乃由氏（Neisser）初次發現的白濁雙球菌。除了發生白濁症外。他尙可以侵入到心臟及腦膜裏去。那麽就可以成心臟內膜炎及腦膜炎等症。有時則由尿變黏膜。假借血流侵入到關節部份。而成白濁性的單關節炎。（所以稱他爲單的關節炎。因爲白濁性的關節炎。大半只限於一個關節。不若其他的普通關節炎。常常同時發炎多數之關節。）在眼膜上的白濁。其病勢特猛。受病的人往往會成瞎子。所以作者乘此機會驚告白濁病家。碰過白濁流出液之後。切記勿要把手忘却了消毒手續。免得把白濁菌誤染入眼。所謂消毒實在是很便當的一件事。只需用熱水及肥皂洗手而已。如能於水中再加些臭藥水等消毒劑則更好。但是並不是必需的。因爲這白濁菌確是在普通的空氣及物件上不多時卽會死亡。尤其是耐不住日光的效力。

說起了白濁眼病。就想起了在新法接生的產兒一下地卽須滴一點殺滅白濁菌的眼藥。滴入嬰兒的眼中。這個方法是克來台氏發明的。（Crede）從他的經驗知道生白濁的產婦。最容易得白濁菌染給他的孩子。因爲嬰孩的組織抵抗薄弱。得了此菌。差不多終成瞎子。其危險性是不必多說。所以自從他發明這個慈悲的方法後。不知在無形中救出了多少的殘疾。所以我禁不住的要把他來宣傳一下。

白濁菌侵入了人的組織之後。不是卽刻就會生白濁病。其中相隔有一定的所謂『潛伏期』。這潛伏期是二三天。（卽染菌後二三天後方現病象。）如果把那時流出的膿液用顯微鏡來檢查。就可以看見有許多形如加非荳的白濁雙球菌。被白血球吞噬在腹中。這白血球（就是人的常備兵）底所以能吞噬白濁菌。實在因爲白濁菌體上有一種類似調味素的物質。使得那些白血球大開其胃口。但是這所謂的吃菌作用。是只限於急性的白濁病。一到了漫性。那些白血球便不吃牠們了。吾人在顯微鏡下面。亦只見白濁菌散於白血球的四週。而不入其腹部。這也是一件奇怪的事件。

白濁球菌的檢出。是一件很容易的事件。吾人尙可用人工的方法來培養此菌。但是培養的手續。較繁殖尤其困難。因爲該白濁菌不容易服帖生長在人工的培養基上。吾們做熟的人。那麼倒也不覺得如何困難。就可以使他發育並繁殖。白濁菌的腹中含有一種所謂內毒素。這毒素確就是最毒的菌體物質。牠的耐抗熱度的性質亦很強。所以用七十度的（攝氏）溫度。亦不能消滅牠。亦可知其力量之猛烈矣。

□關於淋病的常識

陸百奇

淋病的原因。因男女交媾洩精時。或受驚嚇。或受到無故的打擊。其精將洩未洩。精門已開。及其精已洩。精門未閉。感覺着如此的意外事項。也必使淋病引起。一因身體衰弱。房事過度。元陽虛損。精門不閉。雖閉而不緊。也要生淋病的一因。當風溲溺。冷風激入精管。必致淋病。一因行房後。受風雨的侵激。和奔走急路。皆易成淋疾。一因行房熬精。使不排出。或無力行房。勉強敷衍。和吞服燥烈的春藥。以助慾興等弊。都成淋病、以上所述諸多的原因。皆爲宿精梗塞精管。使到精液不得暢洩在外。精不得暢洩。那末精門的閉關。亦不得緊實。在十二小時內。淋病必定發生。

赤白濁不一定爲花柳病

（王鏡泉）

經無濁之病名。然所謂脾遺熱於腎。則赤白從溲而下。此雖未嘗明言濁而赤白已顯豁披露矣。

濁病原因西醫爲傳染花柳病毒。實非確論。亦有起於濕熱所釀成。濕勝熱則爲白。熱勝濕則爲赤。無論爲白爲赤。其莖中熱痛。渾如火灼刀割。而溲溺仍清。惟竅端時流穢濁如膿。淋瀝不斷。其病狀一也。

然病狀雖同。而治法則不同。赤屬於血分。白屬於氣分。屬血分者從心與小腸。治宜用導赤散加丹參。菖蒲。燈心。茯苓。萆薢等。屬氣分者從肺與大腸。治宜用瀉白散。加黃蘗。竹葉。滑石。草梢。山梔等。亦有心經伏暑而赤濁者。以四苓散加香薷。麥冬。人參。石蓮主之。肺經鬱痰而白濁者。以二陳湯加蒼朮。車前。澤瀉。升柴主之。此皆治赤白濁實證之方也。亦即治赤白濁濕熱之方也。如延久不愈。心血虛。貫補其心血。六味加遠志。益智。肺氣虛。貫補其肺氣。四君加麥冬。玄參。或火衰不攝精而爲濁者。當投金匱腎氣丸。增菟絲。車前之類。良由腎有二竅。一曰溺竅。一曰精竅。腎虛則敗精流注。亦未始不足以致濁。凡治病。莫難於識虛實。即莫要於識虛實。濁病亦何獨不然。審查虛實之指南針。亦惟辨之於脈而已矣。脈大而按之無力。或微細。或沉緩而濇者。為虛。反乎是。脈數動滑者。為實。果能於四診時望聞周到。訪問殷勤。而再參之以脈。則赤白濁之或虛或實。自不難剖決耳。雖然赤白濁頭緒紛紜。猶不止以上所述云云。有緣白濁而出髓條者。則須用人參白茯白朮。益智骨脂。棗仁牡蠣。茴香各等分。研為細末。清鹽酒糊丸梧子大。每服三十丸。食前米飲下。此與治尋常白濁之法大異也。又有赤濁而為塞症者。足脛逆冷。須服附子四逆湯。若執諸病水液渾濁。皆屬於熱句。以寒涼之品療之。則如水益深矣。更有血塊窒塞。尿管痛難溺出者。此由瘀腐使然。當以兩頭尖。川楝子。韭白。小茴。桂枝。歸尾。杜牛膝汁服。赤白濁之變幻不齊如是。奈何世之治赤白濁者。未諳其濁之奚自赤。奚自白。而輒以理濕熱之藥。為必不可移動之劑。詎知赤白濁之由於濕熱所釀成者。特就始期而論耳。若淹纏日月。則病情既懸殊。療法亦迥別。以愚讀書與經驗兩端所得而研究之。大抵赤白濁至末期。以固精封髓爲主。若分淸利水。不過略爲輔佐。鄙見如斯。願質高明。

五淋治法

（劉文若）

淋爲溺竅病。而有氣血之分。冷熱之殊。辨別宜詳。內經論淋。由於脾濕內聚。風火鬱熱。後人以淋證責之肝脾爲病。有由然矣。夫腎水虛弱。膀胱積濕。蘊熱則小便數而水下濇。數而且濇則淋瀝不宣。氣滯於內。則臍腹急痛。古方書列名有五。曰熱淋。曰氣淋。曰虛淋。曰膏淋。曰沙石淋。宋元後。又分石勞血氣膏冷六種。至爲詳盡。而究其論。則言濕熱者居多。朱丹溪曰。凡五淋證。多由濕熱阻竅。久結下焦。溺隧不通。所以淋瀝作痛。初則熱淋血淋。久則煎熬水液稠濁。如膏。如沙。如石也。夫散熱利小便。只治熱淋血淋而已。其膏沙石淋。必須開鬱行氣。破血滋陰。方可也。雖然腎氣虛弱。寒客下焦。致水道不快。而成淋濇者有之。其證先寒戰而後溲便。蓋冷氣與正氣交爭之故。卽所謂冷淋也。治當溫助氣化。開泄水邪。至若五淋爲病。各有不同。今略述之。

以爲臨證之助。

石淋者。溺則莖中急痛。溲如沙石。係膀胱蓄熱積成。如湯瓶久在火中。受其煎熬。底結白膏也。治須清其積熱。滌去沙石。則水道自利。宜神效琥珀散。如聖散而加味葵子茯苓散。尤爲治石淋之聖。勞淋者。遇勞卽發。小便滴瀝不斷而有脾勞腎勞之分。勞於脾者。補中益氣加車前澤瀉。勞於腎者。生地黃丸加麥冬五味。血淋者。乃熱甚搏血。失其常道。以心主血。與小腸爲表裏。血滲胞中。與溲俱下。須辨血瘀血虛血熱血冷。其瘀者逐之。虛者益之。熱者清之。冷者溫之。各隨見證而治療之。氣淋者。氣化不及州都。胞中氣脹。臍下妨悶。溺有餘瀝。屬於實者。宜行其滯氣。蕩其積瘀。若由氣虛。須當補益。膏淋者。似淋非淋。便有脂膩如膏。浮於旋面。此精溺俱出。精塞溺道。故欲出不快而痛。宜萆薢分清飲。海金沙散。疏氣導濁。而化濕熱。如溺時不甚痛者。須固濇其精。萬弗過用通利。以六味丸。聚精丸。鹿角霜丸。兎絲子丸等調補之。以上乃諸淋之病源。及治法之大要。然皆鈔襲前人之論。不足以云闡發也。茲將余平日讀書所有得者。試述於後。

夫諸淋初起宜用五苓八正。清解結熱而利水。蓋濕熱俱屬無形。取淡滲苦寒。疏府氣之壅也。若房勞强忍。敗精離位。流入胞中。瘀於溺隧而成淋者。當用古方虎杖散。及韭根鬚。人中白。歸尾。桃仁。海金沙。製大黃等。先蕩其精關間有形之腐濁。然後以益陰通腑之法。調理之。又如淋而渴者。屬上焦氣分。宜淡滲輕藥。清肺氣以導水之上源。淋而不渴。屬下焦血分。宜味厚陰品。滋腎陰以泄水之下流。若因心陽亢而下注者。導赤散利其火。腑濕熱甚而不宣者。五淋散徹其泉源。氣陷者。用舉氣湯。（見沈魯齋醫書彙編方內用紫菀。柴胡。升麻。桔梗。鬱金。荷葉梗。車前子等）以升清血瘀者。進小薊飲以化結。心腎氣鬱。則有菖蒲遠志之辛通。水火不交。可用肉桂黃連以相濟。下焦濕盛。有萆薢。蠶砂之化濁。莖中熱痛。用秋石燈心以降火毒。重熱熾。用草梢。薏仁根以解之。精濁淋漓。用芡實。桑螵蛸以攝之。淋而小腹脹者。用滑利通陽之法。厥陰和則氣化。機關自能旋轉。淋而大便閉者。進辛鹹泄急之方。穀道通則環陰之脈絡。不致痺結也。總之治淋之法。有通有塞。要當分別有瘀積堵塞溺道者。先宜通利。無瘀積有虛滑者。當以峻補。若臟陰虛而腑氣實者。塡精充髓之中。佐以宣通可也。又若小腸火腑。爲水之上游。其下口闌門。主泌清別濁。而分入大腸膀胱。故手太陽經。化物失司。與淋病有莫大之關係。然古今醫籍之論淋者。但有心遺熱於小腸之一句。而世之治淋者。亦每多忽略。獨仁齋有云小腸有氣。則小便脹。小腸有血。則小便澀。小腸有熱。則小便痛。我故曰大腸火腑。實五淋病之樞紐也。

横痃下疳

▣下疳與橫痃

（葉勁秋）

下疳是花柳病中之一種而有軟硬之分。其病菌概由宿娼及不潔之交媾而來。「硬性」　病毒感染後。伏在體內。少則七日。多則廿日。始漸發生。男子則於龜頭。女子則於大陰唇間發生無痛而微痒之小硬結。過數十日後。遂破潰流出濃汁。兩胯間亦腫硬而有核。卽橫痃也。此爲梅毒漸蔓全身之徵候也。

「軟性」　直接傳染二三日後。男子則在龜頭或包皮內葉或包皮外緣等處。女子則生陰唇膣口等處。發生一二個小小的膿疱。或大如蠶豆。不日就疼痛紅腫潰爛化膿。症情凶惡。蔓延性極廣。能將陽物潰爛全部或一部。並能同時發生極易紅腫疼痛化膿的橫痃。

茲再將軟硬兩性分別法。列表如下。

▲軟性

被一二三日卽發。

瘡面不平潰瘍較深。時出膿液。疼痛不已。

瘡底多不堅硬。故曰軟性。

兩胯橫痃。紅腫疼痛。甚易化膿。

▲硬性

須一二星期後。

瘡面扁平。邊高底光。顆粒較小。膿液不多。疼痛不甚。

瘡底周圍俱硬。故曰硬性。下疳兩胯但結硬塊。微痛少化膿。

口橫痃的因果

（林小川）

橫痃是犯白濁病時極易移轉併發的疾患。檢討其病理。乃係鼠蹊部份（接近局部之兩胯地位）淋巴腺管之腫脹。所以形成的誘因。大都由於病期未能講求攝生。有逾份之勞動。或遭受之醫術鹵莽與藥劑的強烈收斂。致一切不潔被迫攻竄該部。腺管因遇到驟突的擠塞及刺激。從使組織無法維持正常運用。在阻礙而起病態。由腫脹而進成潰瘍。其病原常為桿菌。少數則係葡萄狀球菌。以故治療時的處斷。實需要正確迅速之診決。以應付其變幻。與梅毒之無痛性橫痃。以及軟下疳。或體虛發動之橫痃。亦都有不能一概應用之手段的必然。單純用殺淋病雙球菌藥物。自亦不合。至於本症決須趕速消失的急迫理由。於減少痛苦一節之外。更具一嚴重問題。實因潰膿刀穿。不免殘留瘢結。容成生過花柳病之可厭印痕。至末世。尤其未婚青年為緊張。可不注意。初病患部有牽掣痛。漸使行動束制。寒熱交作。可推動之一個或數個圓核。速脹而竟混合。充量大如覆碗。至腺周圍亦波及。乃成硬固。皮赤而轉暗紫。中覺波動。指捺現白印者。顯已化膿。如治不得法。則經久不愈。故俗有「橫」半年之說也。

□談談橫痃

(佚名)

許多人分別花柳病中的一個症狀。叫什麼『魚口』『便毒』。其部位是在於接近小腹的胯間初起略似葡萄樣大小。逐次增長。有鷄蛋般模樣。相沿的診斷。以爲在左的是『魚口』在右的是『便毒』。而其總稱。却名爲『橫痃』。還有人則見解做『結核而未曾潰膿破穿者。稱便毒及其膿瘍崩潰。則因其形象相似而稱魚口』。

根據醫療學的理論。本症是診斷爲『淋巴腺腫脹』。定其部位在鼠蹊部份。側同花柳病併發的。有梅毒性或下疳性之分別。在淋濁病期內。也時常有引動的可能。不過不列入淋毒性合併症之內。這個。就因爲白濁同時發動的橫痃。鏡檢其分泌往往少有雙球菌。而祇是有一種桿菌也。

梅毒性併發的橫痃。醫家稱爲『初期硬結』大都連同硬性下疳同時並起。只是一種梅毒的象徵。不致化膿。所以亦稱作無痛性橫痃。至於軟下疳等引動的橫痃。却是有着顯著的痛苦。並且往往化膿。

在白濁感染後。病者倘使過分勞動。或遭遇劇烈的激刺。有時借了他種原因。都能突起橫痃。尤其是因爲服食無理性的霸提刼止藥餌。及用了强烈收斂的方式。更其容易併發。所以本症雖不在淋毒性合併症範圍以內。却在事實上很多出現。初期必有放散性痛感。兼發寒熱。疾患部要以左側之傾向居多。用手指觸及患部。可摸知腺管結節。不過是單獨的一個。乍發數天之內。並能按而推動。漸次則固定。到達相當時日。現浮腫而發赤。痛苦亦倍增。劇烈時竟若針刺。以指捺緊立現白印。移指後白痕宛然。積久始隱去而重見紅赤。是即表示其內中已在化膿。愚氓或經濟不敷者。放任不治。則整個病態。延緩進行。自初起以至收口愈瘳。全期必超過六七個月。故俗稱「橫痃橫半年。」職是故耳。然在病期中仍須竭端珍攝。若成瘻孔。將終身長受痛苦。

正確的治療。初起可設法使之消散。即使化膿。亦可小切開而促使迅速收功。若坐視脹大至無可收拾而就醫者。祇有大切開。不過亦可用優良藥劑促其速愈。一方並須注意病人之體力。蓋橫痃雖借因於過勞所致。然體元之斲損。無論病之前後。必有異常之紀錄。在橫痃之病期內。虛耗更甚。是以治此兼須顧及虛弱一點。橫痃而在白濁病期內併發時。定見因橫痃之劇烈而使流濁稍止之現象。病者對此宜明瞭並非獨愈而入佳境。只是各種淋毒性併發症同有之表示耳。而治療手續。固亦係用「先治橫痃。愈後根絕淋病」之一貫方式爲佳尙。

□軟性下疳

（丁仲祜）

本病併發症之最多者。爲急性淋巴腺炎。卽急性橫痃也。急性橫痃爲圓形之硬固腫脹。發於鼠蹊腺局部。有劇甚之疼痛。兼以戰慄。發熱。便秘。此外又併發包皮炎。龜頭炎。龜頭包皮炎。

軟性下疳之異常者。有壞疽性。侵蝕性。匐行性。三種。壞疽性下疳、組織起壞疽性脫落。侵蝕性下疳。起潰瘍性破壞。漸次蔓延於全陰部及其附近。匐行性下疳。以潰瘍與瘢痕之交發。而廣延於周圍。

▲軟性下疳之原因

軟性下疳者。爲一種潰瘍。而其濃性分泌液。有極劇烈之傳染力。本病之傳染病。爲一種連瑣狀桿菌。

本病之發也。多因與患是病之人接媾者。而接媾之際。基於濃汁進入於生殖器之裂傷或輕微創傷中。雖然亦有其濃汁由無創皮膚濾胞而竄入於皮膚內。以誘起本病者。本病傳染之源專爲娼婦。雖在醫師監查下之娼婦。久怠於檢徽時。一娼婦一週間。可傳染於百人以上之男子。乃極容易事也。

軟性下疳者。與淋病同屬於局處的疾病。而一度雖患本病。不能防再度之傳染。又其他之生殖器病與淋病同。襲一人之身體者有之。

▲軟性下疳之預後

軟性下疳之預後佳良。可注意者。惟軟性潰瘍感染梅毒性病毒之一事。卽瘢痕至結成後。而來硬固之結節。卽硬性下疳。且有踵之以別種之梅毒症候者。如此者名爲混合下疳。故患者因欲使其確實治癒。自來軟性下疳之瘢痕結節。經四週後。尚須乞醫師之診斷。若於其間發生硬性下疳。則不可不施驅梅療法。

肥瘦問題

□肥胖與婦女的美感

（冰　玉）

現代的婦女。常常爲了身體過於肥胖。不但減少其容姿的美觀。而且因爲身體肥胖。心臟的呼吸。也感到很不自由。其他有連帶關係的動脈硬化血壓亢進等毛病。隨之而發生了。最厲害的。突然患了心臟痲痺與腦充血等危險病。甚至患了肺結核。以致傷生而死的。又因肥胖的緣故。生殖器發生障碍。肝臟起了異狀。神經炎糖尿病等附帶病都要連續而生的。雖則身體肥胖的人。微菌比較爲少。但是一旦發生了傳染病。那比身體瘦弱的人。容易傳染。所以全世界肥胖的人。其死亡率比瘦的人爲多。普通的體質。在四五月時候。吸收了脂肪。到了夏季。就漸漸消瘦了。肥胖的人。若是在冬季。過於食了脂肪的物。那增加脂肪量。到了夏季。愈加苦痛。而且因爲肥胖的緣故。原來的美感。就爲其所奪。尤其對於年輕的婦女。不可不十分注意的。最近歐美有閑階級的婦女。肥胖的人。逐年增加。現今發明了脂肪中樞說。這種病我國婦女比歐美人爲尤多。就是因爲常食澱粉性的頭等米。其脂肪逐漸增加了。所以肥胖的婦女們。到了冬季食慾亢進的時節。千萬不可多食含有脂肪過多的食物。譬如肉類精米以及油分過多的物。那就可以抑制甲狀腺的發達。因爲肥胖人在冬季時不多食脂肪的食物。到了翌年春夏。能照身體新陳代謝的發育原理。漸漸旺盛。不會發生阻碍的。尤其要注意運動。把過剩的脂肪分減少。活潑其發育機能。使身長與體重的感覺漸得均整。實爲促進健美的要件。

肥胖病調治法

(尤學周)

原因　平時多食脂肪及酒類。及好逸惡勞。毫不運動者。皆能發本病。又或得之於先天遺傳。

症狀　患者身體肥大。頸部縮短。頤下生第二隆起。腹部下垂。四肢皮肉浮起。舉動遲鈍。行步艱難。作事易倦。稍動作。即呼吸困難。咳嗽痰多。形容雖魁梧。非筋力之發達。乃脂肪之過多。與運動家之壯健判若霄壤。最危險者。即易罹中風病。

療法　此症治法。在減少內積之脂肪。減少肉食。不使脂肪增加。多事運動。戒安逸偷閒及多眠。蓋多運動。則體內之脂肪分解。筋肉堅實。能實行工作八小時。休息八小時。睡眠八小時者。必不患肥胖病。患肥胖病者。可以漸趨常態。藥物療法。效力不著。偶爾取效一時。藥罐既撤。病必復來。不及上述之妥且妙也。

□過瘦婦女肥胖法

（楚　玉）

婦女身體過於肥胖。固然要減少美感。然而骨瘦如柴。也不雅觀。現在我把實驗肥胖方法寫出來。請瘦弱的婦女們試驗一下。（一）雞骨湯治瘦法。每日用雞骨一副。須具全身骨骼。和以青菜煮湯。（用文火燉到骨酥）稍加鹽分。分三次飲。既很鮮美。又極滋補。倘繼續吃了半個月。不過吃了十五隻雞。費不掉十元錢。就可以證明有效的。假使辦得到烏骨雞。尤為靈驗。但是心身須要安靜。切不可躁煩。再加以適當的運動。那身體就會達到相當的健康美的。(二)縛腹帶使肥法。大凡蒲柳質的婦女。常患神經衰弱。消化不良。便秘。失眠等症。要想肥胖。可用長六尺闊五寸的布一條。在腰腹的下面（臍下）丹田縛緊。帶頭結在左方。身體運動時。依照牽引性均分其姿勢。每天多食豆類。麵類。糙米等。臨睡時平均姿態靜坐十分鐘。那末身體沒有過與不足的害。可以逐漸健美了。(三)飲水與乾布摩擦法。每晨空腹飲清水一杯。午前十時飲二杯。午飯前飲一杯。午後三時飲二杯。晚飯前飲一杯。每日飲的分量與時間。須要一定。不可遲早。同時每日起床時與臨睡時。用乾布摩擦全身二次。擦法先從背中起。再擦胸腹手足。至皮膚紅赤爲度。不上一個月。就會得肥胖的。(四)食物滋養與精神生活法。食物原會吸收滋養料的。如山芋蔬菜麵類豆類雞卵牛乳魚類等。每天須吸取一定的分量。隔日又吃獸肉一次。吃時不可過飽。亦不可少吃。且須有一定時間。精神的治法。第一要心神安靜。第二在日常生活須有正當的規律。第三須充分吸收新鮮空氣。第四力避過度的運動。照這樣實行。不但普通的人。可以增加健全美。就是患肺病的人。也可以治療的。以上所據四種方法都是實驗而來的。瘦弱的婦女們。不妨試驗一下啊。

羸瘦調治法

(尤學周)

原因　有由於先天不足者。有由於營養不足。及操勞過度者。

症狀　全身肌肉消瘦。遇事毫無興趣。知覺過敏。易於悲觀。

療法　凡有他病。須先治其本病。旣愈再治其羸瘦。多服滋養之品。勞力宜節制。精神宜寧靜。淸心寡欲。遇事須興趣。不抱悲觀。思想尋快樂。除愁悶。則心力安甯。身體日健。藥物療法如補精膏（山藥胡桃肉杏仁泥雄牛髓）獨參湯。雞湯牛肉汁。雖爲上品。非治療之上法。

冬令補品

□我與補藥

（時　還）

先天既不足。後天又失調。乃至體弱多病。形消骨立的吾。雖在壯年時期。却比高年康健的人還不如。時常要發耳鳴。腰酸咳嗽等毛病。因此有幾個朋友勸吾何不吃點補藥滋補身體呢。吾對他們笑笑道。不提滋補倒也罷了。提起了滋補。令人要大發牢騷。只恨吾前世沒有敲穿木魚。修到這種好福氣。像吾們這輩措窮大。根本就沒有吃補藥的一筆經濟。即使有了經濟。吃補藥滋補。可是餐風飲露。窮年勞碌。整日奔波生活的鞭子。不斷的驅策。慮衣慮食。煩惱和憂愁。常來襲擊吾的身心。俗語道得好。『心寬然後身寬』。心既不能寬。徒靠吃些補藥。又有甚麼效用呢。吾們只要看看那班豪商大賈和資產階級的老爺太太們。一個個都是補得肥頭胖臉。脂肪質包滿了全身。大腹便便地坐在包車上。塞滿一車。神氣活現。自然囉。他們一年到頭。吃的是銀耳。燕窩。人參。和一切的中西補品。尤其是無憂無慮。快活逍遙。所謂

『快樂是康健之母。』他們既然這樣子的心寬。還加上了充分的滋補。當然要心廣體胖。幾乎連肛門臍眼都要補沒了。這不是吾故甚其詞。其實資產階級中人面黃肌瘦皮包了骨頭的確是少看見罷好了。胖的越補越胖。像惠泉山的大阿福。瘦的越榨越瘦。像田閭禁的稻草人。老天的不平。莫此為甚的了。當此西北風緊。大雪將飛的時候。吾們只要立在十字街頭。細細的去留神。罷要看活動大阿福。只在風馳電掣的汽車中雪白燦亮的包車上去尋。要看活動稻草人。就揀那僻靜里巷水門汀上去找。

再進一步說到國家。現在中國的內憂外患。連年不已。好比吾的身體羸弱多病。也非好好的滋補不可。但那來這一筆吃補藥的經濟呢。況且即使吃了補藥。也像人一般的心不能寬。仍然無濟於事。所以只有使得國家無憂無慮。不煩惱。不憂愁。就是『心寬。』然後再加充分的滋補。才能漸漸地强壯起來了。

（湯士彥）

□冬令進補談

吾人處身在這種生活繁劇的社會裏。終年碌碌。精血未免過耗。冬令及時進補。原也是養生之道。所以祇要有錢吃得起補品的人。在這交冬時候。什麼燕窩哩。木耳哩。黃唇肚哩。蛤士蟆哩。多少總得買些回來。如其不夠。還有新發明的什麼血。什麼機。報紙上登着斗大字的廣告。尤其是告訴我們都『有意想不到之效力』。至於平常隨便買些再造丸。兩儀膏。驢皮膠。吃吃。那大概都是藥店裏老主顧。其次時髦的西裝朋友。却非外洋船來的散拿吐瑾。魚肝油。帕勒芬托。這一類的補品買瓶嘗試嘗試不可。此外還有紹興人慣吃大（音杜）補藥。將黨參。熟地。黃蓍。玉竹……等。沒頭沒腦煎上一小鍋。或竟一大罏。骨漉漉直望肚子吞。這樣不管三七念一的蠻補。更使我們見了不禁有『補之一道。可謂多矣』之嘆。其實我們都知道進補的目的。是在得到有補益身體的效果。但是照這上面所說種種。加以研究。是否眞能獲到實效。倒是一個疑問。因爲就學理上講。進補沒有這樣簡單。況且有些補品。大都膩滯難化。不合腸胃。服之失宜。很能引起飲食停頓。胃呆便閉。許多不良影響。非但無益。反而有害。比方一個患血虧貧血的人。過服補血之品。反成充血之症。故欲進補。最好先請醫生診斷一下。何者爲宜。何者不宜。然後購服。那自然比較穩妥可靠得多咧。

□冬令補品

（史濟宏）

山藥泥　山藥泥眞有可人的味兒。熱有熱的味道。冷有冷的味道。考究的天津和北平館子都有賣。價錢很貴。並且也未見全是純粹的山藥。往往出了很大的價錢。而却吃不到道地的東西。這裏介紹它的做法。並且山藥是有名的滋補的東西。現在秋冬之交吃了。自然比吃補藥好得許多。先把原根山藥洗淨。放在鍋內。用水煮了一二個鐘頭後。便可酥爛。然後剝去外皮。露出完全潔好的山藥肉。放在石臼內椿爛成泥狀。使沒有小塊存在爲止。在要吃的時候。便放在鍋內。用少量熟猪油一起煮。待透。加入白糖。使適口味。而熱透。如此猪油也一齊被山藥吃進。那味道好極了。

猪油燉棗子　『猪油燉棗子』並不是布爾喬亞的食品。通常大家知道。也用不到多談。方法是把好的棗子和着多量的猪油。放在燒飯的鍋子上連蒸上十多天。棗子便發胖。吸收着極多的油份。這東西人們吃了些。是能增加身體內的油質。使發出更多的熱力。大胖子是該絕對忌着不吃的。否則到了明年夏天。將熱得不堪設想了。

核桃和白糖　把核桃椿碎。拌入適當的白糖。和猪油。眞會使人活血强腦。會吃酒的人用來下酒。也十分相宜。就是每天早上用開水沖一杯。吃了也很有益。不過剝核桃的時候。要把它的內衣一起剝去。比較費事一些。

南塘芡實　今年的芡實。比上往年便宜二三倍。經濟寬裕些的。很可以多吃些。代替早餐。也未始不可。今年一元便可以買二斤有餘。去年要買到二元多一斤。相去許多。也足以表示農村經濟破產。已經達於極端。

牛奶　通常的牛奶。都分做ＡＢ二種。是經過工部局衞生處驗過而分做Ａ字和Ｂ字。Ａ字中的微生物。要比Ｂ字少上三倍。並且已經經過消毒手續。卽使冷飲也不妨。而Ｂ字却不行。燒Ａ字牛奶的時候。祇需略爲溫暖。如果煑沸。則牛奶中的維太命也同時燒去。所以甯可出價錢較貴的A字牛奶。比較妥當些。中國人自己開的牛奶棚也有好多家是A字。這是值得推荐的每月每半品脫約大洋六元。或者不到些。

鷄蛋　農村中一年大量出產的鷄蛋。冬令中也要消去不少。它的功效和價錢。是用不到作者來多講。祇是對於救濟農村。也很有關係。並且有職業的人在早上吃的時候。要比別的便利許多。猶其在內地。一元可以買到五六十個很新鮮的鷄蛋。而且滋養料也足以抵過人參燕窩等等。

牛肉汁　祇要把切小的牛肉。放在專門蒸牛肉汁的鍋內。不加別的東西。用文火窩上一夜。牛肉都成了牛肉汁。鷄汁也是同樣的做法。不過內臟頭脚都不用。餘下的肉乾。可以炙乾。做紅燒牛肉或者咖啡牛肉。祇些略爲一煑便即酥透。可以當作一樣小菜。二角錢生牛肉。可以分二次燒。爲一人一頓的用。

荳奶　誰都知道黃荳是富有蛋白質和維太命的。因此用黃荳做成的荳奶。（俗稱荳腐漿）也很受勞苦同志的歡迎。早上一大杯。費不了五個銅元。實在實惠得很。市上有專賣黃荳奶的店家。作者未曾試過。恕不介紹。自己做自然最可靠而清潔。在預早一天。把生黃荳用水浸胖。再用石臼舂碎而加水濾之。再舂再濾約三四次。待已剩渣滓爲止。吃的時候。用火煑滾。加入白糖少許。這是最便宜最清潔的了。大衆化的冬令補品。差不多盡在於此了。其他膠滋。藥參燕銀耳不是大家吃得起。而且也未見全合各人體質。作者也就此擱筆。

□補腦汁

（漱　碧）

這是中國人的習慣。每年一過到冬季。不問大家小戶。富的窮的。祇要衣食可以不用躊躇的人。他們總都要服食一些些補品。據說冬令進補是非常有益於健康的。因此各大西藥房各大中藥舖。便在這時「其門如市」了。

通常的補品。牠的名目。眞是多到不可勝數。甚麼暹邏官燕呀。甚麼老山人參呀。甚麼別直參呀。甚麼哈士蟆呀。甚麼白木耳呀。甚麼黃魚唇呀。甚麼魚肝油呀。甚麼補力多呀。甚麼健身汁呀。這些這些。祇不過是千百種補品中間的數十種。這些這些都是每年冬季銷售很廣的補品。一部份的人們。常是把牠們看作布帛菽粟一般。而認爲須臾不可缺乏的。豪富的人們。對於上列各種補品。自然是兼收並蓄的常食。就是生活困難的人們。也常要購食一點點。就是確實沒力量購買這些補品。也必須買一些些小紅棗。破桂圓。拿來點綴點綴這冬令服用補品一層大概已成我們貴國人生活階段全部中的一部階段了。

補品既然是非吃不可。那麼我覺得一般的人們。倒不必溫涼雜進的去亂購亂服。倒還是規規矩矩的一律服食起補腦汁來。那麼事實上不但可以於身體有益。而且強國強種。也都可從此而獲到這樣有益人生的事實。我們不但該身體力行。並且也須替牠去廣事宣傳。纔是呀。

中國人素來都有『沒腦子』的毛病。吃了補腦汁。顱門裏的腦子。便迅速構成長大了。一切想不出的計劃。可以想出了。吃了自己的飯。而且還可兼吃別人的飯了。穿了自己的衣。而且還可兼穿別人的衣了。住了自己的屋。而且還可兼住別人的屋了。做了這一國的國民。而且還可兼充別國的民衆了。就是沒食沒衣沒住的人。也可因着腦子的生長。而運用構思。把別人的衣食住。統統搜括淨盡了。補腦汁有這般效力。『有腦子』的人。有這般大好處。和『沒腦子』的人相形起來。誰也該趕着去服食補腦汁啊。

有些人說。補腦汁裏面。有嗎啡。鴉片。等毒品。久服恐怕變成痼疾。這話自然也有一部份的理由。不過。我們放眼看看。實在覺得國內『有腦子』的人太少了。而『沒腦子』的人太多了。爲要迅速培植出一些些『有腦子』的新人物來。我覺得服食補腦汁一舉。終須加以提倡。甚麼有毒無毒。也不必去管牠了。

●求孕與避孕續集 今日出版

▲指示男女雙方不孕之原理以及求孕訣門
▲公開女子因體虛而怕孕之一切避孕良方
▲解決男子因經濟困難而欲節制生育問題

(一)生理篇
甲 生殖之工具
●腦髓骨脈膽女子胞合論
●生殖腺之內分泌
●精液之研究
●精虫之研究
●卵之研究
●月經與卵巢關係
乙 結胎之原理
●受精現象
●一胎數子之研究
●胎生男女之理由
(二)不孕之原因
●不孕須雙方負責
●無子原因及其挽救
甲 男子方面
(子)包莖
●包莖之研究
●龜頭不脫與生育
●患包皮之友人
(丑)精衰
●精清立愈法
●精滑不育之自療
●精冷立愈法

●精寒不育之自療
(寅)陽萎
●陽萎之原因及療法
●陽萎治驗
●陽莖短小驗方(附)
(卯)淋濁
●淋濁造成之原因
●淋病的研究
●淋病問題
●白濁治法
●老白濁治法
(辰)梅毒
●梅毒概要
●梅毒之第一特效藥
●公開三張梅毒經驗方
●紫金丹治梅毒之神效方
●梅毒惡瘡靈藥
乙 女子方面
(子)月經不調
●月經不調
●月經病之三大原因
●經閉
●行經困難
●調經之要義

(丑)白帶
●白帶與白淫白濁之研究
●血崩與白帶
●白帶概論
●八種帶下之自療法
●白帶轉赤帶之療法
●治白帶年久不愈方
(寅)其他
●體肥不孕
●身瘦不孕
●下部寒冷不孕
(三)求孕
甲 求孕術
●無嗣者之座右銘
●求孕術
●求孕與節慾
●求孕者當擇時行房
乙 求孕方
●種子方
●育子神方
●痛經不孕之良方
●血虛經閉種子方
●男性種子良方
●求孕實驗方

(四)診斷
●妊娠之診斷
●孕之有無
●預知胎兒男女法
(五)流產與安胎
甲 流產
●流產問題
●談談流產
●房事與流產
●胎漏與流產
●流產之預防
乙 安胎
●安胎論
●安胎問題
●忠告姊妹界之保產要言
●安胎神效方
●保產四驗方
(六)避孕
●多子之痛苦
●疾病與避孕
●節育原因與避孕方法
●節制生育之三法

每冊實售大洋五角寄費九分如與初集同購計洋一元寄費一角另贈凍瘡治療法一冊

上海三馬路雲南路轉角 幸福書局發行

婦人產後

□產褥中的衞生

（鼎臣）

（一）精神安靜。睡眠愈多愈佳。絕對不問家事。少與人談話。居室宜明亮。夏季更宜選擇清潔和通氣的房間。

（二）分娩最初十日。宜常靜臥。大小便可用便器承接。起坐轉側時。不可過於急速。兩星期後。可每日起床幾囘。滿月後。可出至戶外。不過在二個月內。仍應避免勞動。

（三）產褥中衣被的清潔。宜特別注意。所用衣被。能用白色最好。其厚薄應該斟酌時令。不可過暖也不可過冷。換襯衣時。應卽設法使室溫暖。用溫水清拭全身。但不可過分使產婦身體搖動。外陰部每日應用熱百分之二硼酸水洗滌清潔。如有異常。應卽延醫診治。乳房也然。

（四）產婦最初用流動性食物。寧可次數多而量數少。一星期後方可食佳良的魚肉。酸辣之類。也宜忌食。產褥中過食有害。少也難恢復體力。經過好的三星期之後。

就可以依平時之食量。但難消化的。還不宜食。產褥中的飲料。但如茶咖啡等。不可過濃。酒應忌。

（五）大小便有異常時。請醫生診治。平常大小便後。將陰部用溫水清拭。

（六）產婦非因萬不得已。應自己授乳於嬰孩。最初十日。產婦授乳時取側臥位。十日之後。可以坐起授乳。乳房或乳分泌有疾病時。應速延醫診。授乳期中。服藥應該注意。因有多數的藥品。能從乳汁輸入兒體之故。授乳期中。如月經來潮。仍可授乳。

▣小產以後

（朱叔屏）

婦人懷孕。俗謂十月滿足。實際則九月有餘。不足九月者。謂之早產。其在一二月或三四月間而產者。謂之小產。或名半產。以尚未成熟故也。

小產之原因甚多。有因憂恐悲哀暴怒。七情紛擾。神經刺激太過而起者。有因勞力打撲。損動胞系受傷而起者。有因體質衰弱。胎氣不固而起者。有因發生傷寒瘧疾等之熱病。觸動胎氣而起者。有因性慾不節。震動胞宮而起者。

婦人之患小產者。有偶然發見者。有屢屢患之者。偶然發見之小產。大多爲外因。由於意外之事。故影響及於胞系。起絕大之變化。而致如悲哀暴怒。如跌打損傷。如感染熱病。如性慾太過等等。屢屢患之者。大多爲內因。非體質虛弱。必係子宮內部發生變化。宜治之於早。

小產之後。產婦往往發生變化。蓋小產重於大產。大產如栗熟自脫。小產如生採破其殼。斷其根蒂也。但人多輕忽。故致死者多。

小產以後。最易發生眩冒。瞋目無知。形同尸厥。此因血液暴去。心神無所養。故不知人事。宜用四物湯加羌活。荆芥。升麻之屬以治之。補血養血。庶幾有濟。

小產以後。虛熱不退。宜當歸。生地。白芍。麥冬。知母。靑蒿。枸杞子。鬱金。甘草等選用。

小產一事。固屬不幸。然事已成實。悔惱亦何濟。故宜寬懷。不可悲鬱。以防他變。若屢次小產者。宜速調理。否則一而再。再而三。果雖結而永無成熟之期矣。

▣產後發熱

（朱叔屏）

發熱非疾病之本態。乃疾病之證狀。一見發熱。卽爲疾病之證據。發熱之人身。猶火災時之警鐘。其作用卽警告病家。使知設法抵禦發熱之由來。卽病體對於疾病之戰鬥之一種現象。與戰事勃興時之鎗炮聲無異。辨鎗炮之聲。卽知戰爭之平淡與劇烈及其方向。辨發熱卽可知病源之所在。及其證情之輕重。發熱之於診斷上。亦爲一重要之點也。

婦人產後往往發熱。若熱度輕微。一二日而能自愈者。乃產後去血過多。身體虛弱所致。如發熱時輕時重。經絡不舒。腹痛有塊者。此瘀血發熱也。噯氣吞酸胸膈滿悶其熱得食卽增。此傷食發熱也。熱無已時。頭痛惡寒。兼見咳嗽此外感發熱也。以上所述。尙易調治。若五心煩躁面形赤色。早上則涼日暮則熱。夜則更熱者。爲陰虛之熱。卽產褥癆之證也。發燒痙攣。腰背反張。噤噤咬牙。不省人事。此名產後痙厥。與上述之產褥癆皆爲難治之症。惟產褥癆纏綿殗殜。久則生變產後痙厥其勢洶湧。變在頃刻之間耳。

瘀血。發熱可用生化湯。(當歸。川芎。桃仁。黑薑。甘草。)或用生地二錢。歸尾二錢。丹皮一錢。蒲黃一錢。紅花一錢。荷葉一錢。傷食發熱。投以消導之劑。當歸二錢。川芎錢半。查炭三錢。六曲三錢。陳皮一錢。瓜蔞四錢。香穀芽三錢。外感發熱。用當歸一錢。川芎六分。荆芥穗錢半。防風一錢。清水豆卷二錢。葱白二枚。陰虛之熱。用生地二錢。歸身二錢。炒白芍錢半。麥冬三錢。知母三錢。地骨皮二錢。功勞葉錢半。橘絡八分。至若痙厥之症。雖有小定風珠大定風珠等治法。皆不生效驗。徐洄溪曰。此症壞者甚多。愈者甚少。信然。

□產後不宜妄用攻藥

（林鴻藻）

病有不當攻而攻。與當攻而不攻。皆失也。何失乎。失非其時。常人患此。尚以攻失其時爲戒。而況產後大虛之時乎。方其未產之前。血液供養胎元。固已虧矣。及其旣產之後。血液不免大傷。愈益虧矣。倘再遇產後虛症。補之尚虞不逮。豈可攻乎。攻非其所當攻。是病不當藥。而正氣當藥。不徒病不見愈。而正氣益虛。此卽所謂虛虛之戒。愼勿惑焉。然則產後之病。將不可攻乎。曰非也。如遇產後實症。非但不可不攻。且宜速攻。猶之無糧之師。利在速戰。例以產後外感之陽明症。或產後惡露不下。蘊釀腐爛而成之三衝症。皆實症也。一則非急下無由存陰。一則非祛瘀無由得救。然則速攻之意。抑將用峻猛劑乎。曰又非也。若邪實而正不虛。專攻其邪固可也。若邪實而正虛。非兼養其正不可也。于至三衝症。雖同一祛瘀。須各就其所衝者而治之。如衝胃加和胃消滯藥。衝肺加肅肺疎風藥。衝心加養心安神藥。豈得恃峻猛爲盡醫工之能事乎。可見攻固貴神速。而藥不尙峻猛。意在斯乎。意在斯乎。吾故爲之結論曰。非產後不可攻。乃產後不可妄攻。妄之一字。誠爲深切之示警。吾人于臨症之際。允宜慎之而又慎也。

保幼之道

口小兒科所不經意之小兒病

（尤學周）

業小兒科者。雖以調治小兒爲責志。然有不少疾病爲小兒所常發見者。而一般兒科專家。往往不甚注意。如鵝口瘡。赤遊風。馬牙。螳螂子等。此種疾病。大多發生於月內之嬰兒。其治療之責。大多委之於『妖媪』（襲徐靈胎之言）爲小兒科者。常不發見此種證候。以爲此非普通之病症。甚者疑爲前人之多立名目。實際則絕無僅有者。對於此種病證之變化。及調治。因之亦不甚注意。不知此雖小病。初起之時。若無大礙。苟不得相當之治法。變化多端。往往害及小兒之生命。下列一事。可以爲證。

鄙人襲先人遺業。粗知醫理。但對於嬰兒鵝口馬牙之預防及根治方法。尚不得其要領。去春內人舉一男。頗雄健。惟初生一二日。卽患鵝口。上下齦甲錯。以刀刺之敷以冰硼等散。已瘥。胎糞已下四五次。略能吮乳。但口鬆耳。以爲可以無患矣。

詎至第三日。環唇現靑色。下唇內齦脚正中。發現白色硬粒一點。刺之。竟堅硬如骨。而沿此白點至兩傍齦脚。附有紅色硬線兩條。同時沿肛門亦發現丹毒。而二便反澀少。按環唇齒齦。皆陽明所絡處。知其腸胃必有胎毒未清。擬再以三黃及沆瀣丹等下之。會適丁母喪。不暇兼顧。而親友多以延請專醫爲請。乃某專醫至。以爲下齦中間一點。萬不可刺。兩傍紅線。均爲熱結之象。只要敷藥之外。投大劑甘涼之品。自然可痊。鄙人疑甘涼遏抑。恐非善策。而醫者力主之。卒投鮮生地三錢。與芩連等末藥同劑。詎服藥後。約一晝夜。小兒但頹然昏睡。不啼不乳。心知有異。迨弔客散。再視小兒氣色陡變。爲之駭然。牙齦則堅硬如石。刀刺不下。知小兒之性命。危則頃刻。心中悽楚萬狀。抱兒痛哭。一籌莫展。至次日卽一瞑不視。鄙人心痛至今。對於此病。是否可用敷藥了事。甘涼之劑。是否可能。其根治方法。究竟如何。

按所述卽爲馬牙。吾錫俗稱爲『黃』。預將硬粒挑去。方能安全。有挑後而復發者。再挑之。或刺之出血。以泄其膿毒。其解較易。二便少澀。熱結腸胃。其發更甚。三黃湯等。投之甚宜。惟同時又當刺挑其患處。若不用手術。徒投清導之劑。止可免其助紂爲虐。非根治法也。不刺挑。不清導。以敷藥了事。未免隔靴搔癢。至於鮮生地。在某種情形之下。投之有效。此證實無用鮮生地之必要。丹毒之生肛門者。名猴子疳。用三仙丹麻油調敷。一二日即可平復。若在肢體。紅暈成片者。用針刺其邊沿之周圍。使之出血。再以陳木瓜。醋磨塗之。

□冬令兒童之衛生

（周君常）

嚴冷已屆。我人欲保持兒童之健康與快樂。應特別加以注意。特草下列數條。以備愛子女者之參考。

（一）空氣日光　新鮮空氣與日光。爲使兒童強健之必需品。日光經過玻璃或衣服者。無濟於事。必須直接晒到身體。始能幫助發育。並可阻止軟骨病之發生。故雖嚴寒之天。仍須游戲於戶外日光之下。吸收多量之新鮮空氣。如遇風雨之日。則着以較暖之衣服。在室內游戲。惟所有之窗。皆須開放。

（二）冬季之衣着　兒童在冬季雖應較爲多穿。但亦不可太厚。因能使活潑之兒童舉動遲鈍。故在室內可少穿衣服。出外時再加輕暖之外衣。羊毛絨製之外衣及護腿褲最適於游戲時之穿着。

（三）準季之飲食　每日須有多量之滋養物。但應知冬季兒童不必較夏季時多食。此外宜注意每日須有充分之飲料。

（四）沐浴　天寒時之沐浴。與天暖時同一需要。如浴室溫暖。何懼受寒。每日入浴更摩擦其身體。可使其皮膚舒暢。及增加抵抗力。

（五）午睡　每日之午睡。頗有益於小兒之健康。較大之兒童。可代以休息。兒童有充分之休息。可減少種種啼哭發怒等情。

口兒童睡眠之衞生

（瘦　鳧）

兒童睡眠時。呼吸與血液循環。較爲遲緩。體溫低而抵抗力弱。際此冬令。苟不加以注意。易致疾病。茲將關於小兒睡眠方面之衞生。提出諸點。雖屬顯淺。若能依照實行。對於兒童健康。不無裨益。

（一）睡衣及帶鈕。務須寬大。使小兒之四肢得以伸展。而免緊壓。致碍身體之發育。

（二）被與枕之質料。均須取用輕鬆柔軟者。使兒睡時。得以舒適。臥枕之高低。宜平適體。過高或太硬。往往使頭頸骨曲駝。成爲畸形。將來成長時。頗不雅觀。

（三）睡衣與寢具。以及尿布之類。宜常洗滌。以免汚濕。易致疾病。

（四）小兒之被褥。宜視氣候之寒暖而增減之。若過薄則患感冒。過厚則皮膚弱。務使體溫適度爲準。

（五）兒童獨睡時。應將被之四角。附以帶。繫於床邊。以免兒踢開被時。易受風寒。

（六）兒童臥具。宜安置高燥。陽光流通之處。須常置陽光下曝晒。

（七）嚴寒時。小兒被窠中。可安置湯婆。（切勿用火爐器。外套以絨布。使被內溫度和暖。）

（八）小兒睡時。務宜安靜。勿使驚覺。以免擾亂其神經。初醒時。不宜哺乳。或向外走。致患感冒。

□小兒痧子

（金長康）

痧子。有順逆二種。順者。不藥亦可卽愈。雖稍有甚者。然無危險。若逆證。則有危險。所以凡遇逆證。非請良醫不可。因爲逆證是不規則的。猶之盜匪。東攻西發。防不勝防。

（逆象）逆證變化最多。如四肢冷。氣急鼻煽。人中發青等。是熱向內攻。四肢抽動。角弓反張等。是熱入神經。泄瀉等。是下陷。凡遇逆證。凶多吉少。

（逆因）痧子除本體素弱。當不住病外。但求看護得法。醫生用藥得當。無一不可望其安然而愈。不過調護之責在於父母。用藥之責在於醫生。這一層不易解決。蓋爲父母者。未必人人有醫學知識。爲醫生者。未必人人能化險爲夷。於是亂子百出。在所不免。加之父母誰無愛子之心。一旦小兒害病。爲父母者。種種設法。以冀速愈。如解星宿。求仙方。解星宿。不過費些無爲金錢。誤服仙方。往往不堪設想。前有朱姓之子。年四歲。出痧。卽求方於某寺。獲藥末一小包。服後頓見氣急鼻煽。一夜凡瀉廿次。次晨診之。則已不可爲。遂謝不敏。病家力求出方。不得已。勉爲書方。聞是晚卽死。當時察其所服之藥末。色黃氣味猛烈。不堪觸鼻。未悉何物。其害如是。令人胆寒。此爲父母當愼者一也。若求於成方。如小兒回春丹牛黃丸。玉樞丹保赤散等。爲禍尤烈。蓋此等爲驚風要藥。隅一嘗試。往往發生四肢厥冷。或氣急鼻煽。或泄瀉。或四肢抽動。或角弓反張等逆象。環生。皆隨勢之深淺而定之。危險殊甚。此爲父母當愼者二也。

上海幸福書局出版各種醫藥新書

楊尊賢編　營業指南……每部一冊實售大洋二角

楊尊賢編　青年之友……每部一冊實售大洋二角

劉泗橋編　皇漢醫學……每部二冊實售大洋八元

劉泗橋編　臨床漢方應用解說……每部一冊實售大洋一元六角

張贊臣編　凍瘡治療法……每部一冊實售大洋五分

季愛人編　如皋醫藥報五週彙選……每部一冊實售大洋一元四角

朱振聲編　幸福報第七集彙訂……每部二冊實售大洋一元四角

曹炳章編　僞藥條辨……每部二冊實售大洋四角八分

朱振聲編　長壽週刊全年五十期……預定連郵大洋二元

嚴與寬編　節育的理論與方法……每部一冊實售大洋三角二分

姚昶緒編　男女秘密病自醫法……每部一冊實售大洋四角

朱振聲編　幸福雜誌全年十二冊…預定連郵大洋二元

外埠函購寄費加一　地址三馬路雲南路口

長篇新著

血症概論（四）

（朱振聲）

肺出血之治法

肺出血有二種不同之現象。其一爲大吐血。卽成口而出者。其一僅痰中帶血。並不若何顯著。一絲一滴而已。大吐血者。病邪盤踞肺部已深。腐蝕肺葉。傷其大絡。於是血卽大出。痰中帶血。大都爲肺癆之初步。癆菌由淺入深。侵及血絡。故其咳出之痰中。遂帶血絲或血點。若久而不愈。則愈趨愈甚。亦能損及大絡。發生大吐血

王肯堂云「痰中帶血。當於治痰藥中。加入止血藥。如貝母瓜蔞仁茯苓麥冬元參竹茹蘇子苡米之類以治痰。犀角阿膠柏葉黑梔之類以止血。黃芩黃連之類以降火。或調花蕊石末四五分。徐徐服之以救急。又法用竹瀝一碗。入阿膠二兩。溶開。將石膏煆過一兩。蛤粉一兩。靑黛五錢。好墨一兩。共爲末。調和丸如米黍大。每服一錢。香茗送下。其效甚捷。余以爲痰中帶血。無用犀角之必要。竹瀝阿膠一法。甚妙。其輕

者。用阿膠珠三錢。墨旱蓮二錢。麥冬三錢。黛蛤散（包）三錢。川貝母三錢。瓜蔞仁三錢。橘皮絡各七分。炙百部錢半。雲茯苓三錢。並服。

大吐血之出於肺部者。當宗十灰丸法。先止其血。鮮生地一兩。（搗汁冲）大小薊各一錢。丹皮炭二錢。黑山梔二錢。茜根炭錢半。白茅根六錢。仙鶴草三錢。阿膠珠三錢。牛膝炭三錢。絲瓜絡三錢。淡秋石五分。有熱。又當酌用石斛麥冬青蒿柴胡地骨皮。犀角等。咳嗽可加入川貝。款冬。紫菀杏仁遠志陳皮等品。

吐黃綠之膿痰。而發腥味。吐出之血。成暗紫色者。大都爲肺癰。用葶藶子一錢。薏苡仁五錢。貝母錢半。甘草節錢半。陳皮一錢。桔梗一錢。金銀花一錢。白芨一錢。青蘆管六錢。煎吸。如血來過多。倉卒不易得藥。其勢又甚危險者。服童便。卽止再服藥調理。

吐粉紅血之治法

粉紅血者。血淡不赤。蓋缺乏赤血球之故。方書稱爲不治。以其生化內絕也。經云「中焦取汁。變赤而爲血。」今不能取汁變赤。致赤血球減少。是中焦之生機已絕。縱生機不絕。亦已失其大效。不死何待。然此症亦有非生機垂絕之兆。而爲瘀血爲患者。蓋經又云「上注於肺脉。乃化而爲血。」足見中焦所取之血。又必藉乎肺氣。而後變爲赤血。若肺之部分有瘀血留着。脉道被阻。血汁至此。尚在已成未成之際。不能歸脉道流通。雖變紅活。而未成赤。遂因咳上行。逆出於口。成此血液混淆之情形。所謂吐粉紅色之血也。其證狀若胸脅板痛。必爲瘀血無疑。用旋復花（包）四錢。川貝二錢。陳皮一錢。炙桑皮錢半。南沙參三錢。歸鬚三錢。桃仁三錢。海浮石四錢。海蛤殼四錢。絲瓜絡三錢。使瘀血導去。新血自能循環。可以無憂。

吐血後之調理

吐血之後。雖因藥力而一時使血暫止。然調理不善。必有復發之虞。調理之法。可分藥療與衛生二端。

關於藥療者。因吐血不論胃血肺血。大吐血。或痰中帶血。必有所以致此血溢出於口之原因。如血雖暫止。而原因未去。久後將必復發。故血止之後。當去其根原。如肺痿肺燥。有乾咳之現象者。可用潤肺膏（羊肺一具。杏仁。柿霜。眞酥。眞粉各一兩。白蜜二兩。上藥先將羊肺洗淨。次將五藥入水攪黏。灌入肺中。白水煮熟。如常服食。）

若爲肺癰。當用太平丸方。（天冬。麥冬。知母。貝母。款冬花各二兩。杏仁。當歸。熟地。生地。黃連。阿膠各一兩五錢。蒲黃。京墨。桔梗。薄荷各一兩。白蜜四兩。麝香少許。）痰中帶血者。爲肺癆初期者。知母三錢。貝母三錢。天冬二錢。麥冬三錢。款冬花一錢。五味子六分。杏仁三錢。天花粉二錢。百合三錢。阿膠珠三錢。百部錢半。煎服。血止後。骨蒸癆熱之現象如故者。西洋參三錢。沙參三錢。麥冬三錢。當歸三錢。生地四錢。知母三錢。地骨皮錢半。功勞葉錢半。陳皮八分。煎服。吐血之後。胸口作痛。有瘀血者。宜歸尾。紅花。桃仁。丹參。蔞皮。鬱金等品。以清理之。

關於衛生方面者。動作宜徐緩。切忌勞心勞力。言語不可過多。以免精神之興奮。不可用深呼吸。喉頭作癢。終宜極力耐住。勿以咳嗆爲要。食物以溫煖爲度。不可太熱。烟酒辛辣之品。含有刺激性。皆宜少食。衣服宜取寬博。不宜束縛太甚。臥室之內。空氣宜清潔。窗戶宜常開。惟不可直接當風。防感冒咳嗽。

幸福雜誌 第六期

價目表

零售	每冊實售大洋二角		
時期	冊數	連郵費	
		國內	國外
半年	六冊	一元	二元
全年	十二冊	二元	四元

廣告價目

等第	地位	全面	半面	四分之一
特別位	封面		四十元	
特等	底面之內外 封面之內	四十元		
優等	封面內面之對面	三十元	十六元	
普通	正文之前	二十元	十元	五元

彩色另議

◀中華民國二十三年三月一日出版▶

編輯者 朱振聲

撰述者 全國醫家

發行者 幸福書局 上海三馬路雲南路轉角

印刷者 洪興印刷所 上海山海關路瑞德里二二二號 電話三二三三八號

全國銷路最廣信用最著之醫藥常識報

長壽週刊

宗旨：介紹衛生方法　指導康健途徑　●　公開古今祕方　造成百病自療

優待幸福雜誌讀者定閱全年祇收大洋一元

●長壽週刊由全國著名醫學家所撰述

長壽週刊每逢星期五出版一期。內容包括內外婦幼咽喉花柳各科。以及生理學。病理學。心理學。藥物學。傳染病學。四季時病。一切性病等等。均有精詳實用之論列。至於家庭醫藥常識。古今經驗良方。一切急救自療方法。莫不應有盡有。全年五十期。連郵二元。國外加倍。茲爲優待幸福雜誌讀者起見。定閱全年。祇收大洋一元。寄費在內。現已出至第九十期。如欲由第一期起補全。亦可照辦。惟所存不多。欲購從速。

注意

自第一期起至五十期止。爲第一年。原價二元。現售一元。

自五十一起至一百期止。爲第二年。原價二元。現售一元。

●長壽週刊是內政部正式登記之醫報

幸福雜誌
唐紹儀
內政部登記證警字第二二三一號
中華郵政特准掛號認爲新聞紙類
第七期

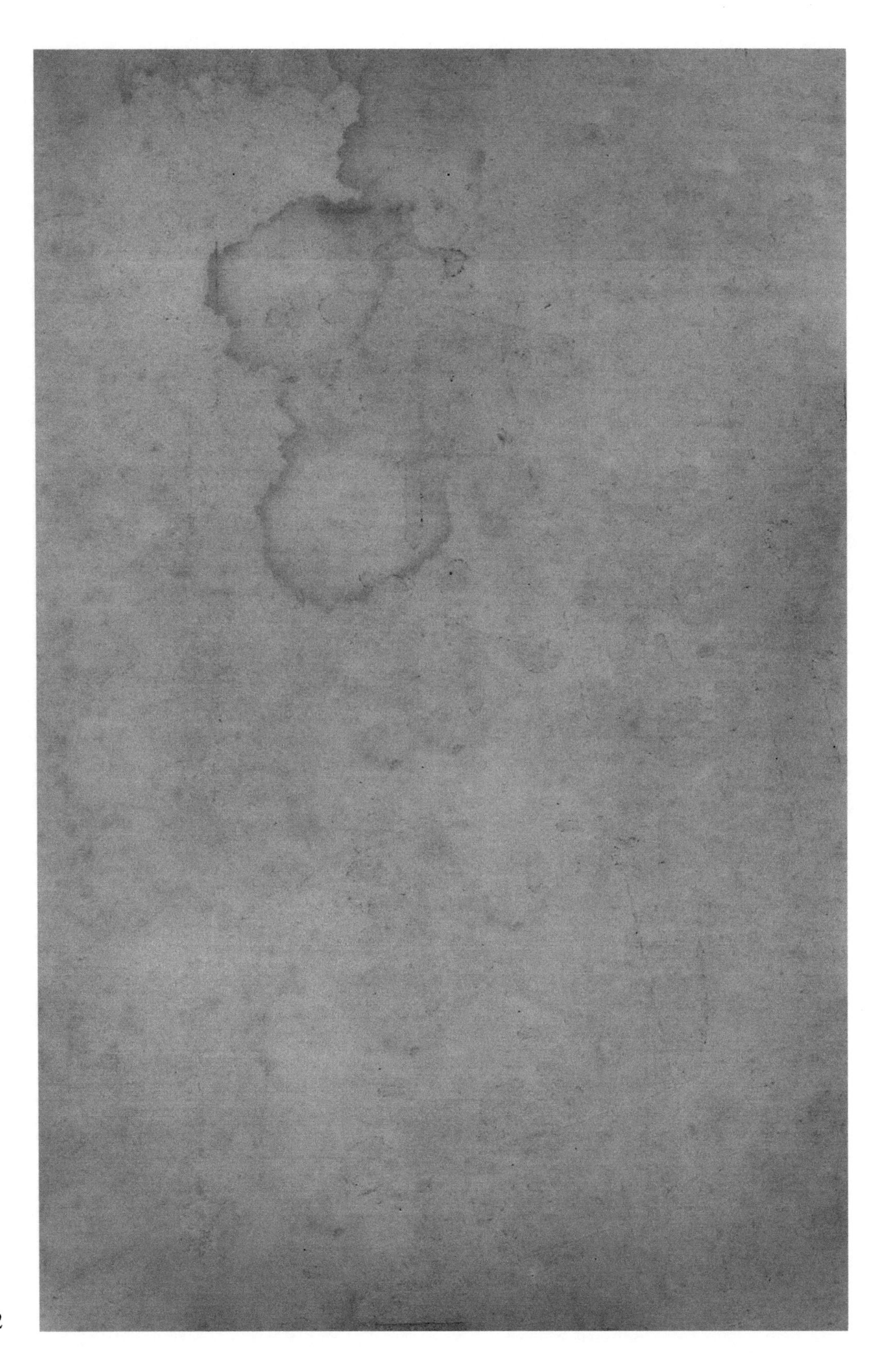

幸福雜誌第七期目錄

生理一斑

消化器之生理……王　淼
人體所含物質之新分析……琳
關於生理學上的幾個問題……達年

衛生之道

屋室之衛生……金　筎
個人衛生規則……佚　名
衛生與深呼吸……餘事書生

吐血概論

房勞吐血……鄒德民
因涼而得之吐血治法……張錫純
吐血與年齡之關係……鄒德民
嘔血之調治……尤學周

口腔疾疾

口臭與胃病……良
口病治法……嚴蒼山
口吃之矯正法……蘊　章

各項喉症

喉痧與白喉……尤學周
喉閉……許半龍
喉蛾……許半龍
喉瘤……許半龍

眼科經驗

眼科經驗錄……黄非病
雞盲眼之危險……喻萬邦
眼病急救……曹朗生

胃病研究

胃痛……郭柏良
春節多胃病……尤學周
胃病與柔軟之食物……尤學周

小便問題

小便與疾病……丁仲英
遺尿……尤學周
小便不通……謙　齋

慾海慈航

手淫的種種……福　沅
私通婢女之害……歧
從便祕談到遺精……朱念萲

育兒常識

嬰兒發疹之種種……光迪
早產初生兒之看護法……元吉
兒童與環境……綬

長篇專著

血證概論（五）……朱振聲
關於吐血治法之名論
治驗醫案

生理一斑

口消化器之生理

（王　淼）

（一）口　乃消化器的首端。由兩片表皮。肌肉。粘膜造成的嘴唇組合的。可以啓閉。又可以含着食物。兼着用裏面的動作。能以吸進液質的食物。如乳汁。湯水等。內裏有一個空腔。名叫口腔。靠外面的牆壁。是由兩頰做成的。亦有外皮。肌肉。粘膜三層。上顎的邊緣生着一排牙齒。各式的共有十六個。形似馬蹄鐵。向內開口列着。齒齦肉上亦敷着粘膜。中間的上顎敷着有皺褶的粘膜。前面名叫硬上顎。後面名叫軟上顎。擴張到咽腔的前上部。垂下一條粘膜包着的肌肉。名叫上顎垂（俗名小舌。）下顎的邊緣亦生着一排倒裝的牙齒。各式的共有十六個。如上排的牙齒一樣列着齒齦肉。上敷着粘膜。中間是口腔底部。上面亦敷着粘膜。中央生一箇粘膜包着肌肉的舌頭。舌根後面是一個空腔。名叫咽腔。除上下顎接連的肌肉和粘膜做成前面上下左右的壁外。上面垂下一箇上顎垂。兩旁各嵌了一箇扁桃形的物。名叫扁桃腺。中間是空的。上通鼻咽腔。兩旁各有一管。通進耳鼓裏面。前面的舌根下面是喉結。上面是處有一勺形的軟骨蓋。名叫會壓在吞嚥食物的時候。就將喉結蓋好。免得誤進裏面去。在喉結後下面通進食管裏面。腔的後面名叫後咽壁。有肌肉。外敷着粘膜。這腔的四週裏有許多的肌肉。與頸部的肌肉同時動作着。可以將食物吞嚥下去。口腔的底部和下兩旁有許多大小的腺。分泌着口涎。滋潤着粘膜。滑潤着乾燥的食物。還有消化的酶素。帮助着消化。更可減少胃臟裏面的酸素作用。

(二)食管　這是一條二十五公寸的肌肉長管。外面包着一層堅靭的外膜。裏面敷着一層粘膜。有粘液分泌而滑潤着。管由喉結的後壁起。至胃的上口即賁門爲止。經過左右兩肺的中間即縱膈膜。有一定的彎曲。穿過胸腹腔相隔的一塊肌肉膜即橫膈膜至腹腔。再與胃接連。

(三)胃臟　這臟是形似牛角的空囊。外面有堅靭的外膜。中間是二層肌肉橫紋和縱紋兩種。裏面敷有一層粘膜。分泌粘膜。濕潤食物。還有胃腺分泌胃液。消化食物裏的蛋白質。使胃液不化的質料鬆解。賁門與食管相接的地位有括約肌。司啓閉。底部擴大斜着胸骨的左下面漸次的收狹橫在心窩部的裏面。再彎在腹部右上面的肝臟小葉下面。復有一囊出口即幽門。亦是由環形括約肌司啓閉下接在十二指腸的上端。

(四)小腸　腸管共約六公尺五十公寸長。上由胃的幽門接連地位起。下至結腸迴盲腸瓣止。外包一堅靭外皮。中間是平滑肌肉層。裏敷粘膜。分泌粘液而滑潤着。但有絨毛狀的突出物。以擴大腸的吸收面積。中間有一種腺的管口分佈小腸多。大腸少。十二指腸裏面則還有二種管口。一是由膵腸通入的。一是由膽囊通入的。另有淋巴結節佈着粘膜的上面。小腸共分三個腸段。

第一腸段名叫十二指腸，管長約三十公寸直徑約四公寸或六公寸。彎曲形似馬蹄鐵。在右腹側小肝葉的下面。上段接連胃的幽門。下行段圓轉彎向中央。下段則在胃臟後下面橫行結腸後面。彎向左上連接空腸的上端。在右上側是肝臟。大小肝葉間的後下面附着一個膽囊。由肝臟裏面通出一管與膽囊通出一管會接一管。通到腸的粘膜裏面。管口能以啓閉。另外還有一膵臟。嵌在十二指腸的圓彎的裏面。亦有一管通進粘膜裏面。管口亦能啓閉。兩管通出消化液。消化食物的各種質料。

第二腸段。名叫空腸。管長約三公尺七十二公寸。徑直約三公寸。上端與十二指腸下段口相接。在腹部左上側。横行結腸的後面。折向右側。横盤在腹部裏的中央臍孔的平行線上。下端直徑約五公寸。接在廻腸的上端。

第三腸段。名叫廻腸。管長約二公尺四十八公寸。接連空腸。縱横在腹部臍孔下部的裏面。廻轉盤着在膀胱的上面。女子則在子宮的上面。下端接在腹部右下面外側骨盆上面的盲腸內側。名叫廻盲腸尖瓣。管徑狹小。

(五)大腸　管長共約一公尺五十公寸。上端由廻盲腸瓣下起。至肛門爲止。亦由堅靱外皮包着。中間是平滑肌肉層。裏面敷有粘膜。有粘膜滑潤。儲積糞渣時間至長。計分五段。

第一腸段。名叫盲腸。形似圓椎狀。尖部斜行向中央下後面。在腹部右下外側裏面。

靠在骨盆的腸骨漿葉部的裏面溝紋上。這段腸管極短。上端至廻盲腸瓣上接在結腸上行段的首端。下端則垂一細長的管。管徑細狹。口有一瓣與盲腸隔絕。

第二腸段名叫蟲樣垂。這管的長短粗細不一。長約六公寸或八公寸。甚至達二十公寸。上端接在盲腸尖端。下端則垂在腹部裏面。但多彎上。管口與盲腸通。下口則盲塞。這垂與消化上是沒有什麼關係的。而且可以危害人的生命。就是所謂盲腸炎。這病是發在這垂裏面。並不是在盲腸裏面。

第三腸段名叫結腸。管長約一公尺餘。外面似劃有方格的溝紋。裏面有瓢形空洞的結節。節節貫連。亦是由堅韌的外膜。中層平滑的肌肉。由層的粘膜組成的。有粘液在裏面滋潤着。在粘膜上有淋巴小結節。依照所行的方向分作三段。

(子)上行段　由腹部右外側盲腸相接的地位倒行向上。前面靠着前腹壁的後面。外側靠右腹外側。內側靠着小腸。後面則靠在腰部方形肌肉的前面。至右腰（腎臟）的下端。折轉向中央。接在橫行段上。

(丑)橫行段。　由上行段彎轉向前。經過大肝葉的下面。稍向下凹進。由右橫行至左經過胃臟下面彎進胸廓左下面的肋骨裏面。再轉至後面腰部肌肉前靠在左腰外側和下行段連接。

(寅)下行段。　由左腰的外側重複彎向左腰的下面靠着腹部左外側下行。至骨盆裏面向前折右接在乙形結腸的上端。

第四腸段名叫乙形結腸。管形似乙字。由下行段結腸接的地位向後懸下至小骨盆裏面再彎轉直向上行。至身體中央截面彎轉接在直腸上。這段結腸的組織與結腸是同的。但是沒有狠現的結。

第五腸段。名叫直腸。管長約十八至二十五公寸。直徑約半至一公寸。末段則較擴大。名叫壺腹部。腸管的組織與結腸是相同的。至下段較平滑。在第三鈎骨的地位和乙形結腸的弓形端接連。稍斜向前下行。至肛門的裏面爲止。

(六)肛門　乃消化器的末端口部。在粘膜上有靜脈管的結和束肌肉層有一內括約肌一外括約肌。組成內外狹窄處。如門有雙層然。以司啓閉收緊的時候有摺皺紋。

人的體內。無處沒有血管。神經。淋巴管。淋巴腺等。故消化器內亦都具有。而腹部裏面的前面和靠着腸管等上面還有腹膜。做成一囊。裏面有些許的粘液滑潤着。藉以便利動作。由腹腔後壁的前面佈着腸間膜包着腸管。中間穿過所行到裏面去的血管和神經。更有韌帶鈎着各部。在胃。肝。腸等前面。並且鋪着厚層的網脂。保護着。大腹的人更加厚得多。消化器的自身的營養是由紅的動脈管供給。廢料是由紫色的廻血管。（名叫靜脈管）輸送至適當的地方。再排出體外。神經操管道的動作。附在肌肉層內。分泌的作用則在腺內或悉口或粘液上。淋巴液在淋巴腺或管內。亦營輸送養料。或防豫毒質的侵害。

□人體所含物質之新分析

（琳）

毒氣與貴重金屬。均為人體組成之要素。眼中有鉛。肌肉中有銀。舌中有錫。為學者熟知之事。惟此種種物質。何以羣集一體。則為當世科學家方致力研究之神秘問題。不列顛醫學雜誌最近刊布一文。為英國皇家醫院醫生希騰氏在英國醫學聯合會斯丹福分會之演詞。氏曾參酌挪威拉曼奇氏之重要貢獻。對於研究此問題所得結果有一簡明之說明。茲摘譯如下。

據希臘醫生之意見。以爲人體所含各種物質元素精析頗難。如鎂之與錳。幾全然類似而不可分也。然有數種。則甚明顯。

第一爲銀。銀爲水芹生長之必需品。烟草中之尼可丁。亦與銀有關。而人體生長之肌肉部分含銀尤多。兒童時代之易染白喉等症。亦緣於此。銅之發現於鰆魚墨囊中者甚夥。惟人體中血球之生殖。亦非此不可。銅與人體生長亦有直接關係。乳汁與銅器接觸。則較置於普通器中不易變壞。至於吾人常稱爲塗白鉛鐵片之鋅。於人體各組織中亦均存在。而鼠之繁殖。亦以此爲最重要。

鎂爲腦部血管及神經系之構成要素。未生嬰孩而能充分給予鎂。則在母胎中可免吸氣不足之弊。筋肉之生長則以鉚爲重要元素。在茶葉。咖啡。可可及烟草中本皆有鉚。惟觀以麥類於生長時需鉚較鉀更多之事實而益證。

毒質氣體之於人體。亦爲刻不可缺者。如溴之於血液中。過四十五歲後始行遞減。

而七十五歲後則僅餘殘餘矣。氣之於人體是否必需。近雖尚未能斷定。然吾人日常飲水中。固必含氣百萬分之一・五也。

希臘醫生又以爲婦女妊孕初期。血液中元素之變換。與人受疾病襲擊時之轉換同一性質。且更以爲有數種物質。相互間每起衝突作用。而有數種則互相聯絡。如鈣與鎂相遇。則常大戰。而與硼砂中之硫則甚合作。與銅及鐵。則宛如三角聯盟。惟此種種聯絡。意乃指各種元素在人體中。須保持均衡之比例也。

希臘醫生之結論曰。人體不能視作爲一民主共和國。而實爲一少數活潑元素統治多數安定者之寡頭政治國家。將來苟能循今日之方法。而精加研究。則更將獲得許多驚人之結果云。

□關於生理學上的幾個問題

（達　年）

人體的臂骨及腿骨等。爲何要當中空的。照物理學講。來中空的較結實的爲牢。不易折斷。例如竹竿較木桿能多載重量。並且不易折斷。卽是明證。

爲何不從鼻孔而呼吸。易成肺病。

苟外部空氣由鼻吸入。則經鼻毛之阻隔。而塵埃不致飛入。再經鼻部內之特殊組織。而使所吸入之冷空氣加些溫度。不致妨礙肺溫。若從口部則不然。因口部無此組織。是以常能使肺部感受不快。

人體之足部。爲何須彎若弓形。

足部之所以成弓形。乃能使行動時不致有强烈之顚震。且又能耐久行動。

衛生之道

□居室之衛生

(金　笳)

人生對於衣食住的問題。當然是同樣重要的。尤其是住的問題。格外要注意。能使人們的身子健康。生命安全。居住的地方。不一定要高廳大廈畫棟雕樑。只要居住的位置。方向。空氣。光線……等。都應該要有相當的注意。使我們居住在其中。不碍健康。適合衛生。是爲最要緊的一件事。現在我先把居室衛生的幾個要點。略述如後。

(一)位置　居室的位置。假如低窪潮濕。是容易生長細菌。空氣溷濁。居住其中。多很不宜。所以建造居室的時候。應當選擇高爽的土地。空氣流通。飲水清潔的地方。

(二)方向　居室的方向。和衛生很有密切的關係。假如居室是東西向的。那末光線是直接射入室內。到了夏季。必炎熱不堪。假如北向的。寒風吹入。到了冬季。必異常奇冷。所以居室的方向。應該向南。不獨冬暖夏涼。而且通氣採光。都極便利。

(三)空氣。　居室的空氣。也是很重要的。尋常室內的空氣流動循環法。冷熱空氣交換之充足與否。要看室內有無出入氣孔及其裝置地位適宜與否而定。假如室內祗門窗戶一個。空氣的流動。必不良好。因室內的熱氣。不易排出外去。最好的方法。將室內的空氣完全換新鮮的。那末居室應多開窗戶。就在居室的低處開進氣孔（窗戶）在高處開出氣孔。（窗戶）不過兩孔要相對的。距離的遠近倒沒有關係的。像這樣室外的冷氣從進氣孔鑽入。室內的熱氣由高處上時從出氣孔排出。室內的空氣就能完全還換了。

(四)光線　光與健康有明顯的關係。因爲光有殺菌的本能。尤其是紫外光爲最。紫外光在太陽光中有的。光線能醫治或預防疾病，以陽光治療結核病。等效力是很大的。假如光線不良。能傷害視官。且易滋生病菌所以居室的採光。應照下列的標準。

甲　窗戶的地位應寬廣。使每日有充足彌漫的日光射入。

乙　假如陽光直照。光度過强。應有遮簾之設備。以免目力受害。

丙 居室內的天花板及四壁高處。宜帶淺淡顏色。以調勻及充足光線的瀰散。

丁 若室外高樓高聳。阻隔日光入室。可利用三稜玻璃間接將日光轉入室內。

總之要使日光充足。並不傷害目力為要點。

其他像居室所要的用具等物。如磁器。木器。金屬器。裝飾器。都應該整理清潔。以免直接或間接的傳染病症。

垃圾。廁所。蚊蠅。蚤虱……等。都是疾病的媒介物。我們對於這種種。應嚴密的預防。勤於消毒撲滅。

□個人衛生規則

(佚名)

一 每日早起。每晚早眠。並要睡足八小時。

二 每日要有適宜運動。正當娛樂一小時。要嚴禁烟酒嫖賭。

三 起眠及膳後必須漱口刷牙。

四 每天早晨起床後必須大便一次。

五 吃飯前要洗手。吃飯時要細嚼。勿多吃。勿暴飲。

六 室內要常開窗戶。流通空氣。洒掃清潔。切莫隨地吐痰。或洗鼻涕。

七 行走坐臥要端正。衣履要整潔適體。

八 沐浴要勤。（至少每星期一次）指甲常剪。（至少每星期剪一次）

九 理髮要勤。衣服常換。

十 勿用公共茶杯手巾。

十一 咳嗽打嚏要用手巾掩着口鼻。

十二 不吃街市不潔糖食及一切售的瓜果。

（餘事書生）

◻衛生與深呼吸

深呼吸是輕而易舉。效力宏大的全身運動。祇需於日光下凈潔的空氣中。挺直了身子。緊閉着嘴巴。將散佈空間的養氣。由鼻孔中徐徐吸入。四肢隨着昇舉。以增加吸力。吸至盡端。再將肺部的炭氣從鼻孔中儘量呼出。四肢也隨着降落。呼達頂點。才算完畢。稍息片刻。再舉行第二次。這樣每日需行二回。規定於晨與晚。每回約需行二十餘次。

深呼吸。非但可使身體健康。且爲預防肺癆唯一妙法。深呼吸所以能預防肺癆。而使身體健康。推測其原理約有數端。

第一。平常的呼吸。肺臟的漲縮極微。不能有充分的發育。況且肺尖的組織。是和他部份完全不同的。它的血流與淋巴流都極遲緩。所以很容易受到血液的傳染。它血管的分布也比較他部來得少。所以時常要發現貧血性的狀態。因爲組織的不良。營養的不足。抵抗力也就薄弱。肺尖因此成了結核菌的策源地。肺癆病的養成所。我們欲預防這種危險。惟有常行深呼吸。因爲深呼吸可使新鮮空氣直達肺尖。而使肺尖裏的空氣交換旺盛。這樣肺臟的發育可以充分。貧血性可一變爲充血的狀態了。

第二我們平常的呼吸。僅能使橫隔膜和外肋間筋運動。作深呼吸時。兼能使斜角筋等十七筋運動。所以深呼吸和筋肉運動也很有關係。在深呼吸的時候。橫隔膜下降。壓迫着腹腔。因爲腸裏有物不能縮小。因此腹壁向前膨脹。膨脹到不能再膨脹的時候。便反向胃壁。肝。脾。膵。腎等表面都受着了壓迫。於是將積滯於此等部份的血液。向四方驅散。待壓力一鬆。卽從四方流入。這樣一出一入。可以將腹腔裏的血液循環變好。因此分布於腹腔的神經。也受了同樣的作用。而愈强健了。腹腔裏的臟腑。因此機能都亢進了。種種疾病也無從而生了。

第三。當我們作深呼吸的時候。胸腔裏的壓力頓減。儲藏在腦實質裏的血液就滾滾地流入胸腔。到深呼氣的時候。胸腔裏的壓力漸漸增加。在胸腔的血液就源源佪入腦髓。所以常常作深呼吸。可以使腦髓裏血液循環愈見調整。血行障礙的疾病。血管血液病變。都可以因此不發生了。在每次深呼吸時不但可使血液和淋巴液變好。並且可使胸腔和腹腔裏的臟腑。全身的筋肉。都有適當的運動。因此腸胃都受了直接的影響。食慾也因此漸漸增加。

假使我們能於業餘規定的早晚。久習深呼吸。那麼虛弱的可變爲强壯。夭折的可變爲長壽。雖患肺癆這樣重症。也可變爲輕症。輕症當然更易復原了。不過已患肺癆的人。如果有以下這四種病情時。那是決不可實習深呼吸的。因爲他的肺臟。已有劇烈的創傷。敵不住這樣一吸一呼的漲縮了。即（一）有强度的咯血性素因的。（二）痰含血液的。（三）咳嗽劇烈的。（四）體溫在三十八度以上的。職工們。在下謹以此呈獻諸位。希望你們能决心實行。接受我這誠懇的呼喊。若能如此。則肺癆。胸膜炎。腦膜炎。關節炎。腎臟炎。等症都可以減少了。

朱振聲編

長壽彙選第一集

特價六角　外埠寄費九分

本書由長壽報彙選而成。內容所載。篇篇切合實用。撰述者皆全國有名醫家。全書共分內科醫藥常識。婦科醫藥常識。兒科醫藥常識。時症醫藥常識。性病醫藥常識。痛症醫藥常識。普通醫藥常識。藥物研究。診餘隨筆。實用驗方。醫藥顧問等十一欄。茲將性病醫藥常識之目錄。披露如下。其他目錄。限於篇幅。不克備載。

▲性病醫藥常識▼

▲秘尿器病簡治法……
(一)小使不通之治法
(二)尿急之治法
(三)小便過多之治法
(四)溺白之治法
(五)糖尿病之治法
(六)尿血之治法
(七)遺尿之治法
(八)血淋之治法
(九)熱淋之治法
(十)砂淋之治法

▲生殖器病簡治法……
(一)陽物易舉之治法
(二)陽痿之治法
(三)陽物短小之治法
(四)陰挺之治法
(五)陰痿之治法

▲陽痿自療法……
(一)先天不足而痿之治法
(二)淫慾過甚而痿之治法
(三)飲食失調而痿之治法
(四)飲酒過度而痿之治法
(五)痰濕下注而痿之治法
(六)寒氣內襲而痿之治法
(七)肥人陽痿之治法
(八)瘦人陽痿之治法
(九)老人陽痿之治法
(十)驚恐而痿之治法
(十一)悲哀而痿之治法
(十二)憤怒而痿之治法
(十三)陽物下垂而痿治法
(十四)陽物雖舉如痿治法
(十五)陽痿而短小之治法
(十六)陽痿囊大之治法
(十七)陽痿遺精之治法
(十八)陽痿不育之治法
(十九)精脫陽痿之治法
(二十)夾陰陽痿之治法

▲陽痿病治療筆記……
(一)手淫過度之陽痿
(二)陽虛中冷之陽痿

▲陽痿醫案選粹……
(一)體肥腿酸背痛陽痿
(二)濕痰鬱遏陽道痿頓
(三)焦思憂慮精滑陽痿
(四)先天稟弱陽事不舉
(五)陽痿頭眩胸背隱痛

▲陽痿單方廿三則

▲答人徵求遺精與陽痿治法……

▲陽痿與早洩……

▲治老白濁最有效力……

▲橫痃効方……

▲夾陰傷寒方……

吐血概論

房勞吐血

（鄒德民）

夫血爲流動質物也。統在於脾。藏在於肝。宣布於肺。其主宰則在於心。灌溉一身肌膚。充養五臟六腑。平時遵循經絡。週轉不息。不偏不倚。適合常度。方不失中和之道。苟一偏勝。則百病叢生。太過。則血脈興奮。經絡奮勁。勢必面紅耳赤。體溫增高。甚至血溢而爲咯吐鼻衄等證。不及。則色澤枯萎。形容憔悴。四肢瑟冷。體溫減低。茲姑就房勞吐血言之。尤其處此繁盛之區。烟霧瀰漫之地。呼吸出入。盡爲濁氣。且際此淫風特熾。慾潮橫流之時。意淫手淫。春情亂動。腎陰早虧。肺臟亦弱。復因房勞不節。縱慾無度。交接之時。任意荒淫。貪樂盡歡。興情濃膩。對於身體上無形之損傷。絕不顧及。當時血液必趨緊張。行之速率。必增數倍。加之體既羸弱。血管最易暴裂。卽素有吐血宿恙者。舊有創傷之血絡。更易復損。蓋吾人平素體格健全者。房勞之時。猶呈身熱發汗。氣促面赤。頭暈心悸之象。須待靜而後安。何況體虛肺腎俱弱之輩者乎。

孟子雖云食色人之天性。但亦須自審體之强弱。有無病象。總以適可而已。過度有損氣血。反惹禍端。强者變弱。弱者致病。豈可不愼乎。體虛新婚者更當注意。至於治療血證之法。又當因證投藥。既不可專用寒凉。更不宜純用辛熱。不知血病受寒則凝濇不能循經入絡。久必瘀積。如蠱脹癥瘕噎膈痲痺等證。所以成者。皆敗血爲患也。反之辛熱之品最易傷陰。陰傷則血愈損。如骨蒸潮熱。癆瘵咳嗽。盜汗失寐諸證。所以然者。皆陰傷而現之病也。更有單方一種。社會上極喜傳用。要知此種藥物。每多苦寒惡劣之性。頗易尅伐元氣。若實症倖中。則視爲希世之神丹。若虛症而誤服。能免無害乎。本篇所述房勞吐血。係下焦根蒂早虧。衝陽與相火齊肆。不與胃熱之血相同。亟以鎭納達下。如熟地。五味。靑鉛。牛膝。龜板。童便之屬。均可加味擇進。

□因凉而得之吐血治法

（張錫純）

內經厥論篇。謂陽明厥逆衄嘔血。所謂陽明者。指胃腑而言也。所謂厥逆者。指胃腑之氣上行而言也。蓋胃以消化飲食傳送下行爲職。是以胃氣宜息息下行爲順。設或上行。則爲厥逆。胃氣厥逆。可至衄嘔血。因血隨胃氣上行也。然胃氣厥逆。因熱者固多。因涼者亦間有之。歲在壬寅。愚訓蒙於邑之北境劉仁村。愚之外祖家也。有學生劉玉良者。年十三歲。一日之間。衄血四次。診其脈甚和平。詢其心中不覺涼熱。以爲衄血之證。熱者居多。且以童子少陽之體。時又當夏令。遂略用清涼止血之品。衄益甚。脈象亦現微弱。知其胃氣因寒不降。轉迫血上溢而爲衄也。投以溫降湯（乾姜。白朮。清半夏各三錢。生懷山藥六錢。生赭石細末四錢。生杭芍生姜各二錢。厚朴錢半）一劑即愈。

又有他校中學生。十四歲。吐血數日不愈。其吐之時。多由於咳嗽。診其脈甚遲濡。右關尤甚。疑其脾胃虛寒。不能運化飲食。詢之果然。蓋吐血之證。多由於胃氣不降。飲食不能下降。咳嗽之證。多由於痰飲入肺。飲食遲於運化。又必多生痰飲。因痰飲而生咳嗽。因咳嗽而氣之不降者。更轉而上逆。此吐血之所由來也。亦投以溫降湯一劑血止。接服數劑。飲食運化。欬嗽亦愈。

近在瀋陽醫學研究社。與同人論吐血衄之證。間有因寒者。宜治以乾姜。社友李進修謂從前小關有老醫徐敬亭者。曾用理中湯。治愈歷久不愈之吐血證。是吐血誠有因寒者之明徵也。然徐君但知用理中湯以煖胃補胃。而不知用赭石半夏佐之以降胃氣。是處方猶未盡善也。特是藥房製藥。多不如法。雖清半夏中亦有礬。以治血咳吐證。必須將礬味用微溫之水淘淨。淘時必於方中原定之分量外多加數錢以補其淘去礬味所減之分量及藥力。

吐血與年齡之關係

（鄒德民）

疾病之發生。有隨年齡而轉移者。如嬰兒之易於發生痧症。青年多遺精。老年多哮喘之類。或因抵抗力之不足。或因耗費之太過。前者關於生理方面。後者由於人事所造成。如青年時代。慾苗初茁。受外物之引誘。縱慾不節。斲喪太過。成爲遺精。甚則陽萎早泄。卽人事所造成者。吐血之發生。亦猶是也。

吐血之症。多發生於壯年之人。童稚之年。絕無僅有。青年時代。亦少發生。以余臨診之經驗。大多爲二十五歲至四十歲之壯年人爲多。蓋壯年時代。如四季之夏日。夏雨時行。草木暢茂。人於壯年。亦正發達健旺。精強力壯。非好勇鬥狠。即任重致遠。往往不自量力。憑其血氣之剛。以致鑄成大錯。或因勞而吐血。或因傷而吐血。此與青年之造成遺精。如出一轍。孔子云『少之時。血色未定。戒之在色。及其壯也。血氣方剛。戒之在鬥』眞有先見之明。

壯年之人。既因勞傷而吐血。又復不知調養。一見血止。即不再經意。往往創口不歛。或歛而復迸。一再反復。遷延致誤。種種變端。亦由是發生。生龍活虎之人。以致形體萎靡。精神頹敗。終則陷於不可救藥之境。咎由自取。夫復何言。

□嘔血之調治 （尤學周）

嘔血者。吐血之不藉咳嗆而出。從胃中泛出。由胃中血管破裂所致。血出後。停於胃中。不即吐血。或從大腸而下。趨成爲瀉血。或因胃受刺激。逆而上行。成爲嘔血。血色不甚鮮明。兼混雜食物碎末。甚易辨識。

嘔血之證。以酒客爲最多。或因大怒。或因跌傷。或因於胃癰胃癌。宜各隨其原因而治之。

飲酒過度。或誤食熱食。血管過受刺激而嘔血者。當先用十灰丸三錢。冷鹽湯送下。再用大青葉三錢。鮮生地一兩。生白芍二錢。粉丹皮二錢。鮮竹茹三錢。白茆根二紮。鮮藕節四個。水煎服。

跌打損傷。或負重努。致血管破裂。血由上吐者。往往脅肋牽痛。不能轉側。或吐紫黑血。治以祛瘀爲主。方用全當歸三錢。紫丹參二錢。炒赤芍三錢。桃仁泥三錢。淮牛膝三錢。廣玉金錢半。參三七三分。（另服）白茆花一錢（包）煎服。

暴怒之後。倏然吐血。宜生大黃三錢。鮮生地一兩。丹皮炭二錢。肥知母三錢。生白芍錢半。側柏炭二錢。茜根炭二錢。甚則用磨犀尖二三分。

嘔血之時。最忌震動。震動則血溢不止。創口不易凝固。血止之後。亦宜多事休養。不論何種吐血。終宜注意下列數則。（一）一見吐血。不可驚恐。精神宜安靜。（二）言語不可過多。不可起坐妄動。（三）不可行深呼吸。（四）食物不可太熱。衣服宜寬博。（五）大小便宜常通。大便不通時。可服瀉藥下之。

嘔血之後。胸脅刺痛者。瘀血未淨。宜用丹皮。桃仁。香附。沒藥。新絳等治之。血後體虛調理。可用歸脾湯（白朮。人參。黃耆。當歸。茯神。遠志。木香。甘草。龍眼肉。生姜。大棗）。補中益氣湯（白朮。黃芪。人參。歸身。升麻。柴胡。甘草。陳皮。）等法。

口腔疾病

口臭與胃病

（良）

口臭之證。雖爲小恙。然於交際塲中。每多顧忌。當與人吐談之際。往往遭人厭惡。此證大多由胃熱使然。熱蘊於內。變爲腐燥之氣。聚而不散。隨氣上出。薰發於口。故令臭也。藜藿之人。胃氣清。患此者絕少。惟間食葱蒜者。則亦難免。其恣貪口腹。日進油膩。使胃氣不清者。患此尤多。

口臭宜常漱口。以保持口部之清潔。然非根本治法。患此者宜清潔飲食。素淡爲宜。戒除烟酒。大便宜令通。每日至少大便一次。外用甜瓜子爲末。煉蜜爲丸。每日漱口後含之。蓋甜瓜子有潤澤胃腸之功。除宿積而清胃熱。法至善也。荔支肉有吸收臭素之能力。患口臭者。取荔支肉三枚。每夜含入口內。晨起吐出。連含半月。其患可除。據云。楊太眞有口臭之疾。故好荔支。此事見於史傳。詠於詩歌。無容贅述。其治口臭之作用。可以信而有證。

昔張子和治一患口臭者。如登廁。雖親戚莫敢與對語。子和曰。此肺經有鬱火。鬱火在上焦。當湧而吐之。先進以茶調散。此爲吐劑。吐出臭涎去其七分。夜以舟車丸（此爲下劑）下五六行。此朝而臭去。所謂肺經鬱火。實非也。用吐下而病除。可見病根不在肺而在胃腸明矣。吐下之法。實嫌太烈。然其意則頗可爲法。

口病治法

（嚴蒼山）

口鹹　腎液不攝而上乘也。六味地黃湯。加五味子。煅牡蠣。烏賊骨主之。

口苦　經云。有病口苦。名曰膽癉。夫膽者中正之府。五藏取決於胆。咽爲之使。此人數謀慮不決。故胆虛氣上溢。而口爲之苦也。龍胆瀉肝湯。或小柴胡加麥冬。棗仁。不應加川連。胆草。若係病中口苦。祇治病而口苦自愈。與平人口苦不同也。

口辛　肺氣上溢也。生脈散加桑皮。地骨皮。黃芩。

口甘　經云。有病口甘者。此五藏之溢也。名曰脾癉。治之以蘭。除陳氣也。宜竹葉石膏湯。加知母。佩蘭葉。中消病口甘者治同。

平人口甘欲飲。舌苔黃膩者。此濕熱內蘊。土氣勝也。宜佩蘭葉。陳皮。藿香。茵蔯。茯苓。六一散。銀花。苡米。蘆根。蔻仁等以化之。

老人虛人。脾胃虛熱。不能收斂津液而口甘者。當滋補脾氣。補中益氣湯去升麻柴胡加佩蘭葉。煨葛根。

口淡 屬濕者。苔白。宜服平胃散。病後胃虛口淡者。六君子加黃耆。當歸。

口澀 肝邪逆於肺。氣虛火旺也。宜黃芩葛根防風薄荷括蔞茯苓等主之。

口臭 年高氣弱。奉養太過。高粱厚味。及多服補陽藥。口糜臭不可近。甘露飲加犀角。茵蔯。及濃煎香薷汁含之。徐徐嚥下。

口中如膠而臭者。知母。地骨皮。桑皮。山梔，麥冬。甘草。食鹽湯嚥下良。

壯盛之人及常苦便結者。涼膈散最宜。倘痰壅氣濁而臭者。宜鹽湯探吐之。

口瘡 心火上炎。口舌腐爛者。導赤散主之。甚者涼膈散亦主之。如不效宜瀉南補北法。用六味湯加川連。

又方口舌生瘡。吳茱萸研末。好醋調敷兩足心。用布紮好。過夜當瘥。因其能引熱下行也。或用五倍子末滲破爛處。吐出涎水亦效。

口吃之矯正法

（蘊章）

▲口吃之種類

欲矯正口吃。非詳知口吃之種類及原因不可。口吃之種類有三。

甲 此類口吃。發語較常人爲難。如言「上海」必先期期若干秒鐘。方能讀出。

乙 此類口吃。發語較常人尤難。第一字發出後。須連讀六七遍或十餘遍。方能讀出第二字。如言「上海」上字發出後。須連讀上上上上上十餘遍。方能讀出海字。讀海字時亦然。

丙 此類口吃患者較少。醫治亦較難。發語時初甚清楚。中途聲音驟促。啞嘶不能辨別。如言「中華民國」讀中字時甚清楚。至華民忽啞嘶不成聲。至國字又甚清楚矣。

口吃之人。有僅患其中之一類者。有兼患兩類者。有兼患三類者。

▲口吃之副症狀

口吃之人。除發音困難外。並兼有種種之副症狀。如與人對談時。因急欲發言。致面赤筋漲。甚或搖頭蹙額。手舞足蹈。以助其談話之勢。是爲肉體的副症狀。尚有精神的副症狀。第一口吃之人。因發語困難。心中非常憂鬱悲悶。時起厭世自殺之念。第二口吃之人。神經較爲銳敏。遇事易怒。易起不快之感是也。

▲口吃之原因

口吃之原因不一。最多者爲倣傚。居全體十分之七。喜摘他人之短。乃常人之通病。往往他人未蒙其害。自身已受其累。聞口吃人發語之聲調。多笑而傚之。久之遂成習慣。呼吸因之不正。聲帶受損。昔日所誹笑者。今乃身自犯之。此外如久與口吃重劇之人同席辦事。亦能傳染。之所謂與惡人居。如入鮑魚之肆。久而不聞其臭。亦與之俱化矣。原因於此之口吃。成人少而小兒多。此因兒童富於模倣性故也。其次則爲疾病與恐怖。凡患咽喉病。熱病。癇疾。卒倒及肺炎後與自樓上及高處下墜後溺水後。驟受大驚後。則發音必要之呼吸易起變。則聲調之運動不正。往往釀成口吃之症。

▲患口吃之年齡

口吃之非遺傳病。人盡知之。故父之口吃。不能遺傳於其兒孫。然母之口吃。則能傳染於其子女。此因兒童學語之時。多以母爲標準也。乳母之責任與母同。故乳母有口吃癖者。其所撫育之兒童。亦多患口吃。小學校及幼稚園時代之兒童。模倣性較年長之人爲甚。而其傳染口癖。亦較年長之人爲易。倘不設法預防。則習慣已成。矯正不易。防之之法。第一在禁與口吃之兒童交遊。中學校時代之少年傳染此癖者甚少。二十歲以上之人。殆絕無。而僅有至因疾病與恐怖而起之口癖。又當別論。

▲口吃之矯正法

口吃之原因及種類。已如上述。能防患於未然。固最佳。至已成及將成口吃之人。自當設法矯正之。玆記一簡易而又有實效吃音矯正法於下。以供世之父兄教育家及有保護兒童之責者之採用。法使口吃之兒童。於發語之前。先行吸取氣息。則發語不致急促。且吸有發音必要之空氣。則聲調自然響亮。又與口吃之人談話。務當徐緩而明晰。久之彼亦徐緩而明晰矣。所謂與善人居。如入芝蘭之室。久而不聞其香。亦與之俱化矣。

上海幸福書局出版各種醫藥新書

陳存仁編	國民醫藥須知初集	每部二冊	實售大洋一元五角
陳存仁編	國民醫藥須知續集	每部一冊	實售大洋一元五角
龔一飛編	生殖研究	每部一冊	實售大洋五角
張少波編	民衆醫藥常識	每部四冊	實售大洋二元
陳存仁編	遺精廣論	每部一冊	實售大洋四角
朱振聲編	實用驗方	每部一冊	實售大洋四角
朱振聲編	全國名醫驗案	每部一冊	實售大洋八角
時逸人編	中國時令病學	每部一冊	實售大洋三角
丁甘仁著	丁甘仁醫案	每部四冊	實售大洋二元四角
葉勁秋編	中藥問題	每部一冊	實售大洋二角
葉勁秋編	中醫基礎學	每部一冊	實售大洋三角
張贊臣編	天痘與牛痘	每部一冊	實售大洋二角
楊尊賢編	家庭須知	每部二冊	實售大洋四角

外埠函購寄費加一　地址三馬路雲南路口

各項喉症

喉痧與白喉

（尤學周）

病之最可畏者。莫如喉症。蓋喉爲呼吸之孔道。生命所關。至足重也。而喉痧與白喉。尤爲喉症中之最急最危者。二症之證情不同。故治法亦各異。

喉痧初起。即憎惡壯熱。或乍寒乍熱。白喉則渾身發熱。或身反不熱。其不同者一。喉痧初起。即痧點隱約。甚或密佈肌紅。且多發於邪旺大盛之時。其色鮮紅而紫艷。一則初起並不發痧點。即或現痧點。亦多發於邪退毒輕之際。其色淡紅而枯燥。其不同者二。喉痧初起。喉紅腫而多黏涎。繼即色現深紫。或紫黑黃腐灰白。純白不等。白喉初起。喉微痛或不痛。有隨發而白隨見者。有至二三日而白始見者。有白點。白條。白塊不等。隨症之輕重而判別。甚則滿口皆白。其不同者三。喉痧初起。皆毒盛火亢。初陷。則耳前後腫。頰車不開。再陷。則神昏譫語。痙厥立至。鼻煽音啞。肺陰告絕而斃。白喉初起。即毒爍陰虛。初潰則白塊自落。鼻孔或流血。再潰則兩目直視。肢厥神倦。

黏汗自出。脫氣上脫而斃。其不同者四。

喉痧治法。已見前期。至於白喉。初起用除瘟化毒湯。（粉葛根二錢。金銀花二錢。枇杷葉錢半。薄荷五分。鮮生地二錢。冬桑葉二錢。細木通八分。竹葉一錢。貝母二錢。生甘草八分。）及勢既盛。可用養陰清肺湯。（大生地一兩。麥冬六錢。北沙參四錢。炒白芍二錢五分。元參八錢。丹皮四錢。貝母四錢。生甘草二錢。）

□喉閉

（許半龍）

喉閉證。由肝肺火盛。復受風寒相搏而成。其候卒然喉中閉塞。氣不宣通。急刺少商穴出血。用雄黃蘚毒丸。冷水磨化。下吹玉匙開關散。以吐痰涎為妙。內服八正順氣湯。

主治方

（一）八正順氣湯。

砂仁。陳皮。桔梗。甘草。元參。枳殼。當歸。川芎。白芍。人參。鼠粘子。

（二）雄黃薢毒丸。
（三）玉匙開關散。

喉蛾

（許半龍）

喉蛾。一名乳蛾。有單有雙。雙者輕。單者重。由肺經積熱受風邪凝結而發。咽喉之旁。狀如蠶蛾。紅腫疼痛。喫飲不利。或惡寒發熱。或不惡寒發熱。生於關前者。形色易見。吹藥易到。故易治。生於關後者。形色不見。吹藥難到。手術難施。故難治。初起宜吹冰硼散。外敷貼喉異功散。內服清咽利膈湯。膿熟者針之。腐吹金不換。

主治方

（一）清咽利膈湯。（二）冰硼散。（三）貼喉異功散。（四）金不換。

喉瘤

（許半龍）

喉瘤。由肝肺二經鬱熱。更兼性躁多言損氣而成。形如龍眼。紅絲相裹。或單或雙。生於喉旁。或因醇酒炙煿。或因怒氣喊叫。犯之則痛。戒用鍼刀。宜服加味逍遙散。或益氣清肺湯。點消瘤碧玉散。並用夏枯草鬱金煎水代茶飲日久自消。

主治方

一　加味逍遙散。

柴胡。當歸。白芍。白朮。茯苓。丹皮。梔子。薄荷。甘草。姜煨。

二　益氣清肺湯。

潞黨參。川貝。桔梗。麥冬。牛蒡子。黃芩。茯苓。陳皮。山梔。薄荷。生草。淡竹葉。紫蘇。

三　消瘤碧玉散。

硼砂三錢。胆几冰片各三分。研細。以筋蘸點。

眼科經驗

□眼科經驗錄

（黃非病）

（一）眼胞赤腫。透明生白礬三錢。研細粉。雞子清一杯。打極透。調敷患處。或敷眼皮週圍。如乾再搽敷數次。痛即止。腫亦消。

（二）火傷害眼　急命患者仰臥地上。令童子解小便於燙處。再以牛眠涎水點之自愈。

（三）蛛絲入目　生白菜搗汁。滴入眼內即出。

（四）石米入目　鹽滷點眼即愈。

（五）雞盲眼　猪肝不拘多少。蒸作餚。食至盲愈爲度。

（六）時時流淚　鯽魚膽七個。人乳一杯。和勻飯鍋上蒸透。日點三次。五六日後即愈。

（七）睛珠夜痛　薺菜根一兩。煎汁。溫服萬試萬驗。

(八)泥沙入目　大牛膝一條。約二寸長。本人自行嚼糊。吐出搓丸。塞於兩眼角。淚如湯流。沙泥隨出。

(九)痘疹入目　小兒痘疹。入目。用象牙箸。磨天水點之。或用黃鱔血蘸筆點之。

(十)赤目癢痛　黃連五分白礬二分。浸入人乳。上蓋白紙。刺十餘小孔。飯鍋上蒸之。待冷。點癢處。

(十一)眼瞼生癬　蕤仁子霜五錢。去殼打爛。菜油調敷患處。卽愈。

(十二)砂眼　木賊草一枝。擦瘰粒上。微出血。四五處。卽愈。

□雞盲眼之危險

(喻萬邦)

雞盲。一名陰風障。亦有呼高風障者。爲病並無痛苦。惟乍晚不見。至曉復明。蓋元陽不足之病也。治之之治。用參。芪。朮。草。等補中益氣之味。服之。鮮有不奏效果者。其能調養得宜。知所遵戒。間或不治自愈。惟以病無痛苦。晚始不見。而晚又爲吾人休息之時。世人每多輕微忽之。以致不加保養。斲傷眞元。而變內障者有之。變靑盲者有之甚至陰陽否塞。爲中滿中消而死者。是則不得不望於患者。其愼諸毋忽。

▣眼病急救

（曹郎生）

一 飛塵入眼。吾人於輪船後之拖船上。或火車內。向外觀看之時。或行於道路之時。每有烟屑飛沙微塵等吹入眼眶。切忌卽以手指亂擦。或用手帕亂揩。因亂擦亂揩則所入之物。必更深入也。且有損傷睛珠之虞。須照下列之法治之。方得妥也。

子 以手指輕揉無病之眼自出。譬如左眼入物。則揉右眼是也。

丑 左眼入物。以口向右邊地下用力吐二三吐。不效。稍停片刻再吐三四吐。如此行之。數次必愈。右眼入物。則吐左邊可也。

寅 如被大粒之物。吹入眶內。卽將入物之眼上胞。以手指摘之。向下徐徐引之。則物卽隨淚流出。

卯 如遇狂風大作。飛砂吹入眼中。緊附於睛。當吐口津。研新象牙和京墨。扑入眼

辰　中害處。稍遲片刻。用新毛筆。蘸津即可撥出。

各項塵沙入眼。可用清水置面盆內。將入物之眼。摘起眼胞。浸入清水內。徐徐引之。必可出來。蓋用上列之數法無效者。所入之物。必定較大或深入於裏也。

二　竹木細刺入眼。即以地蠶搗爛塗之。立出

三　生漆偶然入眼。速煎杉木汁洗之即去。

胃病研究

□胃痛

（郭柏良）

胃痛。俗名胃氣痛。意謂疼痛之發作。以氣在內攻撑之故。然一般之胃痛。其證狀並不一致。故不能概謂由於氣之作祟。有痛勢不甚。而綿綿不已者。有猝然大痛。以致面色蒼白。冷汗淋漓者。有痛而得食卽停者。有食後反痛者。有痛而喜按。按之卽覺減輕者。有痛不喜按。按之愈形疼痛者。蓋病有輕重。原因又非一端。故其見證亦不同。

前人論胃病有九種。一爲胃痛。二爲寒痛。三爲血痛。四爲氣痛。五爲食痛。六爲疾痛。七爲疼痛。八爲蟲痛。九爲悸痛。大凡各種胃痛。泰半有疼痛之感覺。蓋胃之神經。受疾病之刺激。卽發生疼痛之警告。以備預防或治療。

近世之患胃病者。日見增多。良因近世民智進化。人事繁複。生活程度增高。人類無論賢智愚不肖。無日不在憂慮困難之中。營其生活。用腦則胃神經疲弱。遂起消化不良現象。消化不良則食入卽脹。胃壁纖微神經緊張。遂覺悠然而痛。或肥甘不節。飢飽失常。久而久之。成爲胃癌胃癰等症。其痛愈甚。

胃痛有呼謂肝氣痛者。蓋肝胃鄰近。容易混誤。或謂肝氣犯胃。而成胃病。此雖爲假定之術語。雖似空泛。實含至理。緣『肝』之一字。大多指神經而言。調肝之品。大多有鎭靜神經之劑。故胃痛用調肝舒氣之劑。確有奇效。如左金丸。金鈴子。延胡索。小青皮。香附。瓜蔞皮。薤白頭。香緣。佛手。橘葉。煅瓦楞等。皆爲必用之品。其他如新絳。沒藥。春砂仁。白蔻仁。畢澄茄。高良姜。公丁香。茴香之類。亦可酌量採用。

春節多胃病

（尤學周）

每年春初。世俗多有聚餐之舉。燻魚。烤肉。燒鴨。燗雞。恣意大嚼。不飽不止。不醉不休。甚至親戚朋友。互値東道。輪流不息。常見有連食十餘日之久。留連忘返者。時而滋膩雜投。時而烟酒並進。時而瓜菓生冷。時而餅麵糕糰。如是循環不已。一物未消。一物又至。積習相沿。其結果或則脘痛胸悶。或則胃呆腹脹。或則口舌無味。飲食少思。

或則吞酸噯腐。飲食停積。或則大便秘結。或則瀉而不暢。凡此種種。皆飲食太過之害也。

每逢春節。各業休暇。無所事事。則爲賭博之戲。呼朋引類。或遊竹林。或玩紙牌。或推牌九。或呼盧喝雉。日夜不厭。或則闢室旅館。儘日與友人賭戰。日夜留連。連日不輟。失眠。既足以影響於消化。賭博無節。晝夜不得休息睡眠。精力爲之減退。消化亦爲之不健。故此時往往有納食無味之傾向。

胃痛俗稱肝氣痛。逢春則其發必甚。說者謂肝屬木。木旺於春。以氣相應。故頻頻發作。實則『一歲之計在於春』。因此不免操作有過度之處。故病象較爲顯著。而春節之多食。少眠。加以應酬之忙碌。心力交瘁。實爲發動之機也。

善養生者。對於無謂之酬酢。一律屏絕。飲食以適宜爲主。膏粱美味。少食足以養胃。多食則反傷腸胃。故不使過度。賭博之事。悖入悖出。既耗錢財。卜晝卜夜。又傷身體。且爲法律所不許。語云。明哲保身。素有胃病者。破除一切惡習。更當效法明哲。以保其身。

胃病與柔軟之食物

（尤學周）

柔軟爲堅硬之對待名詞。食物之中。其性質堅硬者。不易消化。反之若柔軟之物。則消化上不覺困難。故食柔軟之物。易於發生饑餓。卽消化迅速感受不足之徵象也。若食硬堅之物。縱有犀利之牙齒以磨之。往往不易覺饑。甚則腸胃作痛。泄瀉隨起。善養生者。對於堅硬之食物。一律屏棄。或煮爛而食之。職是故也。

然吾人身體。貴在鍛鍊。精神愈用則愈出。智慧愈用則愈多。常事運動者。肌肉豐富身體亦堅强。至於胃腑亦須鍛鍊。其消化力方能堅强、庶不致發生疾病。堅硬之物。固不宜多食。以阻碍其消化。若竟屏除不食。則胃之消化力亦不增進。漸致虛弱無能。發生種種疾患。

晏居閒暇之人。好逸惡勞之輩。其消化力既薄弱。而又易發生胃病、蓋因過於保養。不食粗糲之物。胃部貪惰成習。以致胃運減弱。胃病隨之而起。且胃運既弱、而營養不給。全身亦見衰弱徵象。不特發生胃病。其他疾病。亦將乘隙侵入矣。故胃力堅强實爲最健全之人。欲使胃力堅强。故當鍛鍊其胃。使能消化堅硬之物。

日人長與博士之言曰。胃之强弱如何。皆習慣之所造成。與以虛弱之習慣。則漸趨於虛弱。如能食飯三碗。減爲二碗。而飲牛乳。久則成爲習慣。不能勝三碗之飯。身體因營養不足而衰弱。立致反之。與以多食米肉之習慣。則胃之消化力。可日趨於强。故胃者可使之强。可使之弱。在習慣與鍛鍊而已。

有主張食粥者。謂易於消化。且有詩贊之云『誰嫌淡泊少滋味。淡泊之中滋味長。』與言節儉則可。若謂有益於胃。吾未敢信。至於患胃病者。如食入作痛。固宜取其柔軟者。以求胃之安靜。若不必食柔軟之物。而故食之。乃作繭自縛。阻遏胃力之發展。自絕其生機也。

小便問題

□小便與疾病

（丁仲英）

凡輸入體內。吸收於血液中。分佈於各器官之養分。最後成爲有害無益之物質。一部分爲糞便而由大腸排泄。其大部分則成爲尿出於前陰尿爲多量之水與尿素尿酸溶合而成。皆爲新陳代謝之最後產物。其餘尚有少許雜質及許多鹽類。主要之鹽類爲食鹽。其味故鹹。

尿爲腎臟所製造。由腎臟濾出經過輸尿管。貯存膀胱內。至一定之限度。卽發尿意。而由尿道排出。故腎臟。輸尿管。膀胱尿道諸病。可驗其尿而得之。關於腎臟之變化。其徵象尤顯。

血液本身發生變化之時。腎臟方面。仍以此種血液爲製尿之材料。故驗尿又可以知血液之變化。

驗尿須賴於機械。非肉眼所能望見者。其價値亦有限。茲就所知者述之於下。尋常之尿。概係黃色。然亦隨其濃淡而有深淺之變化。尿愈濃。色愈深暗。含水愈多。色愈淡薄。發生黃疸。尿作深褐色。其泡沫則現黃色。熱病之人。尿多褐色。發高熱者。尿中有白色之沈澱物。卽蛋白質。凡腎臟發炎諸症。其尿中皆有蛋白質。其他如黃疸。脾疳。糖尿病。亦皆有之。此種白色沈澱物含量之多寡。與疾病之輕重。雖不一致。而其質量減少之時。爲病機之轉輕無疑。

尿中混有血液。謂之尿血。見於尿前者。病根在尿道。見於尿後者。病根在膀胱。與尿混合不分者。病根多在腎臟。

尿由腎臟滲出。卽帶黃色。此色素於腎臟生成。如尿色過於淸淡。則爲腎臟機能障碍之證。同時尿之數量亦必增加。

遺尿

（尤學周）

原因　由於泌尿器病。生殖器病。神經系病。消化器病。身體虛弱等而起。但亦有因敎育失當。或食物失宜者。

症狀　小兒至三四歲以上。睡眠中猶遺尿。或有夢。或無夢。

療法　按其原因而治之。如未明其病情。則宜於下午四時後禁飲茶料。忌香。酸。辣等刺激品。睡眠宜早。被褥毋過暖、過冷。凡小兒患此。勿加呵責。宜勉以溫言。如該夜不遺尿。則次晨以玩物食物奬之。亦爲治法之一助也。如以藥助。益智仁五錢炒。食每日服一錢。

小便不通

（謙　齋）

（一）夫三焦下輸。並太陽正脈。入絡膀胱。約束下焦。實則癃閉。虛則遺溺。

（二）小便不利。有三。大便泄瀉。津液濇少。一也。宜分利而已。熱摶下焦。津液不行。二也。必滲瀉乃癒。脾胃氣濇。不能輸化。三也。令施化自愈。

（三）小便不通。宜分氣血。如渴而小便不通者。熱在上焦。氣分宜清肺。不渴而小便不通者。熱在下焦。血分宜滋腎。

（四）其本在腎。其末在肺。

（五）心火太盛。小腸多熱。急當清心。忿怒氣鬱。閉遏不通。則須開鬱。腎藏大虛。須與溫補。以行其水。三焦實熱。惟用純陰。以化其陽。

（六）閉者小便不通。癃者小便不利。閉癃爲實。遺溺爲虛。閉爲暴病。癃爲久病。閉則點滴難通。全資氣化。宜疎通利竅。或用吐法。癃則滴瀝不爽。惟養眞陰。宜清熱化氣。不可升提。

（七）頻數久而益甚者。屬脾虛氣弱。溺濇補而益甚者。爲膀胱熱急。

（八）小便不通之證。有隔二隔三之治。如因肺燥。不能生水。則清肺金。此隔二法。不因肺燥。熱在膀胱。則瀉膀胱。此正治法。如因脾濕。不運精微。則燥脾土。此隔三法。

慾海慈航

手淫的種種

（福 沅）

手淫的原因　手淫的主要原因是內分泌的刺激。性慾衝動強盛。一時得不着正式交合。性慾沒法滿足。不得已就用手或器具摩擦生殖器。得到快感。排出精液來。間接的原因。如精神薄弱。做事過於勞苦。肺結核或是皮膚病等都是。

手淫的種類　手淫有用手和用器具兩種分別。用手的。男子握着陰莖來往不絕的運動。或摩擦龜頭。用器具的。先將陰莖套套在陰莖上。再用手摩擦。得到快感。也能和交合一樣。排出精液。至於性質上的分別。因爲手淫變化甚多。所以分別也很多。普通共計有五種。一、延長性手淫。斷斷續續的進行。接續幾次。二、不完全性手淫。未達到排精。慾望已滿足了。不再進行下去。三、中絕性手淫。是因爲勃起力減退。或自己愛惜精液。忽然中止。四、交換手淫。同性或異性相互舉行。五、精神手淫。不用手。也不用器具。全靠想像力。也能達到排精的目的。

手淫的時期　手淫的開始。固然大都在生殖機關發達完全以後。但也有很多不等到這時期。往往在十三四歲。已經犯了手淫的。陰部的末梢神經。若和外界接觸。常能有一種美快的癢感。這就是引起手淫的開始。這時犯了手淫。因爲生殖機關沒有完全。不能排泄精液。到十七八歲時最甚。一天常常玩弄幾次。對於身體的健康。很有傷害。要設法節制才好。大概結婚之後。可以戒絕了。但也有等人。直到老年。還不能免。

手淫的利害　手淫和遺精不同。對於身體的傷害。也比遺精大得多。牠雖不算是一種疾病。也不是完全有害無利的。但總是害多而利很少。男子在少壯時代。若竭力尅制着自己的性慾。不犯手淫。身體方面。未必有若何的利益。精神方面。反要受害。因爲這時生殖原料積得多了。又沒有正式的性交。很强烈的性慾衝動。無從發洩。影響於精神是很大的。這時若偶爾舉行一次。並沒有什麼大妨礙。身體强壯的人。每星期一次。也還不要緊。但是若自己貪戀着這一時的快樂。不加節制。常常玩弄着。每天一次。或一天幾次。結果一定很危險。頭痛。腰酸。眼花。心跳。容顏顦顇。精神恍惚。尤重大的是夫婦不和。生殖力喪失。因爲嗜好手淫。貪戀太甚。便不願意舉行正式交合。日期久了。便成陰萎之症。生殖力完全消失。由此更要引起各種性器官的疾病。以及很重的脊髓病。總之。手淫的弊害甚大。踏入春情發動期的靑年人。應該設法節制才好。

手淫的預防　預防手淫是必要的。預防的方法和預防遺精也差不多。尤應該特別注意。勿與妓女惡少等下流人類近。一面提倡高尙純潔的男女交際。兒童長到十五六歲。應該由他的父母和教師施以性教育。講明生殖機關的構造和生殖的功用。令他們知道性器官的偉大與重要。切實了解手淫的害處。

還有一層。手淫不限於男子。女子也常犯的。她們慣用一個或兩個手指插入陰道。或用器具做衝突狀的運動。增進快感。或用手指摩弄陰核。初犯的時期約在十四五歲。最遲的要五十歲方才戒絕。女子手淫的結果。也和男子差不多。

□私通婢女之害

（岐）

人不幸而爲女子。又不幸而爲婢女。自顧落落。亦大可憐。彼爲之主者。見稍具姿色。不論已否字人。卽便淫之。毫無人道主義。絕少憫惜之心。但知受雇於我者。分應爲我蹂躪矣。爲婢女者。旣畏其聲勢。又羨其富貴。遂不惜以清白之身體。任他人之玷汚。稍有烈性者。起與抵抗。因之受虐。因之無依。或仍不免於失身。其爲害也。在已許字者。因之而生重大之風波。旣私而孕者。因他種之障礙。服藥墮胎而喪生。以及得寵之後。撥弄是非。家中不得安甯。或爲主母妒忌鞭撻。或期望不遂。如求爲妾媵不得而自盡。其他男女間因苟合而生之疾病。如筋肉痛。關節痛。月經病。子宮病。驚悸。失眠。感冒。頭痛。怔忡。衰弱。不孕。白帶等。不勝殫述。而彼犯之者。皆不惜爲肉慾之奴隸。亂名分。忘廉恥。罔顧利害。而甘心出此。豈不可嘆哉。

□從便秘說到遺精

（朱念蔆）

便祕或名乾結。多從習慣而起。亦有根於遺傳缺乏。身體虛弱、或神經衰弱。皆有極頑固之祕結。此外每於大病癒後失調。以及有鴉片嗜好之人。皆十餘日始大解一次。又患痔瘡者。多患乾結。而患乾結者。每易患痔瘡。此二者。又相互爲之循環也。

遺精別爲生理的遺精。病理的遺精。生理的遺精。一稱健體的遺精。病理的遺精。分有夢與無夢之別。其原理固不必深討。夫大便之祕結。足以引起遺精者何也。常患便祕之人。其大腸中積聚糞塊。經久不解。生出壓力。使一部分生殖器之溫度增加。或血液鬱阻。漸至熟睡時。波動慾性。而遺洩之患得矣。故常人每日宜使之定時排便。通利大腸。亦足以爲預防遺洩之一助也。

上海幸福書局出版各種醫藥新書

- 張贊臣編　青年男女衛生指南……每部一册實售大洋八角
- 張汝偉編　咽喉病……每部一册實大洋三角五分
- 張贊臣編　咽喉病新鏡……每部一册實售大洋四角
- 張贊臣編　方藥考論類編……每部一册實售大洋四角
- 張贊臣編　中國痲痘學……每部一册實售大洋四角二分
- 張贊臣編　歷代醫學史略……每部一册實售大洋四角八分
- 沈石頑編　和漢醫學眞髓……每部一册實售大洋二元四角
- 吳克潛編　大衆醫藥……每部四册實售大洋一元七角五分
- 馬小琴編　醫藥顧問……每部四册實售大洋一元五角
- 陳存仁編　家庭醫藥顧問……每部一册實售大洋一元五角
- 茹十眉編　小兒病……每部一册售大洋四角二分
- 茹十眉編　性病……每部一册實售大洋三角五分
- 龔一飛編　性病指南……每部一册實售大洋五角

外埠函購寄費加一　地址三馬路雲南路口

育兒常識

嬰兒發疹之種種

（光　迪）

春天疾患以小兒之痧痘爲最盛。自種痘風行。天花一症。已日形減少。但痲疹。風疹。猩紅熱等。在此人烟稠密之都市。常有披猖之患。其發疹之現象。苟不早爲辨別。非陷於治療之錯誤。卽致預防之疏忽。爰將小兒發疹之種種。略述於下。倘亦衞生家所注意也。

第一屬於玫瑰疹者。係單獨之小圓紅斑點。有時含過渡性。以指按之卽不見。共有六種。

（甲）腸窒扶斯玫瑰疹。係局部而定式的淡紅點。發現於乳臍之間。大約在發病後第二星期。僅數日之久。有時稍似皮疹。至大如扁豆。圓形而稀少。是腸窒扶斯也。

（乙）各種傳染症初發性之玫瑰疹。乃過渡而暫時的。往往爲發疹之前驅。如水痘。曾經種痘之痘疹。腦膜炎。肺炎。僂痲支斯。多發性關節炎。膿毒症。腮腺炎。粟粒炎性結核症。流行性感冒。咽峽炎。百日咳。丹毒。白喉等症。

（丙）中毒性之玫瑰疹　如肉食中毒。臟腸中毒等。

（丁）因皮膚上之激刺而發現玫瑰疹者如藥液之濕罨等。

（戊）因汗分泌而起之汗疹。常在汗多之處。

（己）皮面的粟粒性結核之玫瑰疹。

第二似痲疹（卽痧子）類之發疹者。係無定式。而不甚明顯之斑點。初發祇小點。繼擴大至扁豆形或有過之。共有七種。

（甲）痲疹俗名痧子。初起似點狀小泡。後呈不平整之小點。密如星羅。於皮膚上略隆起或平坦。點之中央雖有泡狀之小結。而鮮成皮皰。且時有血之滲入。此疹先現於額際。而及顏面。三日內廣佈至全體。

（乙）風疹狀似痲疹。而無皮疹狀。微帶褪皮。大如扁豆。略圓。鮮至融合。初發時中央似有小結。漸則無之。發疹之前。並不發見內膜之疹（如口腔）頭蓋。手心。足心。常波及發於四肢者。大半在陽面。此疹不過二三日卽消退。體溫並不升騰。

（丙）傳染性紅疹係在軀幹部。
（丁）隨他種傳染症而起之發疹。如白喉。水痘。已種痘之痘疹。往往難於辨別。而所藉以診斷者。無非由於他種徵象之觀察。與熱度之經過。
（戊）藥物之出疹。如安知必林。綠養。沭及注射血清等。往往先發風塊。（卽蕁麻疹）兼患連續熱。蛋白尿。發疹常從注射部爲起點。左右肢呈同樣之疹。而鱗及於面部。
（己）猩紅熱之反常狀者。其發疹常團集數處。而夾雜於淡白皮膚之間。發於身軀較多。而面部較少。或全免焉。其與麻疹不同之點。卽發現較早。且有嘔吐。而兼咽峽炎。
（庚）蕁麻疹之反常狀者。
第三類似猩紅熱之發疹者。係微小極紅稠密之點。現於全紅之底板上。
（甲）猩紅熱之發疹。係纖小之點。初若分開。現與紅底連成一片。在數小時內。從頸胸二處。延於面部身軀。二十四時內及於四肢。面部中間三角常免去他處。亦有不見者。雙頰上之疹。完全融合。微痒顯著之高熱。及他併發徵象。

(乙)猩紅熱第四病與猩紅熱本症不同之點。即症狀緩和粘膜無病。亦無他變症。

(丙)他種傳染病之發疹。如腸窒扶司。肺炎。流行性感冒。膿毒症。白喉症水痘其區別於猩紅者。即乏紅點之與週圍紅色。漸漸打成一片(在猩紅熱發作之前)之現象。

(丁)藥疹及血清病。如內服亞脫落並規那。水楊酸。鴉片水銀及注射異性的血清。其發疹早則在注射後第二日。遲則隔二十日。而大半在第八至第十四日之間。宛似猩紅熱。惟赤色稍差。而較散漫。所發局部亦似猩紅。但熾烈減之。常以注射部為起點。引起附近腺腫。及蛋白尿。連續熱等。此症無嘔吐。無褪皮。(與猩紅熱有別)

(戊)白喉症恢復期之類猩紅熱。其發疹如猩紅熱。又如上述之血清疹。(雖未注射。亦有此徵。)但兼咽峽炎及代阿所反應。此症大約為變相之猩紅熱。在獲得白喉免痘性後而發者。

第四　圓圈狀及孤形紅斑類。凡較大而隆起之紅點。因中央之色素黯淡。遂成圓圈形及後周圍蔓延。或互相融合。或半隱去。則變爲奇幻形。

(甲)多發滲出性紅斑。發於四肢外側。及手背足背。不褪皮。具過渡性。常兼發熱。骨節疼痛浮腫蛋白尿等症狀。

(乙)藥物中毒之發疹。如規那。水楊酸等。又異性血清之注射。往往與胃腸病併發。

第五梅毒性出疹。乃棕紅色或紫銅色圓疹。在皮膚上現突起之象。無一定之滲出液。屬於是類者爲班狀梅毒疹。在掌心足心可見之。若隱若現。經久不退。帶閃光。如鮮片。外緣如圈。

口早產初生兒之看護法

(元　吉)

十月懷胎。這是一句俗話。也是一種事實。若在妊娠第十個月頭上分娩。確是很平常的事。但是也有一種妊婦。或因孕前或因孕時患有疾病。那末內中的胎受了母體疾病的影響。可以不到足月時候就行分娩。若分娩的時間在妊娠第七月以後。第十月以前。我們都叫他早產。這種產下來的胎兒。就叫做早產初生兒。

早產　初生兒是尙未成熟的初生兒。當然他的生活能力比成熟的來得薄弱。分娩的時間愈早則生活能力愈弱、若把他和成熟的初生兒來比較。卻有許多不同的地方。睡時極爲幽靜。手足動作不很活潑。有時竟致缺少動作沒有洪亮的哭聲。哭的次數也不多。呼吸是很細微和不規則的。所以面色發靑。這種初生兒大多數不慣吸乳。也有絕對不會吸乳的。體溫比平常的初生兒來得低從這些現象看來。可知早產初生兒有三種缺點。(一)不能抵抗外界的寒冷。(二)感覺空氣的缺乏。(三)營養障礙。這些都是生活能力薄弱的原因。所以看護早產初生兒的方法。也要從這三方面着想。否則他的小生命就枉死了。

體溫　第一要保持體溫。尤其是在寒冷的時候。斷臍以後。千萬不可和足月分娩的一樣。卽刻替他洗浴。必要將溫暖柔軟的衣服將他繈褓起來。若用絲棉做衣服或被蓋。那更妥當因爲這些東西都是不傳熱的。所以他的體溫也不致於因此傳散。然後再用熱水袋四只。放在他的頭脚和兩側。也可帮助他的體溫不外散。不過熱水袋的外面是要用毛巾包裹。否則是要燙傷皮膚的。若在德國。便有一種爲此而設的特殊設備。叫做格來得氏暖桶，是把初生兒的眠床做個夾層，其中注入溫水。時時將水更換。小兒睡在當中。自然更爲安全了。我們家鄉(南昌)有一種叫種窩桶。是一個長圓形的木桶。周圍和底下都用稻草厚厚的舖墊。上面再用棉被裹緊。小兒睡在當中。也很夠熱。這也可以算是因陋就簡的變通辦法罷，此外室溫當然是很要注意的。

寒冷　待他抵抗外界寒冷的能力比較好些。才可替他洗浴。室中要溫暖。水不可太冷。爲時不可太久。衣服不可全解。這都是應當注意的事，最好請一個極有經驗的看護做此工作。那更妥當了。倘若他的生活能力薄弱的話。那就用水和他揩抹也是可以的。

早產初生兒若現青色皮膚。那就是呼吸困難或氣窒的證據，這種極易發生。所以應當日夜謹慎的看護。若有發現。就應即刻施行溫水浴。這就是說用攝氏表三七度至三八度的溫水和他洗浴。浴後再將他襁褓起來。這種方法可使皮膚發生強度的刺激。於是呼吸也可逐漸的健全了。睡時不要認定一個方向。應當仰臥側臥時時變換。那末肺臟各部可得平均的擴張。就不易發生其他的疾病。

營養　早產初生兒的營養物以母乳爲宜。因爲母乳中所含的成分。適合他的消化力量的原故。若母體乳沒有乳汁分泌。那祇好改請健康無病的乳媪。至於牛乳和代乳粉是頗不易消化的。若初生兒沒有吸乳能力。可用吸乳器將乳吸出。或用手指擦出。再用吸乳管滴入口內。這器械是和點眼用的點眼管一樣。使用是很便利的。生後第一日宜每二小時給乳一次。每二次二公分。然後可以漸次增加到五一〇一五公分。視他消化的力量和生活力的狀態如何。可將晚間的乳量減少。日間的乳量加多。哺乳時須注意清潔。

對於早產初生兒若能將上述的三項。謹慎耐苦的實行。他的生命當然是可保全的。至於在經過中發生意外的疾病。那不在看護的範圍以內。須要請教醫生了。

（緩）

□兒童與環境

兒童是富於模仿性的。尤其是在一知半解的時候。所以他們對於見到的聽到的。

往往爲了好奇而仿效。這實是一件危險的事。尤其是在上海、良莠不齊。街頭巷口。處處都是墮落的陷阱。環境之劣。無過於此。兒童在這種環境之下。耳聞目接。當然漸漸地會把劣根性表演出來。久而久之。就成了習慣。以致無法改正。我們往往可以看到馬路上弄堂裏成羣的兒童。整日價在那裏胡鬧。不是打架。就是詬罵。出言粗俗。不堪入耳。有的「叮銅錢」「擲骰子」。輸極了。又鬧得不可開交。諸如此類的現象。不一而足。這些固然是父母沒有家庭教育。但是一部分也是環境使然。從前。「孟母三遷」。至今傳爲美談。可見環境對於兒童的影響是多麼利害。

這裏我對於賢良的母親們。貢獻一點小意見。謹希採納。我的意見是。

（一）注意家庭教育。除了正當學識外。並須指示道德修身等常識。

（二）禁止出外和頑童接觸。

（三）家裏設置玩具（以啓發兒童智巧爲主）圖畫。兒童讀物。及花草等佈置。務須整潔。

（四）時常領兒童到公園裏去遊玩。使他和大自然多接觸。在公園裏應讓兒童儘量玩耍如踢球賽跑等。

（五）有機會的話。應帶領兒童作郊外之遊。不可老老關在家裏。

（六）家裏僕人也須稍加訓練。因爲兒童往往容易在粗俗的僕婦那裏學得許多不良的言語和行爲。

（七）不可時常發怒。使兒童性情習於暴燥。暇時多講有趣味的故事。（荒誕不經的除外。）

（八）購備糖果。在規定的時間內。給以適當的食物。沿街叫賣的食物不可購買。並勿給以另錢。

長篇專著

□血症概論（五）

（朱振聲）

關於吐血治法之名論

張仲景云。亡血不可發其表。汗出則寒慄而振。

李東垣云。血不足須用甘艸。血色瘀黑用熟地。血色鮮紅用生地。若脉洪實痛甚用酒大黃。和血止痛用當歸。

朱丹溪云。吐血覺胸中氣塞。上吐紫血者。桃仁承氣湯下之。（大黃。甘草。桂枝。芒硝）

王肯堂云。血溢血泄諸畜血證。其始也。予率以桃仁大黃行血破瘀之劑。折其銳氣。而後區別治之。雖往往獲中。然又不得其所以然也。後來四明遇故蘇伊舉閒論諸家之術。伊舉曰。吾鄉有善醫者。每治失血畜妄。必先以快藥下之。或問失血復下。虛何以當。則曰。血既妄行。迷失故道。不去畜利瘀。則以妄爲常。曷以禦之。且去者自去。

生者自生。何虛之有。予聞之。愕然曰。名言也。昔之疑。今釋然矣。

李挺云。血隨氣行。氣行則行。氣止則止。氣溫則滑。氣寒則凝。故涼血必先清氣。知血出某經。即用某經清氣之藥。氣涼則血自歸隧。若有瘀血凝滯。又當先去瘀而後調氣。則其血立止。或元氣本虛。又因生冷勞役損胃失血者。却宜溫補斂而降之。切忌清涼。反致停瘀胸膈不散。又云。血病每以胃藥收功。胃氣一復。其血自止。他如嘔吐後發熱。及傷寒汗下後發熱。但用調胃和氣。自然熱退。可見脾胃能統氣血。先嗽痰。後見血。多痰火積熱。化痰降火爲急。不可純用血藥。恐泥痰也。

王倫云。男子二十前後。色慾過度。損傷精血。必生陰虛火動之病。睡中盜汗。午後發熱。哈哈咳嗽。倦怠無力。飲食少進。甚則痰涎帶血。咯吐出血。或咳血吐血衄血。身熱。脉沈數。肌肉消瘦。此名癆瘵。最重難治。輕者必用藥數十服。重者期以歲年。然必須病人愛命。堅心定志。絕房室。息妄想。戒腦怒。節飲食。以自培其根。否則雖服良藥。亦無用也。此病治之於早則易。若到肌肉消鑠。沈困着牀。脉沈伏細數。則爲難矣。又此病、忌服人參。若曾服過多者。亦難治。

士鐸云。吐血之症。或傾盆。或盈碗。若不急以收斂。則吐將安底。然一味收澀寒遏。則血勢更旺。愈足以姿其奔騰之勢。不若從其性而少加以收斂之品。則火寢息而血歸經。方用人參。當歸各一兩。酸棗仁。三七根末各三錢。水調服。又云人有大怒而吐血者。或傾盆而出。或冲口而出。一時昏暈。亦生死傾刻也。倘以止血藥治之。則氣閟而不能安。倘以補血藥治之。則胸痛而不可受。往往有變證蠭起而斃者。不可不治之得法也。方用解血平氣湯。白芍。當歸各二兩。黑荆芥。黑山梔各三錢。柴胡八分。紅花二錢。甘草一錢。

尤在涇云。凡用血藥。不可單行單止。又不能純用寒涼。必加辛溫升藥。如用寒涼藥。用酒煎酒炒之類。乃寒因熱用也。久患血證。血不歸元。久服藥而無效者。以川芎爲君則效。

治驗醫案

（一）凡有瘀血之人。其陰已傷。其氣必逆。兹吐血紫黑無多。而胸中滿悶。瘀猶未盡也。舌絳無苔。此陰之虧也。嘔吐不已。則氣之逆也。且頭重足冷。有下虛上脫之慮。惡寒譫語。爲陽弱氣餒之徵。此證補之不足。攻之不可。殊屬棘手。

人參。茯苓。三七。吳萸。烏梅。牡蠣。川連。鬱金。

(二)風寒伏肺。久咳見血。音瘄咽痛。午有寒熱。正虛邪實。擬錢氏補肺法。聲出則佳。

阿膠。馬兜鈴。牛蒡。苡仁。貝母。糯米。

(三)始由寒飲欬嗽。繼而化火動血。一二年來。血證屢止屢發。而咳嗽不已。脉弦形瘦。飲邪未去。陰血已虧。安靜則咳甚。勞動則氣升。陰虛痰飲。擬金水六君同都氣丸法。補腎之陰以納氣。化胃之痰以蠲飲。飲去則欬自減。氣納則火不升也。

生地(海浮石拌炒)　半夏(靑鹽製)　麥冬(元米炒)　五味子(炒)　訶子　紫石英　丹皮炭　牛膝(鹽水炒)　懷山藥(炒)　蛤殼　茯苓　靑鉛　枇杷葉(蜜炙)

幸福雜誌

第七期

價目表

零售	每册實售大洋二角		
時期	册數	連郵費 國內	連郵費 國外
半年	六册	一元	二元
全年	十二册	二元	四元

廣告價目

等第	地位	全面	半面	四分之一
特別位	封面		四十元	
特等	底面之內外 封面之內	四十元		
優等	封面內面之對面	三十元	十六元	
普通	正文之前	二十元	十元	五元

彩色另議

中華民國二十三年四月一日出版

編輯者 朱振聲

撰述者 全國醫家

發行者 幸福書局 上海三馬路雲南路轉角

代售處
上海三馬路望平街口千頃堂書局
上海四馬路中市 世界出版社
上海四馬路中市 大衆書局
上海四馬路中市 現代書局
上海四馬路麥家圈 南星書店
上海五馬路棋盤街 百新書局
上海霞飛路華龍路西 生活書局

印刷者 洪興印刷所 上海山海關路瑞鑫里二二二號 電話三二三三八號

全國銷路最廣信用最著之醫藥常識報

長壽週刊

宗旨
介紹衛生方法
指導康健途徑

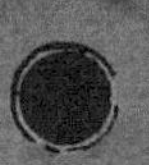

公開古今祕方
造成百病自療

長壽週刊由全國著名醫學家所撰述

優待幸福雜誌讀者定閱全年祇收大洋一元

長壽週刊每逢星期五出版一期。內容包括內外婦幼咽喉花柳各科。以及生理學。病理學。心理學。藥物學。傳染病學。四季時病。一切性病等等。均有精詳實用之論列。至於家庭醫藥常識。古今經驗良方。一切急救自療方法。莫不應有盡有。全年五十期。連郵二元。國外加倍。茲為優待幸福雜誌讀者起見。定閱全年。祇收大洋一元。寄費在內。現已出至第九十期。如欲由第一期起補全。亦可照辦。惟所存不多。欲購從速。

注意

自第一期起至五十期止。為第一年。原價二元。現售一元。

自五十一起至一百期止。為第二年。原價二元。現售一元。

長壽週刊是內政部正式登記之醫報

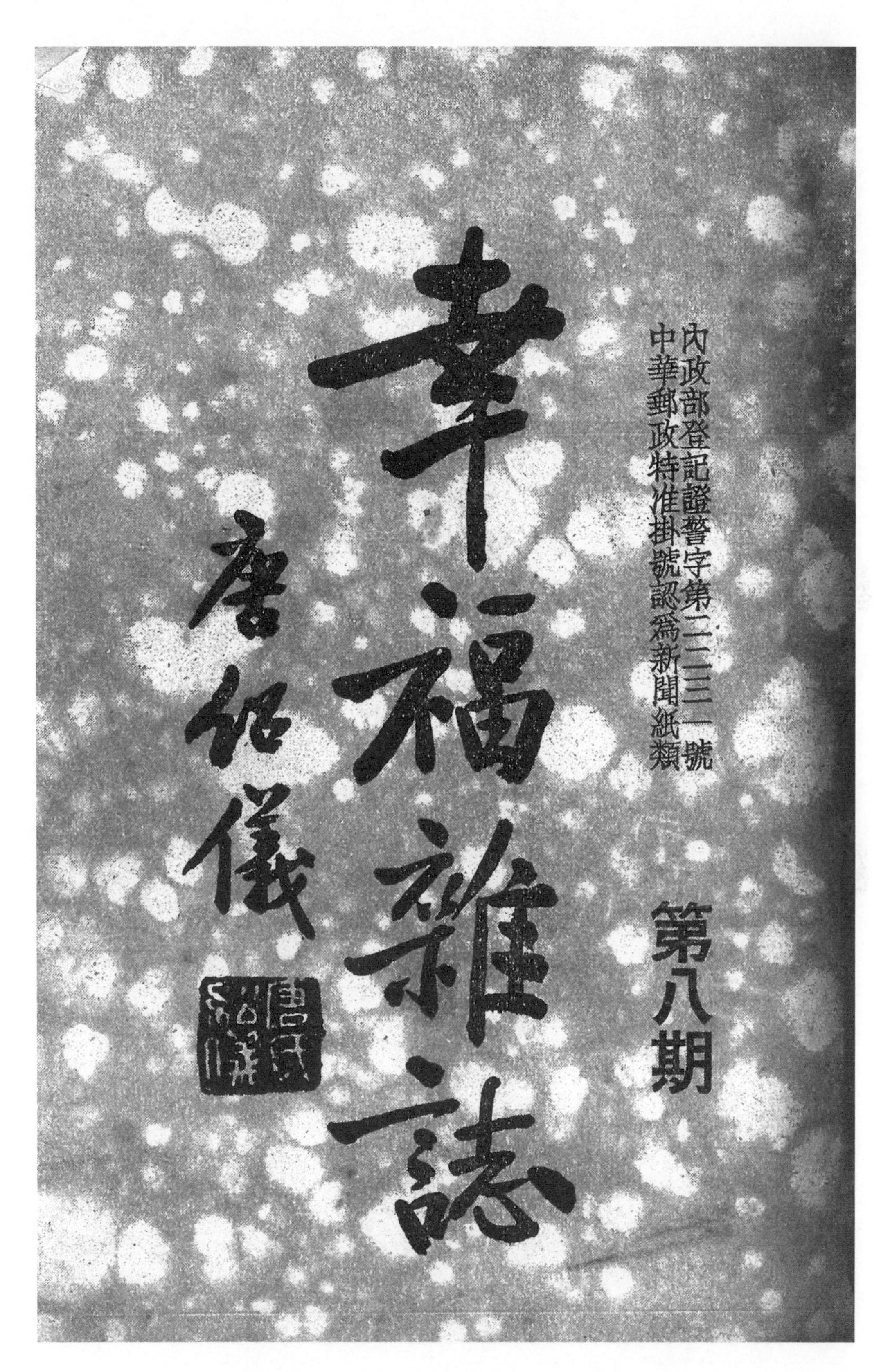
內政部登記證警字第二二三一號
中華郵政特准掛號認爲新聞紙類
幸福雜誌
唐紹儀
第八期

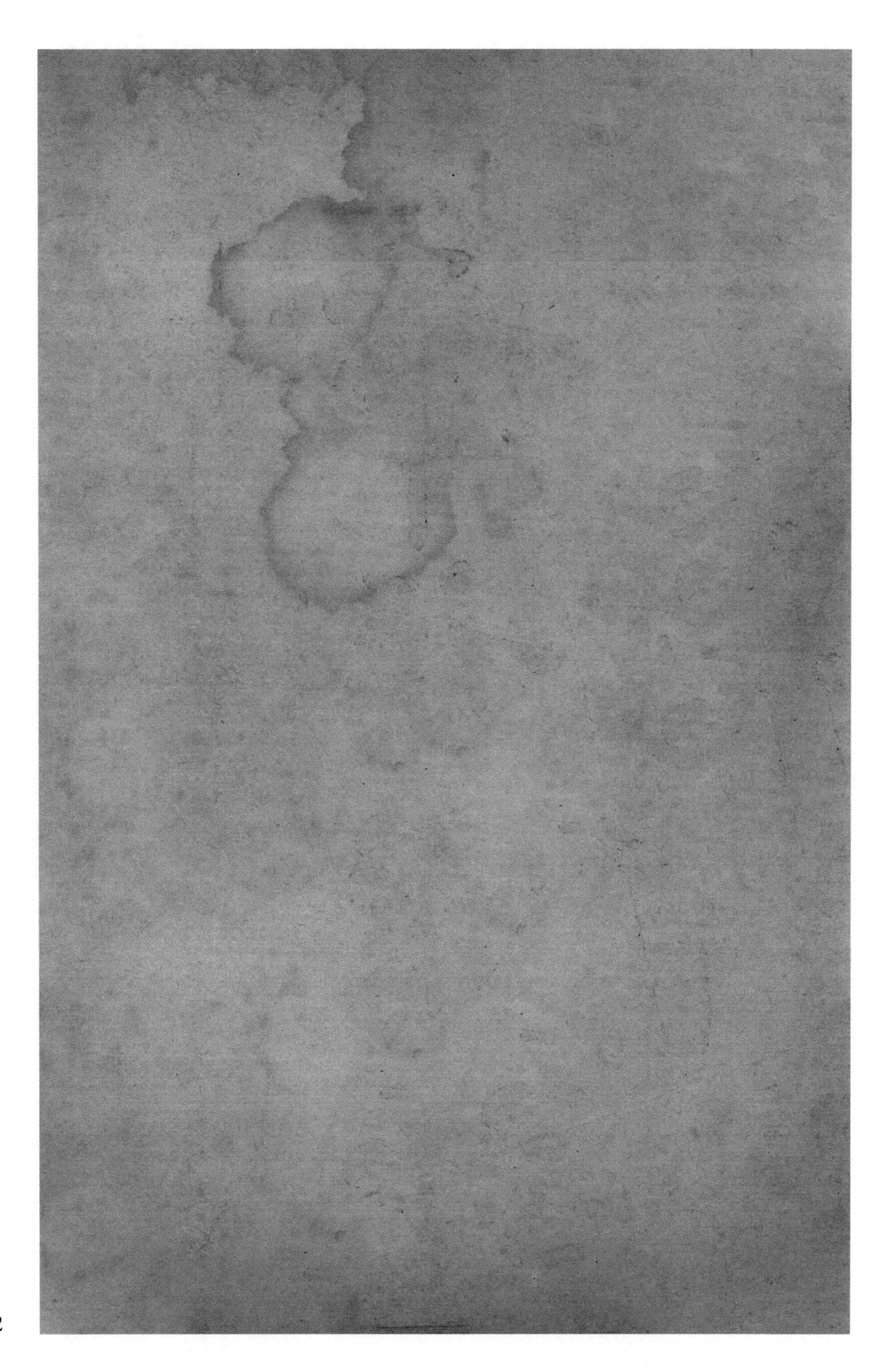

幸福雜誌第八期目錄

衛生之道

戴眼鏡與目之衛生……康維新
妊娠時衛生法……沈健安
患淋濁者之衛生……張可人
女子陰部之衛生……劉仁達

傷寒證治

傷寒證治……余鴻孫
傷寒與瘟疫……成　一
漏底傷寒……尤學周

各項喉症

喉痧與白喉……何光華
喉風症治淺說……時逸人
乳蛾淺說……張贊臣

肺癆之敵

防癆感言……雪　霏
肺癆第一期……尤學周
肺癆發熱之治療……陳存仁
肺療之食養療法……鄭彬和

吐血概論

吐血與脾胃……鄒德民
咯血之動機及預防……徐鴻來
乾咳痰血……何祖禮
吐血治療大要……陳存仁

胃病研究

胃癰……尤學周
胃病虫痛之治法……郭柏良
嘔吐酸水……郭柏良
胃火嘔吐治法……李健頤

濕病叢談

濕症叢談……戴星槎
濕病治法……徐召祺
脚丫濕癢……尤學周
陰囊濕癢……宋愛人

月經問題

月經非有用之血……顧秋霞
女子月經開始終止遲早之原理……柳劍南
月經來時之注意……孫連茹
經行嘔吐……周越銘

大便出血

便血之種種……徐炳南

便血之研究……鄒德民
便血驗方……謝安之

楊梅惡瘡

梅毒的傳染機會和途徑……俞永康
遺傳梅毒……俞永康
梅毒之證治……尤學周

長篇專著

血證概論（六）……朱振聲
鼻血不可輕視
鼻血之種種原因
鼻血與紅汗

衛生之道

□戴眼鏡與目之衛生

（康維新）

余浙東姚江人也。世居石堰流亭山之麓。一介庸夫。留意光學。於眼科學。尤爲研究。凡有親友前來。未患目疾者。固嘗諄諄焉勸其預防。見其已患。莫不悉心治療。至患近視遠視者。亦諄囑其戴驗光鏡。以衛其目。此正吾人盡有善相告之義。而不憚煩言也。眼鏡一物。實爲視覺器之一大保障。助目力之不及。避塵埃之飛揚。關於衛生者。殊非淺鮮。故眼鏡之於人。略言之。似可離。細言之。實不可離。僕僕風塵。奔車行旅者。更不可離。今之戴眼鏡者。往往不得其法。亦利害之參半。欲除其害。必先驗明光線。以配鏡面。又須戴用有節。以免隱損。其關繫於目光之强弱。亦大。鄙人一知半解。不敢緘默。爰列眼鏡之應戴時期。及禁戴時期十二則。錄之於后。以供戴眼鏡者之採擇。果能悉心體會。則於眼光前途。不無裨益。此卽吾今日把管揮毫之微意耳。

甲　應戴眼鏡時期

（一）逆風出行。宜戴鏡。以防塵埃飛入。

（二）文學家及醫學家及有近視遠視等病。實行職業時。宜戴驗光眼鏡。工商家均同。

（三）游戲家及旅行家。除無近視遠視外。應戴平光眼鏡。以免飛入意外沙塵。阻其游興。

（四）冶人。木工。泥司。及窰司石匠。作業時。不論其目有無病疾。縱宜戴清白平光眼鏡。以防沙木等屑觸目。

（五）患天行赤眼。（一名垢汽眼。一名紅眼睛。一名赤目。英名睟急泗炎。）宜戴籃色眼鏡。以免日光直射。

（六）無時流淚。及瞽目之凹凸者。宜戴黑色眼鏡。以免人見生厭。

（七）與患天行赤眼人對話。須戴眼鏡。以防感觸其氣。且面宜略斜。或首略俯。庶不傳染。

乙　禁戴眼鏡時期

（一）晨起非早膳後。不宜戴鏡。卽旅行家。如遇風不揚塵。亦不宜戴。因此時光線勃發。戴則反阻視力機能。

（二）不論何時。風熱茶點及食膳時。除患天行赤眼外。均宜脫鏡。

（三）日將晡時。不論士商。均應脫鏡。否則反減其固有光線。

（四）夜間不論何項燈下。無凹凸目疾。不宜戴鏡。不宜看細字。電燈下尤須戒愼。倘無必要事故。莫妙略停啓視。以補視力。不然。恐近視者光愈近。光不近者變近視。

（五）勞瞻竭視。及戴鏡時久。入休息處。卽宜脫鏡。如自影戲場而出。人烟稠密處而回等。是或閉目凝神數分鐘。以養光線。

▣妊娠時衛生法

（沈健安）

妊娠是一種生理的現象。不是疾病。不過妊娠時。母體攝取的營養品。一面還得補給胎兒。所以身體各部抵抗力很薄弱。一面受必然的生理的徵候。如頭痛。無力食慾減退等等。使身體非常衰弱。那時如受偶發疲病的影響。則就對於母子二體的健康與生命有莫大的關係。所以十月懷胎之苦。亦就成爲母子相依如命的連繫。尤其在一般醫學常識不普及的中國社會。姙娠與分娩二事好像徘徊在生死歧途上一樣。因此一般稍具智識而不澈底的婦女就厭忌姙娠。甚至壓忌結婚的很多。這是於社會民族都不可樂觀的現象。可是姙娠究竟危險嗎。苦痛嗎。決不是這是生理自然的現象。只要我們於姙娠時。稍加注意。就是如得衛生之道。那末姙娠是一點亦沒有危險。一點不會有苦痛。所以姙娠時衛生方法是國民誰都應該心得的。如造成健全幸福的母體與未來的小國民。現將最簡單緊要的幾點。逐一說明一下。請婦女界參考吧。

運動

劇烈的運動是絕對應該禁止。普通應當力求身體的安靜。但是也不可以終日臥床。最好能行適宜的柔軟體操。常常吸入新鮮空氣。屋外散步。多受日光的照射。使精神爽快。少做平常用力的家務事情。長途的旅行。登山。上樓。跳舞。騎馬。騎脚踏車。

攜帶或挑負重量物件等須絕對禁止。就是長時間的靜坐。打牌。跪拜。洗濯等等。都使母體有害而無益的。

飲食物

雖然不一定要完全打破素來的習慣。不過最好能夠適當的攝取滋養豐富消化容易的東西。凡脂肪過多的食物。和腸內容易發生氣體的東西及有刺戟性的食品（如辣椒。胡椒。茄莉。燒酒。烟類等等。）都不可濫食。但少量的葡萄酒。淡茶或咖啡。對於母體和胎兒都能夠增進益處。

衣服

衣服宜清潔寬爽。胸部下腹部不宜緊束。氣候冷熱。須保持適當的體溫。勿使太熱或過冷。在腹部須紮腹帶。目的在保持胎兒的體溫。使胎兒的位置固定。將腹部纏絡。後腹部不會向下方下墜。而且胎兒形不過大。容易分娩。我國向來以爲腹帶有害無益。這話是不對的。又有一般婦人一向將胸部和腰部有緊縛的習慣。因此腹部受壓逼。血液循環受障碍。因此面部浮腫。下肢靜脈等發生。胎兒的健康與發育受障碍。此等在姙娠中均須特別注意。

通便

孕婦最易發生便秘。腸內有害氣體蓄積後。能引起各種全身症狀。如惡心。嘔吐。痔瘡。腸胃病等。預防便秘須每日行適當的柔軟體操。飯後食水果或早晨空腹時飲冷開水一杯或冷牛乳一杯。必須在一定時間使她大便。成功自然的習慣性。若二日無大便時須請醫生用肥皂水灌腸或甘油灌腸或內服(Mag. Sulf. 15.0)瀉鹽十五瓦。但藥房販賣的一般劇性下劑。往往誘起早產或流產的弊害。所以須絕對的禁服(又有在姙娠時間中患瘧疾病的。決不可服金鷄納霜丸因金鷄納霜丸對於孕婦有流產的可能。)

利尿

姙娠初期的時候。決不能將尿常常瀦溜在膀胱內。有小便的時候就應當排泄。否則會發生子宮後傾或後屈。有時候更會發生蛋白尿和糖尿症最好常常請醫生檢查有否蛋白或糖的存在。可以預防生糖尿病或腎臟炎。

精神狀態

母體的精神狀態會影響到胎兒。這叫做胎敎。孕婦精神受惡劣的感動之後。發生健康障碍。利害的竟然可以發生流產。所以孕婦應當常常安靜修養。並且不宜對孕婦常談難產。流產。初產種種困難的新聞。或者畸形異胎的怪聞。使姙娠受恐佈驚慌影響到胎兒。孕婦不宜看富有强刺戟的小說。圖畫。戲劇。電影等。或過度的喜怒哀樂。神精不宜過勞。睡眠須充分。得到安全的生活才行。

身體的清潔

受孕以後。往往外陰部分泌過多。惹起外陰部炎或傳染其他的疾病。所以必須每日用微溫湯洗滌。二日必須沐浴一次。但過熱或長時間的洗浴。會發生姙娠中絕。洗滌時。水不可以洗到陰道裏面。除非陰道病變時。纔可以陰道洗滌。這陰道洗滌有專門的器械。所以非請敎醫生不可。

乳房

乳房部須解放。不宜緊縛。在姙娠的最後的一個月。每天將乳頭用清水或酒精淨洗。使乳頭部的皮膚健全。抵抗力增大。有預防乳頭裂傷或傳染的能力乳嘴發育不良或陷入時。每日將乳嘴提舉數次。使乳頭漸漸突出。分娩後小兒哺乳時不感困苦及乳嘴痛等。

性交

若的確知道姙娠以後。性交必須有限制。不然往往容易發生傳染。普通姙娠到四月後。性交須絕對的嚴禁。

□患淋濁者之衞生

（張可人）

患濁者宜多飲白開水。用以常常洗滌尿道。不易消化的東西。都不可食。能喫淨素最好。但素菜裏面的芹葱芥子蕃椒胡椒薑蒜等。都有辛辣味的。亦不可食。因爲這等食物。都能使症狀加重。煙類無論香煙。雪茄。水煙。能戒絕最好。生淋病人如大便不通。能使病勢加重。故若大便一日不通。就宜喫瀉藥。瀉藥裏面蓖蔴子油是最妥當的。每次可喫一兩羹匙。凡淫穢的小說同圖畫。都不可看。因爲誘足淫心。使症狀加重。

晚上宜獨臥。室裏頭不可過暖。被褥亦不可太厚因爲太溫暖了。容易舉陽。致發生疼痛。

從尿道口流流出的膿水或粘液須時時拭去。不可使尿口潮濕。若不拭去尿道口必致糜爛。包皮內更宜清潔。若用淨白棉花貼於尿道口。時時換去。最爲妥當

□女子陰部之衛生（一分九）

女陰之分泌腺。較男子爲多。故恆潤濕不燥。又且形體顯露。少所障蔽。不潔之物。每易侵入。而交合經水二端。又復接續不斷。若論清潔一節。殆難言之。世俗女子。恆以陰部爲猥鄙不堪之物。悉多任意不重。每以惹起陰門癢。陰道炎。毛虱。惡臭等患。不知造物所以賦與女子以生殖之本意。無非欲使之有負生育兒女之要職耳。安可漫不經意。而荒穢置之耶。西婦莫不有洗滌之器。以備洗滌之用。購之市肆。安之閨房。固不知有羞恥也。即彼日婦亦恆有微溫水滌陰之全部。及陰阜會陰肛門之處。

於陰唇之皺襞處。尤愼重小心、不肯粗忽。此可知衞生之事。不以風俗區域而有差別。吾中國婦人獨鄙之忽之者。何也。

傷寒證治

傷寒證治

（余鴻孫）

病發熱頭痛。惡風自汗。脉浮緩。此風傷衛分也。名曰中風。治當和營衛。或發熱頭痛骨痛。惡寒無汗而喘。脉浮緊。此寒傷營分也。病名傷寒。治當辛溫藥發汗。若上兩症同時並見。此爲風寒兩傷。營衛俱病。用上兩法合治。如中風症不解。而內入膀胱。則煩渴引飲。水入膀胱卽吐。而小便不利。利小便卽愈。傷寒症內入膀胱。化熱結於血分。則小便利。或下血。其人如狂。治宜流通血脈。以上爲太陽病。不愈則傳變爲陽明病。病入陽明經脈。則不惡寒。但惡熱。身體壯熱。自汗大渴能飲。夜不能寐。脈浮數。一派熱象。治宜辛涼清解。（此症卽俗爲溫病。夾濕者爲濕溫。夾風者爲風溫。發於冬時爲冬溫。）經病不愈。則脈中熱邪。往往內入腸胃。於是大便不通。妄言妄見。手足汗出。脈數大有力。爲腸有燥屎。甚至神識不清。急急通其大便。病若傳入大腸。卽不致發生變化。因其已結成有形物質也。設前病不入於腸。而內變。乃病少陽症。其狀口苦目眩。時寒時熱。一日二三發。亦有四五次。如瘧疾形。（惟瘧一日一發爲不同）因病邪在人身油網之中。半表半裏之間。發汗則傷表。攻下則傷裏。與病無益。故有和解一法。以上爲三陽病。治尙易。故危症少。然病之變化。至不一也。有太陽變少陽。少陽變陽明。總之太陽病不可服涼藥。又不可下。下之則病內延陽明。不可發汗。徒傷陽氣。治之誤也。有病一起。卽腹滿而痛。大便溏薄。脈遲舌白。名太陰病。若與太陽同見。則先發汗治太陽。再溫中治太陰。斷不可服涼藥。犯之則病變爲少陰。其人神識若清若糊。終日昏昏。但欲睡寐。脈見微細。大便溏泄。治同太陰。仍宜溫之。更有一病卽如此。且手足發冷。此急宜大劑溫熱。附子肉桂等。不可刻緩。（霍亂症之屬寒此理同）若先病發熱頭痛。漸漸傳見此症。此爲外邪化熱內陷。則用和解引導藥。冀其轉出三陽。甚者手足冷至節。不省人事。幾日忽而大熱。幾日。此爲厥陰病。最爲難治。非深有研究者。雖言不明也。從略。總之病由三陽而入。此屬熱。一起卽病三陰症。此屬寒。此病之大要也。

預防之道。保身如玉。弗傷腎氣。爲最要。至於飲食之衞生。冷熱之謹愼。又在其次。語云傷寒偏死下虛人。以病易於內陷。故勞力者此病易於治療。病後調養。病半月靜養半月。病一月靜養一月。飲食尤須謹慎。書云食肉（即食油膩）則復多食則遺（餘熱不清）此其道七。

□傷寒與瘟疫

（成一）

傷寒者。感冒寒氣。初起發熱惡寒。頭疼身痛。其脈浮緊無汗者。爲傷寒。浮緩有汗者。爲傷風。瘟疫初起。原無感冒之因。忽覺凜凜。以後但熱而不惡寒。傷寒投劑一汗而解。瘟疫發散。汗不易出。即強迫出汗。亦不能解。傷寒之邪。自毫竅而入。不傳染於人。瘟疫之邪。自口鼻而入。能傳染於人。傷寒汗解在前。瘟疫汗解在後。傷寒解以發汗。瘟疫俟邪內潰。汗自然出。不可以期。且汗出多戰。方得解也。傷寒發斑則病篤。瘟疫發斑則病衰。傷寒感邪在經。以經傳經。瘟疫感邪在內。內溢於經。經不自傳。傷寒感發甚暴。瘟疫多有淹纏一二日。或漸加重。或淹纏五六日。忽然加重。傷寒初起。以發表爲先。瘟疫初起。以疏利爲主。其所同者。邪皆傳胃。悉用承氣湯類。導邪而出也。傷寒下後。脫然而愈以其傳法始終有進而無退也。瘟疫下後。多有未能頓解者何也。蓋疫邪有表裏分傳者。一半向外傳。則邪留肌肉。一半向內傳則邪留胃家。邪留胃家。故裏氣結滯。裏氣結滯表氣因而不通。於是肌肉之邪。不能卽達於肌表。下後裏氣一通。表氣亦解。則肌肉之邪。發於肌表。或汗或斑。然後脫然而愈。傷寒下後無有此證。所謂病不同而治法亦異者此證也。

□漏底傷寒

（尤學周）

漏底傷寒者。乃傷寒症中之一種證候。非於傷寒之外。另有所謂漏底傷寒也。漏底傷寒之名。爲習俗之稱謂。於醫經則無所考。習俗以傷寒而兼見下利者。不問情由。概稱之謂漏底傷寒。委爲不治。此實大誤。

有人於此。初起一二日。身發大熱。至三四日。熱甚而爲焦渴煩躁。至五六日。躁甚而至於四肢忽然厥冷。甚則過於肘膝。厥甚則神情煩躁者。至此轉爲呆鈍。當此之時。設大便忽爾泄瀉如注。甚則純下清水。按其脈輕舉不可得。重手按之。始覺指下躍躍大動。參其證情。似爲三陰虛寒之證。然無初起發熱之理。無以名之。乃巧立漏底傷寒之名。證情如此。無經驗之醫家、必以爲非救逆囘陽不足以挽囘。於是以參苓芪朮補其虛。附桂萸姜溫其陽。恐其厥之不囘。利之不止。而卒至厥冷不囘。利下不止。以至撒手長逝。醫家病家。卒不致悟。遂委爲此症之難治。故一聞漏底寒傷。莫不驚惶相告。以爲九死一生。囘春無計矣。

不知所謂漏底傷寒者。大多爲熱結旁流之證。內經曰。暴注下迫。皆屬於熱。是也。傷寒論云。下列譫語。有燥屎也。宜小承氣湯。（大黃川朴枳實）又云。少陰病下利清水。心下必痛。口乾燥者。可下之。宜大承氣湯。（大黃芒硝朴厚枳實）此明示人爲熱結旁流。急當用下法。去其實熱。病可轉機。

熱結旁流之原因。爲腸受疾病之影響。失其蠕動作用。糞積不下。久則腐解。其毒素。上沖於巔。擾亂清明之府。成爲厥逆之象。腐解之後。奪路而出。成爲下利。故其治法宜用承氣下其燥糞。若投以溫中囘湯等法。無異火上加油。變生頃刻。

上海幸福書局出版各種醫藥新書

陳存仁編　國民醫藥須知初集……每部二册實售大洋一元五角

陳存仁編　國民醫藥須知續集……每部一册實售大洋一元五角

龔一飛編　生殖研究……每部一册實售大洋五角

張少波編　民衆醫藥常識……每部四册實售大洋二元

陳存仁編　遺精廣論……每部一册實售大洋四角

朱振聲編　實用驗方……每部一册實售大洋四角

朱振聲編　全國名醫驗案……每部一册實售大洋八角

時逸人編　中國時令病學……每部一册實售大洋三角

丁甘仁著　丁甘仁醫案……每部四册實售大洋二元四角

葉勁秋編　中藥問題……每部一册實售大洋二角

葉勁秋編　中醫基礎學……每部一册實售大洋三角

張贊臣編　天痘與牛痘……每部一册實售大洋二角

楊尊賢編　家庭須知……每部二册實售大洋四角

外埠函購寄費加一　地址三馬路雲南路口

各項喉症

口喉痧與白喉

（何光華）

喉痧白喉。我國古無是症。有之。自雍正年間始。一則發現於東南。一則發現於西北。近今。年甚一年。病機一發。由一而十而百而千。甚至多無量數。一家病者。或亡二三。或亡四五。傷心慘目。莫此爲甚。其傳播也。大抵商埠多於省會。省會多於城市。城市多於鄉僻。富貴多於貧賤。幼少多於壯老。四時皆有。而以春冬爲尤多。求其所因。約有三焉。一因起居富厚之家。冬雖溫而必重其裘。甚則熾火圍爐焉。窮苦之輩。夏雖熱而不蔽其體。甚則上晒下逼焉。而房室竭其精。嗜慾損其形者。更難免矣。一因飲食。麴蘖炙煿。薰灼臟腑。鴉片紙烟。蒸騰肺胃。而餌金石以爲衛生。藉參茸以資服食者。更宜審矣。其一則因街衢之穢雜。水漿之汙濁耳。駢肩摩轂。汗霧交流。渫井淤河。濁渣橫漬。口鼻之所吸受。肺胃之所浸淫。貽害可勝言哉。由此生出一種毒菌。侵人口鼻。潛伏血絡之中。漸滋暗長。而其性又喜盤踞咽喉。咽喉隨因之而腐爛。辨其症候。則以二張唐丁耐修子五家之說爲最詳。試爲一一節述之。

張醴泉曰。喉痧一症。近來層見疊出。夭殤頗多。其疫氣皆由口鼻而入。病居肺胃之間。初發憎寒壯熱。煩渴不甯。痧點隱隱。咽喉紅腫白腐。初治得法。無不轉逆爲順。其有勢已垂危者。如法施療。亦十救一二。揆其致誤。或因投升柴羌葛一切風燥諸品。升提痧毒。盤踞吸門。一也。或服麻黃桂枝蒼朮香砂一切辛熱藥味。助毒上衝。痧滯毒壅。不能外達。致成內攻之患。二也。抑或兼外感新涼。初治不知宣表。遽以芩連黃柏大黃一切苦寒之劑。用以泄火。實則冰伏疫毒邪。既遏鬱不發。熱愈盛。喉愈爛。致成悶斃。三也。又或不知禁忌。腥膿炙煿甜黏果餌之類。助增胃火。薰蒸閉塞。四也。綜此四者之誤。因而貽害無窮矣。良可慨也。

丁仲祜曰。爛喉痧症。輕重不一。有犯咽頭者。有犯喉頭者。有咽頭症狀雖輕。而喉頭症狀極重者。有鼻腔咽頭喉頭同時波及。而續犯入氣管枝內者。有發種種之合併症者。僅犯咽頭者。病雖甚輕。然至病勢增進。則患者之身體必漸倦怠。頭痛發熱。於是晚或翌日咽頭即發比里比里之感。嚥下時屢覺疼痛。此時爲病家者。當亟檢查其咽頭。如見口腔內之扁桃腺。軟口蓋。咽頭之興起炎症而發紅腫。扁桃腺上部在在有黃白色之斑點。明日再檢之。斑點益廣。發生光色如絲之膜。自扁桃腺至軟口蓋懸壅垂咽頭等部。悉爲所蔽。同時體溫昇至三十八度。或四十度。脈搏增加。重症則口發譫語。起不眠症。或卽能眠而終覺不安。若波及鼻腔。則鼻腔紅腫生義膜。而鼻汁增多。呼吸困難。幸而中毒症狀不甚。經一定之時期。該膜自能剝離而愈。其甚者多不治而死。犯及喉頭者爲何。尋常發高聲之時。喉頭之聲門。僅留罅隙。若該部分爲本病所襲。則黏膜腫脹而生義膜。徑路益隘。呼吸愈形困難。故其呼吸爲曳鋸聲。或起一種無響之咳嗽。顏面色紫。吸氣時軀體向後。張其兩肘。轉側不安。其狀至慘。中毒症狀弱者。該膜自能剝離。局所之炎症亦減。倘既已中毒而復窒息。則必無生理矣。

唐乃安曰。喉疫一症。流行區域。就我國而論。以揚子江流域爲中心點。蓋此間天氣。四五月及八九月。旋燥旋濕。俱達極點。且地多鬱熱。故喉疫之盛行。大抵在夏初秋末者爲最多。查其原因。由一種毒微生物。名討克新。最喜結集團體。盤踞咽喉。能變喉部固有之性質形色。則此間均爲假膜。其狀態初則紅腫痰膩。杏仁核軟硬。喉內發見不整齊之斑點。尋斑點漸大。其變相卽爲黏厚假膜。色作淡紫黑白不等。且亦能分佈他竅。近則鼻管上下唇耳孔。遠則肛門及男子龜頭包皮內膜女子陰唇。驗以顯微鏡。則見膜有鱗形粟形之珠及油珠綱質與黴菌。其發現也。全體不快。微發寒熱。或微瀉。頭略痛而暈。惡寒。旋覺頸項强硬。喉部隱隱作疼。此萌芽侯也。痛甚則喉間若有大阻力以把持之。爾時頗爲困苦。如四周諸核俱脹。則頸項亦腫。如杏仁核及小舌腐敗。則時有似膿非膿似血非血者。與假膜咯出。腥臭異常。如陷入鼻管則臭涕涔涔。如陷入聲管。則失音。陷入氣管。則氣促。顧諸證雖盡發現。倘熱度不十分高。尙能轉危爲安。如測其熱度彷彿重傷寒極點之際。溲含蛋白質。則死症矣。然有劇烈與輕淺二種。一劇烈之喉痧。發見時並無特別之凶象。乃未幾精神疲乏。面作灰白色。全體現灰黃色。熱度雖不甚高。而肌膚反覺十分焦灼。脈數而搏。苔黃而燥。唇裂。發狂。假膜腐爛。頸項浮腫。呼出臭氣。令人難堪。是爲重侯。更有甚者。初只平平。旋頭痛。發狂。雖喉部諸症尙未發達。然已不可救藥矣。二輕淺之喉痧。喉部略痛。

假膜不厚。雖有厚者。亦無甚困難。牙床角核稍脹。溲無蛋白質。則勿藥亦愈。然變而加厲。病勢陡增。亦有之。其他微發寒熱。鼻流臭涕。或緣假膜陷入而堵塞。有時假膜自淚管上佈於眼白眼簾膜。或毒液被脣。脣膜破壞。然現象雖覺腐敗。實亦易治之症也。

張善吾曰。白喉至險至危。治之約有五難。初病惡寒發熱。頭痛背脹。遍身骨節酸疼。喉腫且痛。似傷寒傷風表症。若投以麻桂辛蘇羌防升柴之類。致毒渙散。無可挽回。一難也。疫毒內發。則寒熱互作。二三日喉白。則寒熱或止。妄投表藥。不知自誤。二難也。是病熱症多。寒症少。有以色白爲寒者。不知病發於肺。肺屬金。其色白。爲臟腑之華蓋。處至高之位。毒自下薰蒸而上。肺病深。故本色卽著。治宜清解熱毒。使之外達下行。勿令蓄積於肺。若以色白爲寒症。辛熱妄投。是謂抱薪救火。三難也。白喉乃溫疫變證。殺人最速。投以平淡之劑。優容養奸。四難也。此外癆症白喉。陰虛火爍。痛極米水不下。漸至潰爛。必需補劑。若以時疫白喉混治之。因誤致斃。五難也。

耐修子云。白喉一症。北地盛行。初起骨節痠痛。渾身發熱。喉間乾痛。而無白點。纔卽喉疼且閉。飲水卽嗆。眼紅聲啞。白點立見。口出臭氣。誤投溫表升散。往往白塊自落。鼻流鮮血。甚則喉外暴腫。喉內腐爛。頑痰上壅。骨節脹滿。神志煩悶。睡寤恍惚。至於服藥嘔吐不止。甚或大便不通。頷下發腫不消。用藥得法。猶可挽囘。若喉乾無涎。天庭黑暗。面唇俱靑。兩目直視。角弓反張。痰壅氣促。汗出如漿。藥不能下。肢厥神倦。皆屬白喉之敗象。並死不治。合觀五家之說。於喉痧白喉症狀異同處。已一目瞭然矣。

至於治療之法。病狀雖或有不同。方法却不必過異。蓋因此二症。總由一種毒菌盤踞咽喉。喉生假皮而腐爛。當用血淸療法爲首要。善能抵制毒菌。用之初起。歷試輒驗。其次用外治各法。擇其能引炎外出。排泄毒氣者。酌用一二。至於內服之劑。俟喉菌毒解散後。卽行對症發藥。以善其後。此則光華個人之偏見也。

若夫申禁善後。及預防之法。皆與病家有密切之關係。並節述之。一爲申禁之要則。喉痧白喉。皆由疫毒內伏。首忌寒涼强遏。如一切瓜果冷飲。俱宜禁絕。卽藥品如山豆根天花粉苦杏仁生桑皮黃芩前胡西洋參鮮石斛之類。亦不可率服。次忌酸辣辛燥油膩臭腐煎炒升發諸物。卽藥品如升麻。柴胡。細辛。桔梗。殭蠶。蟬衣。馬勃。麻黃。

桂枝。羌活。防風。荆芥。蘇葉。厚樸。葛根之類。亦在禁例。他如睡不可倒。火不可近。及觸犯屍氣。陡然大怒等事。尤不可犯。二爲善後之要。則凡喉痧白喉二症愈後。往往周身膚蛻如麩。氣血大受剥削。須善自保衞。以復太和。其遺熱必須清洩淨盡。然後可加補養。病人須薄滋味。節飲食。謹嗜慾。邪淨後。尚宜茹素兩三旬。其一切腥羶發物。俱宜遠戒。房勞切不可犯。過三個月方稱復元。否則疫後餘波。變怪百出。愼勿輕身嘗試。三爲預防之要則。欲避二症之蔓延。當令患者與家人各自隔離。卽平人亦不可與病人對面直談。此二症雖在恢復期內。患者之口腔中。尚餘有毒性之菌。故隔離之持續。亦必至該菌消失後乃止。室中一切什器。均須消毒。廉價之什器玩具書籍等。宜焚棄之。再以濃厚石鹼水。洗牆壁天花板地板等。或重新裱糊。或塗石灰。若不幸而家有染喉疫以死者。速宜入殮。以防屍氣四散。我如衣被宜潔淨。飲食宜淡泊。臥房宜寬暢。窗戶宜開爽。侍人勿雜。燈火少燃。俾清氣徐來。疫氣自然消散。反是則熱氣濁氣。益爲疫氣樹幟矣。病家醫家。皆須識此。此三者。醫當隨地留神。開導病家也。

▣喉風症治淺說

（時逸人）

（一）說明　喉風一症。初起喉內一邊腫大。或兩邊腫連頸項。喉內疼痛脹悶如絞。內外皆腫。上有紅絲纏繞。此纏喉風也。若在半邊者名單纏喉。頸外不腫內則腫滿或破爛者。名爛風喉。皆爲險急重證。茲特將其証候治法。述其大要如左。

（二）証候　初期惡寒發熱。或則微寒壯熱。頭痛口渴。心中煩悶。胸膈閉滯。痰塞氣促。咽喉不利。或覺阻塞作痛。而時作嗆咳。乃斯症之主徵。如是者不過一二日間。卽轉入第二期。

二期。咽喉漫腫連項。腫處堅硬熱痛。喉內紅絲纏緊。勢如絞轉。且痲且癢。手指甲靑。壯熱煩燥不安。痰涎湧盛。胸悶氣急。數小時或半日後。卽聲如拽鋸。神志昏迷。手足厥冷。兩頤及項。赤絲纏繞。過十二小時者難治。過二十四小時以上不治。或有角弓反張。手指蠕動。筋惕肉瞤。此血熱冲腦。神經牽引爲病。俗名發動內風。喉証發現此候。其病已深。不易療治。

(三)診斷　喉風病証。以氣急。胸悶。嗆咳。爲特徵。有上項之現証。在經過中。必有暴發之趨勢。（如大喘神昏。痰聲如鋸等是。）在未經暴發以前。其勢輕而易治。在已經暴發之後。其勢重而難治。痰聲如鋸。經過二十四小時以上者不治。因肺部神經麻痺之故耳。其舌苔脉搏查與普通喉症同。茲不贅。

(四)治法　初起惡寒發熱。嗆咳喉痛。胸悶氣急者。用加味甘桔湯以發散清熱。乏血化痰諸法。如喉內腫痛。硬脹。煩燥不安。痰涎湧甚者。宜急下其痰。免致壅塞傷氣。雄黃解毒丸。三物白散。酌用。或後世探吐法。及猪牙皂角吐痰法亦可。其餘善後調理治法。與普通喉證調治同。

(五)處方　喉風加味甘梗湯　丹皮錢半　浙貝三錢　桔梗錢半　黃芩錢半　葱白錢半　防風錢半　生草五分　殭蠶三錢　知母錢半　赤苓三錢　射干五錢　薄荷葉錢半　雄黃解毒丸二分

主治　惡寒發熱。頭痛無汗。遍身骨節疼痛。咽喉赤腫而痛。胸悶脘滿。大便不暢。小便赤澀。或喉下自覺阻塞。痰涎壅甚。或喉中有麻漲之感覺。如絞如紮之現症。時作嗆咳。面赤神煩。苔色白膩者輕。灰滑者重。脉象多浮之形似弦緊。按之沈滑者。

加減法

熱重而寒輕者。去葱白防風加銀花連翹菊花。痰涎粘膩者。加白芥子玉金滑石。寒重者。加生姜一片。去黄芩知母小便不利者加通草。澤瀉脘滿加蔞皮生山查枳殼。咳甚者。加牛旁子苦杏仁頸有紅絲纏繞者。加桃仁紅花。大便祕結者。加大黄芒硝。

方解

葱白防風薄荷。祛風發表。丹皮涼血和血。知母黄芩。清其熱結。殭蠶浙貝散風化痰。生草桔梗射干清咽喉利膈雄黄解毒丸化痰通便。又有湧吐之力。痰熱內壅。服此可消。故爲初起之首劑

雄黄解毒丸（喉科方）

雄黄一錢　川玉金一錢　巴霜五分　芒硝一錢　殭蠶二錢

各研細末神曲糊丸如小豆大每服五丸至七丸。約重三分之譜身體强健實痰停滯者。可服至五分。以服一次爲限。不可多服。

三物白散方（傷寒論方）

貝母三分　桔梗三分　巴霜一分

共研細末。每服五厘。痰涎湧甚者。每次服至一分或一分五厘。病在上必吐。在下必利。不吐不痢。進熱開水一杯。自能運動藥力。若過利不止者。進微溫粥一碗。其利自止。

主治　喉風痰涎湧甚。胸悶氣急。作咽喉紅腫痛。連及頸項。作痲作脹。急宜用雄黃解毒丸或三因白散方治之。如待至聲如拽鋸。神志昏糊。牙關緊閉。角弓反張。唇青面黑等症。發現已至最危最急。

方解　咽喉之症。最爲險要。痰涎湧甚。氣機將受其阻窒。吐其痰。下其積。正所以疏通其氣道也。

猪牙皂角吐痰法（驗方集要）

法用猪牙皂角三條。去皮弦。研成細末。開水調下三錢。得吐利後。則喉症風痰自化。

（編後附言）　喉風暴發。勢成燎原。即使倖而治愈。已成焦頭爛額之客。若在預發之期。治以驅風。清熱。解毒。活血。利咽。順氣。化痰。導濁之劑。俾病邪潛消默化。是為上第。痰涎壅遏。甚者宜參用吊痰方。血使之吐出。再佐以清胃導便之劑。邪火外散。喉症自鬆。至於善後之法。仍以導痰通便。清熱。法凉解毒。為主。隨其兼症而消息之。庶不致誤。

乳蛾淺說

（張贊臣）

人之所以能生存於世者。全賴呼吸空氣。以清血管。飲食水穀。以榮百骸。然呼吸出入之門戶。飲食往來之道路。莫不假道於咽喉。是故咽喉為人體生理上重要之部位。若一生阻礙。劇者則有關生死。輕者則飲食難進。所以中西醫學上。均視為危險之證。然吾國人民。於咽喉一科。無普通之常識。以致冬春之交。患咽喉症者。比比然也。而乳蛾為最普通之症。尤以小兒為多。此余乳蛾淺說之作。所以不容緩也。今以本題略分四段。分列於後。而以極淺顯之西說。使病者知中西醫學之異同。而備採擇焉。

（一）乳蛾之種類　夫乳蛾一證。因有單雙連珠之別。致有輕重危險之異。其生於會厭之一邊者。名單乳蛾。其證輕。生於會厭之左右兩邊者。名雙乳蛾。其證重。所謂連珠蛾者。因上下二白星相連故也。此證較雙蛾更重。最爲危險。不可不愼也。（西說）吾人於懸雍垂（卽小舌頭）之左右兩旁。皆有核子一枚。卽所謂喉門核是也。此處若受汚穢或傳染。卽發生紅腫。或飲食作痛。其腫於喉一邊者。名單乳蛾。兩邊皆腫者。名雙乳蛾。或始則紅腫而痛。繼則變生他證。如白喉及猩紅熱之類。皆有性命之慮。或因之竟生腎病水腫者。故喉中一見紅腫。覺飲食梗痛者。皆當及早治療。以防不測也。

（二）乳蛾之病原　咽喉爲肺胃之部位。肺屬燥金。胃爲陽土。皆爲蘊熱之鄉。故咽喉爲病。大部紅腫而痛。良由熱毒薰蒸。上聚咽喉。而乳蛾之證生焉。或素體陰虧。而時飲高粱。恣啖厚味。以致燥熱蘊於上焦。亦能發生此證。故飲食衛生者。鮮有患喉證也。（西說）乳蛾之證。大都由傳染而生。與傷食之感冒相同。而以年少者患之最多。其起病之原。皆因受涼而發。或驟然感冒風寒。以及嗆薰煤煙。號呌傷喉而致。然亦有因傷食鼻塞。口瘡牙腫。以致發生是症者。

(三)乳蛾之症象　乳蛾大都結於喉之兩旁。形必圓突如珠。且近外作腫。其始發也。一日作痛。二日紅腫。三日有形如細白星。此證若兼有寒熱者。勢頗危險。得便通熱泄者可痊。至於喉中之濃。有否成熟。卽可知其毒之深淺。而定其病之重輕也。(西說)凡於飲食或咽津時。而喉中作痛者。皆乳蛾之證象也。其證之劇者。且不能談話。因喉中之懸雍垂及喉門核。皆紅腫而多痰涎。若談話則牽引而生痛。或兼形寒身熱。頭痛身重。四肢無力。筋骨痛。飲食不香。斯時若保養適宜。不久卽當自退。否則傳染他證。危險立見。豈可因小恙而忽之。

(四)乳蛾之治法　乳蛾之生。莫不由于熱毒內蘊。上冲咽喉所致。故治之之法。亦不外乎清熱解毒。參以保律之品而已。惟其或左或右。治法略有更變。蓋左屬心。當宜清降爲治。劑以黃連。山梔。知母。連翹。掛金燈。苦甘草。山豆根等藥。苦屬肝。當加赤芍。柴胡之類。以疏肝而清熱。若雙蛾則兼用之。如便祕者加元明粉等通腑之品。濃未成者。自可消散。濃已成者。必須砭刺出血。庶能速退。（西說）喉蛾既多由傳染而來。故當以清潔第一要義。其治法約分二端。或用吹藥噴入喉內。或則含於口中。徐徐嚥下。吹藥用都加烈香油。以噴霧器噴入喉中。內服用福美明達。或保喉防疫糖片。均爲喉症之要藥也。

上海幸福書局出版各種醫藥新書

- 張贊臣編　青年男女衛生指南……每部一册實售大洋八角
- 張汝偉編　咽喉病……每部一册實大洋三角五分
- 張贊臣編　咽喉病新鏡……每部一册實售大洋四角
- 張贊臣編　方藥考論類編……每部一册實售大洋四角
- 張贊臣編　中國麻痘學……每部一册實售大洋四角二分
- 張贊臣編　歷代醫學史略……每部一册實售大洋四角八分
- 沈石頑編　和漢醫學眞髓……每部一册實售大洋二元四角
- 吳克潛編　大衆醫藥……每部四册實售大洋一元七角五分
- 馬小琴編　醫藥顧問……每部四册實售大洋一元五角
- 陳存仁編　家庭醫藥顧問……每部一册實售大洋一元五角
- 茹十眉編　小兒病……每部一册售大洋四角二分
- 茹十眉編　性病……每部一册實售大洋三角五分
- 龔一飛編　性病指南……每部一册實售大洋五角

外埠函購寄費加一　地址三馬路雲南路口

肺癆之敵

□防癆感言

（雪霏）

最近上海有所謂「預防癆病協會」的發起。他們說全世界人口。以十萬人爲單位。我國每年死於癆病者就有三百零七人。六倍於紐西蘭。四倍於埃及與美國。三倍半於德國。三倍於英國。二倍半於西班牙。二倍於義國。一倍半於法國及日本云。以數字論這却是可驚的中國的癆病死亡率了。自然預防癆病在這時我國是急不容緩的。

可是預防誰的癆病呢。卽是說中國那一部分人患癆病的最多。又去替那一部分人預防癆病呢。我首先要提出這個問題。這是一個中國預防癆病的先決問題。這個問題若不解决。什麽防癆運動。恐最後都會是一無結果的。

我們知道。癆病的來源。一是工作過度。二是營養不良。三是空氣不潔。特別是空氣不良。對於體弱的人。最易發生癆病。那末中國那一部分人最易發生癆病呢。自然工作過度的勞苦平民。營養不良的勞苦平民。而無法呼吸新鮮空氣的。尤其是勞苦平民。特別在大都會中是如此。結果最易發生癆病的自然就非一般勞苦平民莫屬了。最易發生癆病的既然是一般勞苦平民。那末預防癆病。當然就該以一般勞苦平民爲唯一對象了。然而就以往的情形論事實上並不如此。我們常聽見什麽要人上廬山養病。什麽闊人上莫干山休養。而一般勞苦平民呢。不要說廬山莫干山。那猶如海上仙山。連夢也沒有想過。一個就是普通的醫院。掛號是一元。普通最起碼的三等病房每月要三四十元。還要加上其他特別費。賣盡了男女還不夠半年的用場。請問一般勞苦平民叫他們怎樣防癆。有了癆病又怎樣去醫、至於家庭各種衛生的設備。一切舒服的生活。這些都是非錢不行的。尤其在上海。要呼吸些新鮮空氣。也非出錢去買不可。請問這在一般勞苦平民能辦到嗎。防癆與治癆、在一般勞苦平民既屬不可能。那末防癆協會的先生們究竟去替誰預防癆病呢。防癆協會的諸位先生們不要以爲防癆只須依照學理定出幾項衛生規則。叫大家去遵守。或最多設幾個義務的治療肺病醫院。再加上一些預防癆病的宣傳。叫大家注意注意。就算完事。這是預防不了什麼中國的癆病的發生的。衛生儘管多講。醫院儘管多設。儘有大部份人立在衛生之外。立在醫院之外。無法接受你們的「實惠」。有替中國最易患癆病的最大多數的一般勞苦平民從根本想法。防癆事業。才多少有點實效。否則恐未免都是空談。然而這在防癆會議中的諸位先生們。又究竟有什麼法子可想呢。

防癆。防誰的癆。怎樣去預防。我最後要這樣懇切的問。

□肺癆第一期

（尤學周）

以肺癆進行之程度而判別之。大率分爲三期。第一期較輕。第三期最重。大凡肺癆第一期時。調治尚易。如有肺癆現象者。速卽診治調理。未有不能全愈者。肺癆而轉入第三期。甚至成爲不治者。皆因循苟且。於初起之時。診斷不確。因疏忽而誤事耳。所謂肺癆第一期者。其證狀爲患者日漸瘦羸。易發疲倦。偶因奔走勞動。卽致呼吸迫促。晚間往往發輕熱。體溫常升高乃至半度以上。時發乾咳。

然上述諸證。有不能確定爲肺癆。亦有肺癆初成。其現象並不如是者。準此以診斷肺癆。往往有錯誤之處。

以言疲倦。除有階級而外。非勞其心。卽勞其力。爲衣食而奔走。代子女作牛馬。精力有限。安不易感疲倦。以此而診斷肺癆。不能十分可靠。至於消瘦問題。亦非確論有非肺癆而漸消瘦者。亦有肺癆而不顯消瘦者。發熱。於肺癆之診斷。固爲最有價値。惟此種熱度。甚爲輕微。往往輕易忽過。在病人自覺無熱。如以檢溫器測之。則有微熱。然微熱之發生。在勞碌之後。亦往往見之。肺癆初成。而以爲並非肺癆。疏忽固易誤事。若非肺癆。而貿然誤認肺癆。以致不安於心。亦易弄假成眞。乾咳一事。在肺癆者固多此種見象。然亦有不發生者。總之。診斷疾病。不可固執常法。亦不可執一而論。於肺癆之第一期。尤當明辨之。

肺癆之症。一經提及。往往如談虎而色變。以爲此係難治之症。最爲可怕。實則可怕者。非疾病之本身。而爲患病者之自誤。或誤於治不得法。調理不周。或誤於過於小心。神怯志餒。以貽病邪進襲之機。苟得有經驗之醫家。指示以合法之調養。何至於是在肺癆之第一期者。其全愈之希望尤多也。

□肺癆發熱之治療

（陳存仁）

發熱雖爲人體發生疾病之警告。爲病體與疾病戰鬥之現象。然久而不解。不特疾病無消滅之希望。而體內水份受其薰蒸。往往成爲陰虛之徵。若熱度高者。影響於病體者尤大。必致身體疲勞。心臟亦因之衰弱。肺癆發熱。初起甚微。患者每不注意。其後則愈趨愈重。神日以疲。體日以瘦。星星之火不熄。及遍大野。成爲燎原之勢。無從撲滅之矣。

肺癆初起。每有除輕微之熱度以外。毫無其他證象者。此輕微之熱。又多現於午後。如潮水之有定時。故謂之潮熱。而此種輕微之潮熱。最初又不能遽視爲虛癆之徵象。然又不能不防其爲癆象。在此狀況之下。可投以白薇靑蒿等品。方用靑蒿錢半。白薇錢半。佩蘭錢半。藿香錢半。陳皮一錢。

如潮熱而兼骨蒸。可以確爲肺癆者。可用大生地四錢。靑蒿錢半。丹皮錢半。肥知母三錢。炙鱉甲四錢。煑服。兼有他種證候者。參入其他藥中同用。如潮熱而兼盜汗。另加煆牡蠣六錢。浮小麥四錢。天花粉二錢。熱之甚者。又當參用養陰之品。以救其津液。如石斛元參。沙參。麥冬。洋參之類。

肺癆之食養療法

（鄭彬和）

食養療法。爲調理肺癆之第一良法。吸取多量之滋養。足以增加身體之抵抗力。以撲滅病菌。然飲食不愼。流弊亦大。不可不注意下列數點。

（一）食物當肉類與蔬菜並用。不可專食肉類。亦不可專食菜類。凡五穀。野菜。果實。魚鳥走獸之肉。皆合用之。

（二）已所嗜好之食品。多採取之。已所厭惡者。決不可採取。恐採取後。對於食慾之減退上。反因之更甚。

（三）食物宜煑之極爛。務求味美而易消化。烹飪之法宜精。又須時時變換式樣。不可使病人望而生厭。

(四)調理食物。不當於病者之目前。世有不善攝生。就寢所烹飪者。不特有污室中空氣。而宰割之所加。炮燴之所施。五味蒸發。濃薰鼻孔。食慾將銳減矣。

(五)食器當使清潔美麗。一見而動人之慾。

(六)食物不問何品。宜細細咀嚼。則消化自易。

(七)每次食時。宜隔四小時以上。且於間隔之時間內。萬不可再食零食。

(八)運動之後。不可即食。食後不可即運動。宜休息半小時。

頑固之醫生。往往禁病人食魚肉鷄鴨等滋之品。大背養生之重。實非所宜。以個人之經驗。患肺癆者。如食慾不減。決不致輕易發生變端。苟能注意食養。則體量增重。病勢可以日漸減輕。反之。如食慾不振。則其人之外觀雖佳。於短時期間。必生變化。體日消瘦。重量日減。縱有良藥。亦難挽救。

吐血概論

□吐血與脾胃

（鄒德民）

胃爲水穀之海。後天之本。飲食入胃。化生精微。經過心臟。變爲赤色。是謂之血。流於四肢軀體。經隧絡道。以奉周身。人之生活。是所繫焉。氣血充足者。則形體豐潤。精神矍矍。意志堅毅。勇敢有爲。反之氣血衰弱者。則毛髮枯稿。遇事消極。色澤萎頓。心悸少寐等。但氣血盛衰與脾胃納穀興減。有密切之關係矣。蓋鮮有脾胃不振。而身體反能充裕者。偶或有之。亦必外强中乾。表有餘而裏不足。實爲虛形。並非健象也。其人不免或時有小恙。及不適之處。甚則易有中風之虞。（余近治一陳姓婦。患肝陽頭暈。兩足軟疲。不能步履。終日若乘舟狀。已達年餘。然肌膚肥盛潔白。較諸未病前。判若二人。但每飯祇能半碗食粥。亦僅一碗耳。此卽表有餘而裏不足之一據也。）苟一旦因熱傷絡。或肝胃之氣上逆。及種種原因。逼血妄行。以致上溢嘔吐者。陰夜雖傷。而其脾胃運化之機尙健者。一時或能無何變端。以其雖在付出。猶有收入相抵之下。還能暫時支持。故治吐血尤當顧重調益脾胃。（倘來勢狂湧急當治標。另一問題。）設吐血更兼脾胃衰弱。不思納穀。精微無由化生。血液日漸消耗。肌肉日趨瘦削。其病必劇。甚致潮熱。骨蒸自汗盜汗。乾嗆脇痛。頭暈神疲。心悸少寢等損象紛呈。更進一步。則兩足浮腫。大便溏泄。氣急聲瘖。其勢危矣。依愚之見。不論其曾否吐血。出覺精神困倦。胃納突減。逐漸毛枯肌瘦。或已見虛狀者。亟當從早圖治。爲是不致使星星之火。以成燎原。病入膏肓。思治而不及也。書云。勞病患者。有胃則生。無胃則死。吐血亦何莫不然。蓋因投藥入內。全賴脾胃周運分佈之力。方能達到病所。脾胃一敗。雖藥亦難厥偉功矣。古人謂血症多以胃藥善後。蓋營出於中焦。使胃強脾健。則飲食之精微。皆化生氣血之原料。故培養中宮。即所以補血也。可知吐血與脾胃有莫大之關係在焉。

咯血之動機及其預防

（徐鴻來）

肺癆之咯血。由於癆菌之侵蝕肺部。損及血管所致。其主因雖在此。而其發動之機。

大多爲運動過度。爲不衞生。爲精神上感受刺激。爲過於勞心。爲氣候之變化與體質之關係等。

(一)過度之運動。卽競技。登山。跑步。過激勞動。過乘脚踏車及其他過於用腕力之勞動運動等。

(二)演說歌唱等之用聲者。

(三)飲酒性慾之不衞生。以及睡眠不足。

(四)氣候之變化。尤以溫度升高氣候炎熱。最爲不宜。

(五)精神之過勞。

患者於咯血之前。有身體並未發生若何異狀。而突然咯血者。此種情狀。似不能預知爲肺癆之發生。而加以預防。實則在肺癆初期。已有身體無力精神疲倦等現象。以爲輕微。故不易覺察耳。若能避免以上所列舉之五項。並注意避免運動及勞動。自然可以防咯血於未然。

(一)盡力避免運動。久守安靜。勿過勞。

(二)忘飲酒。節房事。睡眠宜充足。演說。歌唱。及長時之談話。皆宜避免。
(三)勿在烈日下行走。及避日光之直射。
(四)痰中帶血者。應避免深呼吸。咳嗽亦以低爲宜。
(五)病中固應專心於治病。亦須修養精神。勿使發神經衰弱或不眠等症。致使症候增加。

□乾咳痰血

(何祖禮)

乾咳痰血。用雪梨。生地。鮮茅根。藕汁。麥冬。蘿蔔汁。飴糖。白蜜。冰糖。姜汁少許。共熬去渣。煎成原膏名潤肺雪梨膏。每服輕用五錢。重用一兩。一日三次。開水冲服。較之純用雪梨冰糖煎成者。功用懸殊。

(按)痰之患。由於液不化。液之結。由於氣不化。氣之爲病不一。故痰之爲病亦不一。必求其所因之氣而後治其所結之痰。如陰虛火動之痰。其症必咳嗽痰血喘急喉癢。甚則骨蒸潮熱。故以雪梨之甘寒。潤肺生津。生地之凉潤。滋營益血。蘿蔔清肺化痰。茅根止血養陰。麥冬清心潤肺。藕汁和血行瘀。飴糖和中益脾。白蜜澤枯潤燥。和以姜汁。運行諸藥。熬以冰糖。極潤肺燥。俾液內充。虛火自斂

□吐血治療大要

（陳存仁）

食物入胃。化爲精血。血充則精神飽滿。身力强壯。血少則神色痿疲。肢體怠惰。百病叢生矣。血之關係於人。力顧不大歟。患吐血之症者。精力必虧。其有盈碗傾盂暴吐而出者。固屬危險。以血喪太多。性命所關。其點滴而出者。亦不可視爲輕微。而痰中帶血。雖如絲如縷。亦爲極大危症。不可不三注意焉。關於吐血之治療。當辨別原因及症狀。若貿然從事。易致僨事。民間有用流傳之單方者。不問病之來源。不辨藥之性質。一體施用。服後生變者。屢聞不鮮。今爲普通人說法。而糾正習俗。特將吐血之治療大要。分別書之。

（一）怒氣傷肝。妄動肝火。載血上行。火動氣盛。則氣奔血逆。所以吐血。此宜用生地。丹皮。陳皮。枳殼。芩連之屬。降大行氣。而血自止。

（一）跌打損傷。惡血滲入胃中。以致吐血。宜用辛溫之藥。利氣行血。如蘇合油。丁香。青木香。龍腦。乾姜。蒲黄等味。

（一）勞力太過。吐血不止。宜人參。蘇子。厚朴。陳皮。當歸。半夏等補益行氣之品。

（一）勞力太過。而生吐血。脈來微輭。精神困倦者。獨參湯（人參一味濃煎服）

（一）色慾過度。損其精血。甚則痰中帶血者。癆瘵之症候。最爲棘手。宜治之於先。一見盜汗咳嗽。倦怠時。卽宜調理。用人參。地黄。阿膠。童便。苡仁。紫苑等。補中眞氣。

（一）飲酒過多。而吐血者。胃中血熱大盛。宜麥冬。黄柏。丹皮。生地。石斛。葛花之類。

（一）暑毒傷人。多令人吐衂失血。宜犀角。石膏。竹葉。地黄等。

（一）暴吐大血。如湧。多致血脫氣脫。危險實甚。內傷太劇。血管破裂。宜補氣爲主。急用人參一二兩。爲末。加飛羅麵一錢。溫水調成稀糊。徐徐服之。或濃煎飲之。

（一）所吐之血。色紫黑而成塊者。此瘀血也。無甚妨害。如覺滿悶者。乃積瘀未盡。用桃仁。紅花。大黄。蒲黄炭。行血破瘀以逐之。

胃病研究

□胃癰

（尤學周）

胃之消化食物、全恃分泌之液體。吾人時有噫氣吞酸。則胃液上泛也。此液能侵蝕各物。故助消化。若過多時。胃亦受其侵蝕。積之既久。發生潰爛。卽爲胃癰。亦有由梅毒結核病等釀成者。

患本症者。往往忽然吐血。其血色赤褐而凝固。且含食物之殘片甚多。甚者吐血不止。顏面變爲蒼白色。頭痛暈眩。心悸不甯。呈全身衰弱之狀。吐血以後。其糞便亦作暗褐色。本病必發之證狀。爲胃痛。多起於飲食之後。以手按之。其痛較甚。而痛處亦有一定之點。舌滑澤而赤色。有薄苔。心嘈時飢。而納食亦不多。因食後卽痛之故。因而嫌棄食物。

吐血與胃痛。雖爲本病之特有之點。然亦有不發。而但呈下述諸證狀者。如（一）消化不良。食物常覺不舒。（二）發頑固之嘔吐。漸次陷於衰弱。（二）略見嘔吐疼痛。而面色萎黃殊甚者。

胃癰之療法普通用丹皮赤芍二錢。白朮一錢。射干一錢五分。山楂仁五分。赤苓一錢五分。升麻一錢五分。水煎去滓入生地黃汁一杯。蜜半杯再煎一沸服之。

在疼痛初見之時。不必投此方。祇用左金丸一錢。炒白芍錢半。煅瓦楞五錢。製半夏三錢。陳皮一錢。炒萎皮一錢五分。飛沒藥五分。二竹茹一錢五分煎服。

若見吐血。以安靜爲最要。不可驚恐。亦不可妄動。

□胃病蟲痛之治法

（郭柏良）

胃病之證。方書謂有九種。一曰飲痛。痰飲內積。脉滑而實。惡心煩悶。時吐酸水。腹中漉漉有聲而痛。二曰食痛。飲食過多。胸腹脹滿。胃呆不欲食。按之愈痛。三曰氣痛。肝氣橫逆。胃當其衝。消化機能停滯。氣機不得流通。食入作脹。泛噁吞酸。四曰血痛。平日酷嗜杯中物。過於辛熱。致死血留於胃口作痛。脉必濇或芤。飲下作呃。口中或作血腥氣。五曰冷痛。感受寒氣。綿綿作痛。無增無減。六曰熱痛。或劇痛。或止痛。口渴便祕。七曰悸痛。痛而煩躁。發熱作悸。八曰疰痛。昏憒妄言。九曰蟲痛。卽本節所欲言者。九種痛證。其分類法是否可靠。姑置不論。茲就蟲痛一症言之。其痛陣陣陡然而來。截然而止。發時肢冷脣白。面黃形瘦。腹部特大。多發於童年。因童年無知。祇知貪食。不知清潔。因而傳染蟲伏於內。時動時伏。動則痛作。伏則暫止。故陣陣作痛也。各種寄生蟲症。大多附存於腸部。良以腸之形狀。迂迴曲折。適宜於蟲之生存。曲部寬大。而胃液又能阻碍其生存。故胃痛之因於蟲者。亦不甚多。大約蟲痛之發生。胃力不振。卽分泌減少。以貽蟲類以適存之機會也。

治法以滅蟲爲主。蟲去則痛自平。殺蟲之品。如烏梅丸。川楝子。鶴虱。使君肉。白雷丸。蕪荑等。均可採用。以余之經驗。用鶴蝨一味。研末服之。或用川椒十數粒。煎湯下烏梅丸。或黃連檳榔煎服。其較爲簡便而有效者。莫如搗葱白。取汁一杯。服隨服小磨麻油一杯。少頃卽愈。如脾胃不健者。可酌加白朮。山藥。扁豆等健脾之品。

（郭柏良）

▣嘔吐酸水

吐酸之症。其說不一。內經至眞篇云。諸嘔吐酸。皆屬於熱。劉河間亦主此說。李東垣則又以爲屬寒。是皆言之偏者。主熱之說。似近乎理。然食物在釜中。煮之百沸。何以不能使酸。而反可以免去酸化。則又何耶。若起置器中。久則發熱作酸者。非酸因熱致。乃作酸而醞熱耳。

然則吐酸之症。何由而致。其一因飲食過多。或飲食不時。消化失職。食物停積不行。以致吞酸噯腐。當用消導。使之下行。如枳實。檳榔。山查。六粬。陳皮。蔻仁。穀芽。炙內金之類。或參用元明粉。製軍亦可。其二胃中時或痙攣作痛。時欲進多。而不能多下。動輒吞酸吐酸者。或謂賦秉薄弱。脾胃氣虛之故。實卽胃酸過多之現象。西藥治以雙灰鏀養。有捷效。或健胃片亦佳。古法用平胃散。卽蒼朮。厚朴。陳皮。甘草。余意宜加入滑石。因滑石內含鎂質最多。酸鎂合化。卽能發生排泄作用。以減少胃酸之量。功效甚確。他若牡蠣。文蛤。瓦楞子等。皆有反酸作用。亦可酌量加入。

吐酸一事。常人以爲輕微之症。雖明知爲胃病之一徵。然皆漠不注意。不加調理。遷延誤事。減少其消化之力。營養失常。成爲重症者。所見甚多。或者誤於主熱之說。一味以苦寒之藥投之。苦味雖有退熱消炎之作用。過其量。或不中病情者。服之皆能發生流弊。以致敗胃。阻碍其消化機能。是在醫者用藥之有權宜矣。

□胃火嘔吐治法

（李健頤）

胃火之甚。食後常見嘔吐者。是因食物入胃。胃受熱氣刺戟。影響胃神經。遂起嘈雜痛悶嘔吐等症。宜用石膏半夏枳實竹茹各味。清水煎濃。沖薑汁一滴。溫服。即可立效。此方專治胃火嘔吐之症。若胃寒者。切勿誤用。至爲叮寧。

（按）嘔吐之屬熱屬寒。當辨諸脈與舌。若脈有力者屬熱。無力者屬寒。舌苔乾燥或不乾而現黃色者屬熱。白膩者屬寒。又於吐時有酸味沖鼻者。其爲胃熱無疑。

溼病叢談

□濕症叢談

（戴星槎）

黃梅時節。霉雨連綿。陰晴不常。寒暖無定。吾人置身於此氣交之中。恆覺得隋食嗜臥。怠倦怕動。何也。無他。濕之祟耳。

然此亦僅其患中之端。餘害尚多。吾不揣譾陋。而來談談。

濕之由生。暑溽薰蒸。霧露泥水。潮氣熱鬱。此是外受。經所謂地之濕氣感也。脾陽失運。生冷水穀。留蘊醞釀。此是內生。經所謂諸濕皆從於脾也。濕蒸於上。則頭脹如蒙如裹。感於下。則跗腫。攻注在經絡。則痿痺重着。大筋緛短。小筋弛張。在臟腑則嘔噁腫脹。胃呆口痺。小水赤濇。在肌表則惡寒自汗。在肉分則痲木浮腫。身重如山。不利轉側。其有一症。與中風相同。口喎舌强。昏不知人者。此乃中濕。他如兼風寒暑熱。而爲患者。姑勿論也。濕家治法。大概上病。防風主之。所謂風能燥也。中病蒼朮之屬。所謂土乾燥濕也。下病五苓湯利溺。所謂開溝利濕也。在週身。烏藥羌活。在兩臂桑條葳靈仙。在兩股。牛膝防風。萆薢之品。分部論治。他如傷濕由腎虛者。腰冷如坐水中。治以腎着湯。脾虛者。腹滿吐酸。胃呆面黃。四肢解怠。治以苓姜朮桂湯六君子丸。體虛氣弱。身重便溏。治以清燥湯。酒濕者。葛花解醒湯。坐臥濕地。汗出當風。足膝拘攣者。獨活寄生湯。年高衰憊。婦人腎虛血竭。致腰膝痛者。獨活寄生加減。脾胃不和。伏濕水瀉。平胃丸。胃失湯進之。此濕症之治要也。人之對濕。每忽略而不防。因其患來漸耳。殊不知其妨及人身。類如上述。豈淺鮮哉。預防之道。居處須乾燥。空氣欲充足。生冷葷腥少啖。食後勿懶睡。勤動作。精神調劑。脾陽健運。如離照當空。陰翳退避。濕何患乎。

□濕病治法

（徐召祺）

一　濕在表者

（病源）　溼在肌肉。溼流關節。

（病狀）　身痛身重。關節煩痛。

〔治法〕溼在表者。發汗爲主。輕者麻黃杏仁薏苡甘草湯。重者麻黃加朮湯。溼在表者。本忌大汗。故身痛而自汗者。則發汗之法。不適於用。宜風以勝溼。羌活桂枝等。或以皮行皮法。若陽虛而溼留不化者。宜用益衛通陽化溼之法。如防已黃芪湯。

麻黃加朮湯　麻黃　甘草　白朮　桂枝　杏仁

麻杏苡甘湯　麻黃　杏仁　苡仁　甘草

以皮行皮法　蒼朮皮　茯苓皮　陳皮　海桐皮　五加皮　桑皮　姜皮

黃芪防已湯　黃芪　防已　白朮　甘草　姜　棗

二　溼在半表半裏者

〔病源〕溼在三焦。氣爲溼阻。氣化不利。三焦不通。

〔病狀〕胸痞胸悶。舌白不渴。小便不利。

〔治法〕宣氣利小便爲主。上焦通則中焦運。中焦運則下焦化。今之治溼在半表裏者。用杏仁。茯苓。厚朴。半夏。苡仁。貝母。枳壳。桔梗。橘紅等。

三　溼在裏者

（病源）脾虛不運。土困火衰。溼濁停聚。中陽痞塞。

（病狀）腹脹足腫。食少不化。便溏肢冷。脈細而沉。

（治法）溫經通陽。健脾化溼爲主。但分虛實。實者脾溼太過。宜平胃四苓以削其餘。虛者脾虛不運。不能化溼。宜四君異功以補不足。

平胃散　蒼朮　厚朴　陳皮　甘草

四苓散　白朮　澤瀉　豬苓　茯苓

四君子湯　人參　白朮　茯苓　甘草

異功散　人參　白朮　茯苓　甘草　陳皮

四　局部濕病

（病源）寒濕鬱于頭中。

（病狀）頭痛鼻塞。面目發黃。而身不黃。腹中和。飲食自如。惟傷食急黃。亦有此種現象。乃食滯阻于胃口。腐氣上沖頭面。但飲食不能自如。胸中痞寒作痛。

宜用化食滯之法。

（治法）以甜瓜蒂塞鼻中出黃水卽愈。

□脚丫溼癢

（尤學周）

脚丫癢。固爲小患。然不加注意。亦能釀成大疾。蓋疾病之來。無不發於幾微。潛滋暗長。大患隨來。世人忽其所微。必貽後悔。不觀夫霍亂中風等證。病發之烈。如疾風迅電。莫之能禦。然探其病源。亦以疫癘盛行而不知防衛。體質虧損而不知調養。外因相誘。內因相乘。禍機一觸。大患隨至矣。

康健之軀。原無痛癢。若其人無故作痛作癢。卽不劇烈。亦爲疾之徵象。此必失於衛生而使身體感受不快也。

多溼之人。或常居卑溼之地者。每患脚丫癢。擦之則大快。愈癢愈擦。愈擦愈快。必至皮膚殷紅。覺火辣而後已。如是以爲常。其溼愈重。其癢亦愈甚。甚則以擦損而出黃水。竟至潰爛者。亦有之。黃梅天氣。溼氣瀰漫。不獨素有是症者。脚丫覺癢。卽不患者亦覺微癢不適。至少宜每日以溫水洗足一次。洗後以礬灰研細末摻於脚丫。或用牙粉亦可。鞋宜常曬。襪宜常洗。清潔乾燥。乃避免濕氣之一法。可止癢於無形。皮鞋緊密。有濕者穿之。其氣不易外散。而以膠底者爲尤甚。當黃梅時節。以不穿爲宜

□陰囊溼癢自療

（宋愛人）

（原因）凡飲酒厚味之人。或陽虛濕勝之體。胃中積有濕熱。日久不化。夫濕熱爲病。可遏伏清陽之氣。可以增添渾濁之氣。陰囊濕癢。或兼發殠者。卽清氣不能敷佈四達。而濁氣沉滯下焦也。故飲酒厚味。與陽虛濕勝者。多有此證。

（證狀）陰囊時常潤濕。入夜更甚。其汗液發於腥羶殠。有時則癢不堪耐。陰股間亦時有汗出。其連帶之證狀者。如脚膝萎輭。腰脊痠痛。頭重眼花。不勝煩倦。且陽事不易興舉。舉亦不甚强固。易萎易洩。精冷氣衰。令人無子。

（治法）此證第一當戒除嗜好。薄滋味。寡色慾。多勞動。事清潔。此爲治本之法。若欲爲藥物之自療。則斷不可以腎虛陽虧。而純用熱藥壯陽。蓋其所以腎虛陽虧者。

由於胃中多有濕濁。濕濁太甚。日久而流注下焦耳。故內治之法。不在溫補。而在於清滋其源流。卽上所謂治本之治法者是也。致外治之法。可用湯洗或摻敷之

（一）紫蘇葉一兩。紫背浮萍一兩。水煎燻洗。每夜臨臥燻洗一次。

（二）鮮荷葉一大張。連鬚葱頭七枚。煎湯。先燻後洗。屢試神效。

（三）閹過雄猪肉四兩。胡椒十粒。煎湯溫洗。一日數次。數日卽愈。屢試如神。眞偎方也。

（四）蛇床子研末。每夜臥滲。或製袋懸之。久之自無不效。

（五）六一散一兩。赤石脂一兩。紫蘇葉五錢。兒茶三錢。研末摻之。立愈。

（六）米仁研爲細末。每日摻四五回。

（七）如汗出陰股皆濕發癢難忍者。可用東垣椒粉散。麻黃根二錢。黑貫仲一錢。蛇床子一錢。川椒末一錢。當歸梢一錢。仔紅花五分。牡蠣粉五錢。苦杏仁三錢。各研細末。加雄黃一錢。調勻敷摻。謹避風冷。

上海幸福書局經售各種醫藥新書

楊志一編	青年病	三冊實售大洋一元二角
楊志一編	性的衛生	一冊實售大洋六角
楊志一編	神經衰弱淺說	一冊實售大洋四角
楊志一編	性慾與肺癆	一冊實售大洋四角
楊志一編	血症與肺癆	一冊實售大洋六角
楊志一編	吐血與肺癆	一冊實售大洋四角
楊志一編	補品研究	一冊實售大洋二角
楊志一編	家庭醫藥寶庫	二冊實售大洋一元六角
楊志一編	生育問題全集	二冊實售大洋一元
宋愛人編	月經問題	一冊實售大洋六角
楊志一編	婦科經驗良方	一冊實售大洋六角
楊志一編	胃病研究	一冊實售大洋二角
張贊臣編	中國診斷學綱要	一冊實售大洋八角

外埠函購寄費加一　地址三馬路雲南路口

月經問題

月經非有用之血

（顧秋霞）

嘗考女子之病。多起于月經不調。月經不調。則百病叢生。蓋月經一月一行。爲衝脈之血。及任脈之液化合而成。衝爲血海。任主胞宮。任脈屬于太陰。爲陰脈之總司。衝脈麗于陽明。爲陽經之總脈。任脈之陰液。稟于太陰水津之灌溉。衝脈之血液。稟于陽明水穀之精微。陰液得陽氣之化。血液得天癸之合。會於胞宮。出於陰道。按月而下。是爲月經。故經云任通衝盛。則月事時下。任虛衝衰。則地道不通。可知月經爲衝任之津液及血。其至與不至。胥由於衝任之虛實也。我國婦女之經病。每不注重。以至婦女之患經病者。十有其九。是以生育不繁。甚至年老而無子。良可嘆也。苦至經閉不行。勢必成勞。蓋月經之血。是廢棄無用之惡物。爲胞宮之排泄物。即子宮腺分泄之粘液。及迴血管滲漏外出之靜血。混合而成。故宜按月而下。不下則反病矣。昧者不察。以爲月經是純粹之精血。豈不知月經爲無用之物乎。若誤爲純粹之血。則一瀉已不堪支矧一月一行乎。然月經雖非有用之血。若超前與落後。即爲卵巢及子宮有病之徵。或停閉而不瀉。即爲積瘀。瘀血留戀。釀成血癥石瘕之患。非但不能受孕。且患終身之病。由此觀之。月經爲婦女之要素。月經不調。即爲卵珠不健之兆。卵珠不健。雖能受孕。亦必不强。即國民不强。則國家烏能强哉。可見月經對於家庭之盛衰。國家之强弱。實有至密至切之關係也。欲求强國。必先强民。欲求民强。必先調經。經調而後種子繁殖。人人如斯。則家庭興盛。國家無有不强者矣。

▣女子月經開始終止遲早之原理

（柳劍南）

月經者。乃子宮之排泄物也。一月一臨。故謂之月經。普通之人。其開始期與終止期。有一定之年限。故內經論月經以二七至七七止也。雖然。此乃言其生理之常耳。而往往有或遲或早者。其故何歟。以余之觀察。其理約有數種。有關係地理者。居於熱帶之人。較寒帶者爲早。蓋熱帶氣候溫暖。得其溫和之氣。無論花草樹木。皆易開花結實。寒帶則反是。人體生理。何獨不然。故月經之至。熱帶比寒帶爲早。此關於地理者也。有關於人事者。聰穎之人。比愚魯者爲早。蓋聰穎之人。心思靈敏。臟腑生理機能。易於發育。愚魯之人。腦力遲純。臟腑生理機能。難於發達。故月經之至。聰穎之人。比愚魯者爲早。此關於人事者也。有關於體質者。如先天充足之人。氣血旺盛。臟腑易於發達。若先天不足之人。氣血衰弱。臟腑發育緩慢。故體弱之人。較體强之人爲遲。此關於體質者也。有關於風俗者。如鄉曲鄙塞之人。較城市繁華者爲遲。蓋鄉曲之人。天眞爛漫。不若城市之人。耳染目濡。易解綠意紅情。情竇早開。青春腺易於發達。故鄉曲之人。較城市者爲遲。此關於風俗者也。綜上數說。月經或早或遲之理。大都不外是矣。

□月經來時之注意

（孫連茹）

男女疾病。治法均無歧異。所不全者。惟經產崩漏。爲女子獨有之疾耳。產與崩漏。人咸注意及之。獨行經一事。則人都忽爲常事。詎知經行之際。與產後一般。蓋聚集匝月之精華。而去諸於四五日間。當此時也。血室空虛。邪易侵襲。將息失宜。爲病極易不特淺則易致痛經。深則七癥八瘕。抑且有碍於子嗣也。茲特筆述數則。以作女界常識。

一　不可食酸冷之物。　酸主收歛。冷性碍塞。經行以氣血調和爲宜。進酸冷。則氣結血泣。爲疼痛癥瘕之根。

一　不可勞力太過。　勞則氣耗、過勞氣必愈耗。馴致生虛熱而增疲倦。

一　不可鬱怒。　怒爲肝之作用。志鬱則怒。怒則氣逆。氣逆則血滯於腰腿心腹背助之間。遇經行則痛楚。欲絕必待經過始安。甚而傷肝。則有目暈嘔吐之證。或血不循經。或淋漓不止。

一　不可坐濕當風臨寒。　濕性黏膩。風性行變。寒性殺厲。經行而或坐濕。或當風。或臨寒。必致邪湊而病。病則或寒。或熱。或腫。或脹。或腸覃。或石瘕。

一　不可交合　男女媾精。陰陽調和。乃能有子。蓋在經後一二日也。若經未淨而交合。瘀欲外出。精欲內入。精瘀交爭。子宮損傷。苟不外洩。而內積。有生疽生癰之慮。

經行而不愼將理。其弊有若此者。經云。不治已病。治未病、殊宜愼之於先。毋待得病而後就醫也。

□經行嘔吐

（周越銘）

（原因）此必陰濁素盛。清陽少旋。當經至時。脾血下注。健運無力。胃中濁氣。遂上逆而成嘔吐之患。

（症候）胸痺痰多。或兼脅痛。經亦不能暢行。

（治法）宜導濁下行。濁降而嘔自止。

（方劑）加減溫膽湯　淡竹茹三錢。半夏一錢五分。茯苓三錢。廣皮一錢。蘇佩蘭一錢五分。川牛膝八分。當歸尾三錢。絳通草一錢。杜括蔞二錢。水煎。入姜汁一匙。食前服。

●求孕避與孕續集

今日出版

▲指示男女雙方不孕之原理以及求孕訣門

▲公開女子因體虛而怕孕之一切避孕良方

▲解決男子因經濟困難而欲節制生育問題

(一)生理篇

●腦髓骨脈膽女子胞合論

甲 生殖之工具

●生殖腺之內分泌

●精液之研究

●精虫之研究

●卵之研究

●月經與卵巢關係

乙 結胎之原理

●受精現象

●一胎數子之研究

●胎生男女之理由

(二)不孕之原因

●不孕須雙方負責

●無子原因及其挽救

甲 男子方面

(子)包莖

●包莖之研究

●龜頭不脫與生育

●患包皮之友人

(丑)精衰

●精清立愈法

●精滑不育之自療

●精冷立愈法

●精寒不育之自療

(寅)陽萎

●陽萎之原因及療法

●陽萎治驗

●陽莖短小驗方(附)

(卯)淋濁

●淋濁造成之原因

●淋病的研究

●淋病問題

●白濁治法

●老白濁治法

(辰)梅毒

●梅毒概要

●梅毒之第一特效藥

●公開三張梅瘡經驗方

●紫金丹治梅毒之神效

●梅毒惡瘡靈藥

乙 女子方面

(子)月經不調

●月經不調

●月經病之三大原因

●經閉

●行經困難

●調經之要義

(丑)白帶

●白帶與白淫白濁之研究

●血崩與白帶

●白帶概論

●八種帶下之自療法

●白帶轉赤帶之療法

●治白帶年久不愈方

(寅)其他

●體肥不孕

●身瘦不孕

●下部寒冷不孕

(三)求孕術

甲 求孕術

●無嗣者之座右銘

●求孕與節慾

●求孕者當擇時行房

乙 求孕方

●種子方

●育子神方

●痛經不孕之良方

●血虛經閉種子方

●男性種子良方

●求孕實驗方

(四)診斷

●妊娠之診斷

●孕之有無

●預知胎兒男女法

(五)流產與安胎

甲 流產

●流產問題

●談談流產

●房事與流產

●胎漏與流產

●流產之預防

乙 安胎

●安胎論

●安胎問題

●忠告姊妹界之保產要言

●安胎神效方

●保產四驗方

(六)避孕

●多子之痛苦

●疾病與避孕

●節育原因與避孕方法

●節制生育之三法

每冊實售大洋五角寄費九分如與初集同購計洋一元寄費一角另贈凍瘡治療法一冊

上海三馬路雲南路轉角　幸福書局發行

大便出血

便血之種種

（徐炳南）

難經云血以濡之。氣以煦之。內經云目得血而能視。腦得血而能思。手得血而能握。足得血而能行。可知血爲人身唯一之要素。同時亦可知血在人體其功用之偉大。與價値之寶貴。故血旺之人。由外觀起見。面色光彩煥發。肌肉紅潤潔白。多麼美麗。意志方面則果斷堅毅。精神充足。多麼可樂。反之血衰之人。色膚蒼黃。肌肉鬆弛。精神萎靡。意志墜蕩。血對於人之生活上。旣具莫大關係。所以時時保全血旺氣盛。不使欠缺。所謂盎於背。充溢於四肢。則營養豐裕。精神飽滿。成一個健而美的康健人。因此可知失血是一種最危的疾病。如吐血咳血便血等。皆能造成貧血症。一有血症。無論如何輕微。急宜醫治。今且先談便血論治。續後再講吐血與咳血。

便血者。血從肛門而出者也。其治法有同於吐血者。有不同於吐血者。茲分述之。

（一）狂血　其下血來勢之暴。與狂吐無異。頃刻盈盈。亦能暈厥。當時須令靜臥。勿反覆轉側。急與全當歸生白藥隨病輕重而增減分量。大劑煎服。自能逐漸向愈。同時勿食固體食物。須飲流質以休息腸胃。

(二)痢血　痢血者瀉痢而兼血也。如紅白痢是此。乃痢之副症。以治痢藥治自愈。

(三)遠血　遠血者先瀉糞而後瀉血者其原由脾氣虛塞失統屬之權。血不爲所守而下也。宜服白朮。生地。阿膠。甘草。黃芩。灶心土。寒者加附子。

(四)近血　近血爲遠血之反。先瀉血而復瀉糞者也。由大腸被濕熱或其他所傷。腸間黏膜細血管被傷而血乃滲泄於下也。須服赤小豆當歸等類。蓋赤小豆能解熱治濕也。

(五)久血　久血者。累月不愈時時下血者也。此症最宜速治。久則能發生他症。余曾遇之女人。便血已計五月。日瀉五六次。夜三四次。肌肉消瘦。皮膚乾燥。正當花容之年。一變而鷄皮狀態。月經減少。還在其次。而所食何物。下亦何物。今以內經言血之病理。推而言之。則可謂脾胃得血能消化食物。便血日久。脾胃當然失血。宜乎其不能消化。原物奉還也。余以補血活血健脾之劑與之。始愈。其藥爲阿膠生熟地當歸白朮之類。總之久症必虛。況便血症少瘀。補血活血。實爲不易之良法。

□便血之研究

（鄒德民）

血不循經。陽絡損傷。妄行上溢而爲嘔吐諸證。已屢言之於本刊。茲將其陰絡受創。妄行下洩而爲各種便血證。略述其一斑於後。便血之證象。均與大便同出一道。究其病因各有迥殊。推其危害。雖較諸吐衄爲次。然來勢凶猛。狂下不止。亦與吐血無異。同有暈厥暴脫之可能。

有因臟毒腸風便血者。有因痢血者。有因痔漏便血者。有因婦人經來便血者。有因腸裂便血者。

臟毒便血者。肛門腫硬。腸頭突出。疼痛流血。與痔漏相似。血多濁黯。治宜清熱利濕。腫痛特甚。大便不通者。可服黃連。黃芩。黃柏。梔子。甘草。加防風。枳殼等。疏理其氣。或用仲景赤豆當歸散主之。

腸風便血者。不外肝火乘於腸胃。或由外邪客於太陽。傳入陽明。或由濕熱鬱積腸胃所致。時時便血。乍發乍愈。血色清鮮。內經所謂久風入中。則爲腸風飧泄是也。治法總以清火養血爲主。如黃連黃芩苦參子生地川芎當歸白芍荆芥槐米地榆等。均可酌投

痢血者。乃濕熱挾滯阻於中焦。傷及營分。下痢如紅醬然。裏急後重。肛門灼熱如烙。身熱腹痛。見證一如痢疾。投以治痢常法治之。如白頭翁湯。（白頭翁黃連黃柏秦皮。）及葛根黃芩黃連湯等。增減均能得效。

痔漏便血者。以其久居濕熱之地。或好食辛辣炙煿之品。或縱飲無度。或沉迷於色。腸胃乾燥。津液失潤。以致大便秘結。燥糞蘊積直腸。直腸爲燥糞熱毒所逼。漸生小瘰。痔漏乃成。每遇大便必濁血淋漓。痛苦難安。久之陰分耗傷。身體日弱。治療之法。務須清除濕熱。但欲化肛門之濕熱。又必須假道於脾胃。往往肛門未必受益而脾胃先損。故用藥必須有利於肛門。無損於脾胃者。始克奏效。可取法于益后湯。（茯苓。白芍地榆山藥米仁穿山甲。）早起宜飲鹽湯。平時又宜食柿餅。常使大便暢行。尤爲促其向愈之要法。久則可服臟連丸。

婦女經來便血者。蓋以子宮與直腸同域並居。其中惟相隔一層薄膜也。薄膜苟有細微之破隙。月經乃妄滲於直腸。由肛門而出也。又有因胞胎之系上通心而下通腎。心腎不交。其氣不來統攝。而胞宮血無所歸。聽其自便。所以血不走小腸而走大腸者也。傅青主主用順經兩安湯。（當歸白朮白芍。熟地。萸肉。人參。麥冬。黑荊芥。巴戟肉。升麻。）

腸裂便血者。因大腸多火。燥乾腸中之液。則腸薄而開裂。血得從腸外滲入而下血也。但不甚多。見治宜潤腸清熱。可用生熟地。當歸。地榆。木耳之屬。

總之便血暴注者。則宜清理。日久者。當與溫補。但便血證少瘀。與吐血稍有不同。治以偏於溫補爲是。古書尙有便前下血爲近血。便後下血爲遠血之論。恐未盡然。毋庸拘泥。貴在審證投藥。最爲的當。若因肝脾兩虧。統藏失職。而便血者。可進滋補氣血而兼溫清之黃土湯。（灶心土。白朮。熟地。甘草。黃芩。阿膠。附子。）治之方中附子黃芩。可隨症之寒熱增減可也。歸脾湯。（人參。黃蓍。白朮。當歸。木香。茯神。遠志。龍眼肉。甘草。棗仁。）亦頗特效。余治重慶路姚君業廚司便血數載。時發時愈。於五月前舊恙又復。形容憔悴。體瘦神疲。投以歸脾法。增五味子苦參地榆槐末等三劑而愈。今已月餘。未發此症。發時每日必便數次。下血甚多。痊愈之速。誠出人意料之外也。

便血驗方

(謝安之)

(一)

便血一症。古有遠近血之分。無論腸風臟毒痢後。用張錫純先生之三寶粥。甚有奇效。即鴉胆子。三七。淮山藥三味。鄙人累以鴉胆子三十粒去壳。三七五分研末。用稀粥一次服下。重者連服三次。即愈。近因淮山藥價高。以白米煑稀粥。送下。亦累獲效。

(二)　便血種類殊多。尤須知其屬寒屬熱。苦參子功耑瀉火燥濕。對於屬熱之便血。甚是神效。其法祇須購苦參子二三錢。去壳。將肉用開水一齊過下。即能絕止。患此者。爲厭煎藥之繁雜。示妨一試。始知予言之不謬也。

(三)　患者每日早晚用黑木耳五錢。煨服。吃至十天全愈。如服者嫌味淡難食。可用冰糖少許。收效頗捷。惟切不可加鹽。

楊梅惡瘡

□梅毒的染傳機會和途徑

（俞永康）

（一）直接傳染

花柳病中最易傳染的要算淋病了。所以患的最多。梅毒和軟性下疳患的就比較少些。宿娼的人淋病一關是不容易逃過的。其餘二關。有的固然逃不過。然而有的居然也會給他溜過的。爲何同一拈花惹草。有的染着病。有的染不着呢。這是因爲梅毒細菌和軟性下疳的細菌。過渡到一個新主人的身上。必須在那過渡處有一個極小的創傷。否則這二種細菌是不能得其門而入的。好在生殖器上皮膚柔嫩。在交接的時候。往往就不容自主的盡力摩擦。所以這樣的小創傷不難馬上造成的。而且這個創口又不必大到給人們看得出的。人們說看不見。而在細菌眼界裏已經覺得堂堂大路。前程無量了。這一種細菌。對於喝醉了酒的人。尤其歡迎。因爲酒能亂性。更能使人類的獸性。發揮得淋漓盡致。時間愈多。傳染亦愈易。

細菌既昂然入室。於是蕃殖滋生。一日千里。其蕃殖之性質。名叫分裂。由一變二。由二變四。一轉間。變成千千萬萬。不可數計。所以毒菌及其毒質。苟不加以治療。是決無消滅之理的。寫到這裏。令我又想到一事。記得有一妓女。到我診所就治。她固執着私見。以爲她的毒是極輕的。我問她何所據而云然。不料她到說出一篇大道理來。她說現在天天接客。他的毒天天在那裏分派出去。所以身體裏是不會存積多少毒的。倘若一個妓女停止營業。那末她的毒無處發洩。就要加重起來了。我聽得不覺好笑。你想細菌的蕃殖多麼迅速。牠們一入人體。隨卽根深蒂固。豈肯輕易被你派盡。無論你派出多少。但是在牠不過九牛之一毛。未曾撼其毫末。而且牠一面正在儘量的滋生呢。妓女不懂醫學。這樣思想也難爲她想的出來。可是我倒掛念着那一批被派的嫖客。和一大批候補的被派者。妓女沒有佔着便宜。他們吃虧倒是吃定的了。這個妓女自認爲派出所。那末我想那花街柳巷。應當是大本營了。

以上所說的從性交而得到花柳病。這個我們叫牠直接傳染。春風一度。貽禍無窮。做了這件小小的風流罪過。他自己本身因此受到極大的懲罰。還不算數。而且禍害還要波及他的妻女。我以爲第一禍首不能怪嫖客。也不能怪娼妓。卻是要怪上帝。因爲上帝既然造了我們。又賦我們以性慾。（宗教家說。人類始祖在埃田的樂園中本來是無可無不可的。不料夏娃給亞當吃了一只蘋菓。人類纔有性慾。意思是說這是人類自己的過失。騙誰呢）爲什麼還要不惜工本造出那批花柳病原的小妖魔呢。正合着古書上說。天地不仁。以萬物爲芻狗的那句話了。

（二） 間接傳染

然而直接傳染還可以說罪過雖小。總免不了是一個罪過。可是還有從應用梅毒病人用過的茶杯。剃刀。手帕而得到的間接傳染。小兒種痘。痘刀沒有消毒。種了一個先天梅毒的小兒。又種一個健全的小兒。而把他傳染。或者僱着一個患梅毒乳母喂乳。因此乳兒受着她的傳染。或者先天梅毒的乳兒。傳染健康的乳母。總之只要機緣湊巧。給妖魔碰到了。有着一個小創傷。就有生梅毒的資格了。最可憐的是我們醫生。眼看這般妖魔勢力可怕。自然不敢去做那被派的人了。可是有時在治療梅毒的時候。手指上恰巧有些破處。不幸碰到梅毒細菌。牠們就管不得所碰到的是生殖器還是手指。馬上就會在手指上起始生出楊梅瘡。來你想寃枉不寃枉呢。以上所說梅毒的傳染。不是直接從性交得來的。所以我們就叫牠間接傳染。可是這種傳染。究竟是少得多了。由此看來。目中有妓。心中無妓。這句話也有極大的危險性。她譬如你見了妓女遞給你一枝香煙。給你一個香吻。你是聊以開心。豈知在這一刹那。就有發生間接傳染的危險呢。

口遺傳梅毒

（俞永康）

染到了梅毒毒菌。是不但把你自身折磨死了就算了事的。牠旣是殺人不眨眼的么魔。牠還要借着你的手。殺死你的嬌妻愛子。倘是毒勢兇的。胎兒未出娘胎已被毒菌殺死。拋出子宮。凡女人屢次的流產或死產。都是這個道理。產下的死孩大都是沒有皮的。他原來的皮。是被毒菌剝去了。

一個小靈魂。兒好容易謀到了一個做你的掌珠或者麟兒的位置。他在母親的腹內。做着粉紅色的夢。想到爸爸媽媽將來如何的愛他。等到出世。要如何討爸爸媽媽的歡喜。那料還沒有踏到塵世。倒又叫他回到天國去了。小小的一雙眼睛。始終沒有福分。一瞻慈顏的顏色。他固然是欲哭無淚。然而你也未免太對他不起了。至於毒勢較輕的。小兒雖然幸而達到成熟。但是墮地以後。小兒的身體就成毒菌的次殖民地。幾個星期或者幾個月後。毒菌一齊攻出。鼻孔閉塞。呼吸困難。鼻骨凹陷。聲音嘶嗄。面皮皺襞。數日或數月的小孩子。模樣好像七八十歲的老公公。週身皮膚發着梅毒疹子。毒菌對於這樣的一個柔嫩靈魂。自然毫不費力的把他收拾去了。

還有一種最輕的遺傳梅毒。就是待小兒長大了。梅毒的現象方才發生出來。這項兒童。平常時候大都也是身體衰弱。皮膚蒼白。精神萎頓。發育不全的。以後患着眼痛。或耳聾。身上發生潰瘍。或骨痛。這種現象。在旁人看來。不過是一種普通的病罷了。這樣的小孩子還不識妓女爲何物。誰能料到他竟會生起楊梅瘡來呢。可是這人沒有想到。小孩固然不識妓女二字。但是他的老子卻識得的。如果這個小孩。他日漸漸長大。知道了他的病是他父親傳給他的。那你就可想到這個對於他是多麽一個惡劣的影象。你雖然有極好的家庭敎育。千言萬語的告誡他。然而那裏抵得過這一點消息的透露呢。就是你的兒子。終身終世的懷恨。你你也不能抱怨。因爲照普通的規矩。一個父親最好把他的道德文章。次之把他的財產寶物。傳給他的子孫。你爲何如今別的不傳。卻單單的把害人的毒菌傳給他們。敎他們如何能歡迎呢。所以照我的意思。那時候作父親的。應當直認不諱。請求兒子的原諒。必須想法子把他兒子的病治好。以後還要懇切的勸戒他。切切不要學他父親從前的行爲。害了自身不算。還要害及子孫。如能如此。還不失爲一個賢明父親。如若遮遮掩掩。不知補救。那末眞是不自殞滅禍延子孫了。

口梅毒之證治

（尤學周）

原因　由一種病毒傳染而來。下等妓寮中之賣淫女子。十九有此病。故好作狎邪遊者。每易傳染此疾。間亦有由患者使用之器具傳染而得。有遺傳性。不經治愈。能留病毒於子女。

症狀　傳染後。約經三四週。卽在該受毒部（男子之龜頭包皮繫帶。女子之大陰唇。）發生扁平或結節狀之硬塊。略有光澤。觸之不痛。未幾。破潰糜爛。瘍面如小豆大。瘡色鮮紅。此所謂硬性下疳。乃梅毒之第一期。如是者經三四月。始漸告愈。同時鼠蹊部（卽大腿上端與小腹毘連之處）之淋巴腺不痛而腫。此卽無痛性之横痃。嗣後病毒蔓延。其後頸後頭腋窩等處之淋巴腺莫不腫大。於二三週之間。往往頑然不變。其繼遂爲全身梅毒時。皮膚發疹或且成膿疱。多不覺癢。喉音枯瘖。毛髮脫落。爪甲脆弱。食慾不振。咽頭黏膜發腫。關節痠痛。乃梅毒之第二期。再進爲第三期。凡鼠蹊腺。腋下腺等。悉行腫大。額骨胸骨脛骨等之護腺。同時發腫。繼之潰爛化膿。唇舌與口中之粘膜。常成平肉狀。腐爛而爲頑固之潰瘍。鼻骨脫落。因之面貌醜惡。或則頭蓋骨上陷有巨穴。朽骨露出。耳孔鼻孔。則時時流出臭惡之膿汁。此時能治尚可。若延及於內臟。則必轉歸於冥土。甚可怖也。

療法　初起。壯實之人。用千金子一錢。巴豆一錢。銀花一兩。生軍一兩。甘草一錢。爲丸。服後如泄瀉不止。可服濃煎糯米粥湯。立止。如至第二三期。用錟硝六錢。白礬四錢。水銀食鹽各一兩。黑礬二兩六錢。共爲細末。研至水銀不見星爲度。置罐中封固。文武火三炷香時。卽取底下降藥。用麵糊丸。如米麥大。初服二丸。次三丸。又次四丸。每早晚熱黃酒下。視牙齦腫爛卽止。通治方。土茯苓。川芎。通草。銀花。茯苓各九錢。大黃錢半。煎服。潰爛處用蘆甘石。血竭。輕粉。蛤粉。六一散。橄欖灰。炒菉豆各等分。研細末。加梅花冰片摻之。

長篇專著

□血症概論（六）

（朱振聲）

（二）鼻血

鼻血不可輕視

鼻血爲常見之證。小兒最易發生。蓋小兒好動不好靜。奔馳追逐。跳躍跌撲。非致神疲力乏。決不因而中止。運動過度。血行加數。往往上逆。由鼻而出。塞其鼻孔。血即漸止。亦無他變。職是之故。人遂視爲極平常極輕微之症。不復加以注意焉。

因運動太過而發生之鼻血。乃一時之激變。停止運動。血流即恢復常態。鼻血自然止矣。此種證情。固無大礙。然鼻血亦有因內傷而起者。與運動無關。雖禁止運動。亦不能阻其不發。此當察其病原。隨證情而施治。切不可輕視之。

鼻爲人準。所關甚大。職在呼吸。與肺臟之關係。盡人所知。無容多述。然其間接之關係於血行者亦甚大。蓋氣爲血帥。血爲氣守。氣行則血行。氣滯則血滯。是血液之運行。必藉呼吸器氣壓之激射。故常人脉搏。與呼吸數作一定之比例。且血液之清濁。全藉呼吸。是鼻與血之流行及清濁有關也。鼻能辨香味。使唾液增進消化力。因以强大。是與消化力有關也。苟因鼻血而局部發生碍礙。因影響於呼吸血行及消化。其重大爲何如。安可視爲輕微之症耶。

鼻血之種種原因

鼻血一症。原因甚多。約而言之。可分爲震動與內傷二端。如打擊跌撞或運動過度者。屬於震動。如色慾過度。肝火上炎。沈於麴蘖者。屬於內傷

因震動而致鼻血者。其勢雖驟。及其止後。稍稍休養。卽無大碍。惟由於內傷者。鼻血雖止。而其根源未止。縱一時暫安。不久卽能復發。此種內傷之鼻血。涓涓難塞。足以影響於身體之康健。其證之重大。實與吐血無異。

吐血者不注意調養。不有長期之休息。血止以後。往往復發。鼻血亦然。稍一震動。或心煩意亂之時。鼻血隨之流出。故與吐血症同一須靜養。

鼻血之來。亦非鼻中出血。因吐血症之來勢驟猛。口中不及吐出。卽由鼻中嗆出。以

分其勢者。此症口中同時吐血。可以爲別。然亦有鼻中放血不止。再由口中而出者。不可不辨。

鼻血與紅汗

風寒外束。惡寒發熱。蓋寒觸皮膚。刺激末稍神經。以致不能調節體溫。熱鬱於內。無發洩之路。發熱不退。此時若用疏表解肌之品。以開其毛孔。使之汗出。其熱卽隨之而散。體溫卽如常。而證情亦減退。若遷延不治。或治不得法。體溫不能放散。其熱愈甚。譬諸溝澮之水。阻其洩出之道。則必上溢。熱不得散。勢必奪路而出。則炎勢上行。熱血沸騰。冲鼻而出。熱卽隨之而解。此與出汗有同一之作用。故名紅汗。若熱由內生。非關寒邪外束者。則鼻血以後。當時熱稍解。未幾熱復升。非用釜底抽薪法。去其原委。熱不退。鼻血終不能自已也。

長篇專著　八三

家庭須知

楊尊賢編

▲有主持家政之方法
▲有夫妻愛情之條件
▲有男子選妻之標準
▲有女子擇夫之訣門
▲全書二册實售四角
▲寄費加一
▲郵票通用

▲上卷家庭問題▼

主婦治家的常識和技能
晚餐後的家庭娛樂
家庭職務的分配
免除家庭負責的痛苦
家庭雇傭之方法
治家的碎語
姑媳不和之原因
衣食住之方法
訓練兒童九種之方法
育嬰常識
教兒與育女

▲中卷夫妻問題▼

夫妻合作與生產
維持家庭夫婦和平
新家庭夫妻之要件
我的小家庭
夫妻間的約法三章
怎樣去待丈夫
怎樣去待妻子
怎樣做一個安分的丈夫
怎樣做一個賢淑的妻子
怎樣去待失業之丈夫
怎樣可免丈夫之勃谿

▲下卷婚姻問題▼

婚姻的研究
（一）定婚
（二）成婚
（三）離婚
適當與不適當的結婚
離婚的避免
男女婚嫁之注意點
怎樣去選妻子
怎樣去擇配偶
我的婚姻主張
現代女子婚姻目標
研究結婚之種種
結婚第一夜的見解
婚姻的分折
（尚有目錄不克備載）

上海 三馬路 雲南路 幸福書局發行

價目表

零售	每冊實售大洋二角	
時期	半年	全年
冊數	六冊	十二冊
連郵費 國內	一元	二元
連郵費 國外	二元	四元

幸福雜誌

第八期

廣告價目

等第	地位	全面	半面	四分之一
特別位	封面		四十元	
特等	底面之內外 封面之內	四十元		
優等	封面內面之對面	三十元	十六元	
普通	正文之前	二十元	十元	五元

彩色另議

中華民國二十三年五月一日出版

編輯者　朱振聲

撰述者　全國醫家

發行者　幸福書局　上海三馬路雲南路轉角

代售處
上海三馬路望平街口千頃堂書局
上海四馬路中市　世界出版社
上海四馬路中市　大衆書局
上海四馬路中市　現代書局
上海四馬路麥家圈　南星書店
上海五馬路棋盤街　百新書局
上海霞飛路華龍路西　生活書局

印刷者　洪興印刷所　上海山海關路瑞德里二二二號　電話三二三三八號

內政部登記證警字第二二三一號
中華郵政特准掛號認為新聞紙類

百病秘方專號

幸福雜誌

第十一十二期合刊

唐紹儀

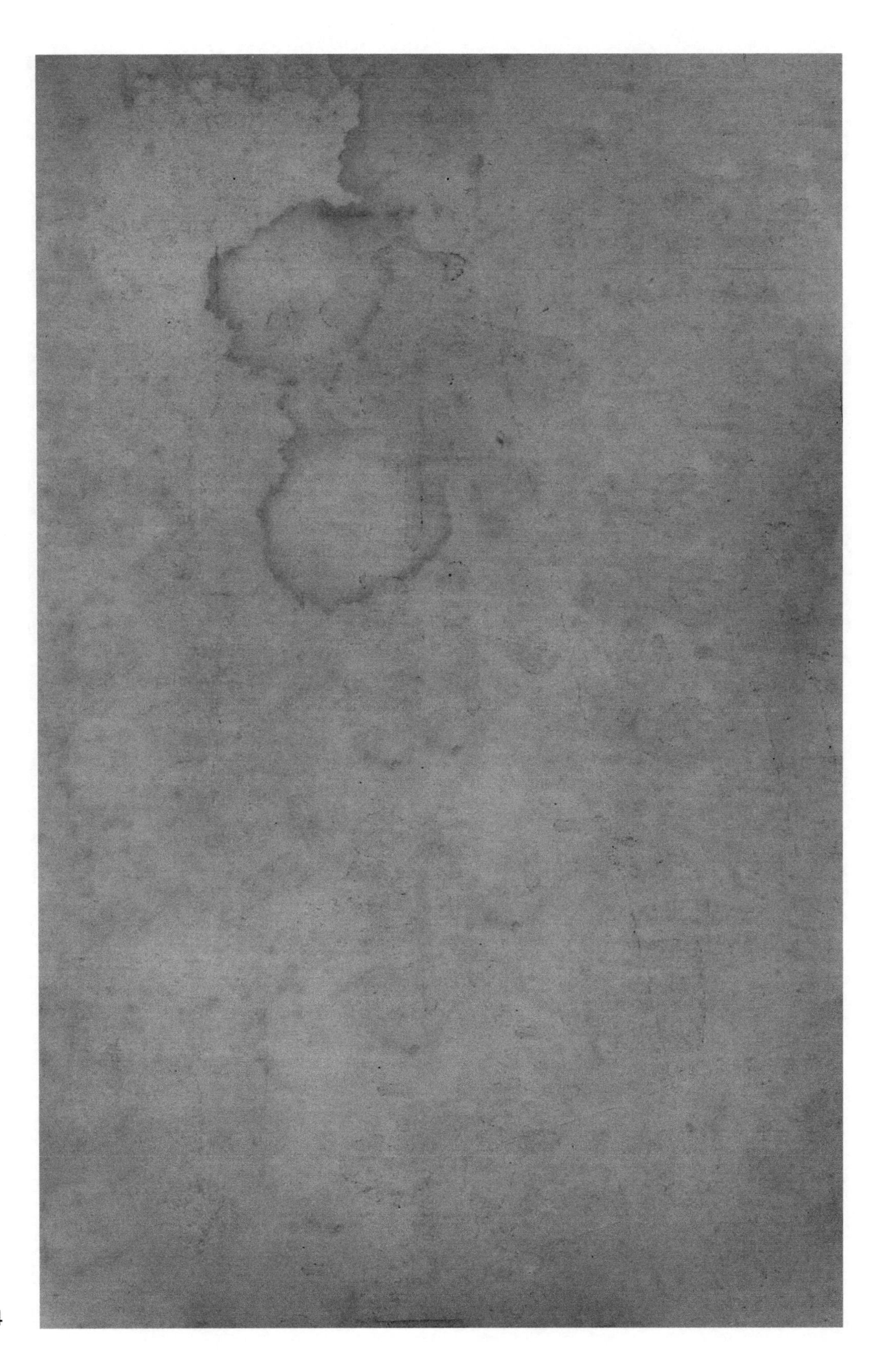

本刊啓事

本刊自出版以來。倏已一載。本擬自第二年起。繼續出版。茲因本刊主編朱振聲君。診務日繁。除編輯長壽報外。實無暇顧及。不得已暫行停刊。際此臨別之時。凡尚未定閱長壽報諸君。敬贈代價券一紙。憑券附全年寄費五十分。即可按期寄上第三年長壽報全年一份。計五十期。報費分文不取。以示優待。

上海幸福雜誌社啓

幸福雜誌定戶

憑券附郵票五十分即可贈送第三年長壽報全年一份計五十

長壽代價券

期報費分文不取本年陽歷八月底截止過期無效

中華民國二十三年發

百病祕方續集目錄

肺癰祕方……一
杜癆祕方……二
流注祕方……三
喉痺祕方……四
產後痢疾祕方……四
痰迷心竅祕方……五
腦充血祕方……六
乾咳痰血祕方……七
胃火嘔吐祕方……八
胃呆祕方……八

百病祕方續集 目錄

痛風祕方……九
足繭祕方……一〇
爛脚丫祕方……一一
面不生皺祕方……一一
脚氣祕方……一二
家傳爛脚祕方……一四
血蠱臌脹祕方……一五
胎毒祕方……一五
瘧塊祕方……一六
轉女爲男祕方……一七
癰疽祕方……一八
熱傷風祕方……一八
耳鳴祕方……一九

手指足趾發麻祕方……二〇
急救中風祕方……二〇
腰痛祕方……二一
下頦脫落祕方……二二
面生黑氣祕方……二三
多汗祕方……二四
腦漏祕方……二四
髮鬢早白祕方……二五
口吃及語遲祕方……二六
睪丸腫祕方……二七
痄腮祕方……二八
虛人便祕祕方……二九
最妥最效之戒烟祕方……三〇

大脚風秘方……三一
癲癇秘方……三二
痲瘋秘方……三四
止瀉秘方……三五
補傷止血秘方……三六
膿窠瘡秘方……三六
眞霍亂秘方……三七
疥瘡秘方……三九
面疱粉刺秘方……四一
小兒胎黃祕方……四二
精少秘方……四三
老白濁秘方……四三
梅毒爛鼻秘方……四五

小便不通秘方……四六
白濁初起祕方……四六
糖尿病秘方……四八
夏令熱癤秘方……四九
雀斑秘方……五〇
漆瘡秘方……五〇
小兒蟲積秘方……五一
解河豚毒秘方……五二
齒落重生秘方……五二
虛火牙痛祕方……五三
脫肛秘方……五五
腋漏祕方……五五
多年遺精秘方……五六

百日咳秘方……五八
婦女尿急秘方……五九
夾陰傷寒秘方……六〇
下疳包皮腫祕方……六一
由白濁而起之囊癰祕方……六二
由白濁而起之疝氣祕方……六三
陰囊溼癢祕方……六四
爛牙疳祕方……六五
老婦白帶祕方……六六
受傷發黃祕方……六八
眼澀祕方……六九
流火毒祕方……七〇
大腎囊祕方……七二

對口癰祕方……七三
孕婦發痫祕方……七四
吐糞症祕方……七四
急救鉛粉毒祕方……七五
腸癰祕方……七七
脚痛祕方……七八
胎萎不長祕方……七九
子宫下墮祕方……八一
帶下祕方……八二
瀝胞難產祕方……八三
房後子宫出血祕方……八五
繡球瘋祕方……八六
頭髮脫落祕方……八七

胃癌祕方……八八
乳房結塊祕方……八九
經期落後腹痛祕方……九一
瞎乳頭祕方……九一
胎動將墮秘方……九二
小兒風痰秘方……九三
楊貴妃美容秘方……九四
天閹秘方……九五
寒溼脚氣祕方……九七
危急心痛祕方……九八
風溼痠痛祕方……九八
生眉祕方……九九

百病秘方續集

中醫朱振聲編

□肺癰秘方

（抱琴）

患肺癰者。先因感受風寒。未經發越。停留肺中。初則毛聳惡風。咳嗽聲重。胸膈隱痛。項强不能轉側。是其眞候也。久則鼻流淸涕。咳吐膿痰。黃色腥穢。甚則胸脅脹滿。呼吸不利。胸中甲錯、飲食減少。脈洪自汗。法當用千金葦金湯。方用葦莖三錢。薏仁四錢。桃仁二錢。瓜蒂一錢。先煮葦莖。後入各藥。服後當吐膿血。膿血吐盡。卽愈。

（振聲按）余聽鴻先生診餘集云。常熟鼎山高榮春初咳嗽。至仲春痰中帶血。味兼腥穢。延他醫治之。進牛蒡。豆豉。枳殼。厚朴等。服後反甚。邀余診。脈細數無力。咳嗽痰血。味臭。曰肺癰將成。胸有隱痛。絡瘀尙未化膿。尙有壅塞。肺葉所壞無幾。急速開提。使膿外出。不致再潰他葉。擬桔梗甘草湯。金匱旋覆花湯。合千金葦莖湯。因其膿成無熱。用蘆頭管乾者一兩。煎湯代水。服三劑。每日吐血膿臭痰一茶盞。至四日膿盡。而吐鮮血。臭味亦減。未盡。將前劑去桃仁桔梗。加枇杷葉。萊豆皮等服五六劑。血盡。再進以金匱麥門冬湯。千金甘草湯等。加沙參。石斛。百合等。清肺養胃而愈。再以甘涼之品。調理一月。强健如故。於此可證本方之治肺癰之功。洵不虛也。

■杜癆祕方

（沈仲圭）

本方專治骨蒸勞熱。羸弱神疲。腰脊痠痛。四肢軟萎。咳逆嗽痰。一切陰虛火動之症。輕者二三料全愈。重者四五料全愈。若先天不足之人。不論男女。未病先服。漸可壯强。常服更妙。以其性味中和。久服亦無偏勝之弊。屢收奇效。勿以平淡而忽之。

枇杷葉五大片。（刷去毛。鮮者尤良。咳甚者加多。）紅蓮子四兩。（不去皮心。）梨二枚。（大而味甘者良。去心皮切片。）大棗八兩。（同煮熟後去皮。）煉白蜜一兩。（便燥者加多。溏泄者勿用。）製法。先將枇杷葉放砂鍋內。甜水煎極透。去渣。以絹濾取清汁。後將果棗同拌入鍋。鋪平。以枇杷葉汁淹之。蓋好。煮半炷香。翻面再半炷

香收瓷罐內每日隨意溫熱連汁食之冬月可多製夏須逐日製

(加減法)咳嗽多痰加眞川貝一兩研極細起鍋時加入滾一二沸卽收吐血者加藕節搗汁同煮

流注祕方

(聶其杰)

鄉人徐子慶者三十歲耕種爲業忽腰腿生無數流注如塊如核皮色不變或痛或不痛已兩載矣余赴鄉掃墓見其容形憔悴據稱所患之流注塊核愈大潰出膿漿因之痛苦難忍耳適船人在旁云伊親魏某數年前曾患斯症後得良方始獲痊愈余歸後卽囑船人至伊親處抄來原方托人帶與徐子慶照服其方用久陳奶奶草(又名乳草洗淨一二三莖)與針刺七孔鷄蛋一個和水煮之去渣與湯只吃蛋二三次卽愈再用露蜂房一個愈大愈好和水煮之至濃厚時去蜂巢取蛋和湯飲之半年後徐子慶來城納租過余廬見其身體强壯已無病容彼云自將此兩方連服四五次不及一月卽塊核漸消潰漿漸減收口止痛極爲神效今已平復如舊飲食倍

增矣。

喉痺祕方

（張可人）

漁友陸某。患喉痺症。病三日。不能納食。來予診治。見其喉之內外俱腫。嚥飲不利。而頸甚腫大。呼吸有聲。切其脈滑而帶數。捫其膚溫而微熱。詢其家人。云病者常呼渴餒。迄今不能言語。令開其口。視其喉。無白腐之痕。但見粘涎繞咽。知其爲胃經有熱。痰涎壅塞於絡道無疑。然湯藥既不能下。終屬難治。正猶豫間。竊思中風門有通關散。牙皂一味。係辛鹹之品。入於陽明胃經。辛能散。鹹能軟。宣壅導滯。莫善於此。遂用猪牙皂一兩煎湯。囑其家人由鼻孔灌入。翌晨其家人來舍。云昨夜半。嘔出痰涎盈餘。湯粥已可下咽。於是進湯藥兩劑而瘥。

產後痢疾祕方

（燮）

產後痢症。最爲難治。如用清痢蕩積法。卽能霍然。方爲全當歸三錢。大生地四錢。

生白芍二錢。花粉三錢。生軍二錢。炒山梔二錢。元參二錢。淡豆豉二錢。

（主治）產後下痢腹痛難堪。食入則嘔。舌心黃邊紅而燥。其脈浮滑而數。發熱汗出口渴之急證。

（方解）產後病症。最爲難治。首宜注重去其瘀血。次宜辨別有無表症。瘀血內積。以惡露不下。腹脹刺痛爲斷。外感表邪。以惡寒頭痛。脈緊身困爲斷。此症既非瘀血之停積。又非外邪之感冒。惟因血熱壅遏。腸胃糟粕停滯。故治宜清其熱。蕩其積。積滯除。則腹痛嘔吐之痢自止。血熱清。則發熱口渴之症自蠲。世俗固執產後宜溫之謬說。凡治產後諸症。無不以溫補從事。則津液消灼。肌膚枯燥。釀成熱邪傷陰之重症。本方力求避免香燥苦澀。爲治產後熱痢之良法也。若下痢已久。加白頭翁。秦皮。阿膠。乃升之固之之法。

■痰迷心竅秘方

（葉伯英）

氣鬱成火。凝結痰涎。阻鬱心宮。昏迷嗜臥。人事不省。癲癇疾痴狂。及痰迷心竅。變幻諸般等症。急宜用九製膽星。黃連。半夏。黃芩。橘紅。白礬。共末。姜竹瀝爲丸。辰砂爲衣。服之則心間如有物脫去。而病愈矣。每服三錢。金箔湯化下。

(振聲按)痰鬱心包。膻中之氣不化。而堵塞神明。故變生諸般怪奇之證。膽星化熱痰以清肝膽。半夏化濕痰以醒脾胃。黃連清熱燥濕。橘紅利膈除痰。黃芩清熱於上。白礬消痰於中。丸以姜汁竹瀝。善搜經絡之痰。衣以辰砂。乃爲鎭心安神之助。金箔湯下。俾金能平木。則肝火自平。而痰鬱自解。魂魄俱安。又何怪症之不痊乎。

■腦充血秘方

(張錫純)

數年來腦充血證甚多。其人未病之先。恆覺頭疼。或目睛脹疼。或有時忽然耳鳴。或項上筋脹疼。或常眩暈。上焦煩躁。或睡時覺神魂浮盪。或口眼漸似歪斜。或肢體覺有不利。所述諸症。不必皆具。但有一二見端。診其脈弦長而有力。或洪長有力。或弦長洪長而寸脈有力。更勝於尺脈者。必係伏有腦充血之朕兆。此等證脈。若再因事忿怒。或感受寒溫。熱傳陽明。其人多陡然眩仆昏厥。即幸能蘇醒。亦必痿廢。

此證中書名爲厥顚疾。卽西人所謂腦充血證。其腦中之血管。因充血之極。而破裂也。若於此證初見朕兆時。濃磨生鐵銹水，(愈濃愈好)連鐵銹之渣。煎十餘沸。當茶飲之。日飲數次。可以漸愈。建瓴湯治此證尤效。其方原磨取鐵銹濃水煎藥也。蓋此證原因肝過於升。肺不能降。以致血隨氣升。上衝腦部。鐵原金屬。其性能補益肺金。鎭制肝木。且能使血中鐵銹成分充足。增益其重墜之力。自能減少其上升之力矣。

(振聲按)腦充血卽肝陽上升。用羚羊角投之。收效最捷。如充血而致出血。亦可用之。

■乾咳痰血祕方

(何祖禮)

乾咳痰血。用雪梨。生地。鮮茅根。藕汁。麥冬。蘿蔔汁。飴糖。白蜜。冰糖。姜汁少許。共熬去渣。煑成原膏。名潤肺雪梨膏。每服輕用五錢。重用一兩。一日三次。開水沖服。較之純用雪梨冰糕煎成者。功用懸殊。

(振聲按)痰之患由於液不化。液之結由於氣不化。氣之爲病不一。故痰之爲病亦不一。必求其所因之氣而後治其所結之痰。如陰虛火動之痰。其症必咳嗽痰血喘急喉癢甚則骨蒸潮熱所以雪梨之甘寒潤肺生津生地之凉潤滋營益血蘿蔔清肺化痰茅根止血養陰麥冬清心潤肺藕汁和血行瘀飴糖和中益脾白蜜澤枯潤燥和以姜汁運行諸藥熬以冰糖極潤肺燥俾液內充虛火自斂。

（李健頤）

胃火嘔吐祕方

胃火之甚食後常見嘔吐者是因食物入胃胃受熱氣刺戟影響胃神經遂起嘈雜痛悶嘔吐等症宜用石膏半夏枳實竹茹各味清水煎濃冲薑汁二滴溫服卽可立效此方專治胃火嘔吐之症若胃寒者切勿誤用至爲叮寧。

（振聲按）嘔吐之屬熱屬寒當辨諸脈與舌若脈有力者屬熱無力者屬寒舌苔乾燥或不乾而現黃色者屬熱白膩者屬寒又於吐時有酸味冲鼻者其爲胃熱無疑。

胃呆祕方

（劉灼鑫）

凡腸胃消化機之衰弱。消化分泌過少。食慾不振。積食不消化者。可用雞內金（一名雞膍皮）二枚。曬極乾。打成粉。用溫水作一次冲服。極有效驗。

張姓兒脾胃虛弱。消化不健。故食物減少。稍加益則腹脹不舒。甚則作痛。屢用上法。以助其消化。久之。脾胃健。食慾旺。身體亦日强。

（振聲按）雞內金之功用。能助消化。其性與胃液素相同。故治消化不良諸症。最著功效。

▣痛風祕方

（李健頤）

痛風。古謂之痛痺。一名歷節風。症狀。短氣。自汗。頭汗。欲吐。手指彎曲。身體瘣瘰。其腫如脫。漸至擢落。如有所掣。不能屈伸。用生地黃。黃耆各五錢。海風籐錢半。黑櫓荳四錢。羌活一錢。北秦艽錢半。生杜仲二錢。另以猪脚蹄半斤。同前藥蒸食。連食四五次。其痛立止。

（振聲按）痛風之症。是由於血液枯涸。筋失涵養。絡脈受風濕之刺戟。影響於神經而作痛也。用生地黃耆櫓荳。生液養筋。風籐羌活秦艽。疏風去濕。加杜仲補筋骨之韌帶。猪脚潤骨骼之枯濇。使其流利而無阻滯之患。第方配製玄妙功效最著。

□足繭祕方

（胡啓藩）

摯友王君。投筆從戎。今告假旋里。述及當行軍時。越山過嶺。跋涉長途。時被石塊砂粒軋腫足底。疼痛不堪。行走艱難。同行者告我一治法。卽將舊草鞋浸尿桶內一夜。晨起。用磚一方。投火燒紅。隨卽取出。以浸濕之草鞋。置於磚上。脚卽踏在草鞋上。足得尿氣。腫痛自消。余如法行之。果驗。余聞王君言。知爲秘方。故特筆而錄之。以告同病者。

（振聲按）行路過多。足底生繭。疼痛不堪。不良於行。此於足底初起水泡時。宜挑破之。不則腫起之泡。受行動之時磨擦。影響於足底該處之肌肉。該處爲保護計。自然生出獨立之新組織。卽爲足繭。愈走則繭愈厚。而痛愈甚。扦去其繭。稍覺痛快。久後又起。受累無異。

爛脚丫祕方

（宋愛人）

（原因）此濕熱下注也。蓋脚趾之交叉處。其肌肉較他處爲溼潤。故濕熱流注至此。易於破皮而出。且以人身經絡攷之。則每交兩趾之間。皆經絡交會之處也。

（證狀）初起脚丫微癢。癢甚則搔之。以手搔之而癢仍不減。必至搔破而後始快。然癢則未除。而從此脂水淋漓。其蔓延之勢。日甚一日矣。

（治法）黃丹一兩。花蕊石一兩。各研細末。摻之立效。

（振聲按）爛脚丫雖小症。受累甚苦。江南地土卑溼。人多患之。摻藥清溼解毒。功效必彰。如用苦參三錢。生艸三錢。銀花五錢。蒼朮三錢。葱頭七枚。水煎溫洗。洗後以前藥摻之更佳。如內溼甚者。取焦薏米一兩。鹽水炙陳皮三錢。白滾水泡。代茶常服。

面不生皺祕方

（吳藝圃）

連朝雪片飃飃。寒冷特甚。圍爐取煖。復感清寂。移拾案頭舊集。見有面可使其不生皺紋一法。特呵凍書之。

婦人年老色衰。額面即滿生皺紋。殊令人起憔悴之感。可將大母彘蹄四隻。洗淨。熬汁成膏。每晚臨臥。塗面上。明早以漿水洗去。半月後。面皮即細嫩如童子。或取新鮮小牛肉約兩許。淨砧搗爛。搾生肉汁。塗面上。每日一次。數時後。再用上好肥皂洗淸之。如此亦嬌嫩異常。雖五六十歲之老婦。用之俱效。

（事實）如皋民婦崔氏年五十四矣。而面容皎艷。肌膚細嫩。望之如二十許人。人問其何術致此。謂時常塗彘蹄膏而然。他人效之不驗。疑此婦誑己也。恚之。因語之曰。熬此膏須得法。過稀不澤。過稠亦不澤。必稀稠適度。乃見效耳。

（振聲按）面生皺紋。與人之年齡及境遇有關。情懷舒暢。笑顏常開。尤爲無上妙法。此外常用乳汁搽面。亦可令面色光澤。

▣脚氣祕方

（成寶孫）

嘗聞患脚氣者。諸醫調治。多以其氣血虛弱。或風溼相乘。每無見效。愈久則愈危。倘用藥不愼。生死須臾。良可惜也。下方得自慈谿嚴俊卿老伯旅次良方錄。據云屢經試驗。無論乾溼脚氣•照方調治。大可轉危爲安。謹將原方錄下。

山菩提(鮮用)二兩(乾用)四兩。金釵斛一錢五分。陳皮一錢五分。鮮崩大碗七錢。(乾亦可)川木瓜一錢五分。牛膝一錢。按山菩提及鮮崩大碗•向廣東藥店購買

上藥六味。用水三碗半。煎至兩碗。去渣。再加荸荳八錢。薏仁一兩五錢。雄甲魚一隻。(雌者功力稍緩)連上六味。煎成藥水。俱放瓦罐內。隔水燉四點鐘之久。取而服之。勿用油鹽。甲魚肉祇可用鹹檸檬汁點食。(廣東南貨店購)並趁熱飲汁。切勿飲酒。殺甲魚之法。忌用鐵器。勿放出血。宜先用滾水。將甲魚全隻泡死•去清黑衣洗淨。再用尖利碎磁片。開其肚。甲去清腸臟。勿過冷水。然後放入瓦罐內與藥水同燉。切勿再加生水。爲要。如症重者。照服六七次。輕者二三次。可慶全愈矣。愈後再照下開之方。多服數劑。可保永不復發。但愈後忌食甲魚。及服參芪朮桂。不可不愼之。製首烏二錢。當歸一錢。獨活一錢。金釵斛錢半。陳皮一錢。茯神錢半。防已一錢。木瓜一錢。炒穀芽錢半。澤瀉一錢。海桐皮錢半。上藥十一味。加生薑兩片。淨水煎服。

（振聲按）初集曾載一脚氣方。用米糠。該方用之於輕症及初起者。得效甚速。若重症則非此方不可。

◻家傳爛脚祕方

（黃勞逸）

余友家有僕婦金氏者。紹產也。久傭於其家。性豪爽。好行善。每遇貧乏者。恆以己之衣服及工資濟之。且有口傳單方一。靈驗莫比。據伊云「係久代家傳祕方。向不示人。余因關懷貧病。如有患是疾來詢余者。余無不樂告之」在此十餘年中。親戚鄰里。患斯疾而治效者。不下數百輩。其適應症僅有二種。一曰裙邊瘡。俗名皮蛀。一曰脚瘍。俗名爛脚瘡。不論新久輕重。咸能治愈。甚且有患斯疾二十餘年之施太太化金。近萬元。中外名醫。新舊良藥。皆莫能效。曾出重資赴北京就醫。用雷錠治療一月。仍不效。家人咸爲終身之瘕病者。亦自知爲不治之患。孰料一旦施用此藥。一服而瘥。三服而瘳。尤可奇者。不論輕重新舊之患。三服內定可全愈。今乞得其方。錄之以告諸醫及患家之試用焉。法將七十子。冰片。樟腦。龍骨。輕粉。爐甘石。各等分研末。大磨麻油調和搽於患處。一日一換。三日換後卽愈。是方欲配製久藏。亦無不可。惟須與空氣隔離。否則卽失靈效。

□血蠱臌脹祕方

（佚名）

臌脹而週身老黑皮。皮肉有紫黑斑點者。是爲血蠱。用雄雞糞炒四兩。茜草紫背浮萍各二兩。老絲瓜筋半條。雄猪肚一個。將各藥裝入肚內。用麻線縫好。煑熟去藥。將肚切片。仍入原湯。加螞蝗（燒枯存性）一條。乾漆三錢。（煅令烟盡）炒蝱虫。眞血竭。眞花蕋石（研）各三錢。紅花。降香各五錢。大戟。甘遂。（麪包煨）芫花（醋炒）各二錢。文武火煑好。去藥。食肚與湯。分作二三次服。服後以大便下黑水數次爲度。

□胎毒祕方

（尤學周）

年來因舊道德破壞。以致慾海橫流。難於挽回。青年之沈溺於中者。正不知凡幾。滬上一隅。此風尤甚。妓院肉莊。林林總總。觸目皆是。而雉妓私娼。又隨處勾引遊人。春風一度。因足以蕩魂而銷魄。而花柳惡疾。亦由是傳染。故滬上青年患花柳病者。竟什占八九。所生小兒。即難免胎毒之患。

小兒發生胎毒。膿瀋漬漬。痛苦不舒。呱呱啼哭。日夜難安。爲父母者。每爲軫憂。訪求治法。雖多成方。實效甚少。余有一實驗方。用煆石膏。三仙丹。片腦。扑硝。白芷各等分研末。時時調塗。甚效。再用金銀花。甘草。白蘚皮。煎湯服之。尤佳。

瘧塊祕方

（沈熊璋）

瘧塊者。瘧疾愈後。脾臟腫大也。脾臟何以腫大。則以當瘧作發熱時。脾必充血也。充血一二度。脾尚有運血使出恢復原狀之力。久而久之。調節力衰減。脾內毛細管悉變瘀血。以手按之。形同癥結。其塊恆在左脅。正脾之所在地也。國醫對於此病病理。亦有謂瘀血者。惟不知血所以瘀之理。及誤爲肝病耳。（因瘧塊結在左脅。脅屬肝之故）言夫治法。自以被瘀通絡爲第一義。用芫花一兩。硃砂五錢。爲末。蜜丸梧子大。每服十丸。棗湯下。

（振聲按）芫花通利血脈。爲破癖要藥。硃砂功亦類似。而性重墜。二藥配合。能搜括毛脉瘀滯。由大便而下。惟愈從宜以糜粥自養。恐芫花峻利之性。有損胃氣耳

□轉女爲男之祕方

（景行）

古醫籍載有佩雄精可以生男之說。當此科學昌明時代。必以爲萬無此理。而孰知竟能屢試屢驗。且能以科學方法證之也。浙人某君抱伯道之憂。其妻非不生育。特所生皆女。繼納一妾。依然弄瓦。遍請中西名醫。皆無治法。蓋不孕者欲其懷孕。尚有種子良方。若能孕者。必欲其產生男孩。中外醫家。未聞有此靈藥也。某君有友籍隸桂省。有祖遺眞雄精一枚。大如鵝卵。據云相傳佩之可以得男。知某君求嗣情殷。借與試驗。並授以佩帶方法。（欲男欲女。佩法不同）某君欣然受之。妾依法佩帶。未逾一稔。連得雙雄。尙以爲偶然巧合。又與親友中未有子者試之。先後計十五人。得弄璋者占竟十二人之多。其餘三人。一因病小產。二人或係佩帶不如法。雖未全效。亦云奇靈矣。

（振聲按）。據云雄精得人體溫後。有一種特別放射線。能使微生動物。各依其雌雄性。集於一端。如電磁吸鐵。同心相距。異性相吸。宛然無異。轉女爲男。其理卽由此乎。

癰疽祕方

（陳聖俞）

凡癰疽發背。及一切無名大毒。以及瘡癤等症。可用迅風掃籜散。屢試不爽。穿山甲七片。蜈蚣七條。（去頭足）蟬退五錢。（洗）殭蠶二錢。（炒去絲）乳香二錢半。（去油）全蠍七個（頭足腰全酒浸去腹內腸）斑毛七個（去翅足糯米炒）明雄黃五錢。麝香一錢。冰片八分。五倍子一兩半。共爲細末。曝乾。勿令見火。摻于毒上。再以尋常膏藥蓋之。其效如神。

熱傷風祕方

（濟華）

傷風而有寒熱之分。可異也。冬令嚴寒之時。人身體溫。不能抵抗外寒。因而感冒寒邪。以致傷風。鼻塞頭痛咳嗽。則時常有之。若夏令暑天而患傷風。似無此理。然事實上則數見不鮮。其最初之現象。頭眩。咯痰不爽。繼見鼻塞。鼻乾。醫者之治此症也。皆不能速愈。故除熱傷風之外。又名之眞傷風。亦是表明熱傷風較眞傷風難治。非有眞假之分也。蓋冬令傷風。由於外寒之侵襲。服一二劑疎散藥。卽可告愈。熱傷風則不因於外而因於內。天氣悶熱之時。人身之體溫。受外熱之蒸遏。不盡量放散。以致體內之造溫機能亢盛。體溫旣不能盡量排泄於外。勢必上衝。薰蒸津液。成爲痰涕。上阻於鼻腔。頭痛。鼻塞。鼻流黃膿涕。相繼而至矣。其治法。一切祛風藥。皆不能取效。必以清解裏熱之法。清解裏熱之特效藥。以蘆根爲最佳。蘆根之爲物。其味甘。其性涼。其中空。不但能去肺胃中之熱。抑且能透熱於肌表。誠涼而不滯之妙品也。

◻耳鳴祕方

（佚名）

耳內時聞螞蟻戰鬥之聲。時開時閉。熟地黃。白芍藥。山茱肉。各三兩。麥冬一兩。柴胡。梔子。白芥子。各三錢。水煎服。服至數日。其聲漸息。一月可愈。

（振聲按）此腎水虧竭。兼怒氣傷肝所致。方中熟地平肝補腎。白芍瀉肝斂陰。山茱補腎添精。麥冬養陰。柴胡升陽。梔子解鬱。火白芥子消風痰。服之故佳。

□手指足趾發麻祕方

（尤學周）

手指與足趾發麻。輕力着物。一無知覺。甚則爲痺。全無感覺。此乃血虛氣弱。血液不能營養四肢。以致末稍神經失其功力。輕者以兩手磨擦。使血液暢行。其痺而不虛者。用黑穞豆一兩。海風籐錢半。清水煎服。至一月後。卽可收功。

□急救中風祕方

（沈仲圭）

中風猝倒。昏糊不醒。用大皂莢（肥實不蛀者）四挺。去黑皮。白礬（光明者）一兩。爲末。每用半錢。重者三錢。溫水調灌。吐出稀涎一二升。當甦。

（振聲按）中風一症。西人謂之腦出血。腦中血管破裂。壓迫知覺神經。則卒然昏倒。神事不省。壓迫運動神經。則四支不遂。言語蹇塞。種種見症。無非神經爲病。神經之所以病由於血管裂。血管之所以裂。由於血充腦。血之所以充腦。由於氣火上升。血液隨之。是以本病治法。以潛陽滋陰爲第一義。陽潛則血可復返。陰滋則陽不致上潛。然當牙關緊閉。兩手固握。一髮千鈞之際。亟進良方。猶嫌不及。此則有賴於開關通竅。搜風吐涎之皂角矣。且本方以辛溫而鹹之皂角。伍以酸寒而鹹之明礬。有濟急之功。無增熱之弊。古人配合之妙。洵足令人拜倒。

■腰痛祕方

（沈仲圭）

腰痛一症。原因複雜。製方服藥。鮮有效果。惟此藥外治。確有藥到病除之功。非虛語也。法取黃牛腿骨一付。棄骨取髓。熬煉成膏。置瓷器中。用時。取膏少許。置火上化烊。以潔淨棉花蘸敷患處。日凡數次。

（振聲按）時珍云。牛骨髓能理折傷。擦損痛甚妙。宏晨云。能續絕傷。據實驗所得。本品不僅治跌仆致傷之損痛。並可治諸般腰疼也。

□下頦脫落祕方

（宋愛人）

生理學之骨骼解剖曰有所謂頭骨之組織者。（人生骨骼大別分爲四部。一曰頭骨。二曰軀幹骨。三曰上肢骨。四曰下肢骨。）頭骨凡三十一枚。然其組織之形態。除下顎骨外。概以鋸齒縫彼此銜接。不能運動。但恃以保護柔輭之腦體與纖細之神經。惟口腔之上下。則有上顎骨一。下顎骨二。上顎骨在面部中央。形如覆箕。關節不能移運。下顎骨作鐵蹄狀。左右有鈎。其骱上連於顳顬骨間。有轉動之神經纖維以聯絡之。故能開闔自然。作飲食談話之種種運動與工作也。致下頦脫落。其間亦有數種原因。有跌仆而然者。有失欠而然者。（卽打呼欠也）有號泣過甚而然者。有年老骨髓乾枯。機關不利而然者。脫落以後。口中常流涎水。食則必使人嚼爛而後喂之。其初落之時。且有痛不可耐者。初脫不治。久則骨骱生脂膜。多爲終身之累。吾邑有某姓少年。曾以擊球誤中下頦。當時治不得法。遂成殘廢。吁以少年有爲之才。初因一擊之不愼。繼以施治之不法。致抱恨終身。可不悲哉。

凡初時下頦脫落。口不能合。以酒飲之。使之大醉。（此法大妙。初脫落時。必作大痛。醉則神經麻痺。而痛亦不覺。）睡中吹皂角末。搐其鼻。令嚏。則自正。此法出陳無擇三因方。亦巧治法也。如年老者。間亦可行此法。惟安正後。常多服肉羹。人乳。及牛羊骨髓。或大補氣血之藥。以補養精髓。庶免後患也。

□面生黑氣祕方

（宋愛人）

面生黑氣。原因複雜。人有悲思恐驚。而黑色現於面部者。蓋悲傷肺。思傷心。驚恐傷腎。精氣內奪。而華光不澤也。又有斲傷太過。腎虛水虧。有所謂女勞疸者。此亦面見黑氣也。然此皆宜就醫而圖治之。且治之亦頗爲棘手也。（按以上兩證之面黑。確爲難治。惟非本篇範圍之內。故略說其大要。）本篇所謂面生黑氣者。由於煙霧昏蒙。感冒而起。其籠奪之黑氣。一時不易渙散。恢復其舊有之面目也。其狀面多油垢。與面生黑氣。二者皆失雅觀。吾人日間於交際之場。亦當潔白無疵。其有油光者。則人雖未必凶戾。而望之似覺可憎。有黑氣者。則更覺可畏矣。故亦可謂人體上不如意事而將以解除之也。致爲烟霧籠奪。面生黑氣者。其證狀不過面上薄薄罩上一層。唇紅如常。齒白如常。其聲音言貌亦如常。致眼眶黑陷。天庭黑陷。神識失常者。此惡候也。當另求方劑以治之。非本篇所欲言。治法取生半夏。不拘多少。焙研爲末。米醋調敷。不可見風。自早至晚。不計次數。三日後。用皂角煎湯洗下。卽白。此亦屢試而屢效者。與若另有蒼黑之人。其皮膚中藏有黑色素太多。卽無治法。世之服美容術者。未必如願以償也。然此法對證用之。亦輕而易舉。世之患同病者。請一試之也可。

■多汗祕方

（尤學周）

汗者。乃皮膚蒸發之水氣。所以調節身體溫度。此調節機能。操之於神經。如血管神經變常。則手足腋窩及臂部。分泌多量之黏液。宜勤以溫水洗滌。用荆芥防風等分煎湯薰洗。洗後。以海螵蛸末摻之。

■腦漏祕方

（俞鳳初）

腦漏一症。因乎胆熱上移於腦。風寒外束。熱鬱不宣。遂致鼻流濁涕。腥臭穢黃。宜服下方。藿香八兩。研細末。雄猪胆汁和丸。每服五錢。飯後用蒼耳子一錢。煎湯送下。倘年久不愈。鼻流腥穢血水。頭眩虛暈而痛者。必係蟲蝕腦也。名曰控腦砂。宜天羅散治之。方用絲瓜絡近根處者。不計多少。燒存性。研爲末。每服三錢。飯後開水送下。但此症久則必虛。清不升而濁不降。當加補中益氣丸三錢。與天羅散同時服之。

（振聲按）初集載有吳君健華之腦漏方。乃混統言之。本篇有初起及久病二項治法。較爲詳明確實。故復採錄於此。以補前之闕略。

□髮鬢早白祕方

（朱愛人）

人身毫髮。皆屬血氣之華。而前人立論。略有分辯。如足太陽膀胱經氣血充盛。則多髯而光澤可愛。足少陰腎經血充盛。則多髮而亦光澤可愛。然以兩說觀之。則仍不外乎血氣之盛衰。而髯髮之榮枯系也。氣血不充者。其髮多早白。然細考血氣所以不充而致於鬢髮早白之故。則有先天血氣不足者。有後天榮養闕乏者。有深謀遠慮。窮愁極想以絞盡腦汁者。有酒色是耽。留戀忘返。而斲傷精氣者。世有蒼蒼白髮。未老先衰者。職是故也。

髮鬢早白。不論何種年齡。大約在智識初開。其最早者。十六七歲。已有此種白髮發現。女子似較男子爲尠。初則僅見一二莖。或數十莖。轉瞬而髮之白者。居一之三四矣。或黑白相半矣。或竟有白多而黑少矣。一樹梨花。誠覺催人易老也。

治法。聖濟人參丸。最有特效。人參三兩。熟地黃焙乾五兩。天門冬去心五兩。白茯苓去黑皮五兩。胡麻仁泡去皮五兩。研末。蜜丸。如桐子大。每日早晚各服錢半。日久自驗。如白髮有而不多者。可拔去之。法取梧桐子搗汁。塗拔去之髮孔中。即生黑髮。如多不勝拔者。可取覆盆子榨汁。一一塗之。服人參丸。自無不愈。

◻口吃及語遲祕方

（淺田宗伯）

故高松城主之長女阿總。年六歲。言語蹇澀。心志不爽。比他兒似愚魯。保姆大憂之。謀治於余。診之身體健。飲食起居如故。但胸膈亢動。心氣不足。似鬱塞者。即投以薛氏加味歸婢湯。兼用黃牛清心丸。服之周年。心氣大開。言語漸明瞭。過八歲。絃誦大進。成爲全人。一日。余以此事語龐橋醫師堤愛敬。愛敬曰。余多年治小兒口吃。用此方屢屢奏效。後又以語岡桐蔭。桐蔭曰。余家治小兒語遲。自祖先以來。專用此方。亦暗合。可爲奇矣。

（振聲按）方之有效與否。余未用過。故未敢必。惟篇中經多人證明。不可爲非偶然矣。加味歸脾湯爲人參。黃芪。白朮。茯苓。酸棗仁各二錢。遠志一錢。木香。當歸。甘草各五分。龍眼肉一個。柴胡。山梔。丹皮各二錢。加姜棗煎服。

□睪丸腫痛祕方

（尤學周）

睪丸又名腎核。在陰囊中。左右共兩個。長可寸許。爲生殖器部之最要之物。其功用專主生精。男子於發育以後。睪丸卽因種種之作用。發動製造化血液爲精液。以備生育之用。其疼痛之感覺甚銳敏。試以手緊握之。痛徹心肺。若發腫作痛。其困苦必甚。

睪丸腫痛。原因甚多。如外傷。淋濁。梅毒。最易發生。本症痛之劇者。往往有熱度發見。失於治療。亦能變爲危險症候。余遇此症。常用外治法。蘇葉五錢。明雄二錢。明礬二錢。樟腦一錢。共研末。以醋調敷。頗有奇效。

(振聲按)此方疏散解毒。勝於各種之內服方。患者如兼能食淡泊之物。勿飲刺激之品。安心靜養。奏效尤易。

□痄腮祕方

(尤學周)

痄腮。生於耳下兩腮。焮腫刺痛。或發熱惡寒。或牽引頭痛。小兒尤易患之。有一許姓兒。初發寒熱。醫用辛溫疏散不效。繼而兩腮發腫。謂爲腮癰。須延外科調治。病兒之父不信。就余診視。余斷其非癰。實爲痄腮。告以勿慮。遂處一方。用葛根錢半。大力子二錢。板藍根三錢。銀花三錢。連翹三錢。又命另用生南星。醋磨調塗之。此法余屢用之。屢屢奏效。

(振聲按)痄腮多由風熱壅盛而致。初起宜辛凉疏散。不宜辛溫之劑。外塗方用生軍製天虫亦可。

虛人便祕祕方

（阿仁）

友人之弟植生君患便祕已久。服西藥瀉油取效一時。不服又祕結如故。精神上殊覺不快。後其舅氏告以用肉蓯蓉二錢。痲仁三錢。沉香六分。煎服。愈後問所以然於余。余曰蓯蓉功能補精壯陽。但驟用又可滑大便。痲仁能增加腸內膜液。俾糟粕易於排除。仲景氏痲仁丸用之。卽此意。至沉香一物。西歷前三百餘年。希臘羅馬人。亦已知之。西人以爲最古名藥。其功能使腸之蠕動强盛。易於傳導。則中西無異。是以此方之驗。非偶然矣。

（振聲按）虛人便祕。因腸液枯燥之故。若用普通瀉藥。必致愈便愈秘。肉蓯蓉有增潤腸液之效。宜用新鮮者。阿仁君謂補精壯陽。則與便祕無涉矣。老年便祕。此方亦必靈效。

□最妥最效之戒烟祕方

（燮卿）

（傳方來歷）友人某隨軍多年。足跡遍歷南北。曾目覩村老傳一戒烟祕方。癮小者。一星期卽可戒絕。癮重者。最多不過二星期。包可完全斷根。靈驗異常。救人無數。余好奇心切。自本無癮。乃仿其法而製之。普送貧苦親友。獲効甚宏。不願自祕。以供世之癮君子焉。

（製劑）用稻稭。卽稻稈。取淨者。不拘多少。濃煎汁熬膏。加入杜仲牛夕五加皮黨參黃芪歸身白朮等。共熬成膏。每在癮將發時。先服此藥膏。例如每次吸烟有一錢者。則服此膏一兩。以後每天逐漸減少。期以一旬之後。烟癮脫離。藥膏雖不吸無礙。自能戒絕矣。又方中藥品用量。必須詳細斟酌。故未曾註明。用方者。如欲實地試用。須請醫士診察。隨症加減爲妥。

（功效說明）烟癮既成之後。氣血運行。必生障礙。戒之者。以輔助生理上氣血運行之能力。稻稭得穀氣最全。故用量獨多。餘爲强筋骨益氣血之品。補其虛弱。恢復自然自無癮累矣。

（振聲按）無論何種烟類皆含毒質能傷腦耗血而鴉片烟之害尤甚吸之成癮不易戒除本方既經著者聲明爲最妥最效癮君子不妨一試。據云用紅棗去核嵌使君子肉於棗內燉熟日服十枚亦能除癮紅棗肉補脾氣使君子能消烟積殺烟虫消補並進頗有至理。

□大脚風祕方

（佚名）

吳法才患大脚風余母周太孺人傳有單方用海桐皮防己片姜黃原蠶砂各三錢蒼朮二錢煎湯薰洗日三四次獲愈此方治愈者已多愈後因行路過多兩脚腐爛諸藥不愈周太孺人令以古墓石灰細末摻之卽愈後以治爛腿無不愈

（振聲按）語云女怕戴項男怕著靴此雖指腫脹而言夷考其實男子在外奔波不得休息勞働家尤甚一患足疾往往不易全愈大脚風多發生於勞動者以不能休養調理故鮮有治愈者本方雖靈驗而服藥外不可不從事於修養

癲癇祕方

（邵小郵）

治癲癇證之方藥。諸說棼如。非蹈於虛無玄渺。即失之艱重難行。而效驗者蓋寡。龍虎丸治本症最爲靈驗。方用犀牛黃三分。巴豆霜三分。水飛辰砂一分。信石三分。酌加米粉爲丸。

傳送此方者云。余將信石減輕用貳分。一小料分作二十丸。辰砂爲衣。用過五十餘年。無不見效。勞力者即愈。勞心者較遲。極重者前後用至五十餘丸。專治陰顛陽狂。不醒人事。登高棄衣笑歌不寐等狀。或神呆靜坐。言語不發。皆痰入胞絡之患。患此者輕則用一丸。重則二三丸。以半溫開水送服。若不肯吃者。納藥于粉糕中。使其不覺而食之。食後約半時許。非吐即瀉。逾時再服一丸。以俟之。如年遠症深者。須服數丸方見效。愈後忌食猪肉一二年。孕婦忌服。體虛者不忌。

余大兒病肝胃氣痛。累年屢治無功。日久增劇。飲食日少。夜不成寐。去秋轉爲癲癇。以白金丸涎控丹投之。少愈。至冬初復大發。百計醫之。卒無效。聶仲方廉訪郵寄此方。並惠藥十丸。來書言此方活人無算。服之者不吐卽瀉。亦間有不吐瀉而愈者。余持以示醫者谷君幼香。幼香曰。癲癇之疾。皆由於痰入胞絡。白石專能燥痰。以之爲君。巴豆辛熱破痰。導之下行。使白石之性過而不留。以之爲臣。反佐以牛黃之甘寒。通竅辟邪。清心解毒。制白石巴豆之猛烈。合硃砂爲之鎮攝。眞治癲癇之聖藥也。余遂令大兒服之。乃前後服至八丸。病如故。自稱耳中時聞人語。心悸胆怯。精神恍惚。日僅啜粥一盂。親友皆謂神氣已虧。不再宜服。余思病人服藥。有藥對而不卽見效者。未有藥不對而不卽見弊者。今服八丸之多。無弊而亦無效。是病重藥輕。藥不勝病之故。非不對也。古人制方。不但君臣佐使。配合得宜。卽份量重輕。亦衡權至當。仲方減輕白一分爲二十丸。已失製方本意。故治輕症則可。治重症則難。乃照方仍用白石三分。合藥百二十粒。投以十四粒。少頃吐瀉交作。次日神氣頓清。健飯酣睡。從此四五日一服。服至百餘粒。其病若失。幷氣痛亦不復發。余因立願刊布。幷購覓西牛黃。照原方分兩配合。每料百二十粒。每六粒裹以蜡丸。施送以廣其傳。病輕者每服一丸。病重者二丸。年遠者三丸。

麻瘋秘方

（丁葛先）

患痲瘋之痛苦。與療治痲瘋之困難。幾盡人皆知之。今有驚人之消息。焉卽痲瘋病可治而愈是也。緣民國二十一年春間前鹽城縣知事龐性存君赴淮安接辦春賑。見該縣政府派令供使之警吏張永茂容色異常。詢知曾患痲瘋。已至不可救藥程度。遇一老人。授以治方。照服不半月卽愈。年來且養育兒女。重享家庭之幸福矣。其法用所在多有之蒼耳草。於小暑節之日起。刈取此草。棄根與鬚。切碎煑爛。取汁熬膏。絕不加他味。每飯後約取二小匙沖服。半月卽愈。重者一兩月亦愈。愈後一如常人。不致復發云。

（振聲按）痲瘋俗名紫雲瘋。古名癘。亦作厲。後又名癩。又渾稱爲惡疾。本症甚爲難治。大楓子雖爲對症藥。亦不能收實效。蒼耳草膏已有多人試服。確有意想不到之效力。煎膏之法。在小暑時收蒼耳子草三十餘擔。用刀斷開約二寸長。曬乾後用大鍋煑汁約六小時。將汁濾盡。用大鍋再煉汁。勤添慢熬。歷期半月。將膏熬成。（除煑汁六小時外。約計再熬六小時上下。便可成膏。）計用煤二千斤。鍋甑約用水一萬五千斤。不加糖質。成膏二百餘斤。分貯三罈。外加柳筐。惟此草須在小暑後。立秋前。採取。交秋無效。細爲研究。秋前有蟲在蒼耳子內。立秋後便攢出。故無用。（蒼耳草有子。滿身皆刺。名蒼耳子。中醫常取以爲藥。熬膏時不必棄去）該草除根與根上之鬚不用外。餘俱有用也。（膏因不加糖。故液體頗稀）至於痲瘋膏之服法。如患上部者。三餐後每服兩小匙。如患下部者。三餐前每服兩小匙。大致服六個月。卽除根。

◘止瀉秘方

（丁子良）

宋汪經以術顯。與邑士徐聖俞善。慶元乙卯重九日。相遇於村店。臨別曰。後二年當復會於縣市。惟恐不能款洽耳。徐怪而詰之。汪云。太夫人星數到彼時必有臟腑之疾。當逢異人而安。及丁巳歲。就館縣市士人家。汪果來訪。閱兩日。得僕報母患水瀉。已一月餘矣。正憂惱間。崇聖長老慧月聞之。急抄一方來。其方用罌粟殼七顆。烏梅七個。陳橘皮七片。皆如常法。再用甘草七寸。炙其半。生姜七片。煨其半。黑豆四十九粒。炒其半。加井水一大碗。入小罐內。文武火熟煑而飲。徐卽買藥奔歸。家已及三鼓。亟治藥一服痛止。再服脫然。

補傷止血祕方

（余仲華）

張子畏太守官農部時。赴圓明園畫稿。車覆。輿夫爲輪所壓。傷兩腎子俱出。以爲無救也。事爲姚伯昂總憲所聞。以語中鏡汀前輩。中亟錄一方以示之。且言昔親見兩舟子。持篙相鬭。篙刺額角而穿。以此藥敷之而愈。其藥止痛止血。不必避風。因急照方配藥。令爲輿夫敷之。半月而愈。復以治刀箭馬踢跌傷。無不驗。其方用生白附子十二兩。白芷天麻生南星防風羌活各一兩。各研極細末。就破處敷上。傷重者用黃酒浸服數錢。靑腫者水調敷上。價不昂而藥易得。一切破爛。皆可敷之立愈。

膿窠瘡祕方

（冷廬）

餘姚吳蓉峯學博麟書患膿窠瘡。醫久不痊。後有相識遺一方。云得自名醫。爲療瘡第一良藥。如法治之果愈。余於庚戌年患此甚劇。亦以此方得痊。茲錄於左

廚房倒挂灰塵三錢。鍛伏地氣。松香一錢。茴香一錢。花椒一錢。硫黃鍛一錢。癩蝦蟆一錢。枯礬一錢。蒼朮一錢。白芷一錢。硃砂一錢。

右藥共研細末。用雞子一箇。中挖一小孔。灌藥其中。紙封其口。置幽火中燉熟。輕去其殼。存衣。再用生猪油和藥搗爛。葛布包之。時擦癢處

□眞霍亂祕方

（尤學周）

霍亂之症。患者雖覺其驟然而來。變生頃刻。然其病之醞釀。每非一朝一夕之故。有於病前二三日。已覺胃納不佳。飲食無味。或精神怠倦。四肢無力。或因感涼及傷食。減却其抵抗力。事前不加防範。不知休養。而遺病毒以侵襲之機。否則體魄堅强。抵抗力豐富。縱有傳染。其病卽可消滅。或重病可以轉輕。已故俞鳳賓醫師述其師立物司博士嘗飮培養之霍亂菌一小杯。以試驗抵抗力與霍亂之關係。結果僅患三

次水瀉。並無其他不適之感。此皆調養有素。有豐富之抵抗力。故不受病毒之影響。常見霍亂患者。多爲精力强壯之勞動家。在理病菌原無侵襲之可能。惟彼輩有恃無恐。不求保養之道。竟屈伏於不足道之微生菌。阿戇全林之染霍亂。即其一例。全林方姓。世業農。人以其舉動粗忽。性情率直。故以阿戇名之。阿戇既不貪財。又不好色。惟愛吃愛喝。其飯量之大。直堪驚人。與人賭吃。一餐盡饅首二十枚。大麵三碗。飯五大碗。彼恃其强盛之消化力。與壯健之體魄。絕少病魔之侵擾。居恆以此驕人。一日。時當盛夏。勞役於炎日之下。既煩悶而又疲憊。晚又與儕輩賭食。夜半腹脹而痛。繼以吐瀉。時適霍亂流行。鄉間無良醫。不及救治。死亡相繼。阿戇於傷食之後。腸胃抵抗力薄弱。霍亂菌乘機發動。吐瀉不止。初則腹痛便溏。繼則腹不痛。便下如米泔水。癟螺弔脚諸證並作。刮痧無效。挑痧無效。仙方亦無效。城中雖有中西醫。雇舟載往城中。往返需時。半途恐生危險。城中雖有汽油船可雇。又無力担任此船費與出診之醫費。時在夜半。尤難設法。其計既窮。瞑目待斃。適其鄰居來一親戚。亦見義勇爲者。謂此症以洗「馬桶」時。刷下之泡沫水。與病人服之。可以救治。阿戇急於求活不顧汚穢倩人以馬桶刷之飲有泡沫之水味甚甘盡二碗其病果愈。

學周氏曰霍亂一症有乾濕寒熱之別其中除寒霍亂爲西醫所稱虎列拉之眞性霍亂外餘皆爲腸胃病其蔓延力不大故不能流行古籍所載及民間流傳之霍亂單方以治腸胃病則可以治眞霍亂恐不能對病難於收效阿戇所染確爲眞性霍亂以刷馬桶水治之而愈此方既不載於書籍民間亦少流傳余以其法之不經而又穢惡不堪初不之信乃實地調查確有此事並悉每年於霍亂流行之時以此水飲之無不收效云。

(振聲按)患霍亂者如嫌此爲穢物可用濃鹽湯飲之若大吐瀉而有虛脫之徵象者可重用附子理中湯。

□疥瘡祕方

(陳益浦)

南方地土卑溼患疥瘡者極多不重衞生者尤易患此患之者若不急爲治愈每有纏綿數月或數年終至疥蟲侵蝕血脈以致皮膚枯槁此卽吾中醫所謂久疥變爲

風者是也。

疥瘡初起者。原可用防風通聖散。或荊防敗毒散等劑。透發皮膚之風濕。且可殺滅隱伏之疥癬蟲。而於經久不愈。血分缺乏要素之人。此等方則非所宜。

予常診治經久之疥瘡者。不問其癢痛交作。膿水浸淫。卽命服補中益氣湯數劑。（或作丸服。此說余於數年前聞之於余師黃翁筱堂。卽現任上海滬寧水工業醫院醫務主任）不數日而癢痛減。浸淫之膿水亦乾。不半月而全愈。夫疥瘡一名肥前瘡。一名濕瘡。又名癩疾。其原因於疥癬蟲之傳染。此疥癬蟲歷時經久。勢必繁殖。斷非一味殺蟲所能奏效。而血分要素弱者。不能勝激烈之藥。用之反增其劇。徒傷其氣血耳。

補中益氣湯乃內傷勞倦之良方。以內傷勞倦方。治此頑固性之疥瘡。其效驗實有出人意料之外者。觀方中之藥。有護皮毛而固腠理之黃耆。有培中宮補元氣之人參。健脾之白朮。行血之當歸。通之以陳皮。和之以甘草。升柴以升清氣。補中參以發表。則補不滯。益氣參以清氣。則氣益培。故凡脾胃不足。喜甘惡苦。喜補惡攻。喜溫惡寒。喜通惡滯。喜升惡降。喜燥惡濕者。不論內外各症。均得以此方概治。今患疥瘡歷久不愈者。必因過服敗毒藥。以致脾胃受傷。中氣不足。而在膚之疥菌。仍得繁殖。如故。此不得不借重於氣血之抵抗力矣。故遵內經勞者溫之損者益之之義。摒苦寒而用甘溫。以甘溫而補中氣。中氣旺所以能殺繁殖之疥菌。是間接殺菌法也。且補中益氣湯效用至廣。不僅疥瘡一症爲然。余之所以發表一得之見者。以證中藥治菌之功效耳。

◻面疱粉刺祕方

（佚名）

面疱。亦名粉刺。約於十五六歲時開始發現。初起係紅色小瘰。隔三四日。紅腫微高起。尖端現淡白色。擠之出白液。或濃厚如白粉。數日後卽平伏。此瘰滿佈面部。尤以二十歲左右爲盛。致此瘰之起。由於少年血氣充旺。血分熱甚而濁。更以大便祕結。脂肪油膩排洩無路。濕熱停留。遂致皮膚現此面疱。此肪並非全屬皮膚病症。蓋亦皮膚上一種排洩作用。故各種治方。並無特效。大抵至二十六七歲時。面疱漸漸減少移至頭頂頭髮之間。粉刺累累。繼而移至後頸。繼而移至背部。通常至二十七八歲時面部面疱漸滅。盡移於背部而止。此乃生理上自然之程序。故醫學上殊無絕對有效之治法。苟能少食油膩脂肪之品。時使大便通暢。則面疱之勢略爲減退。尚有一治標之法。以冰片末五分。滑石末三錢。綠豆粉末四錢。和入無敵牌牙粉一包。晚臨臥取少許。調水滿塗於面部一厚層。待明晨洗去。施用半月後。可使面疤銳減。

▣小兒胎黃祕方

（尤學周）

據西醫最近學說。謂小兒生後膽汁之分泌忽旺盛。而輸送膽汁之膽毛細管。尚爲胎生期之黏稠膽汁所充塞。故膽汁遂入毛細管而發黃疸。亦有因胎熱而起者。如皮膚稍呈黃色。乃生理現象。至其症狀。各有不同。

由膽汁入毛細管而起者。除全身皮膚發黃外。無其他顯明症狀。因於胎熱者。則見發熱。大便不爽。小便如梔汁。乳食不思。啼哭等症狀。治法用青瓜蔞焙研。每服一錢。水半盞煎至七分。臥時服。如不服藥。經四星期後。亦能自消。

□精少祕方

（景歧）

男子本原虛乏。則射精稀少。不能直達子宮。而交合遂不能酣暢。自醫之法。宜用固本丸治之。方以去心麥冬。酒製菟絲子。酒蒸搗熟地黃。酒浸天門冬。茯神。五倍子。酒浸搗乾地黃各四兩。微炒淮山藥三兩。去皮心蓮子。黨參、枸杞各二兩。共研爲末。蜜和爲丸。如梧子大。用淡鹽湯送服。每服七八十粒。

□老白濁祕方

（尤學周）

淋濁失於治療。或治不得法。延成慢性。卽所謂老白濁也。凡患淋病之人。往往轉成老白濁。或因不知利害。遷延誤事。或因不明攝生之法。不能全愈。或因經濟問題。不能長期就醫。或因職業關係。不便就醫。或因醫生之無能。不合治法。或因夫婦二人。不能同時就醫。以致互相傳染。而藥物方面。確實之特效藥。尚未發見。檀香油劑。苗漿注入。黃色素注入等。亦並不一定有效。卽紫光線。太陽燈。透熱電等。對於殺滅濁菌之效能。尚未得醫學界之公認。職是之故。白濁難於治愈。而轉成慢性。慢性之老白濁。已無急性時之痛苦。在精神健旺之時。並無若何感覺。一若白濁之已消滅者。實則尿道組織。因炎證關係。發生變質。更因自己毒素之蓄積。濁菌之生殖力反因以減削。故症候漸輕。與治愈者無二。惟一有機會。濁菌即復發動。故當身體衰疲。精神感受不快之時。濁液仍復下流。或有或無。時輕時重。經年累月。不能斷根。以致面色萎黃。精神不振。或則濁菌竄入他部。發生種種變化。

治老白濁。因濁菌潛伏深處。用殺菌之劑。實已無能爲力。不但不能發生作用。反有害於身體。故宜改變方針。一面培補腎陰。以增加局部之抵抗力。一面用收澀之品。以固斂其下元。使濁菌潛伏之處。緊湊擠迫。無容身之處。以消滅於無形。余常用熟地五兩。山藥兩半。萸肉二兩。杞子二兩。杜仲兩半。當歸兩半。龍骨二兩。兎絲子兩半。苡仁兩半。白茯苓二兩。研末。金櫻子煎湯泛丸。滾水送服。每收奇效。即本此意也。

(振聲按)此方側重補澀。一二年之老白濁。方可用之。若炎勢正盛。誤用之。如火上添油。反益其勢。

梅毒爛鼻祕方

（宋慧身）

凡患楊梅結毒。爛去鼻樑。或爛斷玉莖。俱能生長如舊。覓取頭胎男兒胞衣一具。用竹刀刮去汚血。新汲水洗淨。曬乾。另用大粉甘草八兩。眞人參五錢。放水三碗。慢火熬至一碗半。將藥取起。放胞衣於罐內。陸續以藥汁澆灌胞衣。候汁煎盡爲度。不可熬焦。將胞衣放入磁罐。內用黃泥周圍封固。炭火煆紅。候冷取出。胞衣如烏金紙色爲佳。名爲乾元。每用。配入飛硃砂四錢。珍珠。琥珀粉各二錢。鐘乳粉一錢。上冰片一分。共研成極細末。和勻。用米飯搗丸。菉豆大。如補鼻。單用土茯苓四兩。煎湯送下。初服五分。次服三分。後皆以三分爲標準。日服一次。服至一月。生長如舊。未服藥前。先到車匠店。車成一個端端正正鼻樣。用黃蜡溶化。澆木鼻上。大小合式。取下木鼻。將蜡鼻罩在鼻孔中間。用火烘粘在土星處。候一月服藥已完。取下蜡鼻。看新長鼻歪正如何。如若生長不正。速用出蛾蠶繭一個。煨存性。爲末。黃蜡爲丸。酒作一次服下。如要速爛。可用蠶繭二三個。煨服。次日漸爛。三日後照舊爛平。仍照前法。用蜡鼻粘上。服藥如前務使正而後已。

（振聲按）補鼻一方雖有不可思議之效力。然終不能恢復原狀。欲免此患。最好束身自愛不入花叢則梅毒雖可怕。亦無從傳染也。

◻小便不通祕方

（尹祥裕）

小便不通。治療上較大便不通爲難。因大便不通。可用番寫葉元明粉攻而瀉之。不然可用大腸注射法。若小便不通。既不能攻瀉。又不能注射。久蓄不出。勢必脹痛難忍。而變成水腫。按小便不通之原因。西醫謂爲膀胱炎。中醫謂爲氣化不宣。二說均是。以膀胱乃蓄水之處。小便之通閉。純是括約筋之開闔。膀胱發炎。熱結水蓄。氣化不宣。不宣則不通也。可急用鮮車前草鮮藕節搗汁燉溫沖服。清熱利水。自無不通。

（振聲按）車前。藕節。導竅利水。鮮者功力尤勝。

◻白濁初起祕方

（沈仲圭）

疇昔之夕。山西中醫改進研究會理事陳賓卿先生來杭攷察醫學。敝處中醫界公讌陳氏於新慶園。僕亦與焉。席次或談學理。或道經驗。大都精當翔實。足資研究。僕以記憶薄弱。未克悉儲腦府。僅憶裘吉生先生所述治急性白濁一方。爰錄如下。以資公開。

方用杜牛膝一兩。煎濃。（用鮮者一兩。搗汁尤佳。）入麝香末少許。數服卽愈。屢試不爽。按杜牛膝卽天名精之根。因其形類牛膝而短。故有此名。味甘寒。性下達。善利溲。麝香性降而通竅。相合爲劑。蓋藉其行水之力。以排除盤踞尿道之雙球菌耳。（西醫治療本病。輒洗滌尿道。蓋亦冲刷病菌之法。）且牛膝之寒。足消黏膜之炎。麝香之辛。堪止溺管之痛。本標兼顧。用意至善。惟祇宜於初病。若經年老濁。當側重殺菌。繼以收歛。非僅僅通利所能奏功也。

（振聲按）初集所載白濁方。僅可施諸久濁而下元虧損者。若白濁初起。斷難奏效。本方用於初起之急性者最宜。讀者可互相參考。

□糖尿病祕方

（陳觀瀾）

糖尿症卽中醫所謂中消病。消病有三。由三焦分別。分爲上中下。上消之病。消渴是也。因肺虛熱所以飲一升下一升。飲一斗下一斗。其渴不止。故爲上消。方用消渴飲。下消者。心腎水火不和。故滑精時下。下消是也。方用萆薢分淸飲。上下二消有方。獨中消遍閱方書。幷無一方。中消者中焦是也。中焦者。脾胃肝膵皆爲消化機關。其間者一部分而糖又須酸化。若不能酸化。故其尿甜。久則變爲大食病。西醫治此症戒食米飯。因米有糖分。故使之食麵包。考之化糖作用。實藉膵可以固胃臟分泌之知汁。使糖化酸化。膵臟一名胰子。俗名尺。卽用猪之膵。切細粒。如綠豆大。用糯米圓包如龍眼大。每早服十丸。十日見效。二十日收功。此余經驗之方也。

（振聲按）初集所載糖尿病。實爲溺白。非眞正糖尿病。用該方以治本病。往往不效。不若本方之可靠。據有經驗者云。黃芪。山藥。治本病有特效。二味似不可偏廢。

□夏令熱癤祕方

（陳壽山）

夏令天氣炎熱。小兒每多生各種皮膚病。至於癤症則更多。但當發生時。痛苦難忍。甚至發熱灌膿。然灌膿時可請醫生代爲剖開。擠去其膿卽愈。設於鄉村僻地貧苦之家。豈忍坐視不治。今有一方。治癤極驗。大善士製就施送。則造福不淺矣。

（藥品）樟腦塊四兩。松香末五兩。黃連粉三錢。白蜡六錢。黃蜡六錢。蜂蜜半兩。銀硃六錢。（另一包）銅青末二錢。萆蔴油二錢。

（製法）右藥除銀硃。銅青後下。其除均先隔水炖至溶化。則滲下銀硃銅青而再炖至滴水成珠爲度。取起候冷。再攪勻之便成。

此藥膏富有吸膿性。若癤已灌膿者。可將此藥膏貼上。四小時後。其癤自破。並能將其膿吸盡。不能生肌拔毒。凡外科等爛瘍。皆極有効。但於未灌膿之癤。則無効也。誠爲缺憾。其初起時。用太乙救苦丹。磨水塗之。

（振聲按）夏令熱癤。由於化膿菌侵入所致。不衞生之小兒多患之。最好先事預防。

注意衛生。此症雖無生命危險。而無辜小兒。受此痛苦。頗可憫也。

（蔡濟平）

□雀斑祕方

考雀斑致病之由。不過血分有熱。風邪外搏。並無重大研究之點。茲將玉容粉紅玉膏二方。併爲介紹。病者諸君。請分別試用。如果有效。請卽復我一函。俾可確知方之驗與不驗也。（玉容粉）菉豆一升。荷花瓣二兩。晒乾。滑石五錢。白芷五錢。白附子五錢。上冰片二錢。蜜陀僧二錢。共爲細末。早晚洗面搽之。（紅玉膏）輕粉。滑石。去皮杏仁。各等分爲末。蒸透。入麝香少許。以雞子清調勻。洗面敷之。旬日後色如紅玉。又赤鼻病因。與雀斑大致相同。玉容粉亦可治。並以附告。

（楊探和）

□漆瘡祕方

漆氣腥惡。大抵肥胖之人。多濕多痰多火。染着漆氣。卽患漆瘡。世俗普通治法。皆以服食豆油或菜油。因二油可洗漆也。但二油生腥粘滑。入口則嘔。患者苦之。今有一輕易治法。用杉木花二兩。煎湯服之。或洗患處。卽愈。茲記一事以告患者。余君秦君。在丙寅十月中旬。大喜後三日。忽患遍體塊瘰。上至頭面。下至胯陰。腫而且癢。較他處尤甚。秦君駭醜交增。或有疑該室不潔。後經其從師思索所得。謂新室洞房。各式裝奩木器。皆係新漆。恐是感受漆氣。漆瘡症也。並說杉木治漆瘡之驗。遂取杉木花數兩。煎湯如法施之。不數日而該瘡消滅矣。此實秦君語余。並無絲毫虛誣。俗說『一物必有一解』足見天下無無用之物也。願患者毋置棄之。

□小兒蟲積祕方

（謝安之）

小兒之病。以消化不良之症。實占多數。蓋由父母溺愛之故。任其雜食不休。飲食無節。致脾胃虛弱。消化不良。久而久之。卽起皮黃骨瘦。腹現青筋。或脹大異常。毛髮枯槁。所下之糞。糟粕不化。蛔虫亦隨之而下。此疾服藥。當可告愈。惟患寸白虫者。其虫細小而白。服殺虫藥。終不能盡。甚至粘附肛門。久而不愈。如外用苦參洗之。雄黃薰之。內以鶴虱研末。調開水服之。無不應效。此鄙人屢試屢驗之方也。

□解河豚毒祕方

（先進）

誤食河豚之肝及子。必迷悶而現假死之狀態。據日本人多賀方城之研究。凡食河豚而死者。少則三日至五日。多則一星期。至多四十九日。其人卽自然醒覺。蓋因河豚能劇烈活動淋巴液。以排除淋巴管中之病毒。實爲治淋巴系統諸種之特效藥。惟其藥性過峻。活動太烈。以致循環呼吸神經各系統。暫時休止。故現假死之狀態。非眞死也。但欲減少其假死時間。可先用蔴油頻灌之。使其作吐。再用橄欖煎濃汁灌之。自能漸漸甦醒焉。

□齒落重生祕方

（宋愛人）

齒有乳齒及永久齒之分。幼年所生。如八九月而生。八九齡而落者。謂之乳齒。乳齒質成而根不堅。韌不足。爲强有力之消化機械。故至成年而必物換一次。成年氣血已充。故牙齒亦可經久不磨。謂之永久齒。以表示永久生成之意也。然童年乳齒初落。而亦間有久延不生者。此新陳代謝之時未熟。或由於氣血之未充實也。又有因跌仆擊扣之故。而亦有損齒折牙者。若齒落已久。不易生發。凡齒不完固者。外則唇凹。嘴癟。內則食物不消。脊齋直指曰。養生莫要於口齒。知人之言也。治法以雄鼠一隻。去肉取骨。（取骨法先將鼠剝去皮毛。用硇砂擦上。三日內肉盡取骨候用）瓦上焙乾。另取香附一兩。白芷三錢。川芎三錢。桑白皮三錢。地骨皮三錢。蒲公英三錢。墨旱蓮三錢。川椒三錢。川槿皮三錢。青鹽三錢。共爲細末。擦至百日。其牙復生。效如神。授惟俟牙出時。其藥末仍須吐出。幸毋嚥下。方出醫鑑。

□虛火牙痛祕方

（宋愛人）

虛火牙痛者。以齒爲骨之精。骨爲腎之餘。腎氣充實。牙齒強固。故童年乳齒。及年老齒枯者。一由於腎氣之未充。一由於腎氣之衰敗也。腎爲先天之本。精血津液。皆賴腎氣之充實。爲之生化不已。蓋人身一小天地。上焦之生氣。依乎肺之呼吸。心之循環。此猶之雨露風雲。法乎天者也。中焦之生氣。由於腸胃之汾泌。清濁。清者升於上。

濁者降諸下。此介乎中者也。下焦之生氣。則全依乎肝腎。封藏固密。始得生育萬物。此法乎地者也。天地交泰而陰陽和平。人亦何獨不然。或者有不善養生者。斲傷其下焦所封藏固密之精血津液。則陰虛而火旺。夫陰虛火旺之爲病。更僕難數。而上循齒絡爲牙痛者。亦其一也。其證痛而隱隱綿長。不若實火牙痛之劇。惟牙根搖動。甚則竟浮露於上。而牙齦則少有掀腫者。治法。六味地黃丸最佳。（地黃山藥萸肉丹皮澤瀉茯苓。蜜丸。藥肆中有合就者）每日晨起。取淡鹽湯漱口後。卽送下該丸一二錢。久之自效。尤宜戒除酒色。爲治本之計。按地黃丸。補瀉同用。故無泥滯之弊。苟屬陰虛之體。雖交夏暑。亦可用之。又按此證腎陰漸復。則虛自熄。而牙病自愈。故無外治等法。卽有亦未必有效。

（振聲按）虛火牙痛。用西洋參亦佳。或煎湯服。或用參含於口中。附着痛牙處亦可。西洋參對於牙痛。其所以能效驗者。則有三故焉。（一）牙痛多由火上升。西洋參味苦氣寒。功能降火。故治之。（二）牙之痛也。其齦必充血焉。西洋參味厚氣薄。補中略帶宣通之性。血平則痛自愈。（三）牙之疼。必其神經與空氣接觸。西洋參能生津液。

使牙神經與空氣隔離。將無由而疼痛也。

■脫肛祕方

(調)

世人患脫肛者。或用中醫補中益氣之法。或用西醫剖割截去之法。其結果備嘗痛苦。毫無效驗。余見同居張某患此病狀。諸藥不效。後遇鄉人傳一單方。如法製之。果驗。所謂禮失而求諸野。誠不謬也。方用枸橘三枚(打)線香三支。(折置瓦罐內。)水一碗半濃煎。薰患處。脫者卽收。最重者不過薰二三次。卽能斷根。永不復發。

■腋漏祕方

(宋愛人)

汗腺爲呼吸外來之空氣。調適體外之溫度。排除不潔之血液。潤澤周身之毫毛。其功用頗偉。據生理之解剖。謂人之汗腺。有八百萬顆之多。惟以腋下股間最現繁細。故腋漏者。卽汗腺之分泌物質過多也。攷其原因。大率由於縱飲貪杯。好啖油膩。致胃腸穢濁日甚。血液中之成分。亦因是而受其不良之應響。而汗腺尤以排洩血液中不良之成分爲天職。今不良之成分不爲汗腺之排洩而稍減。且腋下尤爲汗腺繁細之地。故汗液滴滴而出。無時獲已也。

人生以潔白之身軀。誰不欲得美滿之慾望。顧有天賦不完美者。有人事未盡善者。於是缺陷之點。時或難免矣。漏腋由於飲食之不潔。類能道之。而其證狀尤爲汚穢不堪。蓋其腋下不論春夏秋冬。竟夜終日。無時不淫淫浸濕。而一交夏月。尤如月出自水中。益形其侷促之象。且腋漏者。未有不連及陰股汗出。其一種之汗臭。令人作三日嘔。則爲其親暱者。必見而生厭。汗漬衣襟。斑斑黃點。猶其餘事耳。

治法得效六物散。行之自有效驗。乾枸杞根一兩。乾薔薇一兩。生甘草稍一兩。胡粉一兩。商陸一兩。滑石四兩。各爲細末。以苦酒少許。糊塗腋下。將臂挾緊。再以熱湯溫洗。取汗。汗出則前藥洗去。新藥再調。兼以淸潔飲食。勤於沐浴。此法無有不愈者。（按行此法時。須擇天氣溫煖。尤宜避風。）

◻多年遺精祕方

（尤學周）

翁象川曰。精能生氣。氣能生神。榮衛一生。莫大於此。是以養生之士。先寶其精。精滿則氣壯。氣壯則神旺。神旺則身健而少疾病。反之。精不內守而成遺泄之症。則精虧氣弱。神疲而多疾病。青年之患遺精病者。每月一二次。尚無大礙。若三四次以上。或一夜數遺者。其精神身體。將受絕大之影響。且不利於生育。蓋遺精過多。分泌不足。精液減少。精蟲亦因之缺乏。不特此也。精液時常洩出。不能節制。致精蟲不能發育者有之。變化其體態者有之。或則全體皆小。或則體部如折斷。或則尾部卷曲。運動消失。因此早死。以致不能成孕。故遺精一症。久而不愈。爲虛勞之根。爲弱種亡國之源。小而言之。斷送青年個人終身之幸福。大而言之。則危害生命。缺乏子嗣。患者不可不急爲調治也。

久遺不止。如田畦之水。涓涓不息。流放於外。其結果則農作物失其潤澤。必致枯萎。故久遺之人。面色不澤。肌膚枯黃。形態萎疲。毫無青年時代應有之勃發氣象。其治法。或則蠻補。或則止澀。蠻補者。益其源。止澀者。塞其流。一治其本。一治其標。頗有應驗之處。補法用龜鹿二仙膠。或聚精丸。龜鹿二仙膠。藥肆中有現成者出售。聚精丸用黃魚鰾膠一斤（切碎蛤粉炒成珠再用乳酥炒拌）沙蒺藜八兩（馬乳浸一宿隔湯蒸一炷香焙乾）研末煉蜜加入陳酒煑沸俟蜜將冷爲丸澀法用玉鎖丹此方性溫不熱極有神效用五倍子一斤白茯苓四兩龍骨二兩爲細末水糊爲丸食前服每日服三次如二法同用早服聚精丸或龜鹿二仙膠晚服玉鎖丹尤佳如遺精雖久尙未大甚者可用眞懷藥芡實各一兩蓮子五錢茯神二錢炒棗仁三錢台黨參五錢（或人參一錢）水煎服先將藥湯飲之後加白糖五錢和勻連渣呑下每日如此不須一月卽止夢不遺矣方中藥味平平淡而不厭收功獨神者蓋芡實山藥固精添髓蓮子淸心止夢茯神棗仁安神利水得黨參以運用於無爲不必止夢而夢自無不必止精而精自固矣

□百日咳祕方

（劉琴仙）

近日嬰兒多患頓嗆咳西醫名百日咳某西醫曾發表論文洋洋數萬言已由某書局印行單行本出版然一採其治法功效甚微反不如土藥之神效余戚某孫女年

七歲。患百日咳。已有月餘。連嗆數十聲。痰甚難出。初服潤肺等藥無效。繼服西藥司各脫鱉魚油及安替批林等。更不合。此時咳必吐鮮血盈杯。面目浮腫。挽余診治。適友人何君亦在。何君曰。吾有經驗簡方。祇用荷葉蒂（去莖）數個。煮湯調鍋底焦（卽百草霜。吹去煤研末）空心服便效。余然其言。使取服之。是夜果停止咳嗽。安睡通宵。次日略咳。則痰去血亦少矣。連服數次而愈。誠妙藥也。

□婦女尿急祕方

（石蘊華）

婦女出門。最不便者。莫如小便。故每於出門之前。必小便一次。戒飲茶水。一面增加膀胱之容量。一面減少尿量之增加。如旅途太長。及時間過多。必勉强忍之。習之旣久。膀胱之調節失宜。遂成尿急之病。有如痢疾之裏急後重。尿意頻起。量又不多。不可徒用利小便藥及濇劑。愈利則愈短數不禁。愈清則反增澀痛。當兼用補氣之品。如黨參。焦朮。陳皮。肉桂。雲苓。生苡。山藥。車前子。福澤瀉。斟酌用之。或用酒浸木瓜一枚。煎水服。病輕者一服卽愈。重者亦不過四五次。方雖平淡。實有奇效。

□夾陰傷寒祕方

（鍾俊麟）

夾陰傷寒。乃房後感寒。直中陰經之惡症也。可分急性慢性二種。急者。陽物卽時縮入腹內。疼痛難忍。陽物縮盡。性命卽不可保。一時無藥可用。卽將陽物用手握住。毋令再縮。隨用錫壺或酒壺（若無錫器。瓷器亦可）內盛沸水。隔衣重按臍中。陽物卽出。（若不隔衣用紙一二重隔住亦可。因恐壺底太熱。灼傷皮膚也。）又法用洋硫磺三錢。研細末。沸黃酒冲服。陽物立出。此余家世傳之祕方也。萬試萬驗。若牙關緊閉。陽物業將縮盡者。則找一未生老毛之小雛雞。活搗極爛。加童便少許。壓取濃汁。揭牙灌下。立甦。

以上皆急性夾陰之治療也。其慢性者。多發於房後數小時。或半日。或一二日不定。初起祗覺腹痛沈沈。漸痛漸劇。繼復不覺痛。舌漸强而致不能言。心中雖醒。而週身百節。既不能如意運動。疾狀至此。誠可危矣。急取小雄雞一隻。重量在一斤以內者。活剖其腹。不去腸雜。覆臍上。少頃。腹中雷鳴。渾身汗出。卽愈。此法奏效神奇。萬試萬驗。確能起死回生。讀者幸勿輕視。若覆臍時再加麝香少許於臍內。則取效更速。此皆經驗之談也。

（振聲按）飲食男女人之大欲存焉。然飲食無度。必傷胃腸。男女之間狂浪不羈。亦必發生種種疾患。急色之子。縱慾無度。既不審天時。復不擇地利。所謂桑間濮上。無處不可實行其洩慾主義。此與饕餮之徒同一易於發生疾患。此輩不特易感夾陰。且有脫陽之患焉。

滬上已去世之某名醫。以善治夾陰而得名。法用鴿一隻。剖其腹。入麝香少許。縛臍上。此與本節內用小雞法相同。此病有急慢二症。某名醫之用鴿。僅知慢性之治法。而急性之治法。尚未之前聞。得此篇可以補其闕略矣。

□下疳包皮腫祕方

（鑾）

患下疳者。其人若爲包莖。則必於潰爛之時。同時包皮發水腫性之腫脹。腫脹之皮膚。發有光澤之水紅色。內含水分。以指彈之。即可破。此症殊爲困難。既感腫墜之痛苦。而包皮一腫。卽不可翻上。洗瘡敷藥。又感困難。因之包皮內部。愈加潰爛。若不先消去包皮之腫。斷難收治愈之功。顧治法雖多。每每不能速效。茲將一最易而最有實驗之祕方。錄之以貢於世。其法用鮮馬齒莧一握。搗之極爛。納入青黛細末五錢。川連細末三錢。冰片少許。共搗成糊。用蠟紙或油紙攤勻。包於陰莖上。每早晚各換一次。二日可消。包皮腫消。卽可翻上。而好洗滌敷藥矣。

（振聲按）包莖之人。有因包皮太小。不能下退者。有因包皮太長者。最易藏垢納污。故宜常洗滌。患包莖之人。若尋花問柳。其毒裹於包皮中。最易傳染花柳病。患此者宜深加注意。

馬齒莧爲清熱解毒妙品。以之治白帶白濁。皆甚靈妙。佐以青黛川連退毒之力。尤偉。此方不特可治包皮腫。一切熱毒。皆可用之。

□由白濁而起之囊癰祕方

（尤學周）

囊癰。卽睪丸炎。其原因多由溼熱下注。侵入睪丸而起。患白濁者。每易變生此症。大凡此可怕之囊癰。患者十有六七由白濁而起。白濁之爲害亦大矣。白濁初起失治。似愈非愈。病勢蔓延。及於腎臟、則腎臟疼痛。及於關節、則關節疼痛。及於睪丸。則睪丸疼痛矣。其痛時作時止。作時脹痛徹骨。不能久耐。輕者稍覺牽引。如電光之閃。牽及胯下。惟一閃卽止。此時可用生薏米一兩。北沙參三兩、淡吳萸一錢。海桐皮四錢。煎日三服。如於牽痛之時不加注意。則病情更進。脹痛無有已時。則用仙方活命飲。穿山甲一錢。皂角刺錢半。當歸尾錢半。甘艸節一錢。金銀花三錢。炒赤芍一錢。乳香一錢。沒藥一錢。天花粉一錢。防風一錢。大貝母一錢。白芷一錢。陳皮錢半、水酒各半煎服。

□由白濁而起之疝氣祕方

（方修進）

白濁愈後。每發疝氣。此症與平常發者不同。其人在白濁之際。必服檀香油丸劑而愈。餘濕餘毒潛伏。十九皆發爲疝氣。此種疝氣與普通疝氣微有不同。治法亦不同。此疝初發時往往因步行過勞。或受寒冷。或久坐寒濕之處。初起睪丸脹大硬而痠痛。繼則睪丸日益石硬。且有硬底。則消化甚難。須內服方劑。外用薰洗法。

▲內服方

柴胡稍三分　金鈴子二錢　延胡索二錢　荔枝核三錢　粉萆薢三錢　塊滑石三錢　通天草錢半　陳橘核八枚　小茴香五分　車前子三錢包

▲薰洗方

以紫蘇葉四錢。荔枝核五錢。紅花一錢。煎水。待沸。傾入脚盆。初時以其熱氣薰蒸睪丸。待水溫時以水乘熱洗之。水將冷時卽以水重煮。再薰再洗。二日後睪丸漸軟漸小。其病漸愈。

此症如用刀割之法。仍有復發之虞。寒氣重而腎陽不振者。上列藥方猶欠平淡。應酌用附塊炮薑之類。若久有此患而氣虛下墮者。應酌用潞黨黃芪之類。惟總須兼用導濕去濁之品。始克有效。

◻陰囊濕癢祕方　(七)

陰囊濕癢。由於其人分泌水濕之機能不發達。濕濁停留爲患。若其人血分較熱。喜飲酒食厚味。則爲患更甚。又有一種係因白濁之毒遏伏所致。患此者陰囊時常濕潮。癢不堪耐。入夜更甚。有腥臭之汗液。久之必延及跨間兩股。且令人陽萎。腎弱。治之之法。以麻黃根二錢。飛滑石六錢。牡蠣四錢。蛇床子五錢。密陀僧三錢。赤石脂三錢。冰片四分。薄荷二錢。均研爲末。調勻敷摻。惟有血毒者不效。應另診治。內服導濕解毒清血之劑。

□爛牙疳祕方

（唐映書）

風熱內襲。蘊於陽明。陽明之絡。上入牙齦。邪隨之上。乃起腐蝕性而發爲斯證。下層牙齦腫脹(左右不定)稍覺疼痛。口渴。氣臭。頰車開張欠利。大便堅結。甚則身發微熱。而痛連腦戶。

此證治法。當以仲景之葛根芩連及竹葉石膏爲最正當。其大便堅結。原不須顧慮。以經邪一解。便會自下也。然余之所謂治法。確非如上所述。乃爲大醫所不知而民間往往以之取效者也。其法惟何。曰以人家用以髹器之『桐油』少許。搓於患處。少頃。令涎出。切勿嚥下。如是三五次。便可痊愈。眞良方也。考桐油乃虎子桐之子所製成。味甘性寒。微毒。有清熱刼痰之功。兼能殺菌。服之令人吐。觀此則其能治牙疳。自非無故。而且與醫理亦極脗合也。

□老婦白帶祕方

（朱振聲）

白帶一症。幾爲婦女普遍之病症。故有十女九帶之稱。惟此僅指處於大江之南者而言。大江之北。恐無如此之普遍。緣江南地土卑濕。空氣浸潤。內濕不易放散。鬱聚於內。釀成一種黏膩之物。溢於帶脉。復泄於外。其輕者。不過時有清液下浸。小衣常有斑垢。不能清潔。其重者。濁液橫流。終年不止。甚至非於襠下常兜布絮不可。受累無窮。其苦難以盡述。

自歐風東漸。物質文明。一日千里。技巧淫靡之風。亦隨之而轉盛。花柳一症。漸次蔓延於社會。其中以白濁最爲頑固。染於婦人。則成爲最重最難消滅之白帶。實際上白帶與白濁不同。然婦女之患白濁者。與白帶同一見象。惟濁液橫流。較白帶爲甚耳。一時頗不能識別也。近世之白帶白濁占其多數。已非昔比。治療上甚感困難。故不易斷根而就痊。

白帶之症。以青年及中年婦人患之最多。其有素無白帶之患。及垂老之期。忽然白帶淋漓者。以言濕則人愈老體中之水分愈減少。故皮膚枯燥而發現皺紋。尙安能蘊釀成帶。以言白濁則性慾機能已衰弱。不恃賣淫爲生者。更無傳染之可能。余於臨診之際。曾治一患白帶之老婦。苦思而得其理、本其理用藥。卽迎刃而解。

張姓婦年已五十有餘。就診於余。自言素無白帶之症。近忽下部淋漓。不堪其累。初爲白色。後復略帶黃色。體素健全。並無他證。惟帶下之後。腰痠體憊。此症之起。其爲勞役太過所致乎。彼復繼述其勞役之事項。以表明其由勞役衰憊而來。余按其脉。微有弦滑之象。苔雖多紋。乃老年陰虛之徵。而無膩黏之濕象。沈思少頃。未得其理。姑順其意。用六味地黃丸法加減。令服三劑。事後苦思久之。恍悟其理。蓋婦人五十有餘。經水將斷。當斷未斷之際。經之數量已少。不能泄出。鬱於子宮之內。發炎成帶。

故淋漓而下。三日後復方。兼得其情。果不出余之推度。爲用熟地四錢。炙黨四錢。續斷三錢。牛膝三錢。菟絲子三錢。煅牡蠣五錢。龍骨三錢。橘皮絡各八分。粉丹皮錢半。雲茯苓三錢。囑服五劑。第三次轉方。已愈大半。復宗原方出入。一劑而止。此症如初發。當多加行瘀之品。余之用龍骨牡蠣。菟絲以收斂之者。因其發已旬日。炎症將消。故僅加牛膝橘皮絡。粉丹皮。清肅餘波。老年疾患。最易虧耗。蝕已見體疲腰痠等象。又以參地續斷濟之。晤其理。可以對症發藥。是以得心應手。數日而平。

□受傷發黃祕方

（尤學周）

吾錫崇安寺。列舊書攤數起。有曹家兄弟老大與老二所設二處。舊書最多。不乏有價値之古本。余過崇安寺。必往採搜。十數年於茲。所得甚多。一日過老大處。以吉人集驗方示余。問欲購否。余以其所集乃普通成方。無足爲奇。搖首却之。彼謂書中頗有靈方。余曾實地試驗。證明不虛。故敢一求估於先生也。余問其詳。遂絮絮述其經過如下。

老大謂余有子已十七歲矣。幼時。自閣上墮下。挫傷。迄今矮小不長。如八九歲。且肌膚發黃。甚至目珠不白而黃。以手撫其肌膚。掌中亦柔。黃色黏着如花粉。百方調治。曾無一當。以爲絕症。無法可想。心灰意懶。遂亦任之。今者偶翻是書。見有楚中軍治傷靈方。下註並治黃病。小兒之黃。原係受傷而起。此方或能有效。亦未可必。乃配服半料。飯量驟增。黃色減退。精神日益活潑。正是踏破鐵鞋無尋處。得來全不費工夫。擬再服半料。以奏全功云云。

楚中軍不知是否楚二麻子。其方既經證驗有效。急宜刊登。以廣流傳。方用全當歸二錢。上血竭二錢。牛膝二錢。地壁虫三錢。參三七三錢。木瓜二錢。自然銅二錢。淨沒藥四錢。原杜仲二錢。川斷肉二錢。防風二錢。木香八分。骨碎補二錢。川芎八分。硼砂二錢。蘇木一錢五分。共研細末。每服三錢。陳酒沖服。

□眼澀秘方

（尤學周）

眼澀由神經衰弱。營養不良等。致眼部肌肉不健。發生勞疲。失眠者亦患之。患者眼球及周圍。如有重壓。眼皮不易抬舉。入夜尤甚。或有日間瞻視如常。晚上則發者。其目光必較常人爲差。

用補中益氣湯。（人參。黃耆。白朮。陳皮。柴胡。升麻。甘草。當歸。）重用人參黃耆甚效。昔賢薛立齋常用此方。應手而愈。有人每用目。酸澀無光者。累日服六味丸。益甚。後以指。麻服此湯。日力漸充。至於失眠者。能償足其睡眠時期。卽可復元。

▣流火毒祕方

（承淡安）

余離鄉已久。日前歸省。家人共話。其樂怡怡。長夜無事。互道診績。余父謂余曰。數月前得一流火奇方。屢試不爽。亟詢之。曰毋躁。當詳其顚末。離此北三十餘里之沙州。有楊老四者。事母甚孝。母年五十。今春右手患奇瘍。初起於孔最穴處。忽生一紅泡。微癢。固不甚介意。以銀針挑破之。未幾。漸紅漸腫。一夜其腫如椽。其熱如荼。痛澈心肺。亟延醫治。絕無效。果而破處漸見潰爛。乃往南通某名瘍醫治。仍無效。二日間潰如掌大。紅腫不稍殺。適余（余父自稱）赴其鄰診。見病。聞隔牆呼號聲。問之。知楊姥患奇瘍。往觀之。手腫及肩。其大如股。潰有二掌大。血肉淋漓。奇臭異常。以水罨之。水氣蒸騰。可見其火之盛。不飲不食。但有呼號。家人徬徨求治。余亦無以爲計。索閱前醫方。皆爲大劑犀角石羔川連銀花等清熱解毒品。余思此殆疔毒走黃。勉與瀉疔丸一服。使瀉之。然未許其必效。約閱旬餘。復赴其左鄰診病。因詢其鄰楊姥之症如何。曰已愈矣。私心竊異。診畢往訪之。楊姥適於中庭觀孫輩拋球戲。因叩其治療經過。姥欣然答曰。自先生視過之後。翌晨神志微昏。腫痛依然。阿四（指其子）不忍坐待余死。抬余至城。請童醫治。童乃城中之名瘍醫也。醫見而辭不治。速余急歸。阿四涕淚交集。抬余返至中途。少憩。阿四坐樹下。惟掩面哭。余固昏不自覺矣。適田間一老者。問阿四曰。子如是之慟。殆所抬者將不救乎。汝何人。患何病耶。阿四曰。是吾母右手腫爛耳。無望矣。老者棄鋤而觀之。曰無妨。可以黃萊菔茵打汁。調赤糖敷之。無不愈者。速歸爲之。阿四抬母還。姑如法試之。藥敷上漸敷漸乾。乾即易之。病者覺舒適異常。凡五易。歷一夜而腫盡退。痛亦止。卽思飲食。不日卽精神恢復如恆矣。潰處阿四在藥肆中購九一丹爲余摻之。今亦愈其大半矣。言下欣然色喜。并出臂示余。

余（余父自稱）得此方後。凡遇外瘍之紅腫者。敷之。無不奇效云。

□大腎囊祕方

（李吉方）

梁章鉅僑寓邗江時。居停主人。有患疝疾者。甚苦。一日。梁偶翻舊書。見夾有紙條云。辛稼軒初自北方回。忽得癩疝之疾。重墜大如杯。有道人教以服葉珠（卽薏苡仁）法用東方壁土炒黃色。然後入水煑爛。放沙盆內研成膏。每日用無灰酒調服二錢。卽消。沙隨先生亦患此症。辛以此方授之。亦一服而愈。因卽以原紙授居停主人。如法製服。五日而霍然。

（振聲按）大腎囊卽癩疝。有少腹絞痛者。有腎囊腫大者。又有急性慢性二種。急性者。其筋腫之處。大熱大痛。日久釀膿。膿熟卽潰。如癰腫然也。慢性者。其陰囊腫大如斗。經年累月。而不愈也。

急性者。爲熱鬱。宜解熱散鬱。如川楝延胡黃連黃芩薏米海藻昆布竹茹之屬。慢性者。爲寒鬱。宜祛寒化鬱。如炒白芍土茯苓橘絡橘核南星青皮川楝小茴香肉桂荔

核之屬。或桂苓丸加蒼朮厚朴川烏。外法宜用雄黃白礬甘草。水煎。時時泡洗。卽愈

▣對口癰祕方

（李健頤）

太陽之經脉循腦後。至於風府。血鬱上逆。濕毒內盛。營氣不通。陷伏肉理。毒菌就於經脉之所過。以發於腦後。氣結血聚。遂成爲癰。毒盛化熱。熱甚則腫連及頸項。是名癰腫。素問正理論曰。「熱之所過。則爲癰腫」素問生氣通天論曰。「營氣不從。逆於肉理。乃生癰腫」一對口癰卽癰之發生於項部腦後。與口相對之處。初生小顆。漸次腫大。瘡面呈黯黑色。發劇痛。神色疲乏。畏寒狀熱。至十餘日卽成膿。而潰膿。栓之散布。如蜂窠。膿頭取出。則瘡口凹陷。有寸許深。此症頗惡。若潰爛脈斷腧裂者不治。初起之時。可用水芋頭磨醋。時時塗抹。內服降癰活命飲。送醒消丸三錢。

（振聲按）降癰活命飲爲大當歸八錢。生黃耆。金銀花各五錢。川芎二錢。甘草三錢。酒煎濃汁服。肉白色淡者。無論冬夏。加陳皮麻黃各六分。肉桂炮姜各錢半。

▣孕婦發癇祕方

（尤學周）

孕婦而發癇者。多屬血虛之人。所謂血虛則生風也。血不足者。虛陽無依，上逆而冲腦神經。初起頭痛。暈眩。嘔吐。耳鳴。眼花。瞳孔散大。呼吸不舒。心窩痞硬。顏面潮紅。倏即抽搐。噴沫。人事不省。似中風而實非中風。連續發作。以致不救。青鉛一斤。化烊。傾盆水內。撈起。再烊再傾。三次。取水煎生地八錢。天冬石斛各三錢。甘草菖蒲各八分。溫服。脈數者。當歸一錢。川芎三分。茯神鈎藤各三錢。煎服。另吞磨羚羊二分。

▣吐糞症祕方

（尤學周）

患吐糞症者。由腸管狹窄。異物閉塞（如腸內生癌瘤等。）及宿便堆積等。致排泄之物。應從大腸而下趨者。以路不通行之故。遂上逆而從口出。其症腹內脹滿。大便閉塞。口吐穢糞。吐時。頻頻泛噁。臭惡異常。

用鎭逆法。磁石五錢。沈香一錢。檳榔錢半。代赭石。紫石英各三錢。枳實錢半。牛膝五錢。如形容枯槁。脈細無力。加黨參黃芪各三錢。

□急救鉛粉毒祕方

（蔡功臣）

功臣舞勺年。就塾吾鄉皮塘賀君曉初家。賀固世家。饒於財。時値重陽。爲君六秩壽辰。先是里人好事輩多製匾額以壽。特製匾之亘宗要料。厥爲鉛粉。其剩餘者收置之處。適與作筵之乾粉同橱。魚魯混珠。頗難析辨。詎索乾粉者倉卒失愼。以爲同類也。合以付廚。食料磋切。無饌不孕其毒。至日。賓客雲集。躋堂稱觴。歡宴有頃。忽座間一客。痛聲突起。捧腹踊蹄。羣方驚愕。離座詰故。已而數客痛聲又起。齊呼腹痛。繼之合堂驚愕者。竟次第腹痛。一如前狀。伏仆顚倒。嘔吐哀鳴。一時喧囂。達於宅外。主人大恐。固已疑筵饌之有毒質矣。亟查毒因。始知鉛粉之悞用。既無以對佳客。然諸客生死。危於眉睫。事急矣。顧安得不二神方。速予救治耶。一僕進曰。西賓之父某翁。善醫。（忘名）盍亟延之。西席唯何。卽余師羅雙峯先生也。幸是日師與余輩。尙未列席。

故免于難。翁既至。趣命煑苦茗（茶葉）十斤。絞濃汁如漿。另融鹼二斤相入。飭健僕扶掖諸客。時時灌飮之。一日夜間。痛潮未息。主人則失魄木立。惴惴焉懼方之靡力也。及翌午。諸客相率入圊。大作痛瀉。後先後漸霍然矣。嚮之禍在眉睫者。今已消弭無形。主人大歡。治饌爲敬。深感翁救危之德。幷叩其解方之理。翁笑曰。噫。是豈易易哉。非諳習物性者。不能治也。吾嘗見髹漆者。以鉛粉調酒髹具。堅結若鉄。饌中粉毒。和酒入胃。粉與酒合。黏結腸胃疊壁。雖利刃亦難割除。况鉛粉辛燥有毒。足以殺人。又加灼烈之酒。入命何有。若投以尋常解方。或硝黃直瀉之藥。匪惟無濟。片時之悞。足以傷生。吾故以鹹澁去垢之石鹼。軟堅而割粉毒。合濃厚苦涼之茗汁。滌膩而解酒熱。且鹼苦寒。最善瀉下。使腸胃結毒。一鼓蕩淨。故應手奏效也。噫。設無余在。不已危哉。

（振聲按）鉛粉爲水銀鹽礬所煉成。辛燥有毒。爲治瘡疥要藥。服用者尠。悞服亦不致卽時殺人。夙用黃連。土苓。萊菔。鉄漿可解。惟與酒合服。而貽害至此。余初未之前聞。翁以習見而施方。出常法外。宜其奏效如桴鼓也。觀此。以見業是術者。誠不可不博識多聞也。

腸癰祕方

（吳虎）

腹痛之病因不一。有寒襲厥陰而痛者。有氣阻於中而痛者。有食滯內積而痛者。而婦人更有經行經前經後之分。寒襲厥陰而痛者。四肢逆冷。胸悶吐酸。當以吳萸肉桂茴香木香之屬以溫之。氣阻而痛者。痛有休止。胸腹膨脹。當以青皮陳皮烏藥蘇梗之屬以理之。食滯內積而痛者。腹痛梗起。按之則劇。當以焦查六曲萊菔子焦麥芽之屬以導之。至於婦人之經行經前經後腹痛。總不外乎理氣祛瘀數法。症狀不同。治法各異。不可稍混者也。若夫腸癰初起。亦患腹痛。則不可不細辨矣。臘八之前日。法界天文台路萬昌祥襪廠主人黃君。代邀其女工卜姓診病。會午後趨車往至。見該婦臥於牀。呻吟不安。詢之腹痛四五日矣。見其所服之方。一則認爲內有寒。用溫中。一則認爲氣滯。用理氣。一則認爲食積。用導滯。據云服藥三四帖。不獨痛不稍減。反見增劇。按其脈。堅實有力。小溲赤。大便閉。少腹皮急。肉微起。不可以按。左足不能伸。轉側不便。此症由經行遇寒。敗血蘊於腸間。榮衞不行。余斷其爲腸癰。用熟附片二錢。生薏仁六錢。敗醬艸五錢。全當歸二錢。赤芍二錢。桃仁二錢。生川軍三錢。金銀花三錢。炙甲片三錢。杜赤豆一兩。服一帖。次日其夫來轉方。曰。服後腹中鳴響。大便一次。痛減八九。已能起床。仍照原方減小其劑服之。又次日。該婦女卽造余居。欣欣然而告余曰。疾已瘳矣。謝謝。余退而思之。腹痛亦尋常之疾乎。認之不明。往往貽誤。失之毫厘。謬以千里。臨診者可不加注意乎。

（振聲按）腸癰腹痛大都痛在右側。與普通腹痛之滿腹作痛。或痛在臍之周圍者不同。

脚痛祕方

（尤學周）

脚痛不能踐地。乃風濕阻滯。血不流行。所致痺症之一也。用松毛（卽松樹之葉）一升。搗如泥。酒三斤。浸七日。每飲一盅或二盅。日二服。按松毛能行血中之風。腰膝酸痛。及歷節風痛。俱宜服之。

友人趙紀唐之父足痛不能行。問計於余。敎其用松毛燒爲灰炒。乘熱包擦兩足。趙君從余言二日後痛卽止步履如常。

（振聲按）足痛不能踐地視之若無恙者。用松毛灰最佳。若跌撲傷筋腫脹掣痛以致行動不便。團臍活膀蟹一二個搗爛用煎滾黃酒冲熟。盡量飲酒將剩餘之螃蟹。敷於患處。蓋被取汗立愈。輕者用韮搗爛敷。過一夜卽愈。

□胎萎不長祕方

（朱振聲）

婦人懷孕。平均二百八十日。則胎兒成熟。脫離母胎。呱呱墮地矣。有超越此期滿十月或一年而產者。嬰兒必較普通者爲壯健。蓋培養充足。得諸先天之力也。若在一年以上。甚至數年而始產者。反爲瘦弱。此緣先天不足。萎而不長之故。按諸胎孕原理。胎兒之營養。全賴母體。由胎盤輸送母體之血液於胎兒。得以生長。故婦人懷胎後。一人而兼兩人之營養。月經亦於是停止。以補營養之不足。如孕婦身體孱弱。營血虧耗者。胎兒失充分之營養。譬諸園中蔬菜。失於灌漑。則萎而不長矣。

某姓婦。貌頗佚麗。然性溫柔而端莊。無時下之摩登風氣。伉儷之間。感情甚篤。不幸天公作嫉。奪其所歡。結婚未滿一年。如意郎君。遽赴玉樓之召。婦呼天嗆地。欲以身殉。爲人所阻。得不果。乃矢志守節。茹長齋。嗣後不苟言笑。益爲莊重。人有贊其志之堅者。亦有憐其遇之悲者。爲孀年餘。忽腹漸膨大。初以爲氣鬱所致。延醫診治。謂爲孕徵。婦爲之駭然。風聲所播。蜚言四起。其姑翁不之信。其鄰居欽其品格。亦不之信。然疑莫能釋。或曰。此鬼胎也。以兩情之厚。雖隔陰陽。夢寐之中。必時相歡敘。故有此結晶之品•婦以心地光明。原無曖昧之行。初雖驚駭莫名。後亦坦然。任其長大。以瞻其最後之結果。復半年。果臨盆舉一雄。酷類亡者。羣遂斷爲鬼胎。後有一老醫。曰此人胎也。鬼安能造胎。因婦體素弱。又以所天夭亡。遽悲別鵠。哀毀過度。胎兒之生機。幾爲摧殘。故萎而不長。延至二年以後。始瓜熟蒂落也。羣聞此言。恍然始悟。

余曾治一錢姓婦。潮州產。孕已一年有半。尚未分娩。且腹亦不甚膨大。面色萎黃。身體瘦弱。去年曾血崩二次。余疑其由房事不節而致。血崩之後。胎兒營養不足。成爲胎萎。探之果然。爲之處方如下。

生熟地各四錢　川斷肉三錢　淡黃芩錢半　炙潞黨三錢
厚杜仲三錢　粉丹皮錢半　西黃芪三錢。炒白朮錢半
炒白芍錢半　糯米三錢　連服二月孕象日顯。

子宮下墮祕方

（李健頤）

婦人產後。經後。因勞動過甚。以致子宮墮下。陰戶內如一物窒塞。尿意頻多。欲溲却無。或尿道紐痛。小便點滴如淋。若投與利水之藥。病必增劇。蓋子宮懸於骨盤裏子宮口如布袋口之紐結。當產後經後。其口大開。瘀血盡溢。故子宮極虛。稍一不慎。或行動過甚。或坐立過久。每易使子宮墮下。所以產後及經後時宜靜臥以防此患。誠爲上法。倘不知愼防以致墮下者。宜與西洋參二錢。升麻二錢。黃耆一兩五倍子錢半。小茴香一錢。烏梅四枚。清水一碗煎半碗。空心溫服。連服數次。效驗如神。

（振聲按）子宮虛弱。氣不上升。故用參耆升麻。補氣以升提之。則墮下之子宮得補氣以上升矣。佐五倍烏梅。收歛其氣。再加茴香。薰香化氣。兼以止痛。然此症由於氣

虛不能升攝。故專藉補氣升提之功。氣固則不至再墮矣。

□帶下祕方

（邢誦華）

帶下一症。種類不一。十人九患。爲婦科最普通之症。亦爲婦科最難治之症。中醫主任脈爲病。西醫稱子宮病。病理中西相通。以云治法。則均無澈底效驗。輕者固不治自愈。重者往往延久轉劇。淋漓床褥。髓熱液枯。陽隨陰盡。淹頓告亡。

內子患帶頻年。秋冬轉劇。輕時白膩如脂油。重則漏下清水。宛如胞漿裂瀉而出。日必數次。穢臭不堪。褲須頻換。頭暈目澀而眩。手心烘熱。腰脊痠墜。肌容乾燥。肢體乏力。余嘗用理脾洩溼。益氣調中。溫腎柔肝。滋陰潛陽。塡固攝納。總難全愈。

西藥「果乃金」治男子白濁之注射漿苗。有刺激白濁菌毒崩離之功。余試用之。先行臂膊背部等處肌肉注射。後復于臀腿等處行之。更效。以其距子宮較近。注射凡三日一次。初用十兆至一百兆之漿苗。後用一百兆以上至一千兆。病果完愈。固不拘男女性也。心贊西藥之效驗。然逾月復發。後雖屢屢注射。已成習慣。殊無何種感覺。繼按崔元亮海上奇方。馬齒莧一味。生搗絞汁一大碗。入鷄蛋清數匙。云治赤白下痢甚妙。余以其酸寒滑利。與久崩久漏宜淸宜通之旨相合。借治帶下夙疴。或能奏效。如法試服。果有捷功。——孕婦忌服——然不久仍發。

本年夏余遊杭返。內子語余。一鄰嫗口傳一單方。無分量。自由配合。照服甚驗。至今數月不發。身體健旺逾昔。余更爲酌定分量。試之他人。投劑輒驗。其方僅白木槿花豆腐二物。查白槿花寒滑。豆腐得石膏而凝。功能補血。豈其補攝滑利。相濟以成功歟。抑久崩久漏。宜淸宜通。故有取乎木槿之寒滑歟。我國方藥經數千年人體試驗之結晶。效驗之宏。有駕舶來品上。中醫方藥。謂爲神祕。固無不可。附方於后。

治帶驗方

白木槿花（洗淨。乾者六錢至一兩。鮮者倍之。）豆腐（十二兩至一斤。切小塊。）同入瓦罐內。傾水二大碗。煮服。初愈後。隔二三十日。最好再服一二次。

（程次明）

□瀝胞難產之祕方

難產原因不一。楮筆未能盡罄。坐蓐之時。胞漿破裂。延時漿水瀝盡。胎不下落。俗呼爲瀝胞生。須知無水舟停。穩婆未可亂施手術。譬如舟在河中。水涸焉能行動。治宜急助其水。以資其轉運。用鮮猪肉二斤。急火煎清湯。吹去浮油。令產母徐徐飲之。此血肉有情生水最速。飲下卽可增漲漿水。舟得水活。行動自由。胎下順利矣。

更有胞漿破裂。遷延時日。胎不下落。不特漿水瀝盡。並且語言乏力。口中大渴。是氣血兩虧。乃一身氣血。驟爲胞胎所吸收而被耗傷泄者去矣。存者微乎。此非猪肉湯所能奏功。必須服大補氣血之劑。以助長其氣血。而資胎氣之流動。胎獲氣血之資助。自然順流下落矣。列方於右。以供採擇焉。

熟地一兩。綿芪一兩。當歸四錢。川芎一錢。白芍一錢。杞子四錢。敗龜版四錢。洗去垢。血餘三錢。黨參四錢。

(振聲按)此方氣血雙補。合參開骨散。或產婦頭生。交骨不開。服之亦有功效。或試胎腹痛。分娩時機未至。服之亦能定痛安胎。

□房後子宮出血祕方

（石蘊華）

子宮出血。除月經外。皆爲病徵。不可不察。月經者。每月一行。如潮汛之不愆期。若非月經應來之期。忽然出血。當及早診治。卽月經太早或太遲。亦當調理。不可因循。或運動過度。其子宮之收縮力減退。收攝月經之機能受傷。因之不能藏蓄。漸漸滲出。淋漓不絕。甚爲可厭。如因循失治。則卵珠不能成熟。無懷珠結胎之望。故此症影響於生育者甚大。不可不及早治之。

在經前十日之內行房。隔日而子宮流血者。乃受衝動而經事早來。爲習見之事。不足爲怪。亦無庸調理。若非經來之期。交媾時陰中作痛。交媾之後。血溢不止。宜多坐臥。節飲食。寬心養性。戒怒惱煩勞。及劇烈之運動。再服下列之方。卽能自愈。其奏效甚速也。

炒當歸二錢　炒赤芍二錢　粉丹皮二錢　大麥冬三錢　阿膠珠三錢

桑螵蛸二錢　甘杞子二錢　地榆炭三錢　茜根炭二錢　藕　節三個

血止後宜用歸芎八味丸。調養月餘。即可斷根不發。

（振聲按）產後子宮損傷。非經長期之調養。不易復原。若急於行房。必致出血。經後亦易發生此象。宜愼之。

◻繡球風祕方

（金士才）

腎囊發生細粒。密如蜂窠。奇癢難忍。搔之流出黃水。甚致痂破血淋。方覺舒適。而痂靨之處。漸破漸結。

此由肝腎絡虛。濕熱乘虛下注。或與不潔婦人交媾。觸受汚穢所致。雖爲皮膚小恙。最易淹纏。而難速愈也。治宜內服外敷並洗

（內服方）（一）黑大豆四錢。白蒺藜（炒）三錢。六一散（包）六錢。西蒼朮錢半。炙川柏錢半。淮牛膝（鹽水炒）三錢。粉萆薢四錢。白茯苓四錢。澤瀉三錢。黑山梔三錢。白蘚皮三錢。通草錢半。

（二）仙遺粮六錢。土貝三錢。銀花三錢。滑石四錢。粉萆薢四錢。木通三錢。炒澤瀉三

錢。飛青黛（沖）五分。車前子（包）四錢。苦參片一錢。炙川柏錢半。炙知母二錢。

（外敷方）熟石羔一兩。枯凡一錢。黃柏五錢。滑石五錢。青黛五分。烟羔三分。右藥各研極細末子。拌和。用麻油調搽。

（洗方）花椒一錢。明凡二錢。生甘草三錢。用水煎滾。洗患處。洗後以綿紙搓軟拭乾。

（禁忌）魚腥蝦蟹。辛辣酒糟。發性之物。

▣頭髮脫落祕方

（張慧仙）

頭髮脫落。日漸稀少。有損瞻觀。且婦女之美髮。亦爲之襯托。尤宜注意。患脫髮者。用側柏葉一味。在新瓦上焙酥。研爲極細末。調茶冲。時時抹髮際。半月後可長三四寸許。且可變爲烏光明潤之髮。比生髮油尤妙。

（振聲按）頭髮脫落。係氣血不榮。肌肉無澤。致髮根寬鬆。側柏葉有收濇之能。然非根本治法。如審知由於氣血虛損者。當兼服補益之味。

■胃癌祕方

（尤學周）

胃癌之證。或云有遺傳性。確否尚不能無疑。據諸家實驗。謂慢性之胃部潰瘍。實爲本症誘發之原因。

胃癌初起。飲食初覺減退。且食後胃部不舒。有重壓之感。其最顯著之證狀。爲肌肉日削。此外兼有嫌惡肉食。胃部疼痛。食後嘔吐等事。迨諸證漸次增加。於是胃部乃起腫瘍。其吐出之物。常似咖啡沈滓。察其胸部。可見胃部膨脹。沾肝臟之下緣。有凹凸不平之硬固腫瘍。以手壓之。則覺疼痛。

胃癌與胃癰。甚難辨別。世人不幸患此病者日多。雖遍求醫治。愈者甚少。除幾輩不治之症外。其誤投藥石而致命者。比比然也。然醫家有割股之心。豈忍亂投藥石。以玩弄病家之生命。實因診察之誤耳。診察既錯。則投藥亦錯。使輕症加重。重症猝變矣。

以余之所知。胃癌以四十歲以上者爲多。經過甚爲迅速。至多不越二載。營養障礙。

身體羸瘦而兼衰憊。胃癰多發於青年或中年。可延至三五年之久。吐血過多時方現。營養障礙。胃癌患部時發疼痛。痛勢劇如針刺。胃癰發則胃神經痛。不發則痛亦除。胃癌常有少量似咖啡色之血吐出。胃癰發時吐血極多。大都鮮紅純血。間亦有紫暗者。胃癌之患處觸之有高低不平之塊壘。胃癰之患者則無之。

胃癌治法較胃癰爲難於收效。故多委爲不治。祇有多進滋養之品。以延長其生命。余常用旋復代赭石湯加行瘀破血之品。亦有效有不效。後用鵝血治之。得效甚捷。其法用鮮鵝血來熱飲之。盡一二碗。二三次卽愈。屢試屢驗。

（振聲按）鵝血治膈氣。曾載於某筆記。胃口生癌。阻礙飲食。卽成膈氣。尤君於此悟出鵝血可治胃癌。可謂獨具隻眼。

乳房結塊祕方

（聶其杰）

乳房結塊。俗名乳吹。謂哺乳時爲小兒所吹也。舍十弟婦患此症。延西醫某君治之。創口月餘不合。復換德醫某加割二次。仍不愈。後請夏君診之。用紙捻粘藥末插入。

外貼膏藥。兼服湯藥。旬餘而愈。後年餘。姪女適曹氏者。亦患此症。延夏君診。夏君授膏藥貼之。服藥一劑。次日愈矣。越數月。予之書記張君之妻。亦患此症。予授以所賸膏藥及藥方。次晨來言。全愈矣。後以治數人。皆神效。有祇貼膏藥者。亦效。因向夏君乞得此膏藥藥末方。茲幷錄如左。

治乳塊內服方。醫案。乳頭屬肝。乳房屬胃。乳頭結塊。腫及乳房。氣痰凝滯。絡道不和。法當內消。

橘葉絡各一錢。炒青皮一錢。薄荷六分。(後下)象貝母三錢。炒枳壳一錢。白蒺藜三錢。製蠶錢半。絲瓜絡二錢。炒赤芍錢半。煅決明錢半。赤茯苓三錢。如肝鬱者加香附一錢。鬱金一錢。

▲附調膏藥藥末方

此方係夏君家傳秘方。專治一切腫塊骨節作痛。疝氣偏墜。風痰流注。乳吹初起。均極效。惟陽症紅腫膿已成者。則不宜。乳癌初起者可貼。已成者不宜貼。

公丁香二兩。細辛二兩。華撥二兩。蜂房四兩。百草霜二兩。右藥共研細末。以好瓶密塞。和入膏藥內貼之。其膏藥爲普通藥店內出售之淸涼膏。每膏藥一斤。加此散一兩。餘。藥膏烊化後攪勻攤之。此方已經照配。屢見效驗。

口經期落後腹痛祕方

（毛南松）

婦女平時喜食酸物生冷水菓。故月經之行。必落後而腹痛。婦女怕羞。並不延醫服藥。以致每至經行。腹痛難忍。長此以往。恆與生育有關。可以陳酒一碗。生姜三四片。赤糖一撮。以甜爲度。或燉或煎。熱則隨量飲之。每次經行之前服之。頗有神效。惟遺前白帶紫赤色而腹痛者。不可服也。

口瞎乳頭祕方

（葉鳳紀）

女子慣喜穿小背心。緊壓乳峯。不使墳起。以爲雅觀。因此往往乳頭患凹而不凸。俗謂之瞎乳頭。有用盡各法。吮之使出者。產婦受不少痛苦。至是始顯小背心之害。悔已無及。亦有謂因幼時洗浴。慈母未爲擠出之故。然在發育時期。如所穿衣服寬大能自然發育完全。鄉間農家婦女。未聞有患此者。是一證也。曾身歷此痛苦者。必不乏其人。當同情斯言。今得一治法。屢試有效。卽在受孕後胎乳發生時期。取桃核一枚。分之爲二。去其肉。殼裏及邊。用刀刮光。以之罩在乳頭外。用布袋縛住。經一月。能自已凸出。是法簡易而有效。有人孕而患乳頭不出者。得此法預治。可以少受一些痛苦矣。夫有病而治之。乃不得已事。最好女子於幼時。宜穿寬大衣服。使其自然得發育完全。免此小患。乃合上古聖人治未病之意也。

(振聲按)女人患瞎乳頭者。其乳頭縮陷不起。在平日固無妨礙。及生產後。將失哺乳功能。此法不藉藥石。不費大力。亦不受痛苦。妙法也。

▣胎動將墮祕方

(居先知)

此症多因衝任經虛。受胎不實。或飲酒房事過度。跌閃擊觸。損動胎元。或七情不舒。傷動血脈。或服煖補諸藥而不相宜。皆能使胎動不安。腹中絞痛。或下血及黃汁。但因母病而胎動者。可先治母病。其胎自安也。或因胎不固實而致母疾者。但當安胎其疾自愈。服方列后。

川杜仲錢半　炒條芩錢半　淸阿膠二錢　煅牡蠣六錢

桑寄生錢半　白歸身二錢　川　芎八分　陳苧根三錢

菟絲子三錢　炒白芍錢半　炒冬朮錢半

（振聲按）胎動而腰痠漏紅。腹中絞痛。已有小產之勢。強爲安胎。投以補劑。反易生變。不如因勢利導。促其早下之爲安也。

□小兒風痰祕方

（李健頤）

小兒肝胃柔弱。消化不良。易罹風痰之症。其因胃積生痰。肝動生風。風痰上湧。窒塞肺管。阻滯氣道之升降。故霎時四肢攣急。兩目上吊。口開唇反。危在頃刻。西醫不知是痰。乃指腦病。專投安腦痲醉之藥。如鈫臭鏀模綠養冰臭剝等……。而其頑痰窒塞者不之問也。何異膝癢摸背。以是不能取效。鄙人發明一方。用之最靈。誠有勝於西藥之却痰劑。謹錄於下。川貝母五分。眞硃砂三分。天竹黃四分。陳皮三分。南星五分薄荷葉五分。青礞石八分。蘇絡珠一分。殭蠶二尾。沉香四分。風化硝四分。共研爲極細末。藏於玻璃瓶裏。臨急之時。用一錢。開水冲灌服自愈。

▣楊貴妃美容秘方

（尤學周）

人無古今。世無中外。『莫不好妍惡媸。蓋愛美爲天性使然。而以女子爲尤甚。然造物弄人。或艷如西施。或醜如無鹽。相形之下。能毋悵然。於是不得不借助於人力。則有美容法焉。其法不特媸者可以掩蓋。而妍者又可藉之益彰。相傳拿破侖第一之皇后。常煑牛乳塗面。唐代有名美人楊貴妃。亦塗玲瓏散。塗後色白而豔。皆臻佳麗。六宮粉黛。相形失色。玲瓏散一方。失傳已久。余曾於某筆記見之。亟摘錄於下。以爲好修飾者取法焉。

玲瓏散方　密陀僧二兩。白檀二兩。蛤壳粉五兩。研細末。和勻。入雞蛋之白。而塗於面。經少時。以糖洗之。

（振聲按）密陀僧爲酸化鉛。用之恐有害於皮膚。愛美之人。不如採用下方。小豆五合。滑石二兩。白檀一兩。研末塗之。或但用鷄蛋白擦面亦佳。

□天閹祕方

（沈仲圭）

贊皇陸敬之。父曾爲某省縣令。庶民德之。稱循吏焉。父歿。敬之方五歲。未幾而母夫人又逝。老僕陳三者。義僕也。爲陸氏持門戶。一切家產。皆其經理。歲有贏餘。敬之稍長。老僕常以陸氏家世。先公學行政績。爲之稱述。故敬之讀書。頗能勉勵。敬之年十六。身體長成。頗魁偉。顧下體猶似四五歲兒童。殆天閹也。老僕憂之。屬令祕密。敬之爽直。凡姻黨朋舊來議婚者。一概謝絕。人問其故。以天閹對。姻黨之長者。請驗之。則弛褻衣以示。於是喧傳各處。凡與敬之之父相知者。恆謂天道無知。善人而生天閹之兒。等於無後矣。敬之年二十。遊學東瀛。與河間紀女士次淑相知。學問性情。兩相欽服。次淑知敬之之未偶。有與締婚意。乃久之而敬之絕不及此事。次淑亦英爽。問之。敬之慨然曰。勿談此。而命存焉。問何謂有命。則以天閹告。謂是豈非命乎。次淑曰。天閹何害。與君性情相結合。豈在肉體之愛乎。敬之曰。君誠可感。然余決不爲此。蓋良心自責。不容寬也。次淑曰、古來夫婦不終、乖離痛苦者多矣。我與君以眞性情結合。必無中道相棄之患。此余深願。君何反不能見及我心。敬之仍以綏圖爲辭。將歸國。次淑再三要求。敬之不得已。始允之。明年行結婚禮。兩人年皆二十三。敦好逾恆。居家出遊。無一日不相偕。唱隨之樂。人咸稱之。敬之有同祖兄。生三子而逝。嫂俞氏素嬌貴。携三子居母家。相違百里。敬之乞其幼子爲嗣。嫂氏謂須待他年。不欲使遠離膝下也。時敬之與次淑結婚已十年矣。一日。同遊山左。偶聞某處乩仙靈異。偕往參觀。未至。乩先示曰。今夕有循吏陸某之子來此參觀。宜極誠招待。余有所指示焉。既而陸敬之夫婦至。壇中人以乩早有示。延坐致敬禮。幷問其家世。知乩示不虛。卽語以預知客來參觀之故。敬之深以爲異。卽焚香叩首。請求乩隨示一詩曰。『可惜平原天閣郎。十年琴瑟誤紅妝。首烏取汁和人乳。良藥囘春曷試嘗』。敬之得詩。與次淑相視而笑。壇中人問知其隱疾。則曰。此方殆可挽囘造化。乩示云。循吏之子。倘天使君有後乎。敬之歸。向貧家定購人乳。取首烏之汁。日和而飲之。服三四月。無他異。惟覺少腹下常有熱氣。又一二月。下體漸漸壯大。服年餘。居然偉丈夫矣。既而次淑懷孕。十月期滿。孿生兩男。嫂俞氏聞之不信。携幼子來。爲家產問題也。顧視兩男容貌酷類。敬之敬之。因以乩示良方告之。且仍願撫嫂幼子爲子。以實前言云。

寒溼脚氣祕方

（金進修）

五加皮四錢。酒浸。遠志去心四錢。酒浸。春秋浸三日。夏二日。冬四日。晒乾爲末。以所浸酒糊丸梧子大。每服二三十丸。空心溫酒下。

脚氣古稱壅疾。又謂軟脚病。昌黎祭十二郎文云。是疾也。江南之人多有之。蓋大江之南。地卑濕重。寒濕下受。脛當其衝。陰邪固結。氣血凝滯。乃紅腫痠痛。寒熱頭痛。舉步維艱。而疾作矣。五加皮辛以散血。溫以逐寒。苦以燥濕。遠志芳香辛烈。無微不達。且爲五加皮之使。蓋藉其善達之性。佐主藥以奏功也。

（振聲按）遠志之治脚氣。本草既無明文。醫家向不施用。而本方竟用四錢之多。未免喧賓奪主矣。

□危急心痛祕方

（余進修）

心痛卽胃脘痛。蓋胃之上口名賁門。與心相近。故經云。胃脘當心而痛也。其病因有氣鬱。血瘀。食積。痰飲。及寒。火。蟲。虛之別。根治不易。有一秘方。用黃瓜壹條。剖對開。去肉去子。填入明礬末。合住。用線縛。懸掛陰乾。待瓜皮上起白霜。刮下。研細。貯瓷器封固。凡遇急症心痛欲死者。但有微氣。將瓜霜點眼四角。立能見效。

□風濕痠痛祕方

（姚逢原）

風濕初起。恆覺臂或腿痠痛異常。歷久不治。必致臂不能舉。腿不能動。故初起時宜卽醫治。切勿觀望。茲有一方屢試屢驗。其方卽用十大功勞三兩。八稜麻根（卽臭綠麻根）五錢。千年健三錢。淫羊藿三錢。紅花三錢。全當歸三錢。五茄皮三錢。廣陳皮三錢。加水煎濃。另備一器。盛燒酒一斤。白酒二斤半。將煎濃之藥。連渣傾入酒器中。每日隨量飲之。其效如神。

生眉祕方

（誜蓀）

余友周若敏君。身長而肥。懶於行走。喜作坐業。平日頗嗜好杯中物。客春面與頸部。忽患癬症。延至眉髮。經西醫治療半月。癬雖癒。而眉不能生。復經西醫用電氣治療一星期。效未見。後由隣某傳以單方。試驗結果。功效確著。邇來眉長過目矣。余怪而詢之。彼以是方告。然余不願自祕。敢錄於后。聊作諸同志之參考。法以天麻白芷防風荆芥各一錢。共研末。用麻油調敷。每日二三次。候其自乾。不可抹去。臨睡時尤宜濃濃塗敷一次。待翌晨洗去。如是者半月。不可間斷。眉毛自生。效可立見。

（振聲按）英雄毫傑。於眉間吐其英爽之氣。佳人淑女。於眉間顯其美麗之態。若眉毛脫落。佳人雖可描畫。英雄則因此損威。雖爲小事。宜大注意。用雄黃末好醋調塗。亦佳。

▲本書編者▲ **中醫朱振聲醫例**

科目 內外婦幼各科

時間 門診上午九時至四時出診四時以後

診金 門診一元出診四元

診所 上海三馬路雲南路老會樂里第一弄第一家

函通論症 外埠通函論症第一次納費二元覆診減半先惠後覆惟來函須詳述現在病狀及經過情形掛號寄下原班還件

幸福雜誌

第十一十二期合刊

價目表

零售：本期專號每冊實售大洋四角

時期	冊數	連郵費 國內	連郵費 國外
半年	六冊	一元	二元
全年	十二冊	二元	四元

廣告價目

等第	地位	全面	半面	四分之一
特別位	封面		四十元	
特等	底面之內外 封面之內	四十元		
優等	封面內面之對面	三十元	十六元	
普通	正文之前	二十元	十元	五元

彩色另議

◀中華民國二十三年八月一日出版▶

編輯者　朱振聲

撰述者　全國醫家

發行者　幸福書局　上海三馬路雲南路轉角

代售處　上海三馬路望平街口千頃堂書局
上海四馬路中市世界出版社
上海四馬路中市大衆書局
上海四馬路中市現代書局
上海四馬路麥家圈南星書店
上海五馬路棋盤街百新書局
上海霞飛路華龍路西生活書局

印刷者　洪興印刷所　上海山海關路瑞鑫里二二二號　電話三二三三八號

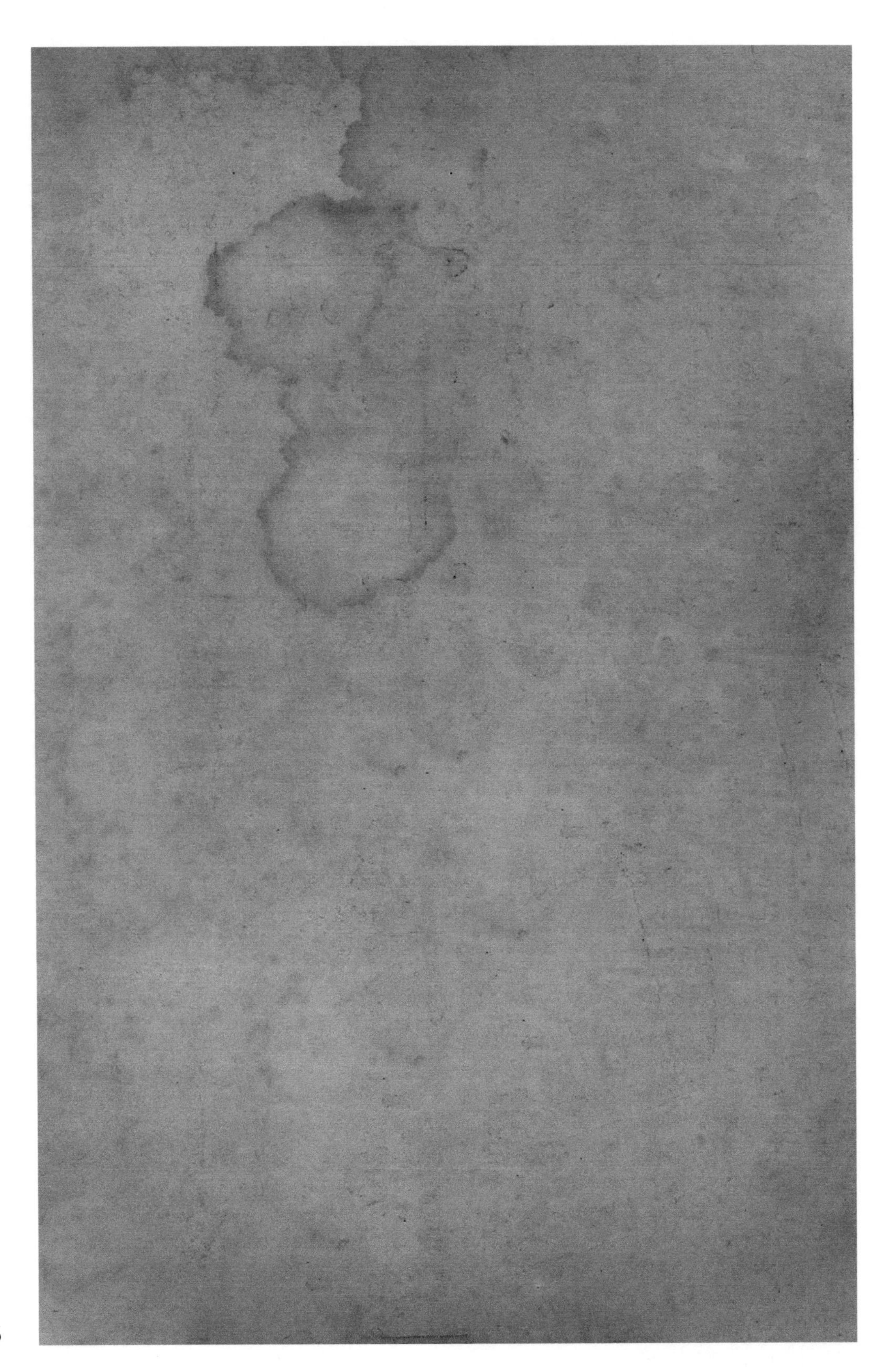